Les Filles de Caleb 1

Du même auteur

Aussi vrai qu'il y a du soleil derrière les nuages, essai biographique, Libre Expression, 1982.

Les Filles de Caleb, roman

tome 1 : *Le chant du coq*, Québec/Amérique, 1985 ;
édition revue et corrigée, illustrations de
Gilles Archambault, Libre Expression, 1995 ;
nouvelle édition, Libre Expression, 2003, 2010 ;
collection « 10 sur 10 », 2015.

tome 2 : *Le cri de l'oie blanche*, Québec/Amérique,
1986 ; édition revue et corrigée, illustrations
de Gilles Archambault, Libre Expression,
1997 ; nouvelle édition, Libre Expression, 2003,
2010 ; collection « 10 sur 10 », 2015.

tome 3 : *L'abandon de la mésange*, Libre Expression,
2003, 2010 ; collection « 10 sur 10 », 2015.

Ces enfants d'ailleurs, roman

tome 1 : *Même les oiseaux se sont tus*, Libre Expression, 1992 ; collection « Zénith », Libre Expression, 2003.

tome 2 : *L'envol des tourterelles*, Libre Expression,
1994 ; collection « Zénith », Libre Expression,
2003.

J'aurais voulu vous dire William, roman, Libre Expression, 1998.

Tout là-bas, roman, Libre Expression, 2003.

Depuis la fenêtre de mes cinq ans, Libre Expression, 2008.

Petals' Pub, roman, Libre Expression, 2012.

Arlette Cousture

Les Filles de Caleb 1
Le chant du coq

Roman

Catalogage avant publication de Bibliothèque et Archives nationales du Québec et Bibliothèque et Archives Canada

Cousture, Arlette

Les filles de Caleb
(10/10)
    Édition originale des tomes 1 et 2 : Montréal : Québec/Amérique, c1985-1986.
    Édition originale du tome 3 : Outremont, Québec : Libre expression, 2003.
    Sommaire : t. 1. Le chant du coq – t. 2. Le cri de l'oie blanche – t. 3. L'abandon de la mésange.

    ISBN 978-2-89722-028-0 (vol. 1)
    ISBN 978-2-89722-029-7 (vol. 2)
    ISBN 978-2-89722-030-3 (vol. 3)

    I. Cousture, Arlette. Chant du coq. II. Cousture, Arlette. Cri de l'oie blanche. III. Cousture, Arlette. Abandon de la mésange. IV. Titre. V. Collection : Québec 10/10.
PS8555.O829F54 2015   C843'.54   C2015-941264-1
PS9555.O829F54 2015

Direction de la collection : Marie-Eve Gélinas
Couverture et mise en pages : Chantal Boyer

Remerciements
Nous reconnaissons l'aide financière du gouvernement du Canada par l'entremise du Fonds du livre du Canada pour nos activités d'édition.
Nous remercions le Conseil des Arts du Canada et la Société de développement des entreprises culturelles du Québec (SODEC) du soutien accordé à notre programme de publication.
Gouvernement du Québec – Programme de crédit d'impôt pour l'édition de livres – gestion SODEC.

Les Éditions internationales Alain Stanké
Groupe Librex inc.
Une société de Québecor Média
4545, rue Frontenac
3ᵉ étage
Montréal (Québec) H2H 2R7
Tél. : 514 849-5259
Téléc. : 514 849-1388
www.10sur10.ca

Dépôt légal – Bibliothèque et Archives nationales du Québec et Bibliothèque et Archives Canada, 2015

ISBN : 978-2-89722-028-0

Distribution au Canada
Messageries ADP inc.
2315, rue de la Province
Longueuil (Québec) J4G 1G4
Tél. : 450 640-1234
Sans frais : 1 800 771-3022
www.messageries-adp.com

À toutes les filles de Caleb...
mais plus particulièrement à l'âme d'Émilie...
et au cœur de Blanche.

« Les morts ne dorment plus dans l'oubli méprisant
Car du passé j'ai fait un éternel présent. »
ZIDDLER

L'héritage d'une fille à sa mère

Je saurais, dit-on, pétrir la päte à papier pour en faire un best-seller ! Non, de recette il n'y a jamais eu. Non plus d'intention autre que de souhaiter que l'histoire que je racontais puisse plaire aux enfants endormis dans les corps adultes qu'ils sont devenus, cachés derrière des visages creusés de ridules ou sous l'optimiste maturité de la vingtaine. Aucune recette sauf celle d'avoir écrit malhabilement, j'en conviens, et avec une indescriptible hâte de mettre ce livre entre les mains de ma mère dont l'âme et les parfums du souvenir s'échappaient par tous les pores de sa peau. Peut-être est-ce là le secret des *Filles de Caleb*. L'héritage qu'une fille voulait donner à sa mère qui n'a jamais eu le temps ni le courage de lui raconter ses douleurs passées, apparemment encore vives. Une fille qui s'est vue forcée de les imaginer à travers des confidences si pudiques que les mots n'avaient jamais été trouvés pour les exprimer. Deviner, deviner et encore deviner ce qu'avaient pu être ces années muselées. Imaginer, jusqu'à en pleurer, l'ostracisme des femmes. Devenir voyeuse d'une époque révolue, tout en sachant qu'elle servait de prétexte à la révélation du courage de toutes ces femmes qui ont souffert en silence dans leurs amours, dans leurs maternités difficiles, dans l'évanescence de leurs rêves, qu'ils fussent centenaires ou contemporains. Oui, l'époque était accessoire, je l'avoue, comme l'a d'ailleurs et enfin remarqué un journaliste de Radio-Canada en 1995 ! Je lui en sais gré. La période choisie m'a forcée à en faire une étude ethnographique, mais j'aurais pu aussi bien décréter qu'Émilie avait souffert sa solitude au début des années soixante alors que son mari, toxicomane, travaillait à la construction du barrage de la Manicouagan. J'aurais pu. Mais je ne l'ai pas fait, parce que je trouvais plus intéressant de balayer, rapidement certes, l'histoire des cuisines du Québec que celle de ses églises et couvents. Cette décision aura probablement été la bonne, même si certains ne comprennent toujours pas que ce roman est dangereusement contemporain.

Les Filles de Caleb ont dix ans pour vous, seize ou dix-sept pour moi. Je les aime comme je les ai conçues et écrites, noir sur blanc. J'ai appris à les aimer aussi comme on nous les a présentées, en couleur. De toute façon, elles ont pris une importance telle que j'en ai le vertige. À vrai dire, j'ai le vertige depuis le jour où j'ai été forcée d'admettre que je ne connaissais pas tous mes lecteurs. Le jour où j'ai commencé à recevoir des lettres, plus souvent qu'autrement de douloureuses confidences de femmes ayant encore de la difficulté à briser le silence de leurs malheurs : « Je dois m'arrêter, mon cœur palpite trop fort comme une personne qui se sent coupable de te raconter tout cela ou qui se sent coupable de faire quelque chose de mal. » J'ai le vertige depuis le jour où une complicité est née entre mon imagination et celle des âmes qui en reçoivent le fruit. Depuis lors, qu'il est bon quoique effrayant d'écrire quand on sait que ses personnages transcenderont peut-être le papier sur lequel ils sont couchés !

ARLETTE COUSTURE
(octobre 1995)

Prologue

Caleb revint de l'étable. La vache avait mis bas, mais il avait dû passer plusieurs heures à l'aider. Une taure vêlait habituellement assez rapidement. Grazillia, elle, avait semblé décider qu'elle prendrait tout son temps, au grand dam de Caleb qui, malgré la chaleur qui régnait dans le bâtiment, avait commencé à sentir l'humidité lui ronger les os.

Il referma rapidement la porte de la cuisine d'été de crainte que le vent ne s'y engouffre, enleva ses caoutchoucs et se contenta de délacer ses *mitons*. Il soupira d'aise. Il entra dans la cuisine principale sans dire un mot, se dirigea vers la pompe, fit couler l'eau dans le bassin de métal et se savonna les mains. Célina lui jeta un coup d'œil inquiet, prête à répondre à son regard dès qu'il remarquerait sa présence. Son mari avait l'air préoccupé. Elle ressentait toujours un pincement au cœur lorsqu'il affichait cet air annonciateur d'une saute d'humeur, ou d'une déception, ou d'un grand trouble. Ce soir, elle ne voyait pas comment le vêlage de Grazillia avait pu le mettre dans un pareil état.

Caleb s'essuya méthodiquement les mains comme il le faisait toujours avant de se mettre à table, passant la serviette entre chaque doigt, frottant deux fois chacune des paumes et chacun des dessus de main. Émilie, l'aînée des enfants, fit comprendre à ses frères et sœurs qu'ils avaient avantage à baisser le ton. Elle sentait que c'était une de ces soirées où chacun devait être le plus discret possible.

Célina commença à se tordre les doigts sur son tablier. Elle n'aimait pas l'atmosphère qui s'immisçait dans la maison par toutes les ouvertures. Instinctivement, elle se dirigea vers la porte pour s'assurer qu'elle était bien enclenchée. Elle eut à peine le temps d'amorcer son mouvement ; Caleb lui lança sèchement qu'il l'avait bien fermée. Comme une enfant prise en défaut, Célina rebroussa chemin, s'efforçant de sourire à travers son soupir, simplement pour rassurer les enfants. Caleb lança son essuie-mains plutôt que de le suspendre au crochet et se dirigea vers la table.

— Qu'est-ce qu'on mange ?

Célina, d'une voix mal assurée, lui décrivit le menu : soupe, lard grillé, betteraves, omelette, patates jaunes et… Caleb l'interrompit.

— Encore ?

Émilie regarda sa mère et vit qu'elle ne savait que répondre à cette fausse question. Presque une accusation, lui sembla-t-il. Du haut de ses treize ans, elle comprenait très bien qu'il y avait sur la table tout ce que l'imagination de sa mère avait pu apprêter, compte tenu qu'à la fin de mars les provisions commençaient à diminuer sérieusement. Comme Célina mettait trop de temps à se ressaisir, Émilie décida de venir à son secours.

— Si vous voulez, pâpâ, j'aurais peut-être le temps de vous réchauffer un pâté de viande.

Caleb grogna une réponse que ni la mère ni la fille ne comprirent. Émilie, un peu lasse de l'humeur de son père, s'enhardit et lui demanda si son grognement voulait dire « oui » ou s'il voulait dire « non ». Caleb lui jeta un regard furieux et répondit qu'il avait dit « à votre goût ».

Célina fit signe aux enfants de déplacer la berceuse de façon à libérer la trappe de la cave mais Émilie, d'un air farouchement décidé, s'y assit promptement. Sidérée, Célina lui demanda ce qu'elle faisait. Émilie lui répondit que son père leur avait laissé le choix et que, quant à elle, elle préférait ne pas réchauffer le pâté de viande. Puisque le souper était déjà servi, elle ne voyait pas pourquoi toute la famille aurait à attendre une demi-heure avant de manger. Célina, les yeux exorbités, ouvrit la bouche pour parler, mais pas un seul des mots qui se bousculaient dans sa pensée ne réussit à trouver de souffle. Elle avait toujours été incapable de supporter un affrontement, même une dispute normale entre enfants. Aussi est-ce sans réfléchir qu'elle se dirigea vers Émilie, la saisit brusquement par le bras et lui ordonna de se lever.

Caleb regarda la scène, mi-amusé, mi-ulcéré. Il ne lui était encore jamais arrivé de voir Célina s'emporter ni de voir un de ses enfants lui tenir tête. Aussi se sentit-il obligé d'intervenir.

— Laisse faire, Célina, Émilie est assez grande pour se lever toute seule.

Il dévisagea Émilie, certain qu'elle obéirait et à sa remarque et à son regard glacial, mais elle n'en fit rien. Elle commença plutôt à se bercer, doucement d'abord puis de plus en plus rapidement, au point que la chaise se mit à craquer de tous ses joints. Les jeunes, conscients que quelque chose n'allait pas, se réfugièrent près de leur mère qui, elle, brassait frénétiquement une cuiller de bois dans un chaudron vide de soupe pour se tenir occupée certes, mais surtout pour éviter d'être prise à témoin de l'orage qui se préparait.

Caleb tapota la table de ses doigts, de l'auriculaire au pouce, au même rythme que le balancement d'Émilie. Celle-ci, remarquant le geste, commença à faire des contretemps. Caleb en fut nettement agacé.

— Si tu continues ton jeu de *balancigne* longtemps, le souper va être pas mal froid.

Du tac au tac, Émilie lui répondit qu'il n'y avait rien là d'exceptionnel. Caleb tiqua.

— Est-ce que tu veux dire par là que je donne pas assez à manger à ma famille ?

Émilie avala lentement avant de répondre. Elle éprouvait un sentiment de culpabilité. Il y avait long-temps qu'elle se promettait une discussion avec son père, mais elle savait le moment mal choisi. Elle aurait préféré être seule avec lui, certaine que ce qu'elle avait à lui dire n'aurait pas dû être entendu des plus jeunes. Encore une fois, son impulsivité l'avait foutue dans un beau pétrin. Par orgueil, elle décida d'aller jusqu'au bout de ce qu'elle avait amorcé. Aussi est-ce avec une assu-rance à peine teintée de crainte qu'elle enchaîna :

— Je veux dire que je trouve que nous autres, les filles, on est obligées d'en faire pas mal plus que nos frères.

Elle s'interrompit, s'attendant à une réplique immé-diate. Caleb, au contraire, lui fit comprendre en haussant les sourcils qu'elle devait continuer.

— Le matin, on se lève en même temps que vous autres. On aide au *train*, on ramasse les œufs, on net-toie le poulailler. Après ça, on se dépêche pour faire le déjeuner, le service, passer le balai pis faire les lits.

Pendant ce temps-là, mes frères, eux autres, mangent lentement, pis se lavent en prenant leur temps. Quand leur déjeuner est fini, nous autres il faut qu'on aide moman à ramasser. Après, on court pour se laver si on veut pas empester la vache à l'école. Presque tout le temps, les gars ont marché la moitié du chemin quand nous autres on sort en courant pour pas être en retard. Des fois, on court dehors avec encore une tranche de pain dans les mains.

Plus elle parlait, plus elle s'emportait. Elle avait conscience que sa voix s'aiguisait. Caleb avait cessé de tapoter la table. Il regardait maintenant sa fille d'un œil injecté de colère. Émilie décida de ne pas se laisser impressionner.

— Ce que je veux dire…

— Parce que c'est pas ça que tu voulais dire !

Elle se figea pendant quelques secondes puis enchaîna :

— Ce que je veux dire, c'est que je trouve que vous nous en demandez plus. Vous regardez même pas si des fois on en aurait pas trop à faire. On passe nos samedis à faire du nettoyage pis du lavage, pis nos soirs de semaine à aider moman avec l'*ordinaire* pendant que vous autres vous jouez aux dames ou aux cartes. Des fois, je suis tellement fatiguée que j'ai de la misère à faire mes devoirs pis mes leçons. Mes notes à l'école sont pas aussi bonnes que je voudrais…

— Haaa !… c'est ça que tu voulais dire depuis le commencement ?

Émilie sut qu'elle avait prononcé un mot de trop. Du regard, elle implora sa mère d'intervenir. Pour toute réponse, Célina se contenta de moucher son avant-dernier qui, depuis le début de l'hiver, traînait un interminable rhume. Émilie se sentit terriblement seule. Elle adoucit le ton.

— Ce que je voulais dire, pâpâ, c'est que je trouve qu'il y a quelque chose de pas juste là-dedans.

Elle venait de toucher la corde sensible. Elle savait que son père se considérait comme un homme juste. Qu'il faisait comme tous les hommes. Qu'il élevait sa famille comme son père à lui avait élevé la sienne. Et voilà qu'elle venait de lui dire qu'il était injuste.

— Il y a deux places chez nous, ma fille. Celle des hommes pis celle des femmes. Les hommes travaillent à la sueur de leur front pour gagner le pain quotidien pis béni. La place des femmes, c'est de voir à ce que les hommes aient tout ce qui leur faut. Tu as rien que treize ans pis c'est pas une effrontée de ton âge qui va me dire comment mener mes affaires.

Sur ces mots, sa colère longuement contenue éclata. Il se leva. Émilie cessa de se balancer. Avant même qu'elle n'ait eu le temps de comprendre ce qui se passait, elle se retrouva au milieu de l'escalier, soutenue par son père, les pieds ballants au-dessus des marches. Elle entendit Caleb vociférer mais son cerveau n'enregistra aucun mot. À son tour, elle se mit à crier.

— Lâchez-moi... Je suis capable de monter toute seule.

Voyant que son père ne réagissait pas, elle enchaîna, la voix éteinte par la rage et les larmes :

— Moi, je veux manger en même temps que vous autres pis je veux aller à l'école la tête reposée.

— Si tu es fatiguée, ma fille, tu as rien qu'à arrêter d'aller à l'école. Ta mère aurait ben besoin de toi. Pis à part de ça, pour une fille, tu es assez savante.

Menace suprême ! Il venait de proférer l'ultime menace ! Émilie refoula ses larmes. Il lui fallait absolument cacher qu'il avait réussi à la blesser.

— Personne est assez savant, s'entendit-elle répliquer.

Caleb ouvrit la porte de la chambre des filles et poussa Émilie vers un des lits. Elle n'offrit aucune résistance.

— Tu vas te passer de manger à soir. Tu diras un acte de contrition après avoir jonglé au quatrième commandement de Dieu.

— Il devrait y en avoir un pareil pour les enfants, chuchota-t-elle.

Mais Caleb l'entendit.

— Ben ça, c'est le comble ! Tu veux tout changer dans la maison. Tu me dis comment élever ma famille ! Pis à c't'heure tu dis au Créateur qu'il sait pas comment écrire ses commandements ! Un vrai blasphème ! Tu iras te confesser. Je veux pas voir un de mes enfants faire un sacrilège !

Ulcéré, il tourna les talons et ferma la porte en sortant de la chambre. Puis il rouvrit, le temps de dire à sa fille de descendre nettoyer après le souper. Émilie en fut insultée.

— Non ! Pas de souper, pas de ménage.

Caleb referma si violemment qu'un des gonds céda. Il poussa la porte branlante et revint vers sa fille la main levée et la gifla du revers. Émilie encaissa le coup sans broncher, regarda son père bien en face puis, calmement, tendit l'autre joue. Caleb ne la gifla pas une seconde fois. Jamais il n'avait frappé un enfant. Il fut secoué par un spasme et n'essaya même pas de comprendre s'il s'agissait d'un sanglot ou d'une nausée. Il sortit de la pièce. Émilie lui avait tourné le dos et s'était dirigée vers la fenêtre givrée.

***

Caleb redescendit l'escalier beaucoup plus lourdement qu'il ne l'avait monté. Célina le regardait, prête à toute éventualité. Jamais elle n'avait eu connaissance que son mari se fût emporté de telle façon. Par le grillage du plancher, elle et ses enfants n'avaient pas perdu un mot de l'esclandre entre le père et la fille et personne n'avait osé s'asseoir.

Caleb regarda tout ce petit monde inquiet et, une ride de chagrin au front, fit signe à ses fils de s'attabler. Célina et les filles s'empressèrent de leur tendre les plats. Tout était froid. Caleb commença à manger, grimaça, mais s'abstint de critiquer. Les filles s'affairaient plus qu'à l'accoutumée, craignant qu'une légère erreur ne provoquât une nouvelle saute d'humeur.

Dès que Caleb eut avalé ce qu'il décida être sa dernière bouchée – habituellement, il vidait son assiette et effaçait toute trace de repas avec une tranche de pain –, il se leva et se dirigea vers sa berceuse. Ses fils l'imitèrent. Il observa ses filles pendant qu'elles débarrassaient la table des assiettes souillées et que, timidement, elles s'assoyaient avec leur mère pour manger ce que les hommes avaient bien voulu leur laisser. Ce soir, il y avait de plus grandes quantités dans les plats. Le repas étant froid, les hommes avaient peu mangé. Caleb regardait toujours ses filles, étonné de voir que, contrairement à ses fils, elles se servaient de généreuses portions, apparemment insouciantes du fait que la nourriture fût presque immangeable, du moins à ce qu'il lui avait semblé. Elles commencèrent à parler de toutes leurs insignifiances, d'abord en chuchotant, puis osèrent quelques éclats de rire. Caleb eut le sentiment aigu qu'il venait de perdre une brindille de son autorité. Sans dire un mot, il sortit de la cuisine, enfila son *capot* de fourrure, laça ses mitons et remit ses caoutchoucs. Il n'avait qu'une envie : prendre l'air. Dès qu'il eut refermé la porte, un immense sentiment de soulagement envahit la cuisine. Seule Célina ne se détendit pas. Elle retenait encore les larmes qui lui brûlaient les paupières. Elle prit son avant-dernier par le chignon, le dévêtit et, sans lui demander son avis, décida qu'il prendrait un bain même si on n'était pas le samedi. L'enfant se débattit mais, quand il la vit verser l'eau chaude dans la cuve, il comprit que toute contestation serait vaine.

— Vous autres, les filles, faites la vaisselle avant qu'on vous le demande. Les garçons, vos devoirs. En silence. Je veux pas en entendre un seul crier. Je veux pas entendre un mot. Pas un ! C'est clair ?

Les enfants s'émurent. Il n'était pas dans les habitudes de leur mère d'élever le ton. Quelle soirée ! Aussi, dès que les filles eurent passé le torchon sur la table de bois, les garçons ouvrirent leurs livres sans regimber. Célina frotta les oreilles de son enfant avec un peu trop d'énergie. Il commença à chialer. Elle lui donna une taloche derrière la tête. Prenant conscience de son geste, elle éclata en sanglots. L'enfant, saisi, ne versa pas une larme. Les aînés levèrent les yeux mais s'abstinrent de commentaires. Bouleversés de voir leur mère pleurer et conscients de leur maladresse à la consoler, ils ne bronchèrent pas. Célina s'assécha les yeux avec un coin de son tablier et, pour rassurer ses enfants, leur dit sans trop de conviction qu'elle s'était mis du savon dans l'œil. Personne ne fut dupe.

***

Pour la première fois de sa vie, Émilie avait connu la peur. La peur d'elle-même, la peur de son père et surtout la peur d'être contrainte de quitter l'école. Cesser d'apprendre. L'horrible perspective de regarder partir ses frères et sœurs sans elle.

Dès que son père eut fermé la porte de sa chambre, elle s'était plantée devant la fenêtre, refusant de s'étendre sur le lit. Depuis longtemps, elle avait compris que les larmes coulent beaucoup plus facilement lorsqu'on est allongé. Elle était restée debout devant la fenêtre et avait vu son père sortir de la maison, faire les cent pas, regarder la lune et finalement s'engouffrer dans l'étable. Émilie avait la certitude que leurs chagrins battaient à l'unisson. Elle se frotta la joue, beaucoup plus pour calmer la douleur de l'humiliation que celle de la gifle. Elle n'avait pourtant dit à son père que ce qu'elle ressentait. Malgré sa défaite, elle demeurait convaincue de trouver un moyen d'améliorer la situation dans la maison sans provoquer de pénibles conflits. Elle réfléchit, s'étonnant presque de n'éprouver aucune rancœur envers son père. Elle le savait juste. Entêté, mais juste. Elle se morfondait de l'avoir pris à partie devant toute la famille. Si seulement elle avait mieux choisi son moment. Elle essaya vainement d'étouffer son remords en se disant que c'était son père qui, par sa mauvaise humeur, l'avait provoquée.

***

Caleb regardait Grazillia lécher son nouveau-né à grands coups de langue rose et lisse. Né depuis moins de deux heures, il se tenait déjà solidement debout sur ses pattes et tétait aux trayons de sa mère.

— Maudite Grazillia ! Qu'est-ce que tu penses que j'vas faire avec un p'tit bœuf ? C'est de génisses que j'ai besoin. Un bœuf, c'est presque un an de perdu. Le temps qu'il tète, on peut pas avoir de lait, pis après ça il faut qu'on le tue si on veut pas se ruiner à l'engraisser. Maudite Grazillia !

Le souvenir de la naissance d'Émilie lui revint à l'esprit. Quand il avait soulevé sa première-née, il n'avait pas osé avouer sa déception de ne pas avoir eu un fils. Il lui avait semblé tellement normal que, sur une ferme, on ait d'abord des fils. Des fils pour assurer la succession. Pour prendre la relève. Il se sourit, conscient qu'en bon fermier il avait des idées contradictoires. Quand une femme avait des enfants, on voulait qu'elle ait des mâles. Le plus de mâles possible. Par contre, quand il s'agissait d'une vache, tout ce qu'on voulait, c'était des femelles. Il eut un pincement au cœur. Émilie n'avait-elle pas essayé de lui démontrer que lui, Caleb, ne traitait pas tous ses enfants de la même façon ? Il avait été convaincu qu'elle exagérait jusqu'à ce qu'il se mette à table. Le souper, froid, lui avait semblé infect. En voyant ses filles manger sans s'en formaliser, il avait compris qu'Émilie n'avait peut-être pas exagéré. Ces pensées l'agaçaient. Caleb n'aimait pas remettre en question des choses établies depuis toujours. Il aimait encore moins se remettre en question. Comment se faisait-il qu'aucune de ses sœurs à lui ne se fût jamais plainte ? Émilie lisait trop. Elle était devenue trop savante. Elle prenait trop d'idées dans les livres. Malgré ses treize ans, elle était la plus grande de tous les élèves de son école. Elle ne cessait pas de pousser. Émilie lisait trop. Mais son esprit, pensa-t-il, n'était pas assez grand pour saisir toutes les nuances de la vie. Il comprit qu'il n'avait qu'une chose à faire : retirer Émilie de l'école. L'obliger à apprendre à être une bonne femme de maison. Une femme heureuse de satisfaire sa famille. Il fallait qu'elle soit comme sa mère. De toute façon, que lui donneraient toutes ses connaissances quand, dans cinq ou six ans, elle serait mariée, établie ? Les livres ne lui apprendraient jamais le langage de la terre.

Caleb décida néanmoins de demander l'avis de Célina. Un rot lui rappela le goût du souper. Il le détesta autant qu'il se détestait d'avoir agi comme il l'avait fait. Mais un père était un père. Il n'avait agi qu'en père qui veut former ses enfants correctement. Il lui faudrait parler à Célina.

***

Les enfants décidèrent, sans se consulter, qu'il valait mieux aller dormir. Ils préféraient le sommeil à la tension qui de nouveau avait envahi la maison. Célina leur souhaita une bonne nuit tout en se demandant si elle ne devait pas faire porter quelque chose à Émilie. Elle haïssait le sentiment qui la tiraillait. D'une part, elle considérait que la punition d'Émilie était pleinement justifiée. D'autre part, elle n'approuvait pas qu'on prive un enfant en pleine croissance. Elle se convainquit pourtant de se ranger du côté de son mari. Son autorité avait été mise à rude épreuve et Célina n'avait pas l'intention de la contester. Elle donna le sein au bébé et le caressa longuement avant de le coucher. Dès qu'elle n'entendit plus de bruit à l'étage, ce qui ne tarda pas, elle jeta un coup d'œil autour d'elle pour s'assurer que tout était en ordre puis décida de tromper son attente en tricotant. Ses mains étaient trop nerveuses pour faire du bon travail. Elle échappa une maille, puis une seconde. Finalement, elle fourra le tout dans son sac à tricot et se dirigea vers la fenêtre pour voir si elle n'apercevrait pas Caleb. La nuit, elle le savait, était glaciale. La lune était pleine et plus brillante que d'habitude. Elle eut beau scruter la noirceur à travers les cristaux de givre, elle ne vit rien.

***

Dès, qu'elle avait entendu monter ses frères et ses sœurs, Émilie s'était hâtée d'enfiler sa robe de nuit et de se coucher. Elle ne voulait pas écouter les remarques et les questions de ses sœurs. Ce soir-là, quand finalement elle s'endormit, elle savait ce qu'elle devait faire.

Elle pouvait endurer que son père lui fasse la tête pendant quelques jours, voire quelques semaines. Par contre, elle devait absolument éviter qu'il ne mette à exécution sa menace de la retirer de l'école. Elle ferait tout. Elle se lèverait plus tôt. Elle doublerait le nombre de ses corvées. Elle étudierait le soir, à la lueur de la lampe s'il le fallait. Mais jamais, jamais elle n'accepterait de quitter l'école. Jamais !

***

Ne sachant plus que faire pour que se taise son angoisse, Célina décida d'aller se coucher. Elle était certaine qu'elle ne réussirait pas à dormir sans son homme, mais elle préférait être en position de fermer les yeux plutôt que d'avoir à lui faire face.

Elle se dévêtit lentement. La maison était fraîche. Elle se rendit compte qu'elle avait omis de mettre les bûches de nuit dans le poêle à bois. Elle le fit sans attendre. De retour dans sa chambre, elle se coucha, se tourna plusieurs fois sur elle-même puis fouilla sous l'oreiller pour en sortir un chapelet. Elle pria pour deux raisons. La première : pour faire oublier au Seigneur que Caleb avait, pour la première fois de sa vie, omis le bénédicité et les grâces. La seconde : pour qu'elle, Célina, réussisse à se calmer.

Caleb revint longtemps après que Célina se fut endormie. Il sut par la boursouflure de ses yeux qu'elle s'était assoupie en pleurant. Il lui enleva le chapelet des mains, le remit sous l'oreiller, se dévêtit en silence, fit une génuflexion et un signe de croix, souffla la lampe et se glissa sous les couvertures chauffées par le chagrin de sa femme.

***

Le lendemain matin, Émilie était à son poste. Elle nettoya la table avec une minutie énervante, enfila son manteau et partit pour l'école sans prendre la peine de manger. Célina lui cria de revenir à la maison et insista pour qu'elle avale au moins une tranche de pain trempée dans la mélasse. Émilie la remercia de son attention, mais lui fit comprendre qu'elle devait se hâter pour ne pas rater son examen. Célina, troublée, referma la porte en se demandant si Émilie ne s'était pas levée durant la nuit pour grignoter quelque chose. Caleb lui dit de ne pas s'inquiéter. Profitant des quelques instants de solitude qu'ils avaient, il lui parla de son idée de retirer Émilie de l'école, usant de toute l'argumentation qu'il avait mijotée durant ses heures d'insomnie. À son grand étonnement, Célina lui répondit qu'il n'en était pas question. Qu'Émilie avait besoin de l'école comme lui, Caleb, avait besoin de regarder le soleil et d'écouter la pluie. Caleb essaya de lui faire comprendre qu'il y avait toute une différence entre la terre et les livres. Célina demeura intraitable. Émilie devait continuer de fréquenter l'école. Émilie, il le savait, voulait être institutrice.

— Des rêves de p'tite fille ! lança-t-il presque avec dédain.

— Non, c'est pas des rêves. Dans deux ou trois ans, elle va pouvoir faire la classe. Pour ça, il va falloir qu'elle soit prête pour l'examen du gouvernement. Moi, je pense que si elle veut être maîtresse d'école, elle doit être maîtresse d'école.

Caleb lui rappela sa santé fragile et l'aide qu'Émilie pourrait apporter quand elle serait malade ou indisposée. Célina rétorqua qu'Émilie n'avait jamais regimbé quand il lui avait fallu s'absenter de l'école pour la seconder. À bout d'arguments, Caleb convint qu'Émilie, malgré son caractère légèrement prompt, était une fille serviable. Puis, après plusieurs vaines tentatives, il osa demander à Célina si elle avait compris quelque chose à la scène de la veille. Elle répondit en rougissant que ces sautes d'humeur annonçaient probablement qu'Émilie aurait bientôt à utiliser des guenilles. Caleb se contenta d'émettre un grognement. Il n'aimait pas parler de ces histoires de femmes. Finalement, s'armant de courage, il tâta le terrain pour savoir si sa femme le trouvait injuste dans sa façon d'élever les enfants. Célina lui répondit qu'il était un bon mari et un bon père et qu'il faisait comme tous les pères. La vie était dure et tout le monde devait mettre la main à la pâte.

— Est-ce que tu as l'impression que la pâte des filles est plus épaisse que celle des gars ? s'enquit-il faiblement, espérant une réponse négative.

— La pâte des filles, c'est la pâte des filles.

Caleb la connaissait bien. Quand elle hésitait à dire le fond de sa pensée, elle répondait par une phrase toute faite, comme celle qu'elle venait de lui servir. Caleb se leva, mit son manteau et se chaussa.

— J'vas voir si les outils ont pas besoin d'être graissés avant que le printemps arrive.

Célina fit mine d'approuver mais elle savait fort bien qu'ils avaient été huilés depuis belle lurette. Une fraction de seconde avant de franchir la porte, Caleb se retourna.

— Est-ce que vous mangez toujours aussi froid que ce qu'on a mangé hier ?

Célina hésita quelques instants avant de lui répondre.

— Est-ce que c'était froid ?

Caleb hocha la tête et sortit doucement.

***

Au retour de l'école, Émilie semblait de meilleure humeur. Elle avait aidé sa mère à préparer le souper et s'était fait un point d'honneur de veiller à ce que les hommes de la maison aient tout ce qu'il leur fallait au bon moment. Caleb lui sourit à plusieurs reprises, timide manifestation d'approbation au constat que la brouille était terminée. Émilie lui rendit ses sourires. Les hommes se retirèrent de table et les femmes, après avoir posé un second couvert, s'assirent à leur tour. Caleb avait discrètement essayé d'imposer à ses fils un rythme accéléré, de façon que la nourriture n'ait pas le temps de trop refroidir. Il était fier de lui. Célina avait compris son manège et lui jeta, en s'asseyant, un discret regard de reconnaissance.

— Tu viens pas t'asseoir, Émilie ? demanda-t-elle.

— Non, merci. J'aime mieux manger debout.

— Comment ça, t'aimes mieux manger debout ?

— Comme ça...

Caleb avait perdu le sourire. Elle lui tenait tête. Elle lui tenait tête, la mule. La mule ! Émilie mangea aussi rapidement que l'avait fait son père, puis lava seule toute la vaisselle qu'elle pouvait laver. Ses sœurs la regardaient, perplexes.

— Attends-nous.

— Ben non, ça va aller plus vite. Profitez-en, c'est pas souvent que je suis serviable de même.

« Anguille sous roche ! Il y a anguille sous roche », pensa Caleb. Mais il se garda bien de dire un seul mot.

Le lendemain matin, Émilie se leva plus tôt qu'à l'accoutumée et avait déjà trait quelques vaches lorsque son père entra dans l'étable.

— Qu'est-ce que tu fais ici, toi ?

— Le train. Après ça, j'vas passer le balai.

— C'est pas à ton tour de passer le balai.

— Si vous le dites. J'vas aller le passer dans la maison d'abord.

Caleb la regarda sortir, soupçonneux.

***

Caleb ne savait plus du tout que faire. Émilie ne s'était pas assise à la table depuis un mois. Pouvait-il honnêtement la sermonner ? Elle faisait toujours ce qu'elle devait faire et même plus. Son travail était toujours exécuté en un temps record. L'institutrice, lors de la rencontre de Pâques, leur avait dit, à lui et à Célina, qu'Émilie, encore une fois, était la première de sa classe. Elle avait même ajouté que si leur fille continuait de travailler comme elle le faisait, ce serait elle qui, bientôt, lui en apprendrait. Elle avait humblement admis qu'Émilie connaissait son français mieux qu'elle-même. Caleb, même s'il n'approuvait pas qu'Émilie poursuive ses études – encore moins pour être institutrice –, éprouva néanmoins un énorme sentiment de fierté. Cette fierté prenait cependant ombrage de l'entêtement quotidien de son aînée.

Célina avait adroitement évité toute discussion à ce sujet. Elle savait que le comportement d'Émilie portait sur les nerfs de son père mais elle savait aussi qu'Émilie tenait tête avec tellement de politesse et de candeur qu'il était bien difficile de comprendre où elle voulait en venir. Par contre, lorsque son mari, un soir de la fin d'avril, lui avait demandé en soupirant si elle savait ce qu'Émilie attendait de lui, Célina crut que le moment d'intervenir était venu. Apparemment, l'orgueil de Caleb avait fondu au même rythme que la neige.

— Je sais pas, Caleb, mais il me semble que ça aurait rapport avec les repas.

D'étonnement, Caleb leva un sourcil.

— Qu'est-ce qu'ils ont, les repas ? Je rote tout le temps tellement que je mange vite pour pas que ça refroidisse.

Célina avait négligé de relever cette remarque, se contentant de lui faire un sourire entendu. Elle préférait lui laisser l'illusion que, de lui-même, il trouverait une solution. Caleb pensa à sa remarque pendant quelques jours.

Le dimanche suivant, profitant de l'absence des aînés, qui étaient allés entendre un récital de piano dans la grande salle du couvent, Caleb demanda à Célina de dresser la table avec un couvert par membre de la famille. Célina pensa qu'il avait enfin compris, acquiesça sans commenter et fit ce qu'il demandait.

Les enfants rentrèrent et les filles mirent leurs tabliers pour dresser la table. Célina se contenta de leur dire que c'était fait. Alors les filles, Émilie la première, virent qu'il y avait beaucoup plus de couverts qu'à l'accoutumée. Jouant de prudence, Émilie se contenta de dire que la table avait l'air d'une table de Noël. Toute la famille s'assit en même temps. Les garçons, se sentant lésés, se plaignirent qu'ils étaient trop à l'étroit. Caleb leur offrit de manger debout. Émilie pouffa de rire. Caleb s'empêcha de l'imiter. Il se racla la gorge et parla aux enfants attentifs.

— J'avais toujours pensé que la table serait pas assez grande pour tout le monde. Aujourd'hui, votre mère pis moi, on a essayé pis on s'est rendu compte que c'était faisable. On a assez de place. J'vas quand même faire une autre table, un peu plus grande… On a pensé aussi que les filles, Émilie, Année pis Éda, pourraient faire le service chacune leur tour. Nous autres, les hommes, on va faire comme dans les chantiers. On va aller porter nos assiettes pis nos ustensiles sales à côté du plat de vaisselle. De même, votre mère va moins marcher. On sait que ses jambes font mal… À c't'heure, si vous voulez vous lever, on va dire le bénédicité.

Tout le monde se leva. Émilie la première. Elle fut aussi la première rassise et la première à piquer sa fourchette quand les assiettes furent servies.

— C'est donc bon, des patates chaudes ! Hein, moman ?

PREMIÈRE PARTIE

1895-1897

1

— Éva, à soir, c'est à ton tour de laver l'ardoise. Prends un bon torchon, parce que je veux que ça reluise comme un sou neuf. Vous autres, les grands, vous allez fendre pis rentrer le bois. Je veux pas voir une seule bûche qui déboule. Les moyens, cette semaine, c'est à votre tour de passer le balai. Je veux pas de chicane quant à savoir qui va balayer pis qui va ramasser la poussière. Les p'tits, vous allez bien aligner les pupitres. Vous connaissez le secret pour qu'ils soient bien droits.

Émilie leur fit un clin d'œil.

— Je veux des belles lignes.

Les vingt-sept enfants se levèrent. Les grands haussèrent les épaules, ne fût-ce que pour manifester qu'ils refusaient d'obéir aussi facilement, mais se hâtèrent néanmoins d'aller chercher le bois. Émilie, assise à son pupitre, mit de l'ordre dans ses papiers. Elle rangea ses feuilles dans le grand tiroir de droite, puis, revenant sur sa décision, elle les ressortit et décida de les mettre avec sa pile de choses à apporter. Elle changea encore d'idée et les replaça dans le tiroir en hochant la tête. Elle se leva, chercha la petite Charlotte des yeux et se dirigea vers elle. Elle lui tapota l'épaule.

— C'est l'heure, Charlotte.

Charlotte comprit. Elle abandonna aussitôt son travail et se dirigea vers la planche à clous, vissée près de la porte arrière de la classe. La planche faisait office de portemanteau. Elle chercha le sien. Il lui semblait l'avoir suspendu au premier clou à côté de la porte, mais elle ne le voyait pas. Elle regarda sur le deuxième puis le troisième clou. Elle s'inquiéta. Où avait-elle mis son manteau ? Il lui fallait absolument trouver son manteau. Elle revint au premier clou, fouilla sous le manteau qui y était suspendu mais ne vit pas le sien. Elle se tourna vers la classe et essaya d'attirer l'attention d'Émilie mais Émilie parlait à Éva et ne pouvait la voir. Charlotte, trop timide, n'osa pas l'interpeller. Où était son manteau ? Sa mère lui défendait de sortir sans son manteau. Elle décida de chercher une autre fois avant de demander de l'aide. Elle réexamina chacun des clous, n'y voyant plus très bien. Des larmes s'étaient accrochées à ses cils et le menton lui vibrait sous l'effort qu'elle faisait pour retenir ses pleurs. « C'est l'heure, se répétait-elle. C'est l'heure. Mais depuis combien de temps est-ce l'heure ? » Elle ne savait absolument plus que faire. Elle regarda à nouveau en direction de la classe et vit que le grand Crête l'observait d'une drôle de façon.

Le grand Crête donna un coup de coude à Paul qui, lui, donna un coup de talon à Lazare qui, lui, donna un coup de balai sur le pied d'Émile, qui toussota pour attirer l'attention d'Ovila. Ce dernier jeta un coup d'œil vers Émilie, fronça les sourcils, souleva les épaules puis se remit au travail. Il déposa une bûche qui, à son grand désespoir, roula sur le sol. Émilie se retourna.

— Ovila Pronovost ! Veux-tu bien être plus attentif à ce que tu fais.

— Excusez-moi, mam'selle, je l'ai juste échappée. Regardez, je les ai toutes bien empilées.

— Ça va, mais fais plus attention.

C'est à ce moment qu'Émilie se rendit compte qu'il y avait quelque chose de louche dans l'air. Quelque chose qui lui échappait. Elle balaya la classe du regard. Tout semblait se dérouler normalement. Les enfants parlaient à voix basse comme ils étaient autorisés à le faire. Ils étaient tous à l'endroit qu'elle leur avait désigné. Mais quelque chose clochait. Elle demanda à Éva ce qui se passait. Éva ne comprit pas le sens de sa question. Émilie se retourna encore une fois vers ses autres élèves mais ils avaient tous l'air occupés. C'est à ce moment qu'elle entendit une espèce de couinement. Un son qui ressemblait à la fois au sifflement du vent d'hiver et aux pleurs d'une portée de chiots.

— Qu'est-ce que c'est que ce bruit-là ? lança-t-elle à la ronde.

Le grand Joachim Crête la regarda d'un air on ne peut plus innocent.

— Ça serait pas Charlotte par hasard, mam'selle ?

Émilie retroussa sa jupe et se dirigea vers l'arrière de la classe. Le spectacle était désolant. Charlotte se tenait debout à côté des manteaux, les yeux rivés au plancher. L'urine lui coulait encore sur les jambes.

— Charlotte ! Mais qu'est-ce qui t'est arrivé ?

Charlotte éclata en sanglots. Au même moment, le grand Joachim et ses amis éclatèrent de rire.

Émilie s'agenouilla pour consoler Charlotte puis, consciente que les autres riaient, se retourna vers la classe et leur ordonna plus que sèchement de regagner leurs places.

— Charlotte a pissé à terre, cria le grand Joachim de sa voix éraillée d'adolescent.

Émilie le fusilla du regard et l'avertit qu'elle ne voulait plus l'entendre braire un seul mot, après quoi elle reporta son attention sur Charlotte qui était inconsolable. Émilie essaya de comprendre la cause de l'accident mais Charlotte hoquetait maintenant beaucoup trop pour lui expliquer quoi que ce fût.

— Éva, apporte-moi le torchon pis la chaudière.

Éva s'exécuta le plus rapidement possible. Elle tendit la guenille à Émilie et resta à regarder la scène. Émilie commença par essuyer les jambes de Charlotte, puis ses bottines, puis le plancher. Elle était furieuse, Charlotte malheureuse et Éva trop curieuse.

— Merci, Éva. Tu peux aller te rasseoir.

Éva, se sentant prise en défaut, retourna à sa place mais chuchota sur son passage qu'il était vrai que Charlotte avait pissé par terre. Le grand Joachim répliqua, assez fort pour être entendu de tous, que cela se voyait et se sentait aussi.

— Ça sent la punaise à plein nez, avait-il ajouté.

Son voisin pouffa de rire, malheureusement un peu trop fort pour ne pas être entendu d'Émilie qui passait justement à côté de lui, traînant Charlotte par la main afin de la conduire dans ses quartiers. Elle donna une violente tape sur le pupitre. Le rieur sursauta, rougit et finalement blêmit.

— C'est assez ! grinça Émilie.

Elle monta au second avec Charlotte pour l'isoler du groupe. Rendue à la dernière marche de l'escalier, elle entendit clairement le grand Crête demander à la ronde s'ils n'avaient pas eux aussi l'impression qu'il commençait à pleuvoir. Émilie ne voulut plus rien entendre. Elle commanda à Charlotte de s'asseoir et de l'attendre. Elle redescendit en trombe. Les élèves se raidirent.

— Ho ! vous autres ! Est-ce que quelqu'un peut me dire...

Elle s'interrompit. Les épaules du grand Joachim se soulevaient sous des spasmes d'hilarité. Elle se propulsa vers ce dernier, se campa directement face à lui et s'appuya les deux poings sur le pupitre sans le quitter des yeux.

— Mon grand fou, toi…

Joachim l'interrompit, apparemment très insulté.

— Hé ! la p'tite, monte pas sur tes grands ch'vaux, parce que tu me fais pas peur.

Il se leva, la dépassant d'une tête, se mit les poings à la taille, se bomba le torse puis la dévisagea, lui retournant un regard identique à celui qu'elle lui servait. Émilie ne se contint plus. Elle contourna le pupitre, saisit l'oreille gauche de Joachim de sa main droite, la ceinture du pantalon de sa main gauche, lui donna un coup de genou dans l'arrière-train pour le mettre en marche et le dirigea vers le fond de la classe. Les enfants se figèrent. Ils n'avaient jamais vu Émilie Bordeleau perdre patience. Les filles étaient impressionnées, les garçons encore plus. Joachim ne comprit pas ce qui lui arrivait. Avant même de se rendre compte que la maîtresse le menait comme on mène un cochon à l'abattoir, il se retrouva à genoux à côté de la chaudière, la tête plongée dans l'eau souillée de poudre de craie et d'urine. Émilie la lui retira aussitôt, la main agrippée à sa chevelure, attrapa la guenille de l'autre main et la lui lança au visage.

— Tiens, prends ça pour t'essuyer. Comme ça, toi aussi tu vas sentir la punaise.

Elle l'abandonna à son hébétude et à sa rage et revint à la tribune. Elle se parlait à elle-même, s'exhortant à reprendre son calme. Voyant les yeux terrorisés des enfants, elle y parvint.

— Ça fait deux mois qu'on a commencé l'année. Je voudrais qu'une chose soit claire une fois pour toutes. La personne qui mène ici, c'est moi. Pas Joachim Crête, même si Joachim a quatorze ans pis vous savez que moi j'en ai seize. L'important, c'est pas l'âge. C'est le respect. Charlotte, c'est Charlotte. Je sais que vous comprenez ce que je dis. Est-ce que vous comprenez ?

En chœur, les enfants répondirent : « Oui, mam'selle Bordeleau. » Émilie enchaîna :

— J'avais dit que pour la Toussaint il y aurait congé de devoirs pis de leçons. À cause de ce qui s'est passé aujourd'hui, je suis obligée de demander aux élèves de quatrième, cinquième, sixième et septième de me faire une composition d'au moins vingt lignes sur le respect. Ça tient aussi pour toi, Joachim Crête. Maintenant, vous allez prendre vos rangs en silence, enfiler vos bottes, vos manteaux, pis sortir. On se verra mercredi prochain.

Elle n'avait plus ajouté un seul mot, consciente du mécontentement général mais sachant fort bien que Joachim faisait l'objet de l'animosité. La classe se vida en un temps record et dans le silence le plus absolu. Contrairement à son habitude, elle n'accompagna pas les enfants à la porte. Elle se hâta plutôt de rejoindre Charlotte qu'elle entendait sangloter.

— C'est fini maintenant, Charlotte, tu peux arrêter de pleurer. Enlève ton linge mouillé. J'vas le passer à l'eau pis le suspendre au-dessus du poêle. Si c'est pas sec quand mon père va arriver, j'vas te trouver quelque chose à mettre pis j'vas aller te reconduire.

Elle sortit un mouchoir de sa poche, moucha la petite, lui indiqua le coin pour se dévêtir et, pendant que Charlotte s'exécutait, s'efforça de ne pas regarder dans sa direction pour lui éviter d'être humiliée davantage. Charlotte lui apporta ses vêtements souillés et les lui tendit sans lever les yeux.

— Sais-tu, Charlotte, commença Émilie quand elles furent redescendues, ça me rappelle que quand j'avais dix ans, j'ai rêvé que je me levais pour aller faire pipi.

Dans mon rêve, je m'étais levée pour aller au p'tit coin. Pourrais-tu deviner ce que j'étais en train de faire quand je me suis réveillée ?

— Non, dit Charlotte d'un ton mal assuré.

— Tu me promets que tu le diras jamais à personne ?

Charlotte fit oui de la tête.

— J'étais en train de faire pipi dans le tiroir de mon chiffonnier.

Émilie éclata de rire. Charlotte hésita puis l'imita. Émilie continua de lui parler tout en lavant ses vêtements. Elle lui raconta que jamais de sa vie elle n'avait été aussi gênée. Qu'elle avait eu la conviction que personne n'oublierait cet événement. Qu'elle n'avait pas six ans mais bien dix ans, elle, quand cela lui était arrivé. Charlotte avait cessé ses sanglots. Elle écoutait. Soudain, sans prévenir, elle faussa compagnie à Émilie et se rendit à l'arrière de la classe. Émilie la suivit. Elle vit la petite Charlotte se pencher et ramasser ce qui lui sembla être son manteau. L'enfant se remit à pleurer.

— Mon manteau est écœurant...

Émilie s'approcha et prit le manteau. Manifestement, il avait été roulé et caché sous les couvre-chaussures. Elle comprit la plaisanterie. Du Joachim Crête tout craché.

— Pour moi, ton manteau est tombé.

Charlotte, désolée à la vue du vêtement froissé et maculé de boue, ne répondit pas. Émilie se releva, retourna à l'avant de la classe et invita Charlotte à la suivre.

— Donne-moi cinq minutes. J'vas te le remettre beau comme neuf.

Elle le brossa vigoureusement, mit un fer à chauffer sur le poêle, tâta au passage les vêtements suspendus, puis s'occupa de presser le manteau. Charlotte s'était assise, prenant bien soin de baisser sa robe pour cacher la nudité de ses jambes.

— J'vas me faire chicaner parce que ma mère va penser que j'ai *bretté*.

— Inquiète-toi pas, j'vas lui parler.

Émilie avait réussi à remettre le manteau en bon état, au grand soulagement de Charlotte. Émilie lui demanda de patienter, le temps qu'elle boucle ses valises. Charlotte la suivit comme un chien de poche. Émilie s'en amusa. La petite était timide. «On le serait à moins», pensa-t-elle. Charlotte n'avait plus ouvert la bouche mais Émilie vit qu'elle jetait souvent un regard inquiet en direction de la fenêtre. Elle en devina la raison.

— Je pense que mon père va être ici dans à peu près quinze minutes.

— Est-ce que mes *caneçons* vont être *chessés* dans quinze minutes ?

Émilie les tâta. Elle promit à Charlotte qu'ils le seraient. Charlotte lui sourit.

2

Caleb soupira à la fois de fatigue et de satisfaction. Il venait d'engager sa voiture sur le nouveau pont de bois qui enjambait la rivière des Envies. Il aimait bien le chant des ponts de bois. Les sabots de sa jument résonnaient comme si dans chacun il y avait eu un vallon permettant un écho. Caleb hocha la tête en pensant à tous ces ponts de métal que les ingénieurs construisaient. Depuis qu'ils avaient commencé la construction de ce pont noir à Montréal, depuis surtout qu'ils avaient vu les plans de cette horrible tour qu'ils érigeaient dans les vieux pays, ils ne juraient que par le métal, lequel, disaient-ils, surclasserait le bois. Caleb essayait de se convaincre qu'ils avaient tort, mais, au fond, il savait qu'ils disaient probablement vrai. Il quitta le pont, tourna à droite et encouragea sa jument à franchir les deux derniers milles qui les séparaient de l'école d'Émilie. Ils s'engagèrent dans le rang du Bourdais. Caleb ne força pas sa bête, se contentant de la faire trotter légèrement, pendant qu'il regardait onduler les terres à sa gauche et à sa droite. Les cultivateurs de Saint-Tite travaillaient aussi fort que ceux de son village. Partout, la terre était exigeante.

Caleb pensa à Émilie qu'il n'avait pas vue depuis la rentrée scolaire. Sa grande tête de mule faisait enfin la classe. Caleb lui en voulait un peu. Il ne s'était pas gêné pour le lui faire comprendre. Depuis son départ de la maison, Émilie leur avait écrit presque toutes les semaines. Célina lisait les lettres à haute voix et tous, grands et petits, écoutaient religieusement. La maison avait perdu un peu de sa gaîté quand Émilie l'avait quittée. Caleb trouvait sa fille bien jeune pour aller vivre dans un village éloigné. Et seule en plus. Quand il l'avait finalement autorisée à accepter l'offre qui lui était faite d'aller à Saint-Tite, Caleb avait eu l'impression qu'elle enseignerait dans une école double. Aussi eut-il du mal à croire à l'innocence d'Émilie quand elle lui annonça qu'elle serait dans une école simple. Qu'elle serait seule avec son groupe d'élèves le jour, et seule avec elle-même la nuit.

Jusqu'à ce que Caleb reçoive la première lettre, il s'était inquiété. Et si Émilie avait des problèmes ? Et si elle trouvait les soirées trop longues ? Et si quelque malveillant essayait de lui faire des ennuis ? Oui, Caleb s'était inquiété. Une école double aurait été préférable. Sa fille aurait eu une compagne pour partager travail et corvées. Elle aurait eu quelqu'un à qui parler. Mais Émilie n'avait jamais semblé nourrir d'appréhension face à ce qui l'attendait. Caleb s'en était même étonné. Elle s'était préparée à changer de vie du jour au lendemain. Quitter sa famille. Quitter son village. Devenir une grande personne ayant la responsabilité de vingt-sept enfants – elle avait écrit qu'elle avait vingt-sept élèves.

Caleb regarda les fermes qui dentelaient le haut du coteau nord. Il pensa que dans chacune de ces maisons il devait y avoir un ou plusieurs élèves d'Émilie. Devant lui, il vit l'école, nichée entre deux collines. C'était une belle petite école, même s'il n'était pas convaincu qu'elle fût suffisamment calfeutrée pour repousser les grands nordets. Encore un quart de mille et il serait arrivé. Inconsciemment, il demanda à la jument d'accélérer le trot. La pauvre bête, soumise, le fit. Il tira sa montre d'une poche intérieure. Il avait dit à sa fille qu'il arriverait vers quatre heures le dernier vendredi d'octobre. Il était quatre heures dix quand il immobilisa la voiture. Il sauta à terre et couvrit la jument d'une couverture de laine.

Émilie l'avait vu venir et avait aidé Charlotte à remettre ses vêtements. La petite n'était que trop heureuse de voir qu'ils étaient à peu près secs. Émilie sortit pour accueillir son père. Caleb la salua de la tête pendant qu'il déchargeait les briques.

— Ton poêle est encore chaud, j'espère.

Émilie le rassura, puis lui demanda si elle pouvait emprunter la voiture, le temps de conduire une de ses élèves qui avait eu un petit accident. Caleb lui demanda si l'enfant était blessée. Émilie lui dit que non. Caleb regarda sa jument en sueur et fit promettre à Émilie que la trotte ne prendrait pas plus de quinze minutes. Émilie promit. Caleb enleva la couverture qu'il remit au fond de la voiture.

— J'vas en profiter pour mettre les briques à chauffer, dit-il.

Émilie s'empressa d'aller chercher Charlotte. Elle lui présenta son père. Charlotte fit une petite révérence. Caleb la hissa sur le siège puis se pencha pour prendre les dernières briques.

— Pousse pas trop la jument, Émilie. Elle a déjà un gros quinze milles dans le corps, dit-il quand elle eut mis l'attelage en marche.

45

Émilie lui cria de ne pas s'inquiéter et l'invita à faire comme chez lui pendant son absence.

— J'ai mis de l'eau à bouillir. Faites-vous un bon thé. Ça va vous remettre d'aplomb.

Caleb la remercia de la main et entra dans l'école. Ce qu'il vit le surprit. Émilie n'avait pas perdu de temps. Elle avait complètement réaménagé l'intérieur, plaçant la tribune à un endroit différent. Les pupitres étaient alignés comme des zouaves en parade. Il baissa les yeux et vit qu'elle avait tracé sur le plancher des petites marques au crayon. C'était bien Émilie. Elle inventait toujours quelque truc pour faciliter l'ordre. Elle avait dessiné des fleurs sur l'ardoise et écrit toutes les lettres de l'alphabet. Sur la ligne du haut, les minuscules. Sur celle du bas, les majuscules. Il n'y avait pas un grain de poussière sur les appuis des fenêtres et les vitres étaient aussi claires que possible. Il se dirigea vers le poêle pour y déposer sa première charge de briques. Émilie avait dû passer des heures interminables à le récurer puis à le frotter à la mine de plomb. Le poêle était comme neuf. Caleb y déposa les briques, retourna chercher celles qu'il avait laissées près de la porte et les rangea à côté des premières. Il vit la tasse qu'Émilie lui avait descendue. Elle y avait déjà mis les feuilles de thé. Il versa de l'eau et attendit que le thé soit infusé. Il chercha un endroit pour s'asseoir et opta pour la chaise d'Émilie. Dès qu'il fut installé, il regarda la classe et essaya d'imaginer ce que ressentait sa fille quand, à chacun des pupitres devant elle, il y avait une paire d'yeux qui la regardaient. Caleb fut pris de l'envie de jouer au maître d'école.

— Sortez donc vos livres de lecture, s'il vous plaît.

Au son de sa voix, il se sentit ridicule. Il se leva et décida de monter à l'étage. L'escalier était à pic, presque une échelle. Il eut quelque difficulté à se tenir en équilibre, soucieux de ne pas renverser le *thébord*.

Il arriva dans la pièce d'Émilie. S'il avait été surpris par les transformations de la classe, ici il fut littéralement renversé de voir combien, avec presque rien, elle avait réussi à aménager une pièce agréable. Elle s'était confectionné des rideaux qu'elle avait suspendus aux fenêtres sur une broche bien tendue. Les rideaux étaient de coton blanc, brodé de fil blanc également. Sur le petit lit de métal, elle avait jeté un couvre-pieds orné de motifs identiques à ceux des rideaux. Une vieille boîte à beurre, nappée de tissu, faisait office de table de chevet. Une lampe à huile y côtoyait un dictionnaire. Caleb sourit. Émilie n'avait pas perdu l'habitude de lire le dictionnaire avant de s'endormir. Près de la glacière, il y avait une table et des étagères sur lesquelles elle avait rangé ses provisions, sa vaisselle et ses *vaisseaux*. Elle n'avait que deux chaises dans la pièce. La première, à laquelle il manquait un barreau au dossier, avait été recouverte d'un coussin. C'était celle qu'elle utilisait pour manger. La seconde, berçante, était placée près d'une des fenêtres. C'était là qu'elle devait coudre et lire, pensa-t-il. Dans un vase ébréché, elle avait disposé des fleurs séchées. Caleb trouva cela de mauvais goût. Il avait toujours pensé que les fleurs séchées dégageaient une odeur de mort. Enfin, elle s'était confectionné une sorte de paravent qui dissimulait le coin des ablutions. Les murs n'étaient pas peints, mais Caleb fut soulagé de voir qu'il y avait deux rangs de planches partout. Le nordet ne pourrait pas pénétrer sans forte résistance.

Caleb déposa sa tasse vide, puis décida de descendre la valise d'Émilie. Ils ne pourraient partir tout de suite, la jument n'ayant pas pris de repos. Il traversa la classe et déposa la valise à côté de la porte. Émilie rentrait.

— J'ai remis la *couverte* sur la jument. Est-ce que vous voulez que je lui donne son avoine tout de suite ?

— Non, laisse-la se refroidir. Après ça, elle pourra avoir son avoine. Pis j'aimerais mieux lui laisser le temps de digérer un peu avant de repartir.

Ils s'assirent tous les deux, les fesses sur la galerie, les pieds sur la terre battue. La journée était fraîche, quoique égayée par un soleil qui jouait à saute-mouton derrière les nuages. Une journée d'automne comme les aimait Émilie. Le père et la fille se turent, se contentant de regarder la jument. Soudain, ils entendirent un hennissement. Le cri venait de derrière l'école et n'avait pas échappé à la jument. Elle releva la tête et frémit des naseaux. Le hennissement redoubla d'intensité. Caleb et Émilie se levèrent et contournèrent l'école pour voir la bête qui sérénadait ainsi la jument. Ils aperçurent un bel étalon brun qui portait fièrement une crinière hors du commun. Fournie et dorée. D'autant plus dorée que le soleil qui commençait à décliner l'illuminait d'un de ses *pieds-de-vent*. Caleb siffla. Il ne lui avait jamais été donné de voir un si bel étalon.

— Si on avait un étalon comme ça par chez nous, ça fait longtemps que j'aurais demandé à son propriétaire de l'avoir pour servir ma jument. C'est à qui, cette bête-là ?

Émilie lui avoua qu'elle apercevait l'animal pour la première fois. Qu'il était tellement magnifique qu'elle l'aurait remarqué et n'aurait pas manqué d'en parler dans ses lettres. Caleb lui faussa compagnie et suspendit un sac d'avoine au mors de la bête. Cette dernière souffla dans le sac à deux reprises, cligna des yeux parce qu'elle s'y était envoyé de la poussière de céréale, puis finalement se mit à laper.

Émilie invita son père à manger une soupe. Elle savait qu'il avait horreur de prendre la route l'estomac vide. Il sapa de satisfaction et la suivit. Ils mangèrent en tête à tête. Caleb sur la chaise droite, Émilie sur la chaise berçante qu'elle avait approchée de la table et immobilisée en installant deux blocs de bois sous les pieds. Son père trouva le manège astucieux. Ils parlèrent peu durant le repas, se contentant de sourire quand l'étalon poussait un hennissement encore plus désespéré que le précédent.

— Pour moi, il se ferait pas prier pour la servir. C'est bien de valeur qu'elle soit déjà pleine parce que, je te mens pas, je lui aurais fait sauter la clôture. Peut-être bien que l'année prochaine on pourrait organiser ça. En tout cas, il doit savoir ce qu'il dit, parce que même pleine la jument a pas l'air rétive.

Émilie sourit. Elle connaissait l'engouement de son père pour les chevaux. Elle lava et rangea la vaisselle sur une des étagères. Caleb se leva à son tour, regarda l'heure et décida qu'il était temps de partir s'ils voulaient atteindre le chemin principal avant la complète tombée de la nuit. Émilie acquiesça. Ils descendirent et Émilie ferma soigneusement la trappe qui menait à ses quartiers.

Les flammes du poêle agonisaient. Aussi – simple précaution –, elle ferma complètement la clé, puis la tourna d'un quart de tour. De cette façon, elle était assurée qu'il n'y aurait pas de fumée si la flamme se ranimait. Elle jeta un coup d'œil autour de la pièce. Tout lui sembla en ordre. Son père était déjà dehors. Il avait replacé les briques chauffées sur le plancher de la voiture. Il savait qu'elles n'étaient pas encore vraiment essentielles à leur confort, mais il aimait se garder les pieds chauds quand il avait un long trajet à faire. Il s'assit et cria à Émilie de se dépêcher. Elle sortit en courant, ferma la porte, puis demanda à son père d'attendre, rentra, se dirigea vers son pupitre et en sortit les papiers qu'elle y avait rangés. Encore une fois, elle changeait d'idée car elle avait compris que ces papiers étaient les seuls liens, les seuls témoins de sa nouvelle existence. Elle avait besoin de les emporter pour être convaincue de son retour. Elle sortit aussi rapidement que la première fois, ferma vigoureusement la porte, lui donna un coup de hanche pour s'assurer que le loquet était bien enclenché avant de la verrouiller. Caleb approcha la voiture et elle monta.

L'étalon poussa un véritable cri d'agonie quand il les vit s'éloigner. La jument se cabra, mais Caleb vint à bout de sa courte hésitation.

— Elle est peut-être pas bien belle, mais au moins est docile.

Émilie sourit. Elle se couvrit les cuisses avec les couvertures que Caleb avait pensé à apporter. La jument adopta un trot confortable. Le père et la fille se taisaient, regardant le soleil qui commençait à s'étirer sur l'horizon. Émilie inspira bruyamment. Elle aimait l'odeur de l'automne. Elle aimait le soleil de l'automne qui lui faisait des clins d'œil à travers les branches maintenant dénudées. Elle se tourna pour regarder une dernière fois sa petite école qui miroitait de toutes ses fenêtres, bien calée à la rencontre de deux collines. Il sembla à Émilie que l'école s'appuyait sur leurs pentes pour se protéger des grands vents. Caleb jeta un coup d'œil vers sa fille au moment où, discrètement, presque sensuellement, elle envoyait un baiser au décor qu'elle quittait. Elle se retourna et fixa la route.

Caleb avait secrètement espéré qu'Émilie reviendrait sur sa décision. Il avait entretenu l'espoir qu'elle lui annoncerait son retour à la maison. Qu'elle lui dirait qu'elle s'ennuyait. Mais le ton de ses lettres, mais ce regard de velours qu'elle venait de lancer à une toute petite école lui fit comprendre que sa fille était à jamais partie. Comment avait-il pu penser qu'elle s'ennuierait ? Elle n'avait jamais trouvé le temps de faire tout ce qu'elle voulait faire.

Caleb se rappela que son grand-père lui avait raconté que leur ancêtre, Antoine Bordeleau, un soldat du régiment de Carignan, avait épousé une fille du Roy. Après qu'elle lui eut donné deux enfants, elle s'était embarquée pour retourner en France. L'ancêtre, racontait-on, l'avait attendue pendant trente-six ans. Elle n'avait jamais donné de nouvelles. Elle n'avait jamais, non plus, demandé de nouvelles de ses enfants. Caleb pensa qu'Émilie n'était pas comme son aïeule, Pérette Hallier. Il avait la certitude que, contrairement à la fille du Roy, Émilie ne reviendrait jamais sur le *vieux bien*. Pour la première fois depuis les deux mois qu'Émilie les avait quittés, il éprouva un piquant sentiment de dépossession. Le premier départ d'un enfant était un secret que la vie vous chuchotait à l'oreille, disant que votre jeunesse était révolue. Le temps ravissait votre jeunesse quand celle que vous aviez enfantée vous quittait. Caleb renifla. S'il avait eu souvenir de la sensation, il aurait su qu'il pleurait. Des pleurs secs. Sans larmes.

— Allume donc un fanal, Émilie. Ça sera pas long que la nuit va tomber.

Elle s'exécuta puis se rassit, mais, cette fois, elle monta la couverture jusqu'à ses épaules et s'y châla. Elle regarda les trois paliers de nuages que les rayons retardataires illuminaient de différentes couleurs, allant du rouge foncé au bleu pâle en passant par toutes les nuances de rose.

— La nuit va être claire pis froide, dit-elle.

— Ouais, on va avoir de la gelée. On en a déjà eu une la semaine passée. J'aime pas ça quand la terre gèle trop avant que la neige tombe. On dirait que le froid la fait souffrir. Elle vient ridée comme une vieille. J'ai toujours peur qu'elle meure avant le printemps, pis qu'on nous dise que la terre est morte pendant son sommeil.

Émilie le regarda, un peu surprise. Il ne lui avait pas souvent été donné d'entendre son père s'exprimer de cette façon. Il s'animait toujours quand il parlait de la terre, mais, ce soir, il en parlait avec beaucoup plus d'émotion.

La nuit noire avait forcé les dernières lueurs du soleil à passer sous la ligne d'horizon. Émilie avait allumé le second fanal. Le silence ne se laissait distraire que par le clip-clop des sabots de la jument et le grincement de la roue droite avant. Toutefois, ni le père ni la fille ne se laissèrent agacer par ce son saugrenu.

Ils avaient quitté l'école depuis plus d'une heure lorsqu'ils distinguèrent le scintillement des lumières de Saint-Séverin. Ils y seraient dans une quinzaine de minutes. Caleb dit à Émilie qu'ils feraient une halte chez sa nièce, Lucie, la cousine d'Émilie.

— Je lui ai dit, en montant, qu'on arrêterait pour prendre une bouchée. Elle doit nous attendre.

La maison de Lucie se trouvait à la limite exacte de Saint-Séverin la paroisse et de Saint-Séverin la campagne. Caleb arrêta la voiture, couvrit sa jument et commença à porter les briques près de la porte pendant que Lucie et Émilie entraient dans la maison en parlant. Phonse, le mari de Lucie, alla chercher les dernières briques et vint les poser sur le poêle.

— Tes jeunes sont pas couchés ? demanda Émilie à sa cousine.

— Oh non ! J'ai habitude de les coucher à sept heures et dem-mie. Comme ça, Phonse pis m-moi, on a du temps pour p-placoter. Ils sont dehors en arrière. J'vas aller les chercher.

Lucie revint presque aussitôt, flanquée de ses deux enfants. L'aîné, un beau noiraud, n'avait pas encore trois ans. Le second, un autre garçon, gambadait joyeusement du haut de ses dix-huit mois.

— Tu reconnais-tu la cousine Ém-Émilie, Jos ?

Le noiraud fit oui de la tête. Il s'approcha d'Émilie et le plus jeune l'imita.

— Ils sont pas sauvages *pantoute*.

— Non, certain. Parle-moi p-pas d'enfants sauvages. M-moi, j'ai assez de les avoir eus en dessous de la p-peau pendant neuf m-mois. J'ai pas envie de les avoir en dessous de m-mes jupes pendant neuf ans.

Phonse et Caleb, après avoir déposé toutes les briques dans la cuisine, sortirent voir les bêtes. Les cousines se hâtèrent de nourrir, laver, langer et bercer les enfants. Lucie décida de coucher le plus jeune « au cas où il voudrait dormir » et installa l'aîné dans un coin de la cuisine avec un jeu de cartes.

— Je sais pas ce que Jos leur trouve, m-mais il passe des heures à les regarder. Le jeu qu'il joue, c'est m-mon jeu de cartes p-préféré. Je l'appelle « le jeu de la grosse p-paix pour la reine du foyer ».

En moins de temps qu'il n'en faut pour le dire, les deux cousines avaient dressé le couvert et garni les assiettes. Lucie avait appelé les hommes et ils s'étaient tous attablés. Le bébé, au grand soulagement de sa mère, avait accepté de dormir.

— P-pis, mon oncle, qu'est-ce que vous chantez de bon p-par les temps qui courent ? Vous êtes passé tellement vite tantôt que j'ai juste eu le temps de ramasser la p-poussière qui tombait quand vous êtes p-parti.

Caleb sourit et lui répondit qu'il n'y avait rien de neuf. Que c'était toujours la même chose. Que Célina était encore mal remise de sa pneumonie de la mi-septembre.

— P-pauvre ma tante. On p-peut pas dire qu'elle a une ben bonne santé.

— On peut pas dire, non, acquiesça Caleb en hochant la tête.

Il se concentra sur la bouchée qu'il venait de prendre.

— Mais on peut dire que ma femme fait bien à manger, renchérit Phonse. Vous avez rien qu'à me regarder pour voir que depuis quatre ans qu'on est mariés, j'ai pas crevé de faim.

Phonse, en effet, était maigre comme un clou quand il avait marié Lucie. Au cours de la première année, il était devenu bien portant. Durant la deuxième, on disait de lui qu'il *faisait du lard*. Pendant la troisième, on le trouva gras comme un voleur. Maintenant, il n'y avait que le mot « gros » qui pouvait le décrire. Lucie le regarda, inclina la tête, un sourire moqueur au coin des lèvres.

— Imaginez-vous qu'il y en a qui disent que je dois faire à m-manger comme que je parle. Ils disent que je dois m-mettre trois pis quatre fois la même affaire dans m-mes recettes.

Ils s'esclaffèrent, Phonse le premier. L'enfant leva les yeux pour voir ce qui avait provoqué l'hilarité générale. Ne remarquant rien, il se remit à ses cartes.

— *Coudon*, enchaîna Lucie, est-ce qu'on vous a raconté qu'on avait eu des vols dans le rang ?

— Des vols ? répéta Caleb, les sourcils levés d'étonnement.

— Oui, monsieur. P-pis pas des vols d'oies. Non, monsieur. Des vrais vols avec un voleur qui se promène la nuit avec une grande poche sur le dos p-pis qui ramasse ce qui lui tente. Surtout des p-poules. Mais comme notre voleur est fin comme un renard, il en p-prend juste une par poulailler. De même, il a l'impression que ça paraît m-moins. Sauf qu'on dirait qu'il a le don de toujours choisir la meilleure p-pondeuse.

— C'est comme rien, constata Émilie, il connaît le coin.

— Comme le fond de sa p-poche. Le pire, c'est que tout le monde sait c'est qui.

— Pourquoi que vous lui faites pas savoir ? demanda Caleb.

—Ben, p-parce qu'on l'a jamais vu faire. Je vous l'ai dit, il est fin comme un renard. Mais m-moi je me suis pas gênée pour lui dire ma façon de penser.

—Tu m'as pas dit ça, s'étonna Phonse.

—Qu'est-ce que tu veux, ça me prend tellement de temps p-pour parler que j'ai p-pas toujours le temps de tout te dire.

—Qu'est-ce que tu lui as dit, au vieux? demanda-t-il.

—B-ben, j'étais allée porter des galettes chez la vieille Rocheleau. Comme le p'tit dormait, j'avais emmené Jos avec m-moi. En revenant, je me dépêchais parce que je voulais p-pas que le p'tit se réveille avant que j'arrive. Le vieux b-bêchait dans son jardin. Il m'a saluée ben poliment p-pis il m'a dit que je marchais trop vite pour Jos. Ça fait que m-moi, je l'ai regardé bien en face pis j'ai dit: «M-mon jeune, lui, marche vite le jour, p-pas la nuit.»

Phonse éclata de rire. Lucie ne cesserait jamais de l'étonner. Il lui demanda ce que le vieux renard avait répondu.

—Il a pas répond. Il a juste *égrandi* les yeux p-pis il a dit: «Euhhhhhh…» C'est tout.

***

Émilie sut qu'ils approchaient de l'eau. L'air s'était parfumé d'une odeur de terre mouillée. Plus qu'une colline. Puis elle l'entendit. La Batiscan. Sa rivière. Le lit de ses longues heures de rêverie. Un discret clapotis qui promettait silence sur les secrets de ses confidents. Émilie oublia la piquante tristesse qui lui parlait au cœur et que seule Lucie avait réussi momentanément à faire taire.

—On a bien fait d'apporter des couvertes. La nuit est fraîche.

Émilie eut conscience que son père avait parlé mais, absorbée qu'elle était dans ses pensées, elle n'avait pas compris le sens de ses paroles.

— Qu'est-ce que vous disiez, pâpâ ?

Il lui répéta ses propos. Elle acquiesça.

— Je te trouve bien silencieuse. D'habitude, tu racontes toujours plein d'histoires.

Il se tut quelques instants puis reprit la parole, le ton aussi doux que s'il avait parlé à un bébé.

— Tu penses à ton école, hein ?

— Oui...

Émilie raconta à son père le tour que le grand Joachim Crête avait joué à Charlotte. Elle parla de sa colère et du fait qu'elle avait complètement perdu patience. Caleb l'écouta attentivement. Il avait compris qu'elle cherchait à avoir son approbation sur la correction qu'elle avait infligée au grand Crête. Le récit terminé, il demeura coi durant quelques minutes, puis il dit à sa fille qu'à sa place il aurait sûrement fait pire.

— Ton grand Crête m'a l'air de ressembler à Hervé Caouette.

— Hervé Caouette, c'est un ange comparé à Joachim.

— Ouain !... À mon sens, tu as peut-être réussi à le dompter. Avec du monde de même, c'est pas nécessaire de mettre des gants blancs.

— J'ai juste peur qu'il me fasse encore plus de trouble. Je vous jure, pâpâ, que si c'était pas de lui, j'aurais pas eu un seul p'tit problème depuis le début de l'année.

— Tu l'as peut-être réglé, ton problème.

Il se tut encore avant d'oser poser la question qui lui brûlait les lèvres depuis leur départ de Saint-Tite.

— Pis, Émilie, être maîtresse d'école, c'est-y la vie que tu rêvais d'avoir ?

Émilie réfléchit longuement avant de lui dire que c'était bien près du rêve, hormis Joachim Crête, bien entendu.

— Savez-vous ce que j'aime le plus, pâpâ ? demanda-t-elle sans vraiment attendre de réponse. C'est qu'à tous les vendredis je suis sûre que les enfants en savent plus qu'au début de la semaine. Vous rendez-vous compte, pâpâ ? Moi, toute seule, Émilie Bordeleau, je leur apprends des choses nouvelles. Pensez-vous qu'il y en a plus tard qui vont se rappeler de moi ?

3

Le mois de décembre avait relégué l'automne au grenier des souvenirs. La froidure avait pris possession des
terres, des arbres, des corps et des esprits. Émilie avait
regardé tomber la neige, soudainement consciente de
son isolement. Quoique l'école fût située à proximité de
maisons, la blancheur et l'uniformité de la neige, entraînant la disparition soudaine des clôtures et des chemins,
avaient effacé le décor familier auquel Émilie s'était atta-
chée. Elle en vint à appréhender sa solitude des congés.
Elle eût volontiers accepté la présence de ses élèves sept
jours par semaine.

Elle enfilait ses couvre-chaussures quand elle
entendit le tintement distinct des grelots d'un traîneau. Elle se pencha à la fenêtre et vit que c'était Ovila
Pronovost. Elle pensa qu'il avait dû oublier quelque
chose dans son pupitre. Elle le vit attacher les guides à
la galerie de l'école. Elle s'empressa de lui ouvrir. Ovila se

découvrit avant de parler. Elle refréna un sourire. C'était une marque de politesse qu'elle avait tenté d'inculquer à ses élèves. Ovila, semblait-il, avait bien appris sa leçon.

— Bonjour, mam'selle. Je vous avais pas encore vue passer, ça fait que j'ai pensé que vous aimeriez peut-être vous rendre à l'église en traîneau. On peut pas dire que c'est bien bien chaud pour marcher quatre milles.

— C'est gentil, Ovila. Je partais justement.

— Si ça vous fait rien, on va ramasser ma famille en chemin.

— Ça me fait plaisir, voyons.

— Ah bon !...

Elle tiqua. Il y avait quelque chose dans le « Ah bon ! » d'Ovila qui clochait. Elle pencha la tête et plissa les yeux pour regarder son élève avant de franchir la porte qu'il lui avait ouverte avec empressement.

Elle monta dans le traîneau et, à son grand étonnement, Ovila lui posa sur les genoux une généreuse peau d'ours. Ce qui la surprit, ce ne fut pas tant le fait qu'il ait pensé à apporter une fourrure, mais bien le geste délicat, trop peut-être, avec lequel il l'avait déposée. Elle le remercia. Il murmura un timide « Bienvenue ». Le traîneau glissa doucement. Il n'y avait qu'une maison qui séparait l'école de celle des Pronovost. Aussi, à peine l'attelage avait-il eu le temps de grimper la colline qu'Ovila le força d'arrêter. M. Pronovost salua Émilie.

— C'est trop froid pour marcher aujourd'hui, mam'selle. C'est pour ça que j'm'ai dit que le grand avait eu une bonne idée d'aller vous quérir.

— C'est bien aimable à vous. Je me mettais justement en marche.

Elle se leva pour céder sa place à Mme Pronovost qui tenait son plus jeune enfant dans les bras, mais le père lui enjoignit de n'en rien faire. Il aida plutôt sa femme à monter aux côtés d'Émilie et fit signe aux enfants de grimper à l'arrière. Quand ils furent tous montés, il les imita. Émilie fut un peu surprise. Elle avait cru que ce serait lui qui prendrait les guides. Mais il n'en fit rien. Ovila demeura à son poste, étouffant de fierté sous la confiance qu'il venait d'obtenir. Ses frères aînés étaient à l'arrière avec leur père.

Émilie avait déjà rencontré tous les membres de la famille. En fait, Lazare, Ovila, Rosée, Émile et Éva étaient ses élèves. Elle n'avait toutefois qu'entrevu Ovide et Edmond, les aînés, et savait que l'année suivante elle accueillerait Oscar à l'école. Quant au petit Télesphore qui venait de s'endormir sur les genoux de sa mère, elle ne le verrait que dans deux ou trois ans. Émilie était intimidée. Jamais, depuis le début de l'année, elle n'avait voyagé avec les Pronovost. Elle évita de regarder derrière elle, se contentant de féliciter Ovila sur sa façon de diriger les bêtes et parlant un peu avec Mme Pronovost de ses enfants, surtout du benjamin qu'elle trouvait magnifique. Mme Pronovost, même si elle n'était qu'un tout petit bout de femme, lui en imposait. Elle était très différente de sa mère. Elle parlait, riait de bon cœur et se permettait même de blaguer au sujet de son mari. Elle confia à Émilie qu'à son avis Dosithée s'amusait beaucoup plus à l'arrière du traîneau qu'il ne le faisait quand il devait mener l'attelage.

— C'est encore un vrai p'tit gars, même s'il a quarante-cinq ans faits. Pis vous, mam'selle Bordeleau, quel âge que vous avez ?

Émilie se racla la gorge avant de répondre qu'elle avait seize ans, gênée à l'idée qu'elle n'était pas tellement plus âgée que la plupart des enfants présents dans le traîneau. Aussi s'empressa-t-elle de préciser qu'elle allait bientôt avoir ses dix-sept ans. Mme Pronovost se contenta de hocher la tête et de dire que c'était un bien bel âge. C'était presque l'âge de son aîné Ovide. Émilie sourit. Ovila le remarqua et se demanda si elle avait souri parce que sa mère parlait d'Ovide ou parce qu'elle était heureuse à la pensée que dix-sept ans était un bel âge. Il jeta un coup d'œil discret en direction de son frère. Ce dernier était installé directement derrière Émilie. Il avait saisi le regard furtif de son jeune frère et le taquinait en feignant de flatter le dos d'Émilie. Ovila se retourna rapidement, furieux. Son frère Ovide avait une de ces façons de tout tourner en ridicule. Parce que Ovila avait proposé d'aller chercher son institutrice, Ovide s'était mis à le taquiner au sujet de la belle demoiselle Bordeleau. Plus Ovila avait essayé de se défendre, plus son frère avait fait remarquer à tous combien il rougissait chaque fois qu'on prononçait le nom d'Émilie. Du haut de ses quatorze ans, Ovila lui avait demandé de se taire. Le père avait fait un clin d'œil à la mère. Personne n'était dupe. Dosithée souriait intérieurement. Au moins son fils avait eu le goût de choisir un beau brin de fille comme objet de rêve. La nouvelle institutrice avait fait jaser. Personne n'avait osé douter de ses compétences, à preuve l'histoire du grand Joachim qui n'avait jamais voulu remettre les pieds à l'école. Par contre, tous les gens pensaient qu'avec son allure et sa fierté elle ne resterait pas longtemps dans sa petite école de rang. Déjà, quelques jeunes à marier se promettaient de lui faire la cour, selon les usages, bien entendu. Mais Émilie semblait décourager tout soupirant avant qu'il n'ait fait un seul pas. Malgré son jeune âge, il y avait quelque chose en elle qui imposait le respect. Elle semblait garder les jeunes à distance, ce qui était heureux dans sa position – on avait entendu parler d'institutrices qui avaient accepté de recevoir des jeunes hommes dans leur école ! Même son Ovide, qui avait le regard tombeur, n'avait pas essayé d'inviter la belle Bordeleau à une quelconque fête.

Dosithée avait perdu le fil de ses pensées au moment où Ovila avait quitté la maison en claquant la porte.

Ovide chantonnait : « Émilie, ma jolie, avec ton p'tit habit gris, quand je pense à toi, je rougis. »

« Tais-toi donc, Ovide. Tu vois bien qu'Ovila est parti choqué. »

Mais Ovide avait continué de chantonner tout en battant la mesure du pied. Les élèves d'Émilie n'appréciaient pas l'attitude de leur frère aîné. Ils aimaient leur institutrice et trouvaient malvenu qu'elle fasse l'objet d'un *reel* de mauvais goût.

« Es-tu jaloux ? lui lança Rosée.

— Jaloux de quoi ? répondit Ovide.

— Ben, que nous autres on la voie à tous les jours pis que toi tu la voies quasiment jamais.

— Veux-tu rire de moi, toi ? *Qu'ossé* que tu veux que je fasse avec une maîtresse d'école ?

— La même chose que tu veux faire avec les autres filles !

— Ça suffit, vous deux ! » avait lancé Félicité. Elle détestait ce genre de phrases pleines de sous-entendus.

« Dépêchez-vous de vous *gréer* à place. Ovila va arriver avec mam'selle Bordeleau. »

Les enfants avaient obéi. Félicité regarda son Ovide. Oui, il était fort beau. Et il plaisait aux filles. Ah ! ça oui ! Il y en avait plusieurs qui auraient aimé l'avoir pour mari. Fort et grand, et presque en âge de se marier. Déjà...

Ovila ralentit la cadence du cheval. Il laissa passer les autres traîneaux qui se dirigeaient vers l'église. Les gens étaient de belle humeur. Le matin bleu et blanc annonçait un beau Noël. Ovila pensa au spectacle que lui et les autres élèves préparaient avec fébrilité. Et Mlle Émilie – c'est ainsi qu'il l'appelait quand il pensait à elle – y mettait tant de temps et d'énergie. Il lui faudrait l'aider davantage. Il demanderait à son père la permission de venir à l'école le soir, avec Rosée évidemment, pour aider Émilie à terminer tout ce qu'elle avait à faire pour la représentation du 21 décembre, dans trois semaines. Jamais, de souvenance, on avait vu de spectacle de Noël dans une école de rang. Au couvent, oui, mais jamais dans un rang. Ovila avait hâte, même si le rôle qu'il devait jouer lui répugnait. Mais Mlle Émilie le lui avait proposé tellement gentiment qu'il n'avait pu refuser. Il serait le Roi mage nègre. Il aurait à se noircir la figure avec du bois brûlé. C'est en vain qu'il avait essayé de la dissuader de l'obliger à se noircir. Elle avait insisté. On ne pouvait changer l'Histoire. Si les Saintes Écritures disaient qu'un des mages était noir, alors il fallait un mage noir. Il n'y avait pas de discussion possible sur ce point.

Émilie avait été discrète. Elle n'avait pas voulu s'asseoir dans le banc de la famille Pronovost, préférant être seule et les rejoindre à la fin de la messe. Selon son habitude, elle s'était rangée à peu près au début de la seconde moitié de la nef. C'était là qu'elle se sentait à l'aise. Ni trop à l'avant, ni trop à l'arrière. Trop à l'avant, les gens auraient pu penser qu'elle cherchait à se montrer. Trop à l'arrière, on aurait pu croire qu'elle n'était pas très dévote. Au centre, elle était à sa place. Elle aimait bien le curé Grenier. Ses sermons étaient intéressants. Heureusement, car Émilie avait dû s'avouer qu'elle ne ressentait pas toujours le besoin d'assister à la messe du dimanche. Toutefois, jamais elle n'aurait osé s'en absenter sans raison majeure.

Pendant l'offertoire, elle se prit à rêver en regardant les garçons Pronovost. À la consécration, elle oublia d'incliner la tête. Au retour de la communion, elle se trompa de banc. Enfin, elle se mit à genoux à l'*Ite missa est* au lieu de se lever.

Les parents Pronovost lui offrirent de partager leur repas du midi. Elle accepta avec joie, trop heureuse de prendre un bon repas en famille – son dernier remontait au congé de la Toussaint – et enchantée à l'idée de manger un repas qu'elle n'avait pas apprêté. On l'avait servie comme une invitée de marque. Ses élèves étaient tous plus empressés les uns que les autres. Seuls Ovide et Edmond semblaient assez indifférents à sa présence. Ovide parlait à son père de récolte et d'argent. Émilie eut la désagréable impression qu'il l'évitait volontairement. Elle ne savait trop qu'en penser, se demandant ce qu'elle avait bien pu faire à ce beau garçon pour qu'il la méprise presque ouvertement. Il sembla enfin la remarquer et lui sourit de toutes ses dents.

— Est-ce que c'est vrai, ce que les jeunes ont raconté ? Que vous avez pas mal *bardassé* le grand Crête ?

Elle resta bouche bée. Depuis la fin octobre, il ne se passait pas une seule semaine sans que quelqu'un lui parle du grand Joachim. Elle regarda Ovide, sans répondre à sa question.

— Il paraît que vous l'avez tiré par la *crigne*...

— Par la ceinture...

— Pis que vous lui avez trempé la tête dans les ordures...

— Dans la chaudière d'eau...

— Pis que vous l'avez essuyé avec un torchon...

— Pour le torchon, c'est vrai. Mais je l'ai pas essuyé. Joachim a fait ça tout seul, comme un grand.

Ovide ne s'était pas laissé démonter par les mises au point d'Émilie. En fait, depuis qu'il avait appris les raisons de l'altercation entre Émilie et Joachim, il avait secrètement voué une admiration sans bornes à la petite institutrice qui, semblait-il, n'avait peur de rien. Il s'était toutefois gardé de faire des commentaires qui auraient pu laisser deviner son sentiment, se contentant, comme tous ses amis, de se moquer de Joachim et d'Émilie aussi.

— Vous devez avoir des frères, mam'selle, parce que sans ça je serais surpris que vous auriez osé vous en prendre à une armoire à glace comme Joachim.

— Mes frères sont plus p'tits que moi.

Dosithée, qui avait suivi le cours des pensées de son fils, s'était mis à rire.

— Voyons donc, Ovide ! As-tu l'impression qu'une maîtresse d'école comme mam'selle Bordeleau, ça sait pas se défendre ?

— C'est pas ça que j'ai voulu dire, son père.

— C'est ça que tu as dit.

Dosithée sourit à Émilie puis changea le sujet de la conversation. Ovide ne trouva rien de mieux à faire que d'aller se réfugier dans un coin de la cuisine, furieux contre son père de l'avoir ainsi rabroué. Il commença à taper du pied au rythme que tous les membres de sa famille connaissaient bien. Il chantonnait son petit *reel* à l'intention d'Ovila. Les enfants le regardèrent, retenant leur souffle. Ils craignaient qu'Ovide pousse l'effronterie jusqu'à prononcer les paroles. Il n'en fit rien. Il avait réussi à passer son humiliation en faisant rougir son jeune frère.

4

Émilie s'attendait à ne voir que les parents des élèves à la représentation de Noël. Elle fut très surprise de constater que plusieurs familles du village s'étaient déplacées. Le curé Grenier lui-même était présent. Les enfants étaient très nerveux. Même le grand Ovila montrait quelques signes d'agacement. Depuis qu'Émilie était allée dans sa famille pour dîner, lui et sa sœur Rosée étaient venus le soir l'aider à mettre au point tout ce que réclamait le spectacle. Émilie et Rosée avaient cousu les costumes pour chacun des élèves, utilisant tous les vêtements que les mères avaient bien voulu sacrifier à la *catalogne*. Émilie avait fait de magnifiques robes d'ange. Elle dessinait les patrons et cousait le gros du travail, alors que Rosée s'occupait principalement d'harmoniser les couleurs et de faire la finition. Quant à Ovila, il avait pris la direction de la construction des décors. Dans le coin gauche avant de la classe, il y avait maintenant une crèche, presque grandeur nature. Ovila avait impressionné Émilie par le talent fou qu'il avait déployé pour imaginer et construire les décors. Il lui avait confié qu'il aimait travailler le bois.

Ils avaient consacré au moins une heure par soir à travailler. Deux heures de la journée étaient employées à la préparation du spectacle, et ce depuis le début de l'avent. Les élèves avaient été enthousiasmés à l'idée de faire une représentation pour leurs parents. Ils avaient mémorisé leurs rôles, répété chants et déclamations. Tous les matins, ils étaient arrivés avec des poches de jute bourrées de paille, évitant à Émilie de demander aux parents de l'apporter eux-mêmes.

Le grand soir était donc arrivé. Les parents avaient été convoqués pour sept heures, ce qui leur laissait amplement le temps de souper et de finir la traite des vaches. L'école fut vite remplie de visages souriants et d'éclats de rire. Émilie s'affairait avec trois de ses élèves, ses placiers, à installer tout le monde aussi confortablement que possible. Mais, devant l'affluence, elle dut se résigner à faire asseoir les plus jeunes par terre. Ses élèves étaient tous cachés. Un groupe derrière les draps qui faisaient office de rideau de scène, un autre groupe dans ses quartiers au second. La consigne était qu'ils devaient garder le silence mais Émilie entendait leurs chuchotements incessants.

— Hé ! Monsieur le curé est là !

— C'est même pas vrai, espèce de menteuse !

— Oui, c'est vrai ! Regarde toi-même si tu me crois pas !

De temps en temps, Émilie passait derrière le rideau ou se montrait la tête à l'étage pour leur demander de baisser le ton. Lors d'une de ses exhortations au calme, Émilie entendit un silence parcourir la classe de l'arrière à l'avant. Elle fronça les sourcils et entrouvrit discrètement le rideau. Elle ne mit que quelques secondes pour comprendre. Le grand Joachim venait de faire son entrée, flanqué de ses parents. Émilie se précipita devant le rideau, priant le ciel que Joachim ne semât pas la pagaille. Elle retint son souffle, retrouva sa contenance et le gratifia d'un aimable sourire. Elle avait sauvé la face. Pour se distraire, elle s'amusa à compter les gens. Il y avait soixante-dix-sept personnes. Elle alla jeter un coup d'œil aux fenêtres pour s'assurer qu'il n'y avait pas d'autres traîneaux ou carrioles en vue. N'en voyant plus, elle prit toutes les lampes de la classe et les approcha du rideau de scène. Encore une fois, le silence se fit. Elle monta à l'étage pour rappeler aux enfants d'être bien tranquilles jusqu'à ce que vienne leur tour. La petite Charlotte tremblait de la tête aux pieds. Elle chuchota à l'oreille d'Émilie qu'elle avait bien fait son pipi mais qu'elle croyait qu'il lui fallait en faire un autre. Émilie la rassura en lui disant que ce n'était que la nervosité. Elle souhaita bonne chance à tous et redescendit ouvrir le rideau. Un grand « Oh ! » suivi d'une salve d'applaudissements salua le décor. En entendant cet accueil, les enfants se donnèrent des coups de coude. Au signe d'Émilie, ceux qui faisaient partie du chœur de chant, habillés en bergers, vinrent se placer à la droite de la crèche. Ils entamèrent un *Venez, divin Messie* avec tellement d'enthousiasme qu'ils forcèrent leurs voix. Émilie les arrêta immédiatement, leur donna la note et ils reprirent le cantique sans se tromper. Émilie leur sourit de satisfaction. Le chant terminé, les enfants se retirèrent comme de vrais bergers, s'appuyant sur leurs cannes et suivant un invisible troupeau de moutons. Le public applaudit mais cessa dès qu'il vit Joseph et Marie faire leur entrée.

— Haaaaaa ! Je n'en peux plus, Joseph. Je crois que mon enfant va naître. Il nous faudra vite trouver r-un n-abri car le froid tombe ra-pi-de-ment et la nuit z-aussi.

— Re-po-se-toi ici, Marie, pendant que je vais z-à l'auberge demander r-asile.

Joseph installa Marie sur un tas de foin et disparut de la scène. On pouvait entendre battre les paupières tant le silence était complet. Émilie fit signe à Joseph qu'il pouvait revenir.

— Hélas !… Hélas ! Il n'y a plus z-une seule chambre de libre. Nous devrons z-aller dans la vallée.

Le curé Grenier feignit de tousser pour étouffer ses rires, sortit un mouchoir et s'essuya les yeux.

— Ô mon pauvre enfant qui naîtra sans z-un toit.

— Ne t'inquiète pas, Marie, nous… euh… nous…

Joseph, désespéré, se tourna vers Émilie.

— Nous quoi ? demanda-t-il.

— Nous avons Dieu…, répondit Émilie assez fort pour qu'il l'entende.

— Ah oui !… Nous z-avons Dieu dans nos cœurs et notre foi nous guidera vers le lieu qu'il a choisi pour la naissance de son fils.

Joseph aida Marie à se relever et ensemble ils marchèrent jusqu'au centre de la crèche.

— Je crois qu'il nous faudra dormir r-ici, mon mari, car l'enfant veut naître.

Marie tourna le dos aux spectateurs, retira le coussin qui la grossissait, le fourra sous la paille et découvrit la poupée emmitouflée qu'on lui avait cachée dans la mangeoire. Elle la prit dans ses bras et se tourna vers le public.

— C'est un garçon, Joseph. Nous l'appellerons Emmanuel.

Le curé Grenier se moucha de nouveau. Marie se plaça derrière la mangeoire et y déposa son enfant pendant que Joseph s'agenouillait.

— Qu'il est petit, Marie !

— Oui, mais z-un jour il sera grand.

Les bergers revinrent devant la crèche en chantant *Il est né, le Divin Enfant*. Cette fois, ils eurent la bonne note. Pendant le cantique, une étoile, fixée par un anneau à une corde tendue du fond de la classe au coin de la toiture de la crèche, glissa lentement. Les mages – qui n'étaient nuls autres que les placiers – arrivèrent de l'arrière de la classe et s'avancèrent tant bien que mal jusqu'à la crèche. Ils ne quittèrent jamais l'étoile des yeux mais s'excusèrent chaque fois qu'ils devaient forcer une personne à se déplacer, écrasaient une main ou un pied. Le curé Grenier s'essuya encore une fois les yeux. Les bergers reculèrent et les mages tombèrent à genoux devant la mangeoire.

— Ô mon Roi, dit le premier, je vous z-ai apporté de l'encens.

Le deuxième mage le regarda, étonné. C'était lui qui devait offrir l'encens !

— Ô mon Roi, enchaîna-t-il néanmoins, je vous z-ai apporté de l'or.

Il insista sur le mot « or » et fusilla le premier mage du regard, essayant de lui faire comprendre qu'il l'avait sorti du pétrin.

— Ô mon Roi, termina le troisième, je vous z-apporte de la myrrhe.

Les spectateurs, déjà impressionnés par l'arrivée des mages et l'apparition de l'étoile, le furent encore plus quand ils virent les anges descendre du second étage en chantant *Ô nuit de paix*, alto et soprano ! Du chant presque aussi beau que celui de la chorale de la paroisse ! Spontanément, les parents unirent leurs voix à celles des enfants. Même le curé Grenier avait serré son mouchoir et chantait allègrement. Les dernières notes moururent sous les applaudissements et les sifflements. Les enfants saluèrent, le rouge aux joues et le sourire aux lèvres. Les applaudissements redoublèrent. Les élèves saluèrent plus bas. Émilie ferma le rideau et dut calmer ceux qui auraient voulu continuer les saluts. Elle leur rappela qu'ils devaient se hâter pour les déclamations. Les enfants, grisés par le succès, avaient complètement oublié cette seconde moitié du spectacle. Ils s'affolèrent, convaincus de ne plus savoir un seul mot. Émilie leur demanda de faire de leur mieux.

Elle tira le rideau et présenta le premier élève. Celui-ci s'avança et commença sa déclamation qui parlait de saint Nicolas et d'étrennes. Le deuxième enchaîna, sans accroc. Il parla des pauvres qui avaient faim et froid mais qui se réjouissaient dans leur foi.

Les déclamations terminées, Émilie, gorgée de fierté, invita tous ses élèves à revenir saluer. Ils ne se firent pas prier, se bousculant même un peu pour être à l'avant. Le curé Grenier se leva. Il félicita tous les enfants puis les bénit – sauf Charlotte qui venait de sortir en douceur —, les remerciant au nom de l'Enfant-Dieu pour le magnifique travail qu'ils avaient accompli. Dès qu'il se fut rassis, un des commissaires se leva à son tour, se dirigea vers l'avant de la classe – ce que n'avait pas fait le curé – et invita Émilie à le rejoindre, ce qu'elle fit.

— Quand on est un commissaire, il y a des choses qu'on sait. Ça fait que j'ai dit ce que je savais à mon gars pour que lui le dise aux élèves. Vous me permettrez, à c't'heure, mam'selle Bordeleau, de leur laisser la parole.

Émilie s'étonna de voir les enfants se regrouper devant Éva. Ils déclamèrent à l'unisson des vœux de « Joyeux anniversaire ». Charlotte s'approcha et lui offrit un bouquet de fleurs artificielles que les enfants avaient confectionnées avec du papier, de la broche et des grains séchés. Émilie les accepta, embrassa ses élèves du regard puis se retourna vers les parents. Manifestement, elle était la seule à ne pas avoir été dans le secret. Les adultes riaient aux éclats. Les enfants aussi. Émilie les remercia tous puis éclata en sanglots. Elle sécha ses larmes, furieuse contre elle-même, s'excusa en accusant la fatigue et l'émotion pour son manque de retenue et invita tout le monde à déguster les gâteries que les enfants avaient cuisinées eux-mêmes sur le poêle de l'école.

La soirée se termina dans l'euphorie. Émilie n'eut qu'un regret : personne de sa famille ne s'était déplacé.

Émilie eut énormément de difficulté à trouver le sommeil. Elle se remémorait les événements de la soirée, corrigeant mentalement chacun des petits accrocs. Elle souriait, chantonnait, bourrelait son oreiller de coups de poing tant elle était heureuse, essayait de se trouver une position plus confortable, lissant à vingt reprises tous les petits plis de son drap. Elle jubilait. Ce qui, toutefois, la satisfaisait le plus, c'était le sentiment que son intégration dans la communauté de Saint-Tite se faisait assez facilement. Même à l'arrivée de Joachim, ce sont ses réactions à elle que les gens avaient scrutées et non celles de Joachim.

Le sommeil vint enfin régulariser son souffle et effacer la fébrilité de son visage. Sans résistance, elle se laissa emporter vers l'enchanteur univers des rêves où elle se vit saluer et sourire devant une foule en délire ; où elle discutait longuement avec un des mages sur la coloration de sa peau ; où Charlotte rayonnait de joie en lui disant qu'elle n'avait pas passé l'heure des fleurs. Puis Émilie fut happée par un cauchemar. La paille de la crèche s'enflammait et l'Enfant-Dieu frappait de toutes ses forces sur les côtés de la mangeoire pour qu'on vienne le délivrer. Il frappait... frappait... frappait toujours quand Émilie, voyant son impuissance à le sauver, toutes paralysées qu'étaient ses jambes et muette sa voix, s'éveilla en sursaut. L'éclatement d'un clou gelé la confondit quelques secondes. Elle crut qu'il s'agissait d'un pétillement du feu. L'illusion s'évanouit dès qu'elle prit conscience qu'on frappait à la porte de l'école. Elle regarda l'heure. Il n'était que six heures. Dans son énervement, elle enfila une robe de chambre qu'elle boutonna de travers et omit de se chausser. Elle descendit l'escalier plus inquiète qu'angoissée, constata en posant le pied sur le plancher de la classe qu'il était glacé et courut jusqu'à la porte en sautillant tant elle craignait de se geler les pieds.

— Oui ?

— C'est Fred Gélinas, mam'selle. J'ai un message pour vous.

Elle ouvrit la porte, laissa à peine à M. Gélinas le temps d'entrer et s'empressa de refermer car le vent s'engouffrait sous sa chemise de nuit.

— Qu'est-ce qui se passe ?

— C'est que mon beau-frère vient d'arriver de Saint-Séverin. Votre père a eu un petit accident hier soir, pis il est resté toute la nuit collé sur sa jument. Mon beau-frère l'a trouvé à matin à la sortie du village pis l'a conduit chez votre cousine pour qu'elle lui recolore le nez pis les joues. Votre père est correct mais il a demandé qu'on vous avise qu'un des patins de sa carriole était brisé pis qu'il viendrait vous chercher aussitôt que possible.

— Qu'est-ce que mon père faisait à Saint-Séverin hier soir ?

— Bien, ça a tout l'air qu'il voulait vous faire la surprise de venir à votre spectacle.

Gélinas fit un pas en direction de la porte et remit sa tuque.

— Bon, je vous dérangerai pas plus longtemps.

Émilie le remercia et remonta lentement sous les combles. Triste. Et dire que la veille elle avait regretté que personne de sa famille n'ait pensé à venir à son spectacle. Elle s'inquiéta pour la santé de son père, espérant que la morsure du froid n'avait été que superficielle.

Elle ne put se rendormir. Elle décida de se faire une bonne tasse de thé. Avant de redescendre, elle enfila une grosse paire de chaussons de laine brute. En voyant l'état de la classe, elle eut un instant de découragement. Du foin piétiné qui adhérait à ses chaussettes. Une crèche à démonter. Des assiettes souillées. Des pupitres à replacer. Bref, une journée d'astiquage en perspective. Normalement, elle aurait dû quitter Saint-Tite vers les deux heures. Maintenant qu'elle ne savait plus quand elle partirait, elle éprouva, pour la première fois depuis septembre, un aigu sentiment d'impuissance. Si seulement elle avait eu une *sleigh* et un cheval, elle n'aurait pas été à la merci de qui que ce fût. Elle regarda les quatre murs de son local et eut la désagréable impression qu'ils se rapprochaient. Elle chassa cette sensation de sa pensée.

Elle grignota un croûton de pain, s'habilla, mit un tablier, se couvrit la tête d'un mouchoir pour éviter que la poussière ne collât à ses cheveux, regarda tout le travail qu'elle avait à faire, soupira puis se mit résolument à la tâche.

Elle travaillait ainsi depuis cinq heures lorsqu'elle prit conscience qu'elle n'aurait pas suffisamment de provisions pour subsister pendant deux jours. Elle avait bien des confitures et des marinades, mais plus un grain de farine ni de sucre. Pas de quoi faire une miche de pain. Elle abandonna son travail, ôta son tablier et son mouchoir, revêtit ses vêtements les plus chauds et décida de se rendre au village acheter quelques victuailles. Quatre milles à faire dans un air glacial à brûler les poumons.

Elle marcha d'un pas décidé. Elle avait sous-estimé le vent qui, malgré les efforts qu'elle déployait pour se protéger le cou, s'immisçait dans son collet et lui faisait descendre un torturant frisson de la nuque aux fesses. Elle vit enfin le pont mais elle ne se sentit pas l'énergie de faire un pas de plus. Prenant son courage à deux mains, elle frappa à la porte des Rouleau. Les femmes de la maison s'empressèrent de lui chauffer un *bouillon à la reine*. Le feu du poêle et la chaleur de l'accueil la réchauffèrent en peu de temps. Les Rouleau lui offrirent les provisions dont elle avait besoin pour lui éviter de se rendre au village et, surcroît de gentillesse, attelèrent leur cheval pour la reconduire à l'école. Elle ne sut comment les remercier pour tant d'amabilité.

— Remerciez-nous pas. C'est nous qu'on vous remercie pour votre sainte crèche d'hier. On n'a pas le temps de chauffer les briques, mais rien que pour deux milles, une bonne fourrure, ça devrait faire.

Le cheval, dirigé vers le rang du haut du coteau, grimpa la colline sans trop regimber. Ils étaient presque rendus à l'école lorsque, venu de nulle part, un des chiens des Pronovost attaqua les pattes de derrière de la bête et ne se gêna nullement pour prendre une bonne mordée dans un jarret. Le cheval rua pour éloigner le cabot. Dieudonné Rouleau ne parvint pas à le calmer et la bête, affolée, fit une embardée, faisant basculer la carriole dans un fossé. Émilie fut coincée sous un des patins. Elle hésita entre les rires et les pleurs mais, pensant à son père, opta pour le rire. Un fou rire comme elle n'en avait pas eu depuis des semaines.

— Ça me console de voir que vous avez mal nulle part, lui dit M. Rouleau en se relevant. J'vas aller demander du secours chez Dosithée. Prenez patience, on va vous déprendre dans une minute.

Couchée sur le ventre, le nez bien enfoncé dans la neige, elle ne les vit pas venir. Elle riait encore de son infortune quand elle entendit M. Pronovost demander à Ovide d'atteler un cheval pour dégager la carriole. Il se dirigea ensuite vers elle et elle lui répéta qu'elle n'était pas blessée mais qu'elle avait hâte d'être arrachée de sa position précaire, ne fût-ce que pour essuyer l'eau glacée qui lui coulait dans le dos. En quelques minutes, elle fut dégagée grâce au bel étalon qu'elle n'avait plus revu depuis ce vendredi d'octobre, lorsqu'il avait sérénadé la jument de son père.

— C'est à vous, monsieur Pronovost, cette belle bête-là ?

— Oui pis non. Disons que je l'ai achetée pour Ovide pis Edmond.

— Ah ! En tout cas, j'ai jamais vu un bel animal de même.

— Qui ça ? Ovide ou Edmond ?

Prise de court, elle ne sut que répondre. Dosithée ricana intérieurement. Tout en parlant du cheval, il la conduisit à la maison. Émilie était confuse. Encore une fois, elle raconta toutes les mésaventures de sa journée. M. Rouleau, lui, insista sur le fait que s'il avait su qu'elle était née sous une mauvaise étoile, il n'aurait jamais offert de la reconduire. Émilie hésita avant de rire de cette boutade, incapable de discerner si M. Rouleau était sérieux ou non.

Elle eut droit à un bon thé chaud. Elle les remercia et les pria tous de l'excuser car elle devait se hâter d'aller terminer le travail qui l'attendait à l'école. Le père Pronovost demanda aux élèves d'Émilie s'ils voyaient une objection à l'accompagner un jour de congé. Ils ne se firent pas prier et, tous ensemble, ils achevèrent le grand ménage qu'elle avait entrepris.

La classe fut nettoyée en un temps record. Émilie retrouva sa bonne humeur. Elle regardait les enfants, tous à quatre pattes, acharnés à gagner le « concours des morceaux de paille ». En fait, même après que le balai eut été passé à trois reprises, des brindilles de paille demeuraient coincées entre les joints du plancher. Les enfants, armés d'épingles à chapeau qu'Émilie était allée chercher dans sa « boîte à coquetterie », les délogeaient une à une, jubilant chaque fois qu'ils réussissaient, heureux comme s'ils venaient de pêcher une belle barbote au printemps.

— Mam'selle, ricana Rosée, vous trouvez pas qu'on fait le monde à l'envers ?

— Qu'est-ce que tu veux dire par ça ?

— Ben... nous autres on cherche du foin avec une épingle au lieu de chercher une épingle dans le foin...

Émilie éclata de rire. Elle adorait les mots d'esprit et celui-là lui plut. Elle en souriait encore quand le père Pronovost arriva à l'école. Prenant conscience de l'heure, Émilie se confondit en excuses dès qu'il eut franchi la porte.

— On s'amusait tellement que j'ai complètement oublié que c'était l'heure du train.

— Il y a pas d'offense, ma belle mam'selle, mais c'est pas pour ça que je suis ici.

Les enfants rougirent de la familiarité de leur père. Sans attendre d'être invité à le faire, il se découvrit, déboutonna son manteau et s'assit à un des pupitres. Émilie lui offrit une tasse de thé qu'il refusa poliment.

— Est-ce que vous pensez que votre père va réparer sa *sleigh* à temps pour venir vous chercher ?

— Oh oui ! C'est pas une petite affaire de même qui va l'arrêter. Pour moi, il devrait être ici à l'heure du souper. On va être à la maison avant minuit, certain. Mais pourquoi est-ce que vous me demandez ça ?

— C'est que moi pis ma femme on a pensé que vous pourriez venir chez nous en attendant.

— Je vous remercie, mais j'aime mieux rester ici.

Les enfants intervinrent aussitôt pour tenter de convaincre Émilie d'accepter l'offre de leur père. Elle demeura inflexible. Quand la discussion fut enfin terminée, Dosithée demanda aux siens de se préparer à partir. Ils obéirent, même si, secrètement, ils auraient préféré demeurer à l'école encore quelque temps. Émilie les accompagna jusqu'à la porte, les remercia de leur gentillesse, leur souhaita à tous un joyeux Noël et leur recommanda de bien se reposer avant d'entreprendre la seconde moitié de l'année. Ils la quittèrent. Elle monta, la larme à l'œil, se dirigea vers la fenêtre d'où, malgré la noirceur, elle pouvait distinguer leurs silhouettes, ouvrit discrètement le rideau et les vit qui batifolaient dans la neige. Elle avait maintenant les joues inondées. Qu'est-ce qu'elle aurait donné pour folâtrer avec eux…

Émilie comprit que depuis le mois de septembre elle avait revêtu des frocs d'adulte et sur son corps et sur son âme. Ces frocs lui pesaient lourd en ce moment. Sa jeunesse et son besoin d'insouciance lui frappaient à la porte du cœur. Mais, ici à Saint-Tite, son cœur ne pouvait ouvrir. Ici à Saint-Tite, elle se devait d'être sérieuse, grande demoiselle. Elle s'essuya les yeux et le nez du revers de la main. Comme une enfant.

Émilie ne put avaler une seule bouchée, trop préoccupée par l'arrivée imminente de son père. À sept heures, elle ne voyait toujours rien sur la route. À huit heures, elle décida de tromper son attente en lisant une page du dictionnaire. Elle tomba par hasard sur le mot «désolation». Elle sanglota, inconsolable. À neuf heures, elle se résigna à ouvrir sa valise pour en sortir sa robe de nuit. Elle la renifla et grimaça, car elle avait négligé de la séparer du linge sale. Elle se refusa à l'enfiler et résolut de dormir en sous-vêtements. Elle se coucha non sans avoir préalablement enfoui trois mouchoirs sous son oreiller.

Le 23 décembre s'immisça dans la vie d'Émilie en chantant l'hiver par chacune des fenêtres de la classe et des combles. Elle ouvrit les yeux et, quoiqu'ils fussent encore brouillés de sommeil et de chagrin, elle vit que la journée serait poudreuse. Elle soupira, se leva et commença sa toilette, furieuse contre elle-même. Dans son envahissant trouble de la veille, elle avait négligé d'alimenter le poêle. Elle grelotta en se débarbouillant, s'empressa d'enfiler jupon et robe et se couvrit les épaules d'un lourd châle de laine qu'elle avait crocheté. Elle s'assit devant un miroir pour coiffer sa longue chevelure rebelle et couleur d'acajou. Elle commença à façonner un chignon, coiffure qu'elle avait adoptée depuis qu'elle enseignait, puis, ses pensées de la veille refaisant surface, elle le dénoua presque rageusement et entreprit de se faire des tresses. De simples tresses de « sauvageonne », comme aurait dit son père. Elle s'en amusa. Pour colorer la jeunesse dont elle s'affublait, elle noua deux énormes rubans blancs à l'extrémité de chacune des nattes. Elle se sentit ragaillardie, descendit dans la classe et gava le poêle gourmand, regrettant aussitôt son geste irréfléchi. Si son père arrivait, ils ne pourraient partir avant que les bûches ne soient réduites en braise, ce qui, avec la quantité qu'elle venait d'utiliser, prendrait plusieurs heures. Son père ne lui pardonnerait jamais une telle imprévoyance. Le poêle gronda. Elle ouvrit la clé de façon à accélérer le processus de combustion. Le poêle ragea et le tuyau laissa paraître quelques signes de suffocation. Émilie prit peur. Elle referma la clé. Le poêle s'assagit puis ronronna. Émilie mit l'eau du thé à bouillir, le cœur encore agité par sa soudaine frousse. Elle remonta dans ses locaux pour manger le peu qu'elle avait pu trouver – elle n'avait pas, la veille, fait de pain comme elle se l'était promis – et maugréa contre le fait qu'elle n'avait pas encore de poêle au second étage. Elle ne trouvait pas normal d'être sans cesse obligée de faire la navette dans l'escalier chaque fois qu'elle devait manger. De plus, installée de cette façon, elle consommait beaucoup plus de bois. Il lui fallait chauffer et la classe et ses locaux. Avec un second poêle, elle aurait pu se contenter de chasser l'humidité de la classe, chauffer sa chambre et y cuisiner. Elle se promit d'écrire encore une fois aux commissaires afin de leur demander quand ils prévoyaient compléter l'installation. Ils en avaient convenu. Ce genre de démarche lui déplaisait souverainement. Elle craignait de donner l'impression d'être plaignarde ou difficile.

Le soleil avait depuis longtemps terminé son ascension vers son sommet hivernal. Il s'arrêta, l'instant de reprendre son souffle, avant d'entreprendre sa descente. Émilie était clouée à sa berceuse, le nez presque collé à la fenêtre. Toutes les cinq minutes, elle se levait, grattait le givre fraîchement cristallisé et regardait la route du village. Rien à l'horizon brouillé par la poudrerie. Elle se rassoyait en soupirant. De temps en temps, elle se résignait à aller mettre une nouvelle bûche dans le poêle, se disant chaque fois que c'était la dernière.

À deux heures de l'après-midi, on frappa à la porte. Elle savait que ce n'était pas son père. Elle ouvrit. C'était Edmond Pronovost. Elle s'étonna de le voir et lui en fit la remarque.

— C'est moi qui vas venir chauffer pendant vos vacances. Sauf que nous autres on était sur l'impression que vous étiez partie à matin. Votre père est pas encore venu ?

Elle invita Edmond à entrer. Il préféra n'en rien faire, la salua et lui promit de revenir chauffer le poêle matin et soir.

Émilie referma la porte et retourna à son point d'observation. Les traces de pas qu'Edmond creusait dans la neige lui donnaient l'impression de courir derrière lui sans parvenir à le rejoindre. Elle devina qu'il était maintenant entré chez lui.

— Cré bon Dieu, Edmond, dit Dosithée, tu as fait ça vite.

— Mam'selle Émilie était là. Son père est pas encore arrivé, répondit Edmond.

Dosithée fronça les sourcils, étonné d'apprendre qu'Émilie était toujours à l'école. Il lui avait semblé la voir partir avec son père tôt le matin. La poudrerie l'avait empêché de bien distinguer les passagers du traîneau qu'il avait cru appartenir à M. Bordeleau. Il regarda l'heure et claqua de la langue. S'il avait été M. Bordeleau, il aurait sûrement été inquiet de savoir sa fille seule dans une petite école perdue dans un rang balayé par le vent. Il regarda Félicité et souleva les sourcils en pinçant les lèvres. Voyant qu'elle avait accroché son regard, il haussa les épaules en pointant l'école de sa tête. Félicité, occupée à peler des pommes de terre, fit un signe de la main, signifiant qu'elle ne savait que faire. Dosithée regarda ensuite Ovide qui était affairé à réparer un mors de cheval, sourit d'un sourire dont il croyait être le seul à comprendre la signification et se leva.

— Ovide, mets donc des briques à chauffer. Ta mère aimerait qu'on aille à Saint-Stanislas pour voir son cousin.

Félicité sourit au prétexte idiot que venait d'inventer son mari. Quant à Ovide, il continua de travailler et, sans même lever les yeux, demanda pourquoi tout à coup son père voulait aller à Saint-Stanislas. Ovila, qui avait compris, offrit à son père de l'accompagner si Ovide se désistait. Dosithée lui répondit qu'il fallait être deux hommes pour faire le voyage. Ovila en fut mortifié et s'isola dans son mutisme sous l'air moqueur d'Ovide. Ce dernier lui dit d'attendre encore quelques années et d'avoir, comme lui, une belle moustache avant de prétendre être un homme.

— Moustache miteuse, oui, bougonna Ovila.

Dosithée décida de mettre fin à la discussion qui s'amorçait entre ses fils.

— Grouille-toi, Ovide. Tu viens, ou j'y vas avec Edmond.

Ovide soupira, se leva, accepta de très mauvais gré d'accompagner son père et lui reprocha devant toute la famille de toujours être à plat ventre devant la maîtresse d'école, lui demandant même ironiquement s'il faisait tout cela pour que ses enfants aient de meilleures notes. Dosithée éleva le ton.

— Si tu as rien que des platitudes à dire, j'aime autant pas faire le voyage avec toi.

Ovide, sentant la menace sérieuse, enfila son manteau et partit atteler l'étalon à la petite carriole. Il pensait qu'il était préférable de ne pas prendre le traîneau, beaucoup trop lourd à diriger par temps poudreux. Ovila mit les briques à chauffer et Félicité demanda aux filles de préparer un en-cas. Il ne fallut pas plus d'une demi-heure pour que père et fils soient prêts à partir. Félicité prit son mari à part, le temps de lui rappeler d'être prudent. Elle ne commenta pas sa décision d'aller reconduire à Saint-Stanislas la petite maîtresse d'école par un temps si agité. Dosithée devina la remarque qu'elle n'osait faire.

— Si c'était notre Rosée qui était *pognée* de même, tu aimerais pas ça que quelqu'un vienne la reconduire ?

Félicité lui sourit. Oui, elle comprenait. Sa seule crainte, celle qu'elle n'aurait jamais osé avouer, était le *jasage*. Les gens allaient sûrement remarquer l'empressement avec lequel les Pronovost venaient en aide à Émilie. Elle n'aimait pas ça. Elle craignait que des mauvaises langues ne commencent à raconter que Dosithée cherchait à marier son fils aîné. Parce que c'était ce qu'il essayait de faire, elle en était certaine. En cela, elle ne le désapprouvait pas. Elle aimait bien la jeune institutrice. Elle aimait son caractère agréable et joyeux. Elle aimait sa façon de faire la classe. Elle aimait ses doigts de fée qui changeaient la moindre guenille en robe d'ange. Elle aimait son allure : elle était grande, plus grande que la majorité des filles de Saint-Tite, et portait fièrement sa tête encadrée de cheveux longs et épais.

Ovila sortit de la maison en courant au moment où son père et son frère demandaient à l'étalon d'avancer. Il portait une pile de couvertures. Sa mère, dit-il, craignait que la tombée de la nuit ne rende le froid encore plus mordant. Dosithée prit les couvertures et le remercia tout en le grondant d'être sorti sans manteau. Ovila rentra en courant. Ovide, lèvre supérieure retroussée et nez plissé, regarda son père d'un air sceptique. Dosithée éclata de rire.

— Qu'est-ce que tu voulais qu'Ovila dise ? Il était quand même pas pour dire qu'il avait peur pour la santé de sa petite maîtresse d'école adorée.

Émilie détestait ce qu'elle vivait. Elle était assise entre le père et le fils, gênée d'avoir encore une fois l'impression désagréable qu'on lui faisait la charité, mais heureuse de se rapprocher enfin de chez elle. Le ciel s'était couvert de nuages et le vent était tombé au moment du coucher du soleil, comme il le faisait si souvent. Le temps s'était adouci au point qu'ils avaient laissé tomber une des trois couvertures qui les protégeaient. Le père et le fils parlaient entre eux de tout ce qui touchait aux contrats de coupe de bois qu'ils espéraient obtenir après les fêtes. Émilie, par politesse, se sentit obligée de suivre la conversation. Ils avaient fait une halte à Saint-Séverin et s'étaient informés pour savoir si M. Bordeleau n'était pas passé. On leur répondit qu'il était retourné chez lui pour changer d'attelage et que personne ne l'avait revu depuis.

Ils avaient quitté le village depuis peu lorsqu'ils aperçurent les fanaux d'un traîneau. Émilie s'avança sur le siège, le dos bien droit, et essaya de voir qui dirigeait l'attelage.

— C'est mon père ! C'est mon père avec mon oncle !

Dosithée immobilisa sa carriole et Ovide se leva pour laisser descendre Émilie. Elle sauta à terre, soudain très animée. Elle se plaça au centre de la route, agita les bras tout en criant qu'elle était là. Caleb stoppa.

— Veux-tu bien me dire, Émilie, ce que tu fais ici en plein milieu du chemin à gigoter comme un chien attaché ? lui cria-t-il à son tour.

Elle eut à peine le temps d'ouvrir la bouche qu'Ovide était derrière elle portant son bagage, suivi de Dosithée. Émilie s'empressa de faire les présentations. Les deux pères se serrèrent une main que ni l'un ni l'autre ne sentit tant elles étaient emmitouflées sous d'épaisses mitaines. Caleb ne cessa de les remercier. Il se disait soulagé de savoir que sa fille avait de si bons voisins. Il lui demanda si elle avait reçu son message, puis invita les Pronovost à venir prendre une bonne nuit de sommeil à Saint-Stanislas. Dosithée refusa, disant qu'il préférait retourner tout de suite à Saint-Tite. Il ne voulait pas inquiéter inutilement sa femme. Caleb approuva. Ovide, par contre, manifesta le désir d'accepter l'invitation, mais il savait son père inflexible. Toute la conversation ne dura que quelques minutes et bientôt Dosithée fit demi-tour, suivant les indications de Caleb. Dès que la carriole eut terminé son changement de direction, Caleb dirigea les manœuvres de son frère. La route était étroite et il craignait que le traîneau ne verse dans le fossé. Par mesure de prudence, Dosithée attendit que le traîneau soit bien en place avant de les saluer et de leur souhaiter de joyeuses fêtes.

Émilie ne se retourna qu'une fois pour les saluer de la main. Elle se concentra ensuite sur la route devant elle. Si elle avait été particulièrement silencieuse depuis Saint-Tite, elle reprit rapidement le temps perdu, s'informant d'abord de l'accident, puis racontant à son père et à son oncle tout ce qui s'était passé depuis le début novembre. Caleb, qui ne tenait pas l'attelage, s'amusait de ce qu'elle racontait et il se réjouit de constater qu'elle avait réglé le problème du grand Crête. Émilie lui répondit qu'elle avait peut-être réglé ce problème-là, mais qu'elle avait encore beaucoup de peine à accepter sa conduite à elle. Elle insista sur la chose en ajoutant que jamais elle ne se pardonnerait d'avoir agi aussi violemment. Caleb lui répondit lentement que la vie réservait souvent des surprises. Agréables ou non. Que parmi les plus désagréables il y avait toujours la surprise de découvrir qu'on ne se connaissait pas toujours bien soi-même. Il lui demanda si elle se rappelait la scène qu'ils avaient eue à propos du service des filles à table. Elle lui répondit qu'elle ne s'en souvenait que trop bien. Alors, sur un ton de confidence que même son frère ne parvint pas à entendre, Caleb raconta à Émilie que ce soir-là il s'était vu d'une nouvelle façon et qu'il n'avait pas aimé l'image. Elle lui prit le bras et serra très fort. Il conclut sa confidence en lui disant que, maintenant qu'elle avait dix-sept ans, elle pouvait comprendre. Émilie l'embrassa en riant. Elle avoua qu'elle pensait qu'il avait oublié son anniversaire. Il lui tapota la joue en la rassurant.

— Penses-tu vraiment qu'un père peut oublier la fête de son premier enfant ?

— Non… mais des fois, vous êtes tellement distrait…

— Tu as peut-être raison. En tout cas, ta mère va penser ça quand elle va voir le traîneau. Elle va penser que j'ai oublié d'aller te chercher.

Ils rirent tous les deux de cette boutade. Caleb était occasionnellement très distrait. Sa grande distraction, celle qui faisait encore les frais des fêtes de famille, était celle où il avait oublié Célina au village. Il l'avait déposée au magasin général puis, pendant qu'elle

85

faisait ses achats, il était allé au presbytère payer une messe *in memoriam* pour sa mère. Après avoir parlé avec le curé, il s'en était retourné chez lui, oubliant complètement Célina. Il avait dételé la jument, rangé la voiture dans le bâtiment, puis était entré dans la maison. Ne voyant pas Célina, il avait demandé où elle était. Les enfants l'avaient regardé, incrédules, puis lui avaient rappelé qu'elle était partie avec lui. Caleb avait sursauté, avait couru harnacher la jument et était reparti à vive allure en direction du village. Le marchand général avait soupiré d'aise en voyant Caleb entrer dans le magasin.

« Où c'est que vous étiez ? Ça fait plus qu'une heure que votre femme vous attend ! On a eu l'impression de vous voir passer devant le magasin tantôt. On aurait dit que vous vous en alliez à la Côte. »

Caleb avait rejoint sa femme. Célina, assise dans l'arrière-boutique, tenait ses provisions sur ses genoux et fulminait. Elle l'avait fusillé du regard, s'était levée d'un bond, était sortie la tête haute du magasin, avait grimpé dans la voiture et s'était assise sans déposer ses provisions. Tant bien que mal, Caleb avait essayé de lui venir en aide, mais elle avait sèchement refusé toutes ses tentatives. Ils s'étaient mis en route.

« Caleb Bordeleau, mon bougrin, avait-elle enfin dit, veux-tu me dire ce qui t'a retenu longtemps de même ? Je suppose que tu es allé jaser ! As-tu l'impression que ça me prend deux heures pour acheter de la farine, du sucre, pis du savon ? »

Caleb avait retenu le fou rire qu'il refoulait derrière ses lèvres closes. Mais les omoplates lui chatouillaient les épaules.

« Ha ! pis tu trouves ça drôle de me faire attendre comme une dinde ! Tu as pas de respect, mon enfant de carême ! »

Elle n'avait plus ouvert la bouche jusqu'à ce qu'ils arrivent à la maison et que les enfants les accueillent en riant.

« Ma foi du bon Dieu, Caleb, on dirait que les enfants rient de moi ! »

Caleb avait enfin laissé exploser son hilarité. Les enfants s'étaient empressés de raconter à leur mère ce qui s'était passé. Célina ne les avait d'abord pas crus. Mais voyant qu'ils ne pouvaient mentir, elle avait décoléré et ri à son tour.

« C'est le bout du bout ! Oublier sa femme parce qu'on jongle trop fort ! Caleb Bordeleau, j'vas m'en rappeler, de celle-là. Pis, fais-moi confiance, tu as pas fini d'en entendre parler ! »

Ce soir-là, ils s'étaient couchés en riant encore. Caleb, de sa magistrale distraction ; Célina, de le voir rire de si bon cœur.

5

Le mois de janvier n'avait donné aucun répit à Émilie, les froids l'obligeant à se lever la nuit pour chauffer son école sans cesse secouée par le vent. Elle aurait assez bien enduré la chose si elle n'avait été affligée d'une grippe insupportable qui la rendait fiévreuse et impatiente. Les enfants, peu habitués à la voir si irascible, devinrent nerveux. Émilie les accabla donc davantage. Finalement, au début de février, elle put repasser et ranger ses mouchoirs. Elle retrouva sa forme en même temps que l'hiver proposa une trêve.

Février s'achevait. Il avait été enrobé de soleil. La terre, croyant le printemps venu, s'était laissé dépouiller d'une bonne couche de neige. Les cultivateurs s'inquiétaient de ce printemps, redoutant une mauvaise année pour les sucres. Mais dans leur optimisme, ils avaient prédit que le mois de mars ramènerait sûrement des temps plus froids.

Mars était attendu pour le lendemain. Émilie expliquait aux enfants que l'année 1896 était une année bissextile. Qu'exceptionnellement il y avait un 29 février. Les enfants demandèrent si, à cause de cette journée supplémentaire, Noël serait le 24 décembre. Émilie allait commencer à leur conter l'histoire du calendrier lorsque Lazare Pronovost poussa un grand cri, s'agrippa à son pupitre, se raidit comme une barre de fer et tomba à la renverse, la chaise sous lui et le pupitre par-dessus. Émilie crut à une blague, mais elle vit les autres enfants Pronovost se lever à toute vitesse. Ovila et Éva retirèrent le pupitre, Émile la chaise. Rosée prit un livre et essaya de l'introduire dans la bouche de Lazare. Ce dernier, arqué comme un pont, avait la moitié du visage tiré vers l'arrière et émettait des grognements qu'Émilie trouva franchement apeurants. Elle s'approcha. Certains enfants criaient, surtout les petits de première qui se réfugiaient près d'elle. Elle dut les forcer à lâcher prise. Elle s'approcha encore plus. Lazare se mit à bondir sur place, mû par une force comme elle n'en avait jamais vu. Sa bouche se contorsionna, puis Lazare commença à écumer. La bave lui coulait tout le long du menton. Rosée prit un mouchoir et essaya tant bien que mal d'essuyer la salive. Émilie eut un haut-le-cœur. Ovila ordonna aux enfants de s'éloigner, ce qu'ils firent sans se faire prier. Les petits commencèrent à pleurer. Charlotte se précipita à l'arrière de la classe, enfila son manteau en toute hâte et sortit de l'école. Un des élèves du groupe de septième année crut bon d'inviter les enfants à prier pour éloigner le diable qui venait de s'emparer de Lazare. Émilie n'intervint pas. Elle entendit vaguement des « Je vous salue, Marie » et des « Retire-toi, Satan ». Elle était hypnotisée par le spectacle. Elle ne savait absolument pas quoi faire. Émile, le plus jeune des Pronovost, se mit à crier aux élèves de la classe que son frère n'était pas un diable. Il les menaça du poing puis alla donner un violent coup de pied à la grosse Marie qui appelait tous les saints du ciel à son secours.

Émilie parvint enfin à se ressaisir. Elle se retourna et vit le geste du petit Émile. Elle alla le chercher et demanda aux enfants de se taire. Son ton était à la fois nerveux et extrêmement autoritaire. Elle les pria tous de monter à l'étage. Ils obéirent. Lorsque le dernier enfant eut gravi l'escalier, elle s'en revint vers les Pronovost. À sa grande surprise, Lazare était assis. Il était livide et semblait épuisé. Émilie eut peur de l'approcher, craignant que toute la scène ne recommence. Ovila frottait le cou de son frère et Rosée lui essuyait le visage. Émilie était incapable de parler. À l'exception de Lazare, tous les enfants Pronovost la regardaient. Ils attendaient qu'elle leur dise quelque chose. Elle le sentit. Aussi, elle demanda à Ovila de monter son frère à l'étage. Dès qu'elle eut prononcé cette phrase, l'absurdité du geste lui apparut : tous les enfants étaient en haut. Elle retourna au pied de l'escalier et leur demanda de descendre, sans se bousculer. Cependant Lazare, accroché au cou d'Ovila, tenta de se lever. Il y réussit et se laissa diriger vers l'escalier.

Deux petits de première n'avaient pas eu le temps de descendre quand Lazare commença à monter. Les petits le virent, poussèrent des cris de mort et remontèrent se cacher. Émilie alla chercher les deux terrorisés. La scène était ridicule. Elle les exhortait à descendre et, pour toute réponse, ils criaient à s'époumoner. Lazare pâlissait à vue d'œil. Elle empoigna les deux enfants et les descendit, un sous chaque bras. Elle réussit enfin à les déposer sur le plancher de la classe. Les Pronovost avaient recommencé leur ascension, non sans être blessés par les regards dédaigneux, terrorisés et dégoûtés que leur lançaient leurs compagnons de classe. Tout en se frottant le tibia droit, la grosse Marie gardait les yeux fermés et demandait encore aux saints de venir la délivrer du mal.

Émilie remarqua le fouillis qui régnait dans la classe. Éva et Rosée avaient commencé à remettre de l'ordre. Toutes les deux pleuraient en silence. Émilie regarda l'heure et préféra laisser partir les enfants qui le voulaient. Ils le voulurent tous, sauf les Pronovost et la petite Charlotte. Celle-ci, son manteau sur le dos, resta assise au pied de l'escalier, sans quitter l'étage des yeux. Émilie s'approcha d'elle. Charlotte lui demanda si Lazare allait mourir. Émilie répondit que non, mais elle n'en était pas tellement convaincue elle-même. Elle demanda à Charlotte pourquoi elle était restée au lieu de profiter du petit congé. Charlotte répondit qu'elle voulait voir Lazare afin de s'assurer qu'il était bien vivant. Émilie lui prit la main et monta avec elle à l'étage. Elle ne sentit aucune crainte chez l'enfant. Lazare était étendu sur le lit, toujours aussi livide. Ovila leur fit signe qu'il dormait. Émilie fit un « Ha ! » silencieux et redescendit avec Charlotte. Charlotte lui demanda si elle était bien certaine qu'il dormait. Émilie lui donna sa parole. Charlotte décida alors de partir, mais elle revint quelques minutes plus tard, la mine réjouie. Elle appela Émilie et lui dit que Lazare était sûrement mort mais que, comme le vrai Lazare, il était ressuscité. Émilie fut étonnée de sa remarque mais dit à Charlotte qu'elle avait probablement raison. Charlotte repartit le cœur léger.

Les enfants Pronovost avaient remis de l'ordre dans la classe. Rosée monta à l'étage et demanda à ses frères et à Éva d'aller chercher de l'aide. Ils obéirent et quittèrent l'école, secoués et l'âme chavirée. Émilie inspira profondément avant de remonter. Rosée lui sourit.

— Je sais que ça fait peur, mam'selle, mais c'est pas grave. C'est le grand mal.

— C'est ce que j'ai pensé mais comme j'avais jamais vu ça, j'étais pas certaine. Je savais pas que Lazare souffrait du grand mal.

— Mes parents vous l'avaient pas dit ?

Émilie fit non de la tête.

— Ça doit être parce que ça fait trois ans que Lazare a pas eu de crise. On espérait qu'il soit guéri.

Elles s'assirent toutes les deux à côté du lit. Émilie trouva qu'elles avaient l'air de veiller un corps. Elle s'assura que Lazare respirait bien puis elle chevaucha ses pensées, revoyant l'horrible scène dont elle venait d'être témoin. Elle eut un nouveau haut-le-cœur qu'elle tenta vainement de maîtriser. Elle se leva rapidement, attrapa son bol à main au passage et descendit l'escalier en courant. Elle eut à peine le temps de toucher la dernière marche que déjà elle vomissait toute la peur qui lui avait collé à l'estomac.

Elle rinçait son bol lorsque Ovila revint avec son père et son frère Ovide pour ramener Lazare à la maison. Dosithée comprit le malaise d'Émilie à la coloration de ses joues et à l'odeur qui lui parvint aux narines. Émilie tenta de dissimuler sa gêne. Elle escorta le père et ses deux fils au chevet de Lazare. Rosée était toujours assise près de son frère qui venait de s'éveiller. Elle lui expliquait qu'il était encore à l'école et que tout allait bien. Lazare, leur dit-elle, s'était inquiété de s'être éveillé dans un décor étranger.

— Eh bien, mon garçon ! Paraît que tu as fait une belle frousse à tout le monde.

Le père Pronovost parlait un peu trop fort pour convaincre qui que ce soit que lui-même en avait été épargné. Lazare essaya de sourire mais son sourire se déforma et il se mit à pleurer.

— Voyons, mon jeune, faut pas pleurer. Tu allais bien depuis trois ans. À c't'heure, tu devrais avoir la paix pour encore trois ans. Calme-toi, là. Ovide pis moi, on va te porter jusqu'à la maison en faisant la chaise avec nos bras.

— Je veux marcher tout seul !

— C'est que moi je pense que c'est mieux que tu te laisses porter comme un roi. Demain, tu marcheras pis tu courras tant que tu voudras. Aujourd'hui, nous autres on est à ton service.

Il appuya ces paroles de gestes discrets à l'intention de Rosée et d'Ovide, la première devant lever l'enfant, le second, le couvrir d'une des couvertures qu'ils avaient apportées. Lazare les laissa faire. Dosithée et Ovide lui firent descendre l'escalier. Prudemment. Ovila prit les bottes et le manteau de son frère. Émilie les escorta sans trouver à faire une seule chose qui aurait pu leur être utile. Elle ne pensa même pas à ouvrir la porte. Elle voulut dire une bonne parole à Lazare, l'encourager ou lui sourire, mais elle en fut incapable. Lazare la salua et elle ne réagit pas. Ovide s'abstint de la regarder. Dosithée murmura quelques paroles de remerciement. Émilie referma la porte derrière eux et courut vomir une seconde fois. Elle se rinça la bouche, trempa son mouchoir dans de l'eau glacée et monta pour s'étendre. Dès qu'elle aperçut le lit, elle refusa de s'en approcher et s'affala dans sa berceuse. Elle posa un coussin sous sa tête, mit le mouchoir sur son front et ferma les yeux. Elle respira très fort, essayant de réprimer une nouvelle nausée.

Le soleil avait fini d'éclabousser ses fenêtres quand elle reprit un peu de vie. Elle décida de boire un bouillon chaud mais son estomac refusa cette agression. Dès qu'elle l'eut soulagé, elle alluma une lampe et tenta vainement de se changer les idées en lisant son éternel dictionnaire. Elle chercha une explication au problème de Lazare sous le mot « mal » puis sous le mot « grand » mais ne trouva rien. Elle se leva et regarda par la fenêtre. Chez les Pronovost, elle vit de la lumière dans l'étable. Elle redescendit dans sa classe, rangea quelques papiers, ouvrit et referma ses tiroirs sans rien y chercher de particulier et retourna à la fenêtre. L'étable était maintenant noire. Émilie regarda l'heure. Six heures et demie. Les Pronovost devaient tous être à table. Elle se convainquit qu'elle devait avoir faim et grignota un croûton de pain. Son estomac l'accepta. Elle marcha de long en large, se demandant comment elle pourrait bien occuper cette soirée naissante. Elle n'avait plus envie de lire. Elle n'avait plus envie de penser. Elle n'avait plus envie d'être seule. Elle se dirigea vers la planche à clous, enfila ses couvre-chaussures, prit son manteau et son châle, s'emmitoufla et sortit. Le froid s'était calmé, lui sembla-t-il. Elle regarda la route à sa gauche puis à sa droite et opta pour une promenade vers la gauche. Elle voulait éviter de marcher en direction de la maison des Pronovost. Elle commença à faire chanter la neige sous ses pas. Au son qui lui parvint aux oreilles, elle comprit qu'elle marchait lentement en se traînant les pieds. Elle accéléra le pas. Elle marchait ainsi sans but depuis un bon quart d'heure quand elle prit conscience que c'était la première fois depuis septembre qu'elle sortait ainsi, sans raison. Sans emplettes à faire. Sans messe à laquelle assister. Elle regarda autour d'elle, huma l'air frais et rebroussa chemin. Elle passa devant l'école, s'assura qu'il y avait de la lumière chez les Pronovost et s'y dirigea sans réfléchir. Ovide lui ouvrit la porte. Elle avait frappé discrètement, espérant qu'on n'entendrait pas. Mais on avait entendu.

— Bonsoir, mam'selle. Entrez donc.

— Bonsoir, Ovide. Je voulais juste prendre des nouvelles de Lazare.

— Entrez donc quand même. On n'est pas pour rester la porte ouverte.

Elle entra mais refusa d'enlever son manteau. Rosée la salua et lui sourit. Émile était affairé à ses devoirs. Ovila sculptait un bout de bois. Tout avait l'air normal et pourtant Émilie sentit dans le regard des parents une tristesse qu'elle n'avait jamais vue. Félicité prit la parole.

— J'ai pas l'impression que Lazare va être à l'école demain.

— Je suis pas venue pour ça. Je voulais juste vous dire de pas vous gêner si vous avez besoin d'aide.

Elle se trouva un peu ridicule, sachant qu'elle ne pouvait offrir grand-chose et qu'elle n'avait même pas été capable de leur ouvrir la porte quand ils étaient sortis de l'école.

— Bon, bien, j'vas y aller si je veux être en forme demain.

— On vous remercie, mam'selle, dit Dosithée sans se lever pour l'accompagner.

Émilie s'en sentit blessée. Ovila abandonna son bout de bois et s'empressa de remplir la politesse que son père avait omise. Émilie le remercia, salua encore une fois à la ronde et sortit. Sitôt dehors, elle éclata en sanglots. Pourquoi lui en voulaient-ils ?

Elle revint à l'école, se moucha à plusieurs reprises puis décida de dormir même si sa fatigue ne s'était pas encore manifestée et qu'elle savait qu'elle en aurait pour des heures à se tourner et à se retourner dans son lit.

Émilie se releva d'un bond, arracha les draps du lit. Elle avait vainement tenté d'y dormir mais elle n'y respirait que l'odeur de Lazare. L'odeur de la maladie. Elle s'enroula dans sa douillette et recommença pour la centième fois à revivre les événements de la journée. Lasse, elle appela désespérément le sommeil mais, chaque fois qu'elle semblait tomber dans ses abîmes, elle sursautait et combattait l'engourdissement de sa lucidité. Elle se releva à plusieurs reprises, mettant chaque fois une bûche bien inutile dans le poêle. La maison des Pronovost avait rejoint les ombres de la nuit.

À son grand désespoir, elle vit poindre les rayons du soleil. Déjà ! Une nuit blanche. Toute une nuit blanche. Sa première vraie nuit blanche pleine de pensées et non de réjouissances comme celles du temps des fêtes. Elle se sentit faible. Comment pourrait-elle enseigner, ce jour-là ? Elle commença à se débarbouiller, essayant tant bien que mal d'effacer les traces d'insomnie et de trouble. Elle mangea heureusement d'un bon appétit, ce qui lui rendit quelques forces. Elle fit le tour de la classe pour s'assurer qu'il n'y restait aucun vestige des événements de la veille pouvant ranimer la peur chez les enfants. Tout était impeccable quand elle entendit les rires et les cris annonçant la nouvelle journée, le nouveau mois.

Elle fit la prière du matin et demanda aux enfants d'avoir une pensée spéciale pour Lazare afin qu'il revienne rapidement en classe. Charlotte ferma les yeux. La grosse Marie fit le compte de ceux qui avaient fermé les yeux. À la récréation, Émilie l'entendit dire qu'elle avait refusé de prier pour le retour de Lazare, ayant trop peur que les démons ne reviennent avec lui. Émilie la disputa et la pria de rentrer dans l'école pour réfléchir à ce qu'elle venait de dire. La grosse Marie lui répondit qu'elle savait qu'elle n'était pas la seule à avoir gardé les yeux ouverts. Émilie insista pour qu'elle aille réfléchir et la grosse Marie refusa, menaçant de dire à ses parents qu'elle invoquait le diable… Émilie perdit patience et lui tira une oreille. Marie cria comme une poule qu'on égorge et, au lieu d'entrer dans l'école, s'enfuit chez elle. Émilie se refusa à la suivre et à la supplier de revenir.

Pour dissiper le brouillard qui avait assombri sa classe, Émilie annonça que l'après-midi entier serait consacré au dessin. Les enfants quittèrent l'école en se chamaillant.

Émilie fut soulagée. Il n'y avait que quatre enfants qui mangeaient à l'école. Elle s'était vite rendu compte qu'ils jouaient dans les champs au lieu d'aller prendre leur repas chez eux. Elle en avait parlé au curé. Celui-ci lui avait dit que s'ils n'allaient pas à la maison, c'était parce qu'il n'y avait généralement rien à manger. Émilie, sans demander la permission des commissaires, avait donc commencé à faire des soupes bien épaisses, pleines de gros morceaux de moelle et de légumes et elle leur en avait offert. Les enfants avaient promis le silence sur cette nouvelle coutume. Il lui semblait bien qu'ils avaient tenu parole, car elle n'avait jamais eu de plaintes.

En ce premier jour de mars, elle leur servait leur habituelle portion de soupe lorsque la grosse Marie revint en classe avec ses parents.

— Madame Lebrun, monsieur Lebrun, est-ce que je peux faire quelque chose pour vous ?

— Vous, ma p'tite démone, s'écria Mme Lebrun, de quel droit avez-vous mis ma fille en pénitence... ?

Émilie fit signe aux quatre enfants de sortir de l'école. Ils s'exécutèrent sans attendre.

— J'ai demandé à Marie de réfléchir à la charité, c'est tout.

— C'est pas vrai, répondit Marie en pleurant. Vous avez rien dit pour empêcher le diable de venir dans la classe. Vous m'avez donné une claque en pleine face parce que je vous ai dit que je voulais pas que le diable revienne...

— Marie, j'ai prié pour que Lazare guérisse. Je vous ai demandé de faire la même chose.

— Le grand mal, ma p'tite, jeta Mme Lebrun d'un ton méprisant, c'est le mal du diable !

— Vous êtes une bien drôle de maîtresse, renchérit M. Lebrun. Vous claquez ma fille pour lui faire penser à la charité...

— C'est pas tout à fait ce qui s'est passé…, disait Émilie quand M. Lebrun la gifla.

Elle demeura estomaquée. Elle n'avait jamais été giflée depuis sa mémorable prise de bec avec son père. Elle sentit la colère l'envahir, mais s'abstint de réagir.

— Pis ? Est-ce que vous pensez à la charité ?

Le cynisme et le regard de glace de M. Lebrun la firent frémir. Elle essaya de se dominer quand elle vit Marie sourire à travers ses larmes. Elle se frotta la joue, essayant de trouver réplique à une phrase si platement envoyée.

— Marie a manqué de charité envers Lazare. Lazare est pas responsable. Marie faisait peur à tout le monde avec ses histoires de diable.

— C'est pas des histoires ! cria Mme Lebrun. C'est pas la première fois qu'on a du monde comme Lazare Pronovost dans la paroisse. D'habitude, quand on voit une crise de grand mal, on envoie de l'eau bénite, pis on brasse la personne, pis je vous jure que ses esprits reviennent vite.

— C'est surprenant en baptême qu'une maîtresse d'école ait pas d'eau bénite dans sa classe, surtout quand elle sait qu'un de ses élèves a des visites du diable de temps en temps, renchérit M. Lebrun.

— C'est que… je l'ai jamais su avant hier, plaida Émilie, tout de suite furieuse contre elle-même d'être tombée dans un piège aussi gros.

Mme Lebrun tendit un mouchoir à Marie qui pleurait encore plus, criant qu'elle ne voulait plus revenir dans cette école remplie de démons. M. Lebrun tapota la joue de sa fille en lui disant qu'il arrangerait cela.

— Vous, la p'tite, vous êtes mieux de commencer à penser à une autre école, parce que moi, j'vas voir à ça. Des maîtresses de dix-sept ans qui pètent plus haut que le trou, qui se battent avec des grands gars comme

Joachim Crête, qui affrontent le bedeau pis les sœurs du couvent en faisant une crèche de Noël quasiment plus grosse que celle de la paroisse, qui donnent à manger à des enfants pendant qu'ils sont supposés être chez eux – on vous a vue faire –, qui se promènent toutes seules le soir – on vous a vue hier – pour rencontrer on sait pas qui, des maîtresses d'école de même, on est capables de s'en passer. J'vas dans l'instant même voir les commissaires pis on va discuter de votre cas. Bonne journée.

Il mit son chapeau et poussa sa femme et sa fille vers la porte. Marie pleurait maintenant franchement, consciente tout à coup qu'Émilie ne méritait pas toutes les accusations que son père avait portées. Elle avait toujours aimé Émilie… jusqu'à la crise de Lazare, jusqu'à ce qu'elle lui tire une oreille.

M. Lebrun fit claquer la porte. Émilie en ressentit les vibrations jusque dans son estomac fragile. Les quatre enfants revinrent pour finir leur soupe, mais elle les renvoya dehors, leur disant qu'elle préférait être seule, prétextant un soudain et violent mal de tête. Les enfants s'éloignèrent. Ils s'assirent tous les quatre sur la galerie de l'école, les fesses gelées sur les planches dures.

— Mam'selle Bordeleau pleurait, dit le premier.

— Si M. Lebrun l'a chicanée, je le croirais. Moi, je le sais qu'il chicane fort, parce qu'il reste à côté de chez nous, ajouta le deuxième.

— C'est la faute à la grosse Marie. Ma mère m'a dit que les enfants comme elle, qui ont pas de frères pis de sœurs, ça donne toujours du trouble à tout le monde.

Ils parlèrent ainsi jusqu'à ce que les autres enfants fussent revenus. La discussion prit de nouvelles proportions. Tout le monde, semblait-il, savait ce qui s'était passé. Personne, toutefois, ne voulut croire qu'Émilie avait pleuré. Ils disaient qu'il était inconcevable qu'une grande personne pleure pour si peu.

Émilie sonna la cloche. Les enfants entrèrent en silence, conscients de la fragilité de l'humeur de leur institutrice. Ils s'assirent et préparèrent leurs feuilles pour dessiner. Ils attaquèrent leurs chefs-d'œuvre.

Émilie avait l'impression d'avoir repris sa ruche en main. Elle fronça les sourcils à quelques reprises lorsqu'elle vit des enfants tenter d'illustrer la crise de Lazare ou dessiner d'horribles démons rouges à la fourche enflammée.

Absorbée par les couleurs et les formes, elle ne vit pas arriver les commissaires. La porte s'ouvrit et ils entrèrent dans la classe. Les enfants se turent. M. Trudel prit la parole.

— Mam'selle Bordeleau, on est venus voir travailler les enfants.

— Faites comme chez vous, répondit Émilie.

Elle savait que cette soudaine curiosité n'avait rien à voir avec le travail des enfants. Elle remarqua que M. Pronovost était absent. M. Lebrun, par contre, était du groupe. Elle sentit ses mains trembler. Ses jambes aussi. Même si elle avait la conscience en paix, leur simple présence la rendait coupable de quelque chose qu'elle ignorait. Intérieurement, elle jetait tous les mauvais sorts possibles à M. Lebrun. Il ne la quittait pas des yeux, visiblement satisfait de tout le remue-ménage qu'il avait provoqué.

Les enfants avaient complètement cessé leurs travaux. Ovila Pronovost leva la main. Émilie lui donna la parole.

— Comment ça se fait que mon père est pas là ? demanda-t-il.

M. Trudel se tourna vers M. Lebrun.

— Tu m'avais dit que tous les commissaires seraient ici...

— C'est que... j'ai pas eu le temps d'arrêter chez Dosithée, mentit M. Lebrun.

— Va donc chercher ton père, mon garçon, dit M. Trudel. On va l'attendre.

Ovila ne se le fit pas répéter. Au passage, il tenta de rassurer Émilie en lui souriant, puis cassa volontairement son sourire en fixant M. Lebrun. Celui-ci se balançait sur ses jambes en tournant sa tuque dans ses mains.

Émilie pria les enfants de ranger leurs effets. Puis elle demanda aux commissaires s'ils voyaient une objection à ce que les enfants quittent l'école. Les commissaires se consultèrent des yeux et M. Trudel fit comprendre à Émilie que ce serait préférable. Émilie fit faire une prière aux enfants, leur donna congé de devoirs et de leçons « en l'honneur de la visite des commissaires » et les accompagna à la porte. Un des quatre dîneurs lui demanda à voix basse s'ils allaient la gronder. Émilie tenta de le rassurer en lui disant qu'ils venaient probablement pour lui dire qu'elle aurait enfin un poêle au second. Le jeune essuya la larme qui lui coulait sur la joue.

Les commissaires avaient pris place aux plus grands pupitres. Sans réfléchir, Émilie était allée s'asseoir au sien. Elle se trouva ridicule. Elle comprit néanmoins que M. Lebrun n'avait pas réussi à les convaincre tous qu'elle avait mal agi. M. Pronovost, arrivé à la hâte, se demanda ce qu'ils faisaient là.

M. Trudel prit la parole, expliquant à tous qu'Émilie avait giflé Marie Lebrun. Émilie eut le droit de s'expliquer, s'empressant de préciser qu'elle n'avait pas giflé Marie mais qu'elle lui avait tiré une oreille. M. Lebrun l'interrompait sans arrêt, tentant de faire admettre les faits tels que rapportés par sa fille. M. Pronovost n'avait mis que quelques minutes à comprendre que la crise de Lazare avait été à l'origine de toute la querelle. Partagé entre l'humiliation d'avoir un fils atteint du grand mal et son sens de la justice, il prit la défense d'Émilie.

Pendant vingt minutes, Lebrun essaya de noircir l'image d'Émilie, l'accusant tantôt de nourrir quatre enfants, tantôt de demander aux élèves de fendre le bois, activités impardonnables pour une institutrice respectueuse des règlements. Le poids de la parole de Dosithée fit toutefois pencher la balance du côté d'Émilie. Furieux, M. Lebrun mit sa tuque et sortit de l'école. M. Trudel lui demanda de revenir, mais Lebrun répondit qu'il n'avait pas de temps à perdre.

— À vous entendre parler, on dirait que vous êtes des enfants d'école qui essaient de faire plaisir à la maîtresse, simplement parce que c'est une belle créature. Pis ma fille à moi là-dedans ?

Les commissaires baissèrent les yeux. Dosithée, lui, refusa de le faire. Il sortit derrière Lebrun. Leurs paroles parvinrent aux oreilles d'Émilie et des commissaires restés dans l'école.

— Ta maudite fille peut bien aller péter dans les fleurs. Continue de la traiter comme si c'était une sainte, pis tu vas en faire un vrai p'tit diable à crigne brune.

— Toi, Dosithée Pronovost, c'est bien toi qui as un diable sous ton toit. Tu fais comme si ton Lazare était normal, même quand tu sais que c'est quasiment péché de l'emmener à l'église le dimanche. Pis c'est quasiment péché de le laisser dans une classe. Des histoires à faire peur à tout le monde ! Ma Marie a passé la nuit à faire des cauchemars.

— Pis mon Lazare, as-tu l'impression qu'il a dormi ? Pis moi pis Félicité, as-tu l'impression qu'on a dormi ? Pis la p'tite mam'selle Bordeleau, as-tu l'impression qu'elle a dormi elle avec ? Le grand mal, c'est le grand mal ! Ça fait pas mal rien qu'à la personne qui l'a. Ça fait mal à tout le monde autour. Surtout à ses parents. Ça fait que toi, mon escogriffe, tu es mieux de dire à ta fille de fermer sa grand-boîte...

Lebrun lui assena un coup de poing sur la mâchoire. Dosithée, ébranlé, reprit ses esprits en quelques secondes et frappa Lebrun à son tour. Émilie et les commissaires se précipitèrent à l'extérieur de l'école, tentant vainement de les séparer. M. Trudel, s'interposant entre les deux pères furieux, en fut quitte pour recevoir lui aussi un coup de poing.

— *Torrieux !* Vous allez vous calmer, mes deux *batêches* !

Il sauta sur le dos de Lebrun et lui tira les cheveux. Lebrun, enragé, tourna sur lui-même, forçant Trudel à lâcher prise. Les autres commissaires commençaient à s'agiter et à crier de plus en plus fort. Certains les encourageaient, d'autres essayaient de les dissuader. Émilie était sidérée. En quelques minutes, tous les hommes étaient dans la mêlée. Émilie entra en courant dans l'école et ressortit aussitôt avec la cloche. Elle sonna, sonna jusqu'à ce que tout le monde se calme. Les commissaires se regardèrent, hébétés. Puis Pronovost, Trudel et Gélinas éclatèrent de rire.

— Ça fait longtemps qu'on s'en est pas payé une de même, dit Trudel en tapant le dos de Gélinas.

— Mets-nous dans une école, pis on est comme des enfants, répondit Gélinas.

Lebrun et les autres commissaires hésitèrent, puis se joignirent à l'hilarité des trois compères. Ils rentrèrent tous dans l'école, Lebrun soutenant Pronovost, les deux se remémorant des souvenirs d'enfance.

Émilie remplit son bol à main d'eau glacée et s'affaira à distribuer des guenilles bien mouillées à tous les éclopés pour qu'ils s'essuient nez ou jointures. Elle leur servit du thé, puis Trudel prit la parole afin de régler le litige de façon à permettre à tous de sauver la face. Il fut donc décidé qu'Émilie, parce qu'elle nourrissait des enfants et qu'elle demandait à ses élèves de fendre le bois, n'aurait pas de poêle dans ses locaux avant le début de la prochaine année scolaire. Tous savaient qu'il avait été décidé qu'elle n'aurait pas de poêle à l'étage avant septembre, et ce depuis que les commissaires avaient voté un montant d'argent lui permettant d'avoir du bois supplémentaire pour la saison. Émilie sourit à M. Trudel et chuchota un merci à l'oreille de M. Pronovost.

Ils rentrèrent chez eux en riant comme de vrais lurons au retour de la fête. Émilie soupira. Elle avait vraiment craint que M. Lebrun ne réussisse à mettre sa menace à exécution. Elle se donna pourtant un coup de poing sur la hanche pour se rappeler qu'elle devait apprendre à être plus patiente et, surtout, éviter de tirer les oreilles à la grosse Marie.

6

Lazare fit des crises à répétition. Dosithée et sa femme décidèrent qu'il resterait à la maison au moins jusqu'à Pâques. Lazare ne s'en plaignit pas. Il ne voulait plus retourner en classe par crainte des railleries des enfants. Il n'avait jamais su que des parents s'étaient querellés à cause de son mal. Tous les soirs, ses frères et sœurs lui apportaient leçons et devoirs et tentaient de lui expliquer, à leur façon, toute la matière vue en classe. Rosée et Ovila firent de leur mieux, mais Lazare passait de longues heures à bûcher sur des problèmes pour lesquels il n'avait pas reçu toute la préparation nécessaire.

Ovila proposa à ses parents d'inviter Émilie à la maison une ou deux fois par semaine pour qu'elle aide Lazare. Dosithée et Félicité refusèrent.

Émilie offrit ses services pour rester avec Lazare pendant que la famille assistait à la messe du dimanche. Elle convainquit les parents Pronovost après avoir longuement discuté de l'aide qu'elle pourrait ainsi apporter à Lazare dans ses travaux, sans oublier le nombre d'indulgences qu'elle pourrait ainsi gagner. Émilie n'assista donc à aucune messe durant le carême. Elle ne s'en plaignit pas. Elle prit l'habitude de partager leur repas du dimanche midi. Ovide, qui avait cessé de taquiner Ovila, raccompagnait Émilie à l'école après chacun de ces repas.

Contrairement aux prévisions, le mois de mars n'avait apporté que deux tempêtes de neige. Les cultivateurs avaient saigné des érables avares de sève. Ils disaient que le bon Dieu les punissait ainsi, à peu près une fois tous les dix ans, d'avoir enfreint les règlements du carême en se sucrant le bec à la cabane.

Ovide avait invité Émilie à venir passer le dernier dimanche avant Pâques dans l'érablière familiale. Le repas dominical terminé, toute la famille, même Lazare, était montée dans le traîneau pour aller jusqu'au coteau. La neige avait fondu à un rythme tel qu'ils durent descendre à plusieurs reprises pour permettre aux chevaux de tirer le traîneau dans la boue. Dosithée décida de fermer la cabane. Émilie eut pour tâche de laver et d'entasser toutes les chaudières dans la remise. Ovila passait son temps à lui demander si elle avait besoin d'aide. Elle lui répondait toujours qu'elle se débrouillait. Ovide vint la trouver à son tour et commença à empiler les chaudières fraîchement lavées. Émilie ne l'éloigna pas. Ovila en prit ombrage. Émilie comprit qu'elle l'avait blessé et lui tapota la joue. Ovila mit sa main sur celle d'Émilie, l'y laissa quelques secondes, puis l'arracha en lui disant qu'il détestait être traité comme un enfant. Émilie rougit et s'essuya la main sur une guenille mouillée. Ovide, témoin de la scène, pria Ovila de s'excuser. Émilie s'interposa, alléguant qu'Ovila avait raison et qu'elle avait eu tort. Elle pria les deux frères de la laisser seule, car ils retardaient son travail… Les frères sortirent en se jetant des regards furieux. Émilie soupira, sourit, haussa les épaules et se remit à la tâche. Une mèche de cheveux lui tombait sur le front dès qu'elle se penchait au-dessus des cuves. Elle la repoussait avec de plus en plus d'impatience.

À la nuit tombante, tous redescendirent en direction du Bourdais. Seuls Lazare et ses parents utilisèrent le traîneau, les autres préférant marcher. Émilie, flanquée d'Ovide et d'Ovila, s'obstinait à parler avec Rosée qui marchait devant eux. Le petit Émile la regardait et Émilie comprit qu'il faisait des efforts pour ne pas rire.

— Pourquoi est-ce que tu me regardes en riant, Ti-Ton ?

— C'est à cause de votre couette, répondit-il en éclatant. Est toute raide !

Émilie porta la main à son front et comprit que la mèche rebelle tenait droit dans les airs, bien raidie par l'eau d'érable dans laquelle elle s'était trempé les mains toute la journée. Gênée, elle essaya de la replacer, mais n'y réussit pas. Ti-Ton riait de plus en plus. Les autres enfants, qui avaient feint de ne rien voir, ne purent contenir leur hilarité facilitée par la fatigue. Même Ovide et Ovila cessèrent de se mordre les lèvres. Il n'y eut qu'Émilie qui ne desserra pas les dents. Elle accéléra le pas. Bientôt, seuls Ovila et Ovide purent la suivre. Elle ne leur adressa pas la parole. Elle les remercia quand ils l'invitèrent à la maison, disant qu'elle préférait rentrer immédiatement à l'école, et leur refusa le privilège de la raccompagner.

Elle claqua la porte, se précipita à l'étage, prit son miroir et ragea.

— J'ai l'air d'une vraie folle. Je suis sûre qu'ils doivent encore rire de moi. À c't'heure, il va falloir que je me lave la tête.

Elle s'exécuta et dut attendre, avant d'aller dormir, que ses cheveux fussent à peu près secs. Elle détestait se laver la tête le soir, son épaisse chevelure mettant des heures à sécher.

***

Émilie termina ses classes le mercredi. Son père vint la chercher afin qu'elle puisse être dans sa famille pour les jours saints et Pâques. Elle lui parla des événements importants, raconta toute l'histoire de Lazare, même si elle l'avait déjà décrite dans une lettre. Elle évita cependant de parler de l'histoire des commissaires et de la « couette sucrée ».

Le congé de Pâques lui sembla interminable. Émilie avait hâte de rentrer « chez elle ». Hâte de retrouver ses livres et ses cahiers. Hâte de mettre du bois dans son poêle pour la nuit. L'hiver avait maintenant évacué les lieux pour laisser entrer le printemps à pleines portes. Émilie demanda à son père de la conduire à Saint-Tite deux jours plus tôt que prévu.

— Est-ce que tu t'ennuierais dans ta propre maison, ma fille ? lui demanda-t-il, l'air quelque peu assombri.

— C'est pas ça, pâpâ. C'est que j'ai hâte d'arriver, de laver mes fenêtres, d'aérer l'école, de nettoyer mon chiffonnier, de préparer mes classes pour le mois de mai, de voir ce que j'vas faire pour que les enfants soient prêts quand l'inspecteur va venir...

Plus elle parlait, plus elle décrivait tout le travail qui l'attendait, plus l'impatience la gagnait.

— Bon, bon, pas besoin de me faire un dessin. Si ça fait ton bonheur pis si le temps se remet au beau demain, on va atteler. Une chance pour toi que les chemins sont carrossables. Faudrait pas que la pluie se remette à tomber cette nuit.

Émilie embrassa son père et monta boucler ses valises qu'elle avait discrètement commencé à remplir de vêtements plus saisonniers. Caleb regardait au plafond, l'oreille attentive, essayant, au son, d'imaginer ce qu'elle faisait.

— Est bien changée, Émilie, lui dit Célina.

— Tu trouves ? lui demanda Caleb sans conviction.

— D'abord, est grande sans bon sens. Elle doit bien mesurer cinq pieds cinq, cinq pieds six à c't'heure. On dirait qu'elle pousse encore. Ensuite, elle parle pus de la même manière. Elle trouve toujours un mot compliqué pour dire une affaire simple. Non, Émilie est bien changée. Je l'ai jamais vue prendre autant de temps pour se pomponner le matin.

— Ça doit être une habitude d'école. Après tout, il faut qu'elle donne le bon exemple sur la propreté.

Célina réfléchit quelque temps à la remarque de son mari. Elle enchaîna enfin :

— Moi, je trouve que notre fille a l'air d'avoir un soupirant.

— Qu'ossé que tu vas chercher là ?... D'où c'est que tu veux que ça soupire ?

— Voyons donc, Caleb, tu sais que les Pronovost ont plusieurs garçons.

— C'est des élèves à Émilie, sa mère.

— Sauf Ovide pis Edmond...

— C'est vrai qu'eux autres... Mais tu sais comme moi que notre fille sort pas le soir. Pis personne vient à l'école le soir non plus.

— Non, mais Émilie va chez les Pronovost... voir Lazare, bien entendu.

Ils discutèrent ainsi à bâtons rompus sur l'éventualité d'une amourette entre leur fille et l'aîné des Pronovost. Célina n'appréciait pas l'hypothèse. Une institutrice ne devait pas entretenir de relations suivies avec un jeune homme. Elle ne voulait pas qu'Émilie soit la proie des ragots. Elle voulait encore moins qu'elle perde son emploi. Caleb essaya de la calmer, mais, en son for intérieur, il nourrissait les mêmes craintes que sa femme.

Émilie vint leur tenir compagnie et s'étonna du silence qu'ils alimentaient de leurs regards et de leurs soupirs. Elle sentait vaguement qu'elle devait être au cœur de leurs préoccupations. Elle leur demanda enfin ce qui les tracassait et Caleb lui rapporta, en termes quelque peu retouchés, la conversation que lui et sa femme avaient eue. Émilie éclata de rire.

— Ovide Pronovost ? Vous voulez rire ! C'est un grand indépendant qui pense que toutes les filles veulent lui mettre la corde au cou. Non, Ovide Pronovost, c'est pas un gars à mon goût.

Caleb et Célina trouvèrent qu'elle avait mis beaucoup trop d'empressement à se défendre.

7

La classe était en émoi. Les commissaires avaient avisé Émilie que l'inspecteur ferait sa visite le 3 juin. La journée fatidique était arrivée. Émilie avait écrit une note aux parents leur demandant d'endimancher leurs enfants. L'inspecteur ne faisait qu'une visite annuelle et Émilie, qui terminait sa première année d'enseignement, se devait de démontrer ses talents d'enseignante si elle voulait être réembauchée l'année suivante. La concurrence était forte et elle savait que quelques jeunes filles de Saint-Tite n'auraient pas dédaigné d'enseigner à l'école du Bourdais.

Les enfants avaient passé toute la veille à astiquer les locaux. Pour ne pas perdre de temps, Émilie leur avait posé en même temps questions de catéchisme, de grammaire, d'histoire sainte, de calcul. Une grande révision entre l'époussetage et le balayage.

L'inspecteur arriva deux heures avant la fin de la journée. Les vêtements étaient un peu défraîchis, les visages moins propres, les mains plus graisseuses. Il demanda à Émilie son cahier d'appel. Puis, sans même s'occuper des enfants, il prit connaissance de toutes les notes et remarques qu'elle avait inscrites de sa main la plus appliquée.

Les enfants se tenaient droits. Émilie s'excusa auprès de l'inspecteur, descendit de sa tribune et alla rappeler à Charlotte que c'était l'heure. Quand Charlotte revint en classe, l'inspecteur n'avait pas encore terminé sa lecture. Les enfants commençaient à s'agiter sur leurs chaises. Émilie essayait de les calmer en souriant d'un sourire un tantinet crispé.

La visite de l'inspecteur faisait habituellement trembler les enfants, surtout les premiers de classe, qui étaient interrogés plus souvent qu'à leur tour, histoire de montrer le grand talent de l'institutrice – histoire aussi, sans doute, de ne pas humilier inutilement les autres. L'inspecteur referma le grand cahier et leva enfin les yeux. C'était la première fois que cet inspecteur venait à Saint-Tite, l'ancien ayant pris une retraite précoce pour des raisons de santé. Dès qu'il regarda les élèves, ceux-ci comprirent qu'il y avait des problèmes à l'horizon. L'inspecteur souffrait d'un fort strabisme. Il rappela aux enfants que sa tâche consistait à vérifier si les programmes scolaires avaient été bien respectés. Il les rassura en leur disant qu'il ne ferait écrire que sur l'ardoise, n'ayant pas le temps de faire les corrections. Les enfants s'efforcèrent de sourire quand ils comprirent que l'inspecteur trouvait sa dernière remarque drôle. Il demanda à Émilie de lui ouvrir le petit catéchisme.

— Qui peut me réciter les commandements de Dieu ? demanda-t-il.

Tous les élèves levèrent la main, prêts à répondre à une question aussi facile. L'inspecteur jeta un regard sur la classe et pointa l'index en disant :

— Toi !

Trois élèves se levèrent en même temps. Émilie rougit. Les trois élèves, confondus, se rassirent aussitôt. L'inspecteur fronça les sourcils, prit un air sévère.

— Toi, répéta-t-il.

Cinq élèves avaient maintenant l'impression d'être visés. Ne voulant pas renouveler la bourde qu'ils venaient de faire – se lever et se rasseoir –, ils dirent, à l'unisson : « Moi ? » L'inspecteur ferma les yeux, soupira, tourna la tête vers Émilie et la pria de nommer un élève. Émilie demanda à la grosse Marie de répondre. Celle-ci se leva et répondit correctement à la question. L'inspecteur émit un grognement de satisfaction. Les minutes s'écoulaient lentement, toutes plus lourdes les unes que les autres. La confusion devenait incroyable. L'inspecteur demanda enfin à Émilie de nommer les élèves au fur et à mesure, lui rappelant qu'une bonne institutrice faisait toujours un plan de la classe indiquant le nom de chacun des élèves. Émilie se mordit les lèvres. Elle avait oublié ce détail. Après le catéchisme, l'inspecteur passa à l'histoire sainte. Les enfants répondirent encore correctement. Émilie leur sourit. Elle évitait de nommer Lazare, celui-ci ayant été absent pendant plus de deux mois. Les questions de calcul étaient faciles. La grammaire ne posa pas de problèmes non plus. Vint enfin l'épellation. Émilie commençait à respirer, sachant que ses élèves étaient forts en épellation. L'inspecteur rejeta les livres et sortit de sa serviette une liste de mots qu'il avait lui-même préparée. Émilie se raidit de nouveau.

— « Imbécillité ». Qui peut épeler le mot « imbécillité » ?

Trois élèves levèrent la main. Émilie nomma le premier.

— I-m-b-e accent aigu c-i-l-i-t-e accent aigu.

— Non ! rétorqua l'inspecteur. « Imbécillité » ?

113

L'élève pris en faute se rassit, sans savoir où il s'était trompé. L'inspecteur redemanda à la ronde la réponse à sa question. Personne n'osa lever la main.

Émilie se passa une main sur le front.

— Mademoiselle Bordeleau, quel est votre meilleur élève en épellation ?

— Rosée Pronovost, répondit Émilie.

— Rosée Pronovost, pouvez-vous m'épeler « imbécillité » ? dit-il en regardant à droite.

Rosée se leva. Elle était à gauche. L'inspecteur mit quelques secondes avant de la repérer.

— Monsieur l'inspecteur, j'épellerais le mot comme on vient de l'épeler.

— Et vous êtes la meilleure ? Et vous êtes incapable d'épeler « imbécillité » ! Je vais vous dire comment on épelle ce mot-là… à moins que Mlle Bordeleau ne veuille le faire à ma place, enchaîna-t-il mielleusement.

Émilie ravala sa salive. Elle aurait dit « i-m-b-é-c-i-l-i-t-é » elle aussi, mais elle se devait de trouver la réponse. À tout hasard, elle dit à l'inspecteur qu'il y avait deux *l*. L'inspecteur sourit. Elle soupira.

— Maintenant, je veux que quelqu'un épelle le mot « août », comme dans « le mois d'août ».

Rosée leva la main. L'inspecteur l'ignora. Il précisa qu'il voulait qu'un petit réponde à cette question. Il leur demanda de se lever tous. Les petits obéirent. Aucun ne réussit à épeler correctement le mot. Ils oubliaient tous l'accent circonflexe.

Émilie commençait à désespérer. Les enfants s'énervaient, d'autant plus que la chaleur était intense pour un 3 juin. Ils voulaient faire honneur à leur école et à leur institutrice, mais semblaient incapables d'épeler un seul mot correctement. L'inspecteur, lui, semblait s'amuser follement. Enfin, constatant que l'heure de la fin de la classe approchait, il proposa un dernier mot.

— Je veux le singulier du mot « épousailles ».

— E accent aigu p-o-u-s-a-i-l-l-e, répondit Rosée, soulagée d'avoir enfin été à la hauteur de sa réputation.

— Non ! rugit l'inspecteur.

Rosée blêmit.

— « Épousailles » n'a pas de singulier ! poursuivit-il. Allez-vous vous en souvenir ? « Épousailles » n'a pas de singulier ! Pensez-y. Je vous donne un truc pour que vous vous en souveniez. Il y a toujours deux personnes qui s'épousent. Répétez ça : « épousailles » n'a pas de singulier.

Les élèves répétèrent la phrase en y mettant tout le cœur qui leur restait. L'inspecteur se calma. Il leur sourit et les invita à quitter l'école après leur avoir donné congé de leçons. Les élèves ne se firent pas prier. Ils rangèrent leurs effets et sortirent presque en silence. Émilie les accompagna à la porte et les félicita. Rosée était en larmes. Émilie la consola en disant que finalement il n'y avait eu que cette partie de l'examen qui avait posé quelques problèmes.

Elle revint vers l'inspecteur. Celui-ci la regardait fixement. Émilie, mal à l'aise, se demandait lequel de ses yeux était le bon. Elle se racla la gorge avant de lui offrir une tasse de thé qu'il refusa avec exaspération, à cause de la chaleur. Elle lui apporta un verre d'eau.

— J'ai entendu parler de vous, dit-il en avalant sa dernière gorgée. Il paraît que vous n'avez pas froid aux yeux. Que vous êtes savante. Il faudrait passer un peu de votre savoir à vos élèves...

Il la regarda, un sourcil levé, l'autre baissé, ce qui accentuait son strabisme.

— On ne peut pas dire qu'ils soient bien bien forts en épellation.

Elle ne sut que répondre, partagée entre sa furie et sa déception.

— J'vas essayer de faire mieux l'année prochaine, osa-t-elle enfin.

L'inspecteur éclata de rire. Émilie se demandait ce qu'elle avait dit de drôle. Il lui demanda un autre verre d'eau et s'étouffa, tant il riait.

— Il faut rire, mademoiselle. Voyez-vous, je suis un vieux farceur. Quand des élèves ont toutes les bonnes réponses, je m'ennuie terriblement. Pour rompre cette monotonie, j'ai fait une liste de questions difficiles, simplement pour les fouetter un peu. Eux, et l'institutrice, ajouta-t-il en la regardant d'un air moqueur. Ma liste de mots, je ne la sors pas fréquemment. Uniquement quand l'institutrice fait bien son travail... On s'amuse comme on peut, voyez-vous.

Émilie commençait à voir. Mais elle ne s'amusait pas vraiment.

— Est-ce que ça veut dire que vous allez me garder l'année prochaine ?

— Évidemment ! Vous êtes sans pareille ! Saint-Tite peut se vanter d'avoir une bonne petite école de rang. Parlant de Saint-Tite, cela me fait penser qu'hier j'étais à Saint-Stanislas. Il y aura une école de libre l'année prochaine. Voulez-vous que je vous recommande ?

Émilie n'avait jamais pensé enseigner à Saint-Stanislas. La question la prit au dépourvu.

— J'vas y penser. Si je décidais d'y aller l'année prochaine, je vous le ferai savoir. J'apprécierais un bon mot.

— Songez-y. Votre famille serait contente de vous savoir à la maison...

— J'vas en parler avec eux autres.

— Faites cela. Bon ! moi je dois vous quitter. Demain, on m'attend dans une école de Sainte-Thècle. Je préfère m'y rendre ce soir. Mes hommages, mademoiselle. Vous avez vraiment une belle vocation.

L'inspecteur quitta l'école en ricanant, apparemment très fier de son après-midi. Émilie s'obligea à demeurer sur la galerie à lui envoyer la main jusqu'à ce qu'elle perde la calèche de vue. Dès que le nuage de poussière disparut, elle entra dans l'école, épuisée.

8

Émilie ne reçut pas de prime d'enseignement cette année-là, même si, l'apprit-elle, l'inspecteur l'avait chaudement recommandée. À la Saint-Jean-Baptiste, elle avait fini de remplir ses malles. Le grand ménage de l'école avait été fait par les enfants qui pouvaient se permettre de laisser la ferme. Émilie avait donc eu l'aide des petits, surtout les filles, les garçons devant *érocher* et désherber les rangs de semis. Tous les pupitres avaient été entassés dans un coin de la classe après avoir été bien lavés et cirés à la cire d'abeille. Le plancher avait été récuré à la brosse de crin et bien ciré lui aussi, même si l'acharnement qu'Émilie y avait mis n'avait pas donné les résultats souhaités. Elle avait encore une fois passé son poêle à la mine de plomb, tout en sachant que ce travail serait à refaire à la rentrée. Les fenêtres luisaient sous le chaud soleil de la fin juin. Émilie avait remercié ses élèves, les avait tous embrassés sur la joue et leur avait promis d'être à son poste au mois de septembre. Elle avait décidé qu'elle reviendrait.

Caleb devait venir la chercher « entre la Saint-Jean-Baptiste et le 30 juin, selon l'avancement des travaux de la ferme ». Le 25 juin, elle entreprit le grand nettoyage de sa chambre, sortant même son matelas, seule, pour l'aérer. Elle suspendit toutes les couvertures à sa corde à linge et les battit énergiquement. Elle se promit de les laver dès qu'elle serait arrivée à Saint-Stanislas, évitant de le faire à Saint-Tite. Une pluie malvenue aurait pu les empêcher de sécher avant l'arrivée de son père. Elle avait déplacé tous les meubles de sa chambre afin de libérer l'espace nécessaire à l'installation de son poêle à bois.

Son attente dura quatre jours, au cours desquels elle fut souventes fois invitée à prendre un repas chez les Pronovost, mais aussi chez les parents de Charlotte.

La veille de son départ, Lazare Pronovost vint la trouver pour lui faire part de sa décision de mettre un terme à ses études. Émilie en fut chagrinée mais elle savait que Lazare ne pouvait faire d'études poussées et qu'il serait plus heureux en travaillant à la ferme avec son père et ses frères. Elle sourit lorsqu'il lui dit que le nombre d'élèves Pronovost serait le même, puisque Oscar commencerait ses classes à la rentrée.

Ovide vint rejoindre son frère à l'école, inquiet du qu'en-dira-t-on, dit-il… Émilie leur offrit à tous les deux une bonne tasse de thé et accepta volontiers de jouer une ou deux parties de cartes. Une « veillée » à l'école étant interdite, ils se déplacèrent donc tous les trois et trouvèrent de nouveaux partenaires de jeu chez les Pronovost.

M. Pronovost confirma à Émilie que Lazare quittait l'école. Il lui dit aussi qu'Ovila avait préféré faire une autre année.

— Celui-là, il aime pas mal moins ça que ses frères, le travail de la ferme.

Fidèle à ses habitudes, Ovila était assis dans un coin de la cuisine à sculpter un bout de bois. Émilie lui sourit. Elle avoua aux parents qu'elle-même ne raffolait pas des travaux de la ferme, ce qui l'avait aidée à opter pour l'enseignement. Les parents Pronovost lui firent remarquer qu'elle aurait de la difficulté, dans un village comme le leur, à trouver un bon parti si elle ne voulait pas être femme de cultivateur. Émilie leur répondit en riant qu'elle n'était pas pressée de se marier ; qu'elle aimait trop l'enseignement et qu'avec un peu de chance elle pourrait marier un instituteur... ou encore un inspecteur. À cette phrase, les enfants éclatèrent de rire. Émilie fit de même. Personne n'avait oublié la visite du nouvel inspecteur. Ce dernier s'était même fait un point d'honneur d'arrêter à l'école saluer Émilie lorsqu'il était repassé à Saint-Tite. Émilie s'en était quelque peu amusée, mais avait profité de l'occasion pour lui dire qu'elle préférait demeurer à Saint-Tite. L'inspecteur avait opiné sans raison et avait roucoulé quelques phrases. Cet homme de trente ans, à la redingote poussiéreuse, les cheveux déjà rares et saupoudrés de blanc, avait essayé bien maladroitement de lui faire la cour. La seule promesse qu'il avait réussi à lui arracher était qu'elle lirait tous les livres qu'il lui avait prêtés. Il l'avait quittée en se retournant à trois reprises et, chaque fois, Émilie s'était hâtée d'accrocher un sourire à ses lèvres et de lui faire un petit signe de la main auquel elle s'efforçait de donner une pimpante coquetterie.

Émilie quitta les Pronovost à huit heures. Elle savait qu'ils ne veillaient qu'exceptionnellement. Dosithée demanda à Ovide de la raccompagner. Celui-ci fut escorté d'Edmond et d'Ovila, qui avait laissé tomber son couteau et son bout de bois, avait passé à la hâte une main dans sa chevelure en bataille et avait boutonné son col.

Émilie regarda chacun des membres de la famille, dit un bon mot à ses élèves et, prise d'une émotion qu'elle tentait de cacher, avait osé embrasser les parents en les remerciant d'avoir été si avenants à son endroit. Hormis les trois fils, toute la famille s'était agglutinée sur les marches de la galerie pour la saluer, comme si tous avaient eu l'intuition qu'elle quitterait le rang le lendemain.

Son père était arrivé à l'heure où s'éteignaient les lampes dans les étables pour laisser la place à l'aube. Il avait attelé durant la nuit afin de ne pas perdre une journée complète en voyageant. Il aurait voulu venir chercher sa fille avec son élégant *piano box*, comme il l'avait fait à l'automne, mais il savait qu'il n'y aurait pas assez de place pour y loger les dix derniers mois qu'elle venait de vivre. Caleb la connaissait assez bien pour savoir que si elle était arrivée à Saint-Tite avec le strict nécessaire, elle en reviendrait avec des boîtes et des boîtes de souvenirs « absolument essentiels », ce en quoi il n'avait pas eu tort.

Il avait dû frapper à la porte de l'école pendant cinq bonnes minutes avant qu'Émilie ne vienne lui ouvrir. Au premier coup d'œil, il devina qu'elle rapportait probablement dans son sac à main plusieurs mouchoirs souillés. Émilie était heureuse de le voir et lui sauta au cou. Caleb, quelque peu étonné par tant d'enthousiasme, retrouva rapidement sa contenance, lui tapota une fesse pour lui donner une erre d'aller et la supplia de se hâter. Émilie tenta bien de se presser, mais elle brûla sa tranche de pain, renversa son pot de crème, cassa une assiette, défit l'ourlet de sa robe en descendant une boîte de l'étage, en échappa une seconde dont le contenu se répandit sur son plancher fraîchement ciré, s'assit finalement à son pupitre et éclata en sanglots. Caleb, que les larmes rendaient toujours aphone, lui offrit un mouchoir sec et sortit de l'école pour abreuver et nourrir sa jument. Il passa beaucoup plus de temps qu'il n'aurait voulu à placer et replacer les effets de sa fille dans la voiture.

Émilie s'était mouchée et remouchée, était remontée à l'étage pour s'assurer que tout était en ordre, avait marché de long en large dans sa classe et s'était finalement résignée à rejoindre son père maintenant assis sur le marchepied de la voiture, son chapeau bien enfoncé sur la tête.

— J'arrive, pâpa. Deux p'tites secondes.

Elle avait verrouillé la porte, fait le tour de son « domaine » une dernière fois, puis était montée aux côtés de son père. Il leur avait fallu s'arrêter chez les Pronovost pour porter la clé de l'école. Caleb, craignant que de longues effusions ne les retardent davantage, avait lui-même porté la clé de sa fille. Émilie en avait été soulagée, restant assise à regarder droit devant elle. Son père revint presque aussitôt et ordonna à la jument de se mettre en marche. C'est à ce moment qu'Émilie se retourna. Le temps d'un éclair, elle avait vu bouger un rideau que quelqu'un s'était hâté de replacer.

Caleb s'empressa de lui apprendre qu'il s'était permis d'accepter qu'elle enseigne durant l'été à des enfants de Saint-Stanislas connaissant des difficultés. Émilie s'en était réjouie. Caleb lui avait dit qu'il n'avait cédé qu'à la condition qu'elle soit libérée pour les moissons et les récoltes. Émilie avait tiqué – elle détestait moissons et récoltes – mais s'était pliée d'assez bon gré à cette exigence.

En apparence, l'été 1896 ressembla à tous les étés qu'elle avait connus. Une semaine après son retour, elle avait retrouvé les sons, les habitudes, les odeurs et la routine de la maison familiale. Elle avait repris son coin dans la chambre des filles, mais eut de la difficulté à dormir pendant les premières nuits, déshabituée d'entendre d'autres souffles faire écho au sien.

Elle avait aussi retrouvé ses amies, auxquelles elle avait raconté l'année écoulée, en n'omettant que quelques détails. Seule Berthe, sa meilleure amie, eut droit à plus de confidences. Émilie apprit, la première, que Berthe songeait à entrer au couvent. D'abord surprise, elle crut comprendre que Berthe, qui, à dix-sept ans, était l'aînée de treize frères et sœurs, cherchait peut-être au couvent un repos qu'elle ne semblait jamais pouvoir trouver à la maison, sa mère étant toujours alitée et dépassée par sa progéniture.

L'été avait étiré puis raccourci ses journées sur des champs dont les couleurs s'apparentaient de plus en plus au jaune. Émilie reprenait vie à mesure que la terre semblait montrer quelques signes d'agonie. Vint enfin le temps où elle put reboucler ses malles bien bourrées de nouveaux vêtements qu'elle avait créés durant ses heures de liberté.

9

L'école n'avait pas bougé, toujours enfouie à l'intersection du rang du Bourdais et de la montée des Pointes. Émilie l'avait dépoussiérée de ses deux mois de répit avant de commencer sa deuxième année d'enseignement, marquée par l'arrivée de plusieurs nouveaux élèves. Elle avait dû repenser l'organisation de son temps, les petits l'emportant maintenant en nombre sur les grands. Elle voisina un peu moins avec les Pronovost que l'année précédente, consciente que certaines personnes voyaient d'un œil à la limite d'être mauvais le fait qu'un commissaire, père de nombreux fils dont au moins un était en âge de se marier, s'attachât à une institutrice. Elle se permit toutefois d'accompagner Ovide à la noce d'un de ses amis. Elle refusa cependant de faire partie de la chorale de la paroisse, préférant au chant le calme et la solitude dont elle devenait particulièrement friande après ses harassantes journées. Elle avait assisté à l'ouverture d'une école commerciale à Saint-Tite, heureuse d'apprendre que quelques-uns de ses finissants avaient l'intention de la fréquenter dans l'espoir de se trouver une bonne situation.

Elle était retournée à Saint-Stanislas aux mêmes dates que l'année précédente, mais avait écourté son séjour des fêtes afin d'assister à la fête des Rois chez les Pronovost. Son père n'avait pas prisé cette décision, mais Émilie avait tenu bon. Plusieurs familles du rang et du village avaient été conviées. Pour la deuxième fois depuis son arrivée à Saint-Tite, Émilie avait dansé et veillé une bonne partie de la nuit. Les invités avaient bien ri de la voir couronnée reine. Les hommes durent se servir une seconde portion de gâteau avant qu'Ovila ne croquât le pois. On le couronna, mais il renonça à son titre. Ovide monta donc sur le trône et embrassa la reine sur ses deux joues fort rougies par la chaleur, le plaisir et la timidité.

L'hiver avait été moins rigoureux que celui de l'année précédente. Émilie, dont la chambre était maintenant munie d'un poêle, le trouva très supportable, s'habituant à fendre elle-même son bois. Elle avait écrit aux commissaires pour les remercier – même si le poêle promis pour septembre n'était arrivé qu'à la mi-décembre – et avait profité de l'occasion pour leur demander s'ils ne pouvaient pas organiser une corvée pour construire une rallonge à l'école afin d'y installer un « petit coin ». L'état de santé de Charlotte lui avait donné le courage de faire cette requête. Cette dernière, en effet, avait dû s'absenter de l'école, ses malaises l'obligeant à s'aliter à de nombreuses reprises. La fréquence de ses visites au « petit coin » s'était accrue. Charlotte, âgée de sept ans, avait maintenant la responsabilité de ses reins. Ses parents lui avaient donné une *léontine* qu'elle mettait bien en vue sur son pupitre. L'appel lancé aux commissaires fut entendu. On lui promit que la corvée aurait lieu dès que le printemps gonflerait la terre de vie.

Le mois de mars avait été clément. Aussi est-ce sur une terre à nu qu'avril prit possession de sa miette de temps. Mais avril avait cédé, malgré quelques journées ensoleillées, à des attaques de froidure et de neige. La corvée fut reportée au mois de mai.

Les hommes arrivèrent le premier samedi de mai. Émilie s'empressa de les rejoindre. Il fut décidé qu'une partie de la galerie avant serait sacrifiée pour permettre l'érection d'un nouveau mur. Les travaux durèrent toute la journée. L'école vibra sous les attaques incessantes des marteaux. Émilie s'étonna de la rapidité avec laquelle les mains et les pieds s'étaient organisés pour ne pas se nuire. Chacun était à sa tâche. Elle fut surprise que les hommes installent une fenêtre. Elle trouva l'idée charmante et commença à choisir, parmi ses retailles de tissu, celles qu'elle transformerait en rideau. Les hommes revinrent le lendemain, même si c'était un dimanche, pour poser la porte et les gonds et chauler le tout. Émilie les remercia chaleureusement et consacra le reste de sa journée à coudre un rideau blanc sur lequel elle broda toutes les lettres de l'alphabet.

Le lendemain matin, elle ne put surprendre Charlotte, qui était encore une fois absente. Elle le demeura pendant deux semaines. Elle revint finalement, pâle, tirée et inquiète d'avoir accumulé un retard presque impossible à rattraper. Émilie l'invita à rester après la classe. Les parents de Charlotte vinrent la trouver pour discuter d'un dédommagement financier. Émilie ne voulut rien accepter. Charlotte passa donc une heure par jour à essayer d'apprendre ce qu'elle devait savoir pour les examens de fin d'année. Émilie et elle développèrent une relation peu commune, Émilie retrouvant son rôle de grande sœur, Charlotte découvrant celui de protégée. Les sept ans de Charlotte étaient imprégnés d'une maturité particulière. Depuis la crise d'épilepsie de Lazare, elle s'était transformée en bon ange, celui qui veille constamment sur tous ceux qui ont un petit malaise. Elle avait confié à Émilie qu'elle trouvait Lazare à son goût et que si celui-ci la trouvait aussi à son goût, elle le marierait quand elle serait grande. Malgré tout son sérieux, Charlotte était une ricaneuse qu'Émilie aimait entendre rire. Entre les minutes de travail intense, elles prenaient le temps de se détendre en se racontant des petites blagues qu'elles trouvaient toujours très drôles.

Le mois de juin ramena la fièvre de la visite de l'inspecteur pour la classe et celle de l'approche du départ pour Émilie. Charlotte réussit aux examens et n'attendit plus que la rentrée.

Émilie se sépara de ses élèves, aux prises avec son chagrin et la joie qu'elle éprouvait de pouvoir se reposer un peu. Sa mère lui avait écrit qu'elle aurait encore des « élèves d'été » à Saint-Stanislas. Émilie ne s'en plaignit pas, ce travail lui donnant l'impression d'être utile douze mois par année.

Son père vint la chercher le soir même de la première journée des vacances. Encore une fois, elle quittait son école en sachant qu'elle y reviendrait. Pour une troisième année. Mais elle quittait maintenant plus que son école. Elle quittait un village auquel elle commençait à appartenir vraiment.

Saint-Stanislas lui parut s'éloigner d'elle à chaque tour de roue qui pourtant l'en rapprochait.

DEUXIÈME PARTIE

1898-1901

10

Ovide conduisait son attelage avec prudence. Il rentrait du village et le vent frisquet de mars l'étouffait sans arrêt. Bien couvert, il n'en continuait pas moins à grelotter. Il décida de poursuivre sur le rang d'été jusqu'à la montée des Pointes. Avec un peu de chance, les enfants seraient dehors pour la récréation et il pourrait voir Émilie. Dès qu'il fut en mesure de bien distinguer l'école qu'une accalmie de vent fit apparaître, il constata qu'Émilie n'avait pas laissé sortir les enfants cet après-midi-là. Il soupira, toussota, cracha et prit la direction de la maison. Il demanda à Edmond de dételer le cheval, ce qu'Edmond fit sans se faire prier. Ovide rentra à la maison, se dévêtit lentement, trop épuisé pour le faire avec hâte. Sa mère vint l'aider. Ovide ne dit pas un mot. Il monta à sa chambre et s'échoua sur son lit, secoué par une tempête de toussaillements. Félicité le suivit, s'essuyant les mains sur un tablier légèrement gonflé par l'approche d'une nouvelle naissance. Elle regarda son fils, lui ordonna de s'asseoir et lui versa un verre d'eau. Il but comme il put, s'étouffa à deux reprises avant de recracher sa dernière gorgée. Félicité lui épongea le front avec un coin de serviette.

— J'aime pas ça, Ovide. Tu craches trop. C'est malin de cracher comme ça. J'vas demander à Edmond d'aller chercher le docteur.

Ovide secoua une main comme s'il chassait une mouche. Ses poumons s'emplirent en émettant un sifflement.

— C'est pas nécessaire de faire venir le docteur. Je viens de le voir.

— Pis ? demanda la mère, un pli d'inquiétude imprimé sur le front.

Ovide toussa à s'époumoner avant de pouvoir répondre.

— Pis, ça a bien l'air d'être ce que je pensais.

Félicité regarda son grand et beau fils. Son aîné. Il s'était retourné pour qu'elle ne puisse pas voir les larmes qu'il refoulait depuis son arrivée. S'il avait réussi à cacher les pleurs, il était incapable de dissimuler les hoquets qui secouaient son pauvre corps, assiégé tantôt par des accès de toux, tantôt par des sanglots.

— Sortez de la chambre, moman. J'aime mieux être tout seul.

Félicité obtempéra. À contrecœur, elle laissa son fils à son chagrin. Impuissante.

Elle revint dans la cuisine et se contenta de hocher la tête quand Edmond lui demanda si Ovide allait mieux. Edmond se leva, marcha de long en large, puis donna un violent coup de poing sur le mur. Félicité sursauta, mais en même temps elle enviait son fils de pouvoir manifester ainsi la rage qu'il avait au cœur.

— Est-ce que c'est grave ? lui demanda-t-il.

— J'sais pas. Ovide m'a pas donné de détails.

Edmond enfila son manteau.

— Je m'en vas chercher le docteur.

— C'est de là qu'Ovide arrive, dit sa mère.

— J'y vas pareil. Si Ovide veut rien nous dire, on va en avoir le cœur net.

Edmond sortit de la maison, réattela l'étalon et partit pour le village. Félicité remonta voir si Ovide avait réussi à se calmer. Il était couché sur le dos, un bras replié sur les yeux.

— Ovide, veux-tu quelque chose ?

Il se contenta de secouer la tête et de se retourner de nouveau. Félicité lui dit qu'elle allait immédiatement lui faire une *mouche de moutarde* et sortit précipitamment de la chambre avant qu'il n'essaie de l'en empêcher. Elle remonta quelques minutes plus tard pour lui mettre le cataplasme sur la poitrine. Ovide la remercia d'un signe de tête.

Les enfants rentrèrent de l'école. Télesphore, le petit dernier, était avec eux. Exceptionnellement, Rosée s'était absentée pour la journée. D'habitude, elle demeurait à la maison, n'étant plus retournée en classe depuis octobre. La grossesse tardive de sa mère avait nécessité sa présence quotidienne.

Edmond revint. Félicité se couvrit d'un gros châle et alla le rejoindre au bâtiment. Elle le trouva affairé à ranger le mors et les guides.

— Pis ?

Edmond se retourna. Il regarda sa mère. Elle lui parut tellement fragile dans sa maternité qu'il lui demanda de s'asseoir. Félicité obéit.

— Pis... c'est... c'est la tuberculose.

Félicité sentit un frisson la secouer des pieds à la tête, en faisant une longue pause au cœur. Elle garda la tête baissée. Edmond vint s'asseoir à côté d'elle, lui posa une main maladroite sur l'épaule, puis tenta

133

gauchement de la rassurer et de la consoler en lui disant que, durant la maladie de l'aîné, elle pourrait se fier à lui, le deuxième, et qu'il ferait tout en son pouvoir pour aider la famille.

Dosithée était au lac Pierre-Paul avec ses frères Joseph-Denis et Claïre. Ils avaient enfin réussi à obtenir le contrat de coupe pour des traverses de chemin de fer, qu'ils attendaient depuis deux ans. Ils étaient affairés dans le bois lorsque Dosithée vit arriver Edmond.

— Edmond ? Qu'ossé que tu fais ici ? C'est pas ta mère, j'espère ! lui cria-t-il en déposant sa hache.

Edmond s'approchait à pas lents, comme s'il tentait de repousser l'instant où il aurait à parler à son père. Dosithée vint à sa rencontre, accélérant à chaque pas qu'il faisait.

— Parle, *bonyeu* ! C'est-y ta mère ?

Claïre et Joseph-Denis arrêtèrent aussi de travailler et firent signe aux autres hommes du chantier d'en faire autant. L'écho cessa de résonner dans le bois.

— C'est pas moman. C'est Ovide.

— Ovide ? Qu'ossé qu'il a, Ovide ?

— Ben, vous savez, son rhume qui traîne depuis le commencement de l'hiver... Ben... le docteur dit que c'est pas un rhume ordinaire... Ça a l'air que... Ben, nous autres on pensait que c'était peut-être une pneumonie... Mais le docteur dit que ça a l'air d'être plus grave...

Dosithée était suspendu aux lèvres de son fils. À chacune des phrases qu'Edmond bégayait, Dosithée donnait un coup de tête, comme s'il cherchait à deviner les paroles qui suivraient. Edmond s'était tu. Il n'avait pas pensé qu'il lui serait si difficile d'annoncer la nouvelle à son père. Il se racla la gorge pour faire place aux mots qu'il se devait de prononcer.

— Le docteur... le docteur dit que c'est... de la tuberculose.

Il leva les yeux et regarda son père. Dosithée répéta silencieusement le diagnostic à deux ou trois reprises. Il se retourna enfin pour dire à ses frères qu'il allait chercher son bagage et qu'il rentrait à Saint-Tite. Ses frères l'accompagnèrent jusqu'au campement. Dosithée lança tout en vrac dans le sac de farine qui lui servait de valise.

— Claïre, je te confie ma hache. Veille à ce qu'elle rouille pas, pis rapporte-moi-la au printemps. Salue bien tout le monde. Moi, je file.

Dosithée et Edmond firent le voyage en silence. Si le trajet n'était pas long, il n'en était pas moins épuisant, les chemins étant à peine existants. N'eussent été les traces qu'Edmond avait creusées à son arrivée, ils auraient mis encore plus de temps à sortir du bois touffu et étouffant. Dosithée regardait devant lui un point qui semblait toujours s'appuyer sur un horizon inaccessible.

Ils arrivèrent au Bourdais à la nuit tombée. Dosithée sauta du traîneau, laissant à son fils le soin de la bête et de l'attelage. Il se précipita dans la maison et se dirigea vers sa femme. Cette dernière lui tendit une joue qu'il s'empressa de caresser.

— Ovide est où ?

— Dans la chambre des filles. Il empire depuis à matin. Le docteur est venu pis il nous a dit qu'Ovide faisait en plus une p'tite bronchite. On sait pas ce qui va arriver.

Félicité se voulait rassurante, mais elle-même n'était pas tranquillisée. Elle savait que la nuit serait longue. Dosithée enleva manteau, bottes et tuque, puis monta l'escalier sur la pointe des pieds. Il s'assit au chevet de son fils qui se débattait contre une fièvre de plus en plus accablante.

— Salut, mon gars… Comment ça va ?

Ovide ouvrit les yeux et commença à trembler. Il parvint à dire à son père de s'éloigner de lui. Dosithée recula. Puis Ovide, que la fièvre réussissait presque à vaincre, recommença à s'agiter. Dosithée lui posa un linge humide et frais sur le front. Ovide l'arracha. Désemparé, Dosithée sortit de la chambre à reculons. Il revint dans la cuisine.

— As-tu l'impression qu'il faudrait faire venir le curé ? demanda-t-il à sa femme en essayant de camoufler les vacillements de sa voix.

— Pas d'après le docteur. Si la fièvre peut tomber, il va être correct.

Dosithée alla à sa chambre. Il décrocha le crucifix qui était suspendu au mur à la tête du lit, le serra contre sa poitrine et le remit en place. Il revint dans la cuisine. Ce n'est qu'à ce moment-là qu'il se rendit compte que tous les enfants étaient assis autour de la table. Il les regarda, un peu étonné de ne pas avoir remarqué leur présence. Tous leurs regards étaient inquiets. Il leur sourit, puis leur demanda s'ils voulaient faire une prière. Télesphore répondit qu'ils venaient de terminer un chapelet. Rosée fusilla ce dernier du regard et proposa à son père de réciter un rosaire. Dosithée, conscient tout à coup de l'heure tardive, lui répondit qu'ils feraient probablement mieux de tous aller dormir. Tous les enfants montèrent, à l'exception de Rosée, Edmond et Ovila. Éva se dirigea vers le salon. C'est là que Félicité avait installé ses filles afin de libérer leur chambre pour Ovide.

— Comment est-ce qu'il est, Lazare, depuis les fêtes ? demanda Dosithée.

— Seulement deux crises, répondit Rosée.

Dosithée se retourna vers Ovila.

— Ovila, ton frère Ovide est trop malade pour qu'on puisse compter sur lui. Lazare, tu le sais, est pas capable de travailler régulièrement. Ça fait que c'est à ton tour de laisser l'école pis de prendre la relève.

Ovila ne dit pas un mot. Il enfila son manteau et sortit prendre l'air. Quelque chose en lui venait de se rompre. Il ne voulait pas vraiment de la vie de la ferme. Dans quelques jours, il aurait dix-sept ans. Les études l'intéressaient plus ou moins mais elles lui évitaient de se fondre dans la routine des saisons.

Il marcha jusqu'à l'école. Une lumière luisait au second étage. Il se demanda s'il devait lui-même aviser Émilie qu'il ne viendrait plus ou s'il devait attendre que son père le fasse. Alors même qu'il débattait la question, il frappa à la porte. Émilie vint lui ouvrir. Elle était en chemise de nuit, ses cheveux dénoués. Ovila, intimidé, lui demanda s'il la dérangeait. Elle lui dit qu'il la dérangeait en effet mais qu'il pouvait bien entrer quelques minutes. Il le fit et se dirigea automatiquement vers son pupitre. Émilie le suivit et s'assit au pupitre voisin.

— Mon frère Ovide est malade.

— Oui, j'ai su. Je me demandais pourquoi tu m'en avais pas parlé depuis une semaine.

Ovila haussa les épaules. Il n'aurait jamais pu lui avouer ce qu'il avait pensé avant de connaître l'ampleur du mal de son frère. Son cœur était déchiré. Il s'était réjoui qu'Ovide fût malade, d'autant plus qu'Émilie n'était pas venue lui rendre visite. L'attitude de cette dernière lui avait confirmé ce que ses parents avaient maintenant accepté. Ovide n'intéressait pas vraiment Émilie. Elle ne voyait en lui qu'un bon voisin, rien de plus. Il la regarda et lui sourit tristement. Si seulement il avait eu l'âge d'Edmond ou même de Lazare, peut-être aurait-elle remarqué qu'il existait. Peut-être aurait-elle deviné que son « amourette » née trois ans plus tôt ne s'était jamais éteinte. Depuis trois ans, il s'obstinait aussi à poursuivre ses études, un peu pour avoir le loisir de la côtoyer quotidiennement. Il était le plus âgé de la classe. Il enviait Rosée d'avoir développé une relation amicale avec Émilie. Depuis qu'elle avait quitté l'école, Rosée pouvait, sans gêne, la visiter à n'importe quel moment.

— Ovila, es-tu venu pour me parler d'Ovide ?

Le son de la voix d'Émilie le força à redescendre de sa lune. Il lui donna les dernières nouvelles. La tuberculose... Elle grimaça.

— J'imagine que vous devez deviner le reste.

Émilie abandonna le cours de ses pensées.

— Le reste... ?

— C'est moi à c't'heure qui vas rester à la maison pour remplacer les bras d'Ovide. On peut pas se fier à Lazare.

Émilie n'avait absolument pas pensé au sort inéluctable qui attendait Ovila. Elle s'était tellement habituée à le voir dans la classe qu'elle n'avait pas vraiment voulu remarquer qu'il avait vieilli. Elle avait bien vu que son corps s'était allongé jusqu'à toucher la marque des six pieds, faisant de lui un garçon ou plutôt un homme exceptionnellement grand. Elle avait bien entendu la transformation de sa voix d'enfant. Elle avait bien vu, au premier jour de chaque nouvelle année, que sa musculature s'était arrondie. Et elle s'en était réjouie. Il la regardait le regarder...

— Ça va faire un vide, parvint-elle à dire.

— Vous allez vous habituer. J'vas pas être loin. J'vas continuer de venir vous visiter, pis de venir vous chercher pour la messe. Pis j'vas bûcher le bois en cachette. Même si vous êtes...

Il s'était interrompu. Il ne pouvait lui dire qu'elle n'avait en somme que quelques années de plus que lui. Qu'elle venait tout juste d'avoir dix-neuf ans et que, fin mars, lui-même en aurait dix-sept.

— Même si... ? reprit Émilie.

— Même si vous êtes encore la maîtresse d'école... Je veux dire que moi, finalement, euh... pas finalement comme... en tout cas, ce que je veux dire, c'est que je suis pus votre élève. Il y a pus un seul commissaire qui va pouvoir chialer parce que je fends votre bois. Ça sera pus contre les règlements.

Émilie s'efforçait de masquer l'attendrissement qui l'avait envahie.

— Si tu veux, Ovila, quand on sera tout seuls, tu pourras m'appeler Émilie. Rosée le fait. Pis… si ma mémoire est bonne, il y a moins de différence d'âge entre nous deux qu'entre elle pis moi.

Ovila la regardait, fasciné par ses yeux colorés au même pigment que sa chevelure. Elle avait dit « nous deux ». Le silence qui soudait leurs regards dura plusieurs minutes. Elle avait dit « nous deux ». Pour se donner une contenance, il commença à sortir ses effets et à les empiler sur le plancher. Elle avait dit « nous deux ».

— J'vas faire comme avec les bûches. J'vas faire des piles bien droites.

Il leva les yeux pour voir sa réaction. Elle n'avait pas saisi qu'il se moquait d'elle. Elle le regardait, perdue dans ses pensées. Songeait-elle à « nous deux » ? Il se releva et lui dit qu'il était temps qu'il parte et pensa à l'aviser que son père était rentré du chantier. Il se pencha de nouveau pour ramasser ses effets. Émilie l'aida, à genoux à côté de lui, essayant désespérément de ne pas le regarder.

— Si tu me donnes deux minutes, j'vas m'habiller pour t'aider à transporter ça jusque chez vous.

Ovila décida de tenter le tout pour le tout.

— Je pense que j'aimerais revenir chercher la *balance* demain.

Il se trouva effrontément présomptueux, aussi s'empressa-t-il d'ajouter qu'ainsi il aurait des nouvelles fraîches au sujet de son frère.

Émilie n'insista pas, se contentant de hausser les épaules pour bien lui faire comprendre qu'elle n'avait plus autorité sur lui. Elle l'accompagna jusqu'à la porte qu'elle entrouvrit.

— Ça va vraiment faire un grand vide...

— Juste de six pieds, essaya-t-il de blaguer.

Émilie émit un petit ricanement un peu rauque.

— Eh bien, Ovila, tu me forces à faire ce que je fais toujours quand j'ai un élève qui part.

Elle s'étira le cou et lui déposa un baiser sur la bouche. Habituellement, elle se contentait d'une joue. Ovila la laissa faire quelques secondes, puis recula, déposa ses effets, s'approcha d'elle sans dire un mot, ferma la porte d'un coup de pied, lui encadra le visage de ses deux mains et l'embrassa doucement. Il se rendit à peine compte qu'elle avait enlacé ses épaules de ses bras tant son âme l'avait quitté pour rejoindre la Voie lactée.

11

Émilie, confuse, avait tenté d'ignorer la présence d'Ovila. Il n'avait cessé d'essayer d'emprisonner son regard mais elle avait toujours fui. Elle avait terminé sa troisième année d'enseignement avec un entrain mitigé. Le départ d'Ovila avait quelque peu assombri son printemps. Maintenant qu'elle avait fait l'erreur de lui montrer qu'elle nourrissait à son égard un sentiment privilégié, elle s'était empressée de réhabiter son personnage de « maîtresse d'école », laissant dormir bien profondément la femme qui avait réussi à s'échapper un soir d'hiver. Elle avait refoulé toute l'euphorie qui s'était emparée d'elle après son manque de retenue. Si elle avait d'abord réussi à se convaincre qu'elle n'avait rien fait de mal, un grand malaise l'avait rapidement poursuivie pour finalement céder la place à l'invincible culpabilité. Elle n'avait même pas su faire confiance à Ovila, redoutant au point d'en faire des cauchemars qu'il ne racontât à tous qu'elle s'était littéralement jetée dans ses bras. Elle avait donc décidé de ne jamais plus faire allusion à la chose. Elle avait aussi décidé de ne lui adresser la parole que lorsqu'elle ne pouvait l'éviter. Malgré son attitude, Ovila avait tenu ses promesses. Il l'avait conduite à la messe et avait entré la dernière corde de bois dans la classe et dans sa chambre. Mais c'est en vain qu'il avait tenté d'engager la conversation. Elle lui opposait un mur de mutisme et d'incompréhension.

Elle avait vu arriver juin avec un soulagement à peine dissimulé. Encore quelques semaines et elle serait de retour dans son cocon familial. Encore quelques semaines et elle pourrait oublier cette fin d'année si peu digne d'éloges.

Elle était allée saluer les Pronovost, les remerciant encore de leur fidèle attention. Depuis Pâques, ils avaient repris leur allant, Ovide étant hors de danger. Elle était rentrée à l'école au moment où son frère arrivait. Elle s'était étonnée de ne pas voir son père. Son frère lui avait répondu qu'il était maintenant en âge de prendre la relève. Émilie lui avait souri, soudainement consciente que lui aussi avait vieilli. Ils avaient donc fait le trajet ensemble, faisant une halte chez Lucie. Émilie avait ensuite pris les commandes de l'attelage qu'elle avait mené furieusement jusqu'à la maison.

— Ma foi, on dirait que tu as le feu quelque part.

— J'ai le feu nulle part, avait-elle répondu avec acidité. J'ai juste hâte d'arriver.

Rentrée à la maison, Émilie avait défait son bagage avec empressement pendant que sa mère lui racontait toutes ses misères des mois passés. Émilie l'avait écoutée avec compassion. Émilie attendit quelques minutes et annonça à sa mère qu'elle irait chez Berthe immédiatement après avoir lavé la vaisselle du souper, trop impatiente pour attendre un lendemain encore lointain. Célina soupira devant ce qu'elle interpréta comme de l'indifférence de la part de sa fille et ne fit aucun commentaire.

Émilie marcha rapidement le mille qui séparait sa maison de celle de Berthe. Berthe avait la chance d'habiter près des berges de la Batiscan. Émilie, depuis son départ de Saint-Stanislas, avait toujours entretenu une correspondance régulière avec sa meilleure amie, mais elle s'en était toujours tenue à ne raconter que des anecdotes. Elle avait nourri un certain scrupule à relater ses états d'âme, incertaine qu'ils trouveraient un écho dans l'âme sensible de Berthe.

Berthe fut étonnée de la voir mais n'en éprouva pas moins un vif plaisir. Les politesses échangées avec la famille de Berthe, les deux amies s'esquivèrent pour trouver un peu de solitude et leur intimité.

— Qu'est-ce que tu as, Émilie ? Tu as l'air tout à l'envers.

Émilie réfléchit quelques instants avant de décider d'étaler sa honte devant son amie. Berthe l'écouta attentivement. Elles étaient assises sur le tronc d'un arbre mort depuis des années et dont les branches baignaient dans la Batiscan.

— Ton bel Ovila, est-ce qu'il t'a dit quelque chose après le soir où tu l'as embrassé ? demanda Berthe, les yeux curieusement illuminés.

— Il a bien essayé, mais moi je l'ai toujours empêché de me parler.

Berthe, à force de subtiles questions, réussit à comprendre le trouble d'Émilie. Que son amie fût amoureuse, elle n'en doutait pas. Que son amie ait quelque peu dépassé les bornes, elle le comprenait. Mais que son amie s'empêchât de s'avouer qu'elle avait droit à ses sentiments, elle le refusait. Berthe émit enfin une opinion. Elle ne blâmait pas Émilie. Elle la félicita même, en se moquant, d'avoir réussi à attendre si longtemps. Émilie demeura perplexe. Elle demanda à son amie si elle devait accepter de le revoir. Berthe lui répondit qu'elle n'avait qu'à écouter son cœur.

— Mais, Berthe, tu y penses pas ! C'est mon élève pis il est deux ans plus jeune que moi !

— C'est effrayant ! Quand tu vas avoir quatre-vingts, lui va juste avoir soixante-dix-huit. Tu te rends compte, Émilie ? Tu vas passer pour une vieille folle qui court après les jeunesses.

Elles éclatèrent de rire.

— Tu vas faire une drôle de sœur, Berthe. Tu encourages les maîtresses d'école à sortir avec leurs élèves...

— Je fais rien de ça ! Je te ferai remarquer qu'Ovila, c'est pus ton élève. Si tu avais fait montre de quelque chose avant, là j'aurais pas pu faire autrement que de dire que c'était un bien mauvais exemple. Pire même. Mais à c't'heure, moi je trouve que la voie est libre. C'est sûr que les gens vont jaser, ça fait que moi...

Elle s'était interrompue pour essayer d'imaginer ce qu'elle aurait fait à la place d'Émilie. Elle savait les commissaires très exigeants quant au comportement des institutrices. Dans certains cantons, les institutrices ne pouvaient même pas patiner en hiver, sous peine de perdre leur emploi. Elle savait aussi qu'il était presque impossible à Émilie de faire accepter le fait qu'elle fré-quenterait le frère de certains de ses élèves. Aurait-on cru à son impartialité ? Elle savait qu'Émilie ne pou-vait pas recevoir dans son école... Son expression dut changer car Émilie put suivre le cours de ses pensées et enchaîner à sa place :

— Ça fait que toi, tu ferais comme moi. Tu dirais pas un mot à Ovila, tu lui donnerais l'impression qu'il s'est jamais rien passé, tu éviterais de le regarder, pis à chaque fois que tu le verrais se morfondre, tu aurais le cœur bien à l'étroit.

Les deux amies demeurèrent silencieuses pendant un long moment. La noirceur avait envahi les rives de la Batiscan. Ni l'une ni l'autre n'avait trouvé de solution au dilemme d'Émilie. Elles reprirent lentement la direction de la maison de Berthe. Elles écoutèrent le chant des grillons et la respiration des animaux qui dormaient juste derrière les clôtures de perche. Quelque part, un coq se mit à chanter.

— En voilà un autre de mêlé, lança Berthe.

Émilie se mit à rire, puis à rire de plus belle, entraînant Berthe qui lui bourra les côtes de coups de coude, l'exhortant à se calmer, ce que ni l'une ni l'autre ne purent faire. Elles en vinrent finalement à se rouler dans le foin, se tordant comme deux poissons fraîchement pêchés, empêtrées dans leurs jupes, les cheveux entremêlés de paille. Leur rigolade tourna vraiment au délire quand le coq chanta une deuxième fois.

— Si le coq chante une troisième fois, hoqueta Émilie, on va savoir que mon calvaire est commencé.

— Tu es complètement dinde, Émilie Bordeleau, hurla Berthe.

Le coq chanta une troisième fois. Les deux amies se calmèrent immédiatement. Émilie s'assit et enleva la paille qui lui ornait la tête. Elle se leva brusquement. Berthe l'imita.

— Je voudrais pas être superstitieuse, Berthe, mais c'est pas un peu de mauvais augure ?

— Voyons donc, répondit Berthe qui secouait énergiquement sa jupe. Tu vas pas commencer à te faire du mauvais sang à cause d'une blague.

Mais Berthe elle-même ne semblait pas tellement rassurée. Elles se quittèrent quelques minutes plus tard, après avoir convenu d'occuper leurs soirées d'été à faire une courtepointe.

— Tu la garderas pour toi, Émilie. Moi, je saurais pas quoi en faire. Vois-tu, j'vas rentrer au noviciat à la fin du mois d'août.

Berthe s'en voulait un peu d'annoncer une si grande nouvelle à un moment soudainement nuageux.

Émilie ne sut que répondre. Elle se contenta de donner une accolade à son amie, lui tapotant le dos comme si elle avait voulu la convaincre que tout irait bien.

Elle rentra chez elle marchant tantôt de front, tantôt à reculons. Sans en prendre conscience, elle avait greffé sa démarche sur ses pensées. Berthe entrait au couvent. C'était maintenant quelque chose de vrai. Comme Berthe serait heureuse ! Puis à reculons. « Mais qui va remplacer Berthe ? Lorsqu'elle sera religieuse, nous ne pourrons plus jamais faire comme ce soir. Nous ébattre dans l'herbe comme de jeunes chiots. » Puis de front. « Ovila, c'est dans mon imagination. Il n'y a pas une seule femme qui peut dire qu'elle est devenue amoureuse de son mari quand il avait quatorze ans. Ovila est encore trop jeune pour connaître ce que je connais. » Puis à reculons. « Pourquoi n'a-t-il rien dit ? Pourquoi s'est-il tenu à l'écart comme il l'a fait ? Pourquoi n'a-t-il pas insisté ? » Puis de front. « Je vais lui dire ce que je ressens. Ovila ne rira pas de moi. Ovila m'aime, j'en suis certaine. » Puis à reculons. « Est-ce qu'il m'aime ? Je veux qu'il m'aime. Pourquoi le coq a-t-il chanté trois fois ? »

12

Berthe et Émilie travaillaient chez les Bordeleau. Elles avaient décidé qu'il serait trop compliqué de transporter leur matériel à tout bout de champ. Berthe préférait s'exiler du toit paternel. La maison de son amie était presque aussi remplie d'enfance que la sienne mais elle la trouvait plus calme. Et, avait-elle ajouté, la promenade qu'elle faisait lui permettait de se recueillir.

Leurs soirées étaient agréables. Émilie n'avait jamais osé aborder une discussion sur les raisons de la vocation de Berthe. Elle s'était tue, craignant de teinter son jugement d'une parcelle d'égoïsme. Berthe lui manquerait terriblement. Elle s'était tue aussi parce que incapable de dire qu'elle trouvait que le couvent ressemblait à une fuite. Berthe était extraordinaire avec sa mère, ses frères et ses sœurs. Émilie n'avait jamais réussi à vraiment comprendre pourquoi Berthe avait toujours semblé vouloir s'éloigner de la nichée dont la responsabilité lui avait incombé. Elles parlaient donc de tout et de rien en piquant chacune une aiguille dans la courtepointe kaléidoscopique. Le mois de juillet avait lui aussi filé à travers le chas du temps. Août s'était pointé sous un soleil éclatant. Leur travail avançait très rapidement, les amies ayant toutes deux une patience monastique doublée d'une célérité d'exécution remarquable.

Elles travaillaient dehors quand le temps était clément. La noirceur les assaillait maintenant plus tôt, mais elles avaient installé des lampes pour travailler encore quelques heures, sous les étoiles.

Caleb, ce soir-là, s'était assis avec elles, s'émerveillant autant de ce qu'elles accomplissaient que de la beauté de la voûte étoilée, espérant voir apparaître des aurores boréales.

— Qui c'est, à votre avis, qui monte la côte ?

Berthe et Émilie quittèrent leur ouvrage des yeux. Elles regardèrent en direction du chemin et virent la lueur d'un fanal. Puis elles entendirent des bruits de sabots.

— Mon Dieu ! fit Berthe d'une voix étranglée. J'espère que c'est pas mon père qui vient me chercher parce que ma mère est malade.

Toutes deux, elles piquèrent leurs aiguilles, déchaussèrent leurs majeurs du dé à coudre et déposèrent leur ouvrage. L'attelage s'arrêta devant la maison de Caleb. Ce dernier demanda aux filles de demeurer là où elles étaient et s'empara d'un fanal. Il se dirigea vers le chemin. Berthe et Émilie n'entendirent pas la conversation qui suivit.

— Ça doit pas être pour moi, parce que ton père m'aurait déjà appelée.

Émilie ne répondit pas. Elle croyait plutôt le contraire. Caleb mettait peut-être le temps nécessaire à trouver les mots pour annoncer une mauvaise nouvelle.

— Émilie ! cria Caleb. Approche donc, j'ai besoin de toi.

Émilie regarda Berthe. Berthe ne broncha pas. Émilie s'éloigna. Berthe s'assit sur le bord de la chaise, prête à bondir dès qu'on la réclamerait. Elle déglutit péniblement. Un malheur. Une malédiction. La fin de son rêve d'entrer au couvent.

— Berthe ! Viens ici, Berthe !

Le cri d'Émilie lui résonna aux oreilles comme un écho de brume. Elle franchit en un éclair la distance qui la séparait du chemin et s'immobilisa subitement. Émilie riait aux éclats et Caleb faisait les frais d'une conversation enjouée.

— Berthe, je te présente Ovila Pronovost !

Berthe demeura bouche bée. Ovila Pronovost ! Elle avait passé tellement d'heures à l'entendre décrire par Émilie qu'elle eut l'impression que son visage lui était familier. Elle s'illumina.

— Ah ben ! Ah ben ! parvint-elle à dire. De la grande visite de Saint-Tite.

Discrètement, elle écrasa le pied droit d'Émilie.

Caleb invita Ovila à faire reposer sa bête. Il l'y invita avec d'autant plus d'empressement que l'attelage était tiré par le bel étalon à la crinière blonde. Il poussa même la politesse jusqu'à lui offrir de conduire lui-même l'attelage à l'abreuvoir. Il s'éloigna.

Ovila, empêtré mais heureux de l'accueil qui lui avait été réservé, suivit les filles. Berthe ne cessait de faire des clins d'œil et des grimaces à Émilie, que l'arrivée d'Ovila avait surprise. Émilie n'avait pu retrouver le comportement qu'elle avait adopté depuis ce fameux soir de mars. Ovila épousseta ses vêtements avant de s'asseoir. Caleb revint vers eux avec Célina qu'il était allé chercher. Les présentations faites, Caleb les invita tous dans la maison pour boire quelque chose. À l'intérieur, la haute taille d'Ovila devint rapidement un objet de curiosité.

Ils parlèrent à bâtons rompus pendant une bonne demi-heure. Ovila précisa qu'il se dirigeait vers Shawinigan et Trois-Rivières, pour essayer d'y trouver du travail. Émilie avait feint un vif intérêt même si, intérieurement, la peur de perdre Ovila de vue lui avait glacé le cœur. N'ayant rien remarqué, Ovila avait enchaîné en disant qu'il voulait travailler dans les chantiers durant l'hiver.

— Des chantiers de bûcherons ou des chantiers de construction, j'ai pas de préférence.

Émilie décida de changer de sujet et lui demanda s'il avait de la parenté à Saint-Stanislas. En fait, elle connaissait la réponse, mais elle savait que ses parents se passionnaient pour toutes les souches familiales de la Mauricie. Ils avaient donc été fascinés d'apprendre que, par sa mère, Ovila était un parent d'Isidore Bédard.

— Isidore doit vous attendre pour la nuit ? demanda Célina.

Ovila rougit un peu avant d'avouer qu'il n'était en fait pas attendu mais que sa mère l'avait assuré d'un bon accueil. Caleb jeta un furtif coup d'œil à Émilie. Sa fille avait l'air absolument subjuguée par Ovila. Il décida donc de brusquer un tantinet les événements.

— Je vois pas pourquoi qu'à une heure de même vous arriveriez chez Isidore comme un *quêteux*. Ici, on a de la place pour la visite.

Célina le regarda, étonnée. Émilie ne dit pas un mot. Elle évita même de regarder Berthe qui s'était levée pour remplir le pot d'eau.

— Bon, à c't'heure que c'est réglé, enchaîna Caleb, j'vas aller dételer votre bel animal.

Il allait sortir, l'air guilleret, lorsque Émilie l'informa qu'elle et Ovila iraient reconduire Berthe. Émilie connaissait bien son père. Elle savait qu'elle venait de lui imposer une attente torturante.

— Tu as le don, Émilie, de toujours fatiguer les bêtes après une trotte, répondit Caleb, déçu. Mais amusez-vous, on va attendre.

Sans comprendre comment elle avait pu faire une telle erreur, Berthe se retrouva assise entre Émilie et Ovila. Elle passa tout le temps de la trotte à tourner la tête à gauche, à tourner la tête à droite, faisant mine de s'intéresser au plus haut point à leur discours farci de sous-entendus. Elle ne prit la parole qu'à une seule occasion, pour confirmer les dires d'Émilie quant à leur « passionnant été ». Elle s'abstint de commentaires quand Émilie raconta toutes les fêtes auxquelles elles avaient assisté, sachant qu'Émilie n'avait assisté qu'à une fête : celle organisée par sa famille pour souligner le départ de François-Xavier Bordeleau pour le Klondike.

Ils arrivèrent chez Berthe. Ovila descendit et tendit la main à chacune des filles. Émilie raccompagna Berthe. Elles chuchotaient, Émilie étant visiblement au paroxysme de l'émoi.

— Tu me l'avais décrit, mais c'est quelque chose.

— Oui, hein ? répondit Émilie, fière comme elle ne l'avait jamais été.

Berthe parla rapidement de toutes les qualités d'Ovila. Émilie acquiesçait à chacune d'elles. Puis elle demanda à Berthe si elle viendrait le lendemain. Berthe promit de faire tout son possible pour s'absenter de la maison.

Émilie remonta dans la calèche. Ovila, qui était assis, se contenta de lui tendre la main. Elle s'y agrippa joyeusement.

Ils remontèrent la côte Saint-Paul au pas. L'étalon apprécia ce répit. Ovila était muet. Maintenant qu'il était seul avec Émilie, il ne savait plus comment expliquer sa présence. Émilie vint à son secours en lui demandant s'il voulait vraiment travailler dans les chantiers. Il répondit par l'affirmative et lui expliqua que plusieurs compagnies de Trois-Rivières et de Shawinigan embauchaient des hommes. Prenant ensuite son courage à deux mains, il dit à Émilie qu'il préférait quitter Saint-Tite. Il trouvait insupportable de la voir et de ne pouvoir l'approcher.

— Ris de moi si tu veux, mais fallait que je vienne pour te dire que je t'aime.

Émilie ne rit pas. Elle ne parla pas non plus. Ovila désespéra. S'enhardissant, il lui demanda si elle accepterait de correspondre avec lui durant son absence. Elle promit de le faire. Il demanda enfin s'il pouvait espérer qu'elle nourrisse à son égard un sentiment semblable au sien. Elle tarda à répondre. Il immobilisa la calèche. Émilie se taisait toujours. Ovila se tourna pour la regarder. Elle avait les yeux luisants. Il comprit qu'elle pleurait. De drôles de larmes de plaisir. Il s'empressa de l'enlacer pour la consoler. Elle éclata de rire et le laissa faire. Elle accepta d'être celle qui l'attendrait. Ovila se leva et se tapa la cuisse en poussant un cri de joie, puis il se rassit, remit la bête en marche, tenant les guides de sa main gauche et la main d'Émilie de sa main droite.

Caleb les attendait sur la galerie et ne fit aucun commentaire sur le fait qu'ils avaient mis près d'une demi-heure à franchir une distance qui habituellement demandait une dizaine de minutes. Il détela le cheval et commença à lui brosser la crinière. Émilie et Ovila demeurèrent assis avec Célina, qui avait profité de leur absence pour faire monter tous les enfants, ranger les effets de couture d'Émilie et préparer une couche pour Ovila dans le salon.

— C'est un peu mieux que le lit du quêteux. Au moins, on te fait pas coucher en arrière du poêle, dit Émilie pour justifier l'installation précaire.

Ovila les remercia de leur hospitalité, s'excusant encore une fois d'être arrivé sans prévenir. Émilie savait bien qu'il n'aurait jamais osé s'annoncer, de crainte qu'elle ne lui dise qu'elle préférait ne pas le voir. Elle bâilla. Ovila se leva et les pria d'aller dormir, disant qu'il irait à l'étable voir si sa bête était installée.

Ovila entra dans l'étable et se heurta la tête contre une poutre. Il crispa les lèvres et aspira le juron qui y pendait. Caleb le remarqua et éclata de rire.

— C'est fait pour du monde un peu plus p'tit.

— Tout est fait pour du p'tit monde, répondit Ovila en se frottant le front.

Caleb brossait encore la crinière du cheval.

— Il doit bien avoir huit ans à c't'heure. La première fois que je l'ai vu, c'était à l'automne 95. Maudit que c'est une belle bête !

Ovila opina. La bête avait neuf ans mais était fringante comme au jour de son arrivée. Caleb lui raconta combien il avait été impressionné par la finesse de ses pattes et la blondeur de sa crinière. Il parla encore et encore des mérites de l'étalon et en vint finalement au point qui l'intéressait. Une connaissance lui avait offert une pouliche « bien prête à se faire servir », mais il avait refusé de l'acheter, ne trouvant pas nécessaire d'avoir un autre cheval. Sa vieille jument, bien que moins ardente, les dépannait encore. Il avait trois chevaux pour les labours. Trois gros et forts chevaux, précisa-t-il. Mais si Ovila voulait bien lui accorder quelques heures, il pourrait, le lendemain, acquérir la pouliche et la mettre au pâturage avec son étalon. Ovila ne réfléchit qu'un instant, le temps de feindre qu'il était attendu à Shawinigan, puis accepta de prolonger son séjour à Saint-Stanislas. Caleb jubila.

***

Caleb partit immédiatement après avoir trait ses vaches. Il se rendit chez Elzéar Veillette. Il détestait Elzéar Veillette, d'abord parce que Veillette s'entêtait toujours à avoir raison, ce qui, selon Célina, était impensable puisque c'était Caleb qui n'avait jamais tort, et ensuite parce que Veillette faisait l'élevage des chevaux. Un petit élevage, certes, mais avec quand même quelques belles bêtes. Caleb savait que l'étalon des Pronovost aurait fait blêmir Veillette.

Veillette fut surpris de le voir arriver. Caleb fonça droit au but. Il avait entendu dire qu'il avait une pouliche à vendre. Veillette répondit qu'il l'avait vendue la veille et que c'était certainement la plus belle pouliche qu'il ait jamais eue. Caleb lui demanda qui l'avait achetée. Quelqu'un de la parenté du curé qui, justement, devait atteler pour s'en retourner à Grand-Mère. Caleb demanda si « ces bonnes gens » habitaient au presbytère. Veillette confirma. Caleb le salua en le remerciant et partit à la hâte.

— Coudon, Bordeleau, me semblait que tu voulais pus en avoir, des ch'vaux.

— C'est pas toi, Zéar, qui m'as dit qu'il y a rien que les fous qui changent pas d'idée ?

Sur ce, Caleb reprit le chemin du village. Il arriva au presbytère au moment où le curé saluait ses visiteurs. Caleb interrompit, aussi poliment que possible, le rituel du départ. Il demanda au curé s'il pouvait « parler affaires » avec sa charmante visite. Il fut étonné de constater que les « visiteurs » étaient trois des nièces du curé. Caleb leur expliqua, mentant légèrement, qu'il y avait eu erreur. Qu'il avait promis à M. Veillette d'acheter la pouliche qu'elles venaient d'atteler. Les femmes, surprises, lui répondirent que le gentil M. Veillette n'avait jamais parlé d'un autre acheteur. Caleb prit le curé à témoin de la légendaire distraction de Veillette. Le curé n'osa pas le contredire, mais il savait fort bien que Caleb,

154

et non Veillette, était reconnu pour sa distraction. Caleb offrit aux dames de racheter la jument. Les femmes refusèrent catégoriquement. Caleb sourit d'un sourire crispé et mit un prix sur son offre. Les femmes ne bougèrent pas d'un iota. Il augmenta la somme. Les femmes ramollirent. Il ajouta encore quelques dollars. Elles acceptèrent mais à la condition qu'il les accompagne chez Veillette. Si ce dernier n'avait pas une autre bonne bête à leur vendre, elles ne feraient pas la transaction. Caleb accepta. Il attira le curé à l'écart et lui demanda s'il pouvait lui avancer les fonds. Il n'avait pas en poche la somme nécessaire. Le curé s'empourpra. Caleb essaya de l'apaiser en lui promettant un prompt remboursement et… une part généreuse à la quête du dimanche pour le mois à venir. Le curé, toujours en colère, accepta néanmoins de lui avancer la somme. Caleb le remercia plus que chaleureusement. Le curé, intrigué par toutes les tractations, lui demanda s'il pouvait l'accompagner chez Veillette. Caleb n'osa pas refuser.

Veillette ne fut pas surpris de voir revenir Caleb. Il fut plus étonné d'apprendre que les demoiselles voulaient une autre bête. Il n'avait plus de jument à leur offrir. Seulement des étalons. Les femmes hésitèrent puis acceptèrent une des bêtes à la robe presque noire que Caleb leur recommanda chaudement. Pendant que les demoiselles faisaient leurs adieux à leur oncle, Veillette s'approcha de Caleb qui attachait la pouliche derrière sa calèche.

— Qu'est-ce que tu lui veux, à ma jument? demanda-t-il, l'air méfiant.

— Rien pantoute. Je veux juste une belle pouliche pour le plaisir de mes yeux qui commencent à voir moins clair.

— Fais pas l'innocent, Bordeleau. Tu sais comme moi que c'est la plus belle pouliche du canton.

— Du canton... du canton, répéta Caleb, feignant un scepticisme de bon aloi. Elle est belle... mais qu'ossé que tu penses que ça donne, une belle pouliche de même, quand on n'a pas d'étalon pour la servir ?

— J'en ai, des étalons, moi ! Pis des maudits beaux à part de ça.

— Tu as pas un étalon aussi beau que cette jument-là.

Tous les deux, ils firent une pause pour saluer les nièces du curé qui quittaient le chemin de Veillette.

— Mes étalons sont beaux, Caleb Bordeleau ! Tu sais ça aussi bien que moi !

— Prends pas le mors aux dents, Zéar ! Tes étalons sont beaux.

— Je te connais, Caleb Bordeleau. Tu mijoterais quelque chose que je serais pas surpris pour deux miettes.

— Voyons donc, Zéar ! Tu sais bien que j'ai juste trois vieux ch'vaux.

Il lorgna du côté du curé.

— Tu vas m'excuser, Zéar, parce que je voudrais pas faire patienter monsieur le curé.

Caleb tourna les talons et monta dans sa calèche. Le curé s'installa à ses côtés. Ils revinrent au village et Caleb ponctua le trajet de remerciements qu'il voulait tous plus sincères les uns que les autres. Si le curé avait d'abord été sceptique face à l'attitude de Caleb, tout lui semblait maintenant parfaitement normal, jusqu'à ce que Caleb lui demande de garder secrets la transaction et le prix payé pour la pouliche. Le curé le regarda d'un œil méfiant, mais promit.

Caleb revint chez lui et fut accueilli par Ovila et Émilie qui sortaient du poulailler avec deux paniers remplis de gros œufs bruns.

— Vous en avez mis, du temps ! lui lança Émilie.

— Pas tant que ça. Juste le temps d'aller chercher ma pouliche chez Veillette.

Émilie regarda son père avec étonnement. Quand il mentait, la sueur lui perlait toujours au nez. Elle remarqua qu'il avait le nez lustré bien qu'il s'efforçât de l'essuyer discrètement.

— Pis, mon garçon, lança-t-il à Ovila, est-ce qu'on envoie ces deux belles bêtes-là dans le clos ?

Caleb flatta sa pouliche, incapable de contenir sa joie à l'idée qu'elle était prête à l'accouplement. Ovila entra dans l'étable, faisant bien attention de ne pas se frapper la tête encore une fois, et en ressortit en tenant l'étalon par la bride. L'étalon aperçut la jument et frémit. Ovila le débrida.

Émilie se tint à l'écart. Elle préférait observer à distance. Elle avait à maintes reprises été témoin de l'accouplement d'un étalon et d'une jument, mais aujourd'hui elle y voyait un sens tout autre. L'étalon Pronovost et la pouliche Bordeleau... Célina sortit de la maison et se dirigea vers sa fille.

— C'est à qui, cette pouliche-là ?

Émilie lui répondit que c'était la dernière acquisition de son père. Célina fit une moue mais ne put s'empêcher de commenter la fière allure de la bête.

— Est-ce que ça vient de chez Zéar Veillette ?

Émilie lui dit que oui. Célina éclata de rire. À sa connaissance, dit-elle, Caleb et Elzéar ne s'étaient pas adressé la parole depuis le dimanche de Pâques.

— Comme d'habitude, ça aura pris une femelle pour que ces deux-là se parlent.

Célina avait en effet fréquenté Veillette jusqu'à ce que son cœur se tourne vers Caleb. Veillette en avait toujours voulu à Caleb, même après qu'il fut lui-même marié à une femme en santé qui lui avait donné dix-huit enfants, tous vivants. Célina, elle, avait traîné sa vie, sautillant d'une maladie à l'autre.

Les deux animaux se flairaient. Caleb s'était assis sur la clôture, décidé à ne rien manquer du spectacle. Célina l'avait finalement rejoint. Ovila s'était planté à côté d'Émilie. Ils étaient aussi intimidés l'un que l'autre.

— Tu peux pas savoir, Ovila, comment mon père a attendu toute sa vie pour avoir des beaux animaux. Un vrai p'tit gars qui a enfin son jouet préféré.

Ovila se contenta de sourire, puis dit, pour combler le silence, qu'il n'avait jamais vu un cultivateur prendre le temps de regarder un accouplement.

Berthe arriva et rejoignit Émilie et Ovila au moment où la pouliche partait au galop, l'étalon à ses trousses. Les enfants Bordeleau étaient maintenant tous sortis de la maison.

— C'est à nous autres, cette pouliche-là, Émilie ? demanda Napoléon.

Émilie acquiesça. Les enfants se groupèrent autour de leurs parents. La pouliche freina sa course et changea brusquement de direction. L'étalon en fit autant. Leur galop était impressionnant.

— Avez-vous vu ça ? cria Caleb. On dirait des ch'vaux sauvages.

La pouliche se retourna et se leva sur ses pattes postérieures. Elle commença à marteler l'étalon de ses sabots. L'étalon se défendit. Elle se calma enfin et l'étalon, renâclant, se plaça derrière elle. La pouliche trépignait. Enfin, l'étalon lui monta ses pattes sur le dos et la mordit au cou. Émilie frémit quand elle sentit la main d'Ovila exercer une toute petite pression sur sa nuque. Elle tourna la tête, le temps de se rendre compte qu'il la regardait intensément. Elle concentra ensuite son attention sur les bêtes. Ovila en fit autant. Émilie sentit le regard de Berthe.

L'accouplement dura une heure. Caleb resta assis tout ce temps, sans bouger. Les animaux, fatigués, avaient choisi un coin ombragé pour refaire leurs forces. L'impressionnante érection de l'étalon s'était résorbée.

Ils se retirèrent tous. Ovila pénétra dans le clos pour tenter de récupérer son cheval. C'était sous-estimer la bête. Il n'y parvint pas, malgré le secours de Caleb. Ovila dut se résigner à prendre le repas du midi. Émilie feignit une grande déception à l'idée qu'il serait en retard à Shawinigan, mais elle avait depuis longtemps deviné qu'il n'avait aucun rendez-vous et qu'il espérait probablement arriver à Shawinigan dans la journée du lundi, ce qui lui laissait encore une journée et demie de jeu.

Les ébats amoureux reprirent de plus belle après le repas. Ovila n'osa pas essayer de séparer les bêtes. Caleb lui en aurait voulu, il en était certain. Berthe, qui n'était restée que quelques minutes durant l'avant-midi, revint au milieu de l'après-midi, sa mère lui ayant « donné congé ». Émilie et Ovila s'en réjouirent. Ils préféraient le chaperonnage de Berthe à celui des parents ou des jeunes frères et sœurs. Tous les trois, ils décidèrent de marcher en direction de nulle part. Ils partirent donc, emportant des biscuits pour collationner. Ils se dirigèrent finalement vers le bois de Caleb. Ils avaient atteint la distance désirée, celle qui les cachait de la maison, lorsque Berthe se foula malencontreusement une cheville. Ovila la souleva et l'assit sur une grosse roche. Émilie demanda à voir la cheville blessée mais Berthe refusa.

— Continuez, vous autres, dit-elle en grimaçant. Moi, j'vas rester ici. Vous me reprendrez en passant.

Émilie et Ovila s'enfoncèrent dans le bois, elle derrière lui qui prenait un soin méticuleux à empêcher les branches de la fouetter au visage. Émilie souriait de la facilité avec laquelle il se frayait un passage à travers les sentiers encombrés de branches et de feuillages. « Ovila est vraiment un homme des bois », pensa-t-elle. Elle avait l'impression qu'il était un arbre mobile tant il s'amalgamait avec cette nature échevelée. Elle trouva irrésistible cet homme aux épaules droites comme des piquets de clôture, aux mains puissantes, aux pommettes saillantes et au nez aquilin qui, malgré le bleu des yeux, trahissait un mystérieux apport de sang amérindien.

Ils marchèrent ainsi pendant une heure, presque en silence. Émilie se taisait, savourant chacun des instants de ce plaisir que, la veille encore, elle avait décidé de s'interdire. Ovila, lui, était absorbé dans ses pensées. Il entendait l'essoufflement d'Émilie et ralentissait le pas, imperceptiblement. Il ne voulait surtout pas accroître la distance qui les séparait. Il voulait continuer de l'entendre respirer, sachant qu'il rêvait une douce folie. Sachant que son émoi était certainement impossible. Il feignit de se gratter un mollet et se pinça violemment. Non, il ne rêvait pas. Émilie, la belle Émilie, l'Émilie de ses rêves, était bien derrière lui. Ils étaient seuls, sous la voûte du feuillage.

Ils revinrent sur leurs pas et trouvèrent Berthe, endormie comme une couleuvre sur la pierre chaude. Émilie lui secoua une épaule. Berthe bondit sur ses pieds.

— Ta cheville a l'air guérie, constata Émilie, l'air moqueur.

Berthe, feignant d'être prise en flagrant délit, s'étonna gaiement des miracles qu'une prière bien enrobée de soleil pouvait faire. Ils reprirent le chemin de la maison après avoir grignoté leur collation.

L'étalon et la jument étaient toujours dans le clos. Caleb ne semblait pas avoir mis d'efforts trop soutenus pour les ramener au bâtiment. Berthe salua ses amis et demanda à Émilie si elle avait l'intention de travailler à la courtepointe. Émilie répondit affirmativement. Berthe promit alors de revenir dès qu'elle en aurait fini avec le bain des enfants.

Ovila avait rejoint Caleb qui trayait ses vaches.

— J'ai décidé de faire ça un peu plus à bonne heure. J'espère que les vaches seront pas choquées ou mêlées. Je me suis dit que tant qu'à avoir de la visite, j'avais beau jeu de presser un peu les affaires pour qu'on prenne le temps de se payer une bonne partie de dames. Aimes-tu ça, jouer aux dames ?

Caleb venait de lancer une question bien déguisée quant à la présence d'Ovila auprès d'Émilie et aussi, Ovila crut le comprendre, quant à ses intentions.

— Ma fille t'a-tu mordu la langue ?

Deuxième perche. Décidément, ce Caleb n'abandonnait pas facilement. Ovila inspira profondément. Il avait avantage, il le comprit, à jouer franc jeu. Il répondit que, depuis l'âge de quatorze ans, il avait toujours aimé Émilie. Il avoua que le but de sa visite était de connaître ses sentiments à elle. Il raconta combien elle avait toujours été indépendante, « à sa place ». Il insista enfin sur le fait qu'il avait toujours espéré qu'Émilie devienne sa « blonde », mais que jamais il n'avait su ce qu'elle pensait de lui.

Caleb avait écouté religieusement. Ce jeune avait du cœur au ventre, décida-t-il. Le père avait compris à quel point sa fille, son indépendante de mule, avait su garder son élève à distance. Mais il avait deviné que cette distance avait fondu, la veille.

— C'est pas nécessaire de m'en dire plus. Je connais ma fille. À partir d'à c't'heure, j'vas te faire confiance. Elle, j'y fais déjà confiance. Rien qu'une affaire, mon jeune. Sa réputation. J'imagine que tu as à cœur sa réputation. Que tu viennes ici en soupirant, c'est correct. Mais que tu commences à soupirer près des fenêtres de son école, ça se fait pas. Ça fait que j'espère que tu vas te trouver une *job* à Shawinigan ou à Trois-Rivières. Ça serait le mieux.

Ovila sourit et ne put s'empêcher de se pencher pour arracher la main de Caleb aux trayons de la vache. Il la serra énergiquement.

— Je te connais pas, mon gars. Mais j'ai pour mon dire que ma fille a du flair. Émilie sent le monde. J'espère juste que tu me feras jamais regretter ma confiance.

Le soleil se languissait tranquillement pendant que quelques-uns de ses rayons s'accrochaient aux perches des clôtures. Les Bordeleau avaient insisté pour qu'Ovila reporte son départ au lendemain. Ovila avait sincèrement hésité avant d'accepter. Émilie s'était abstenue d'intervenir dans la discussion, ses jeunes frères ayant fait le travail à sa place. Ils avaient attaqué les épaules d'Ovila comme si elles avaient été de fortes branches qui ne demandaient qu'à être grimpées. Berthe arriva sur le coup de sept heures. La présence d'Ovila ne la surprit pas.

Caleb et Ovila attaquèrent vaillamment une partie de dames pendant que les deux filles dépliaient leur ouvrage. Berthe chuchota qu'elles faisaient probablement le premier morceau du trousseau d'Émilie. Émilie haussa les épaules et feignit de trouver la remarque déplacée. Berthe lui fit un sourire moqueur. Célina s'excusa et dit qu'elle allait se mettre au lit immédiatement, ce qu'elle fit dès qu'elle eut installé la couche d'Ovila.

***

La pluie chantonnait sur le toit. Émilie ouvrit les yeux et tira la langue en réponse aux grimaces du temps. Elle entendait Caleb presser la famille. Elle regarda l'heure. Six heures et demie ! Elle sauta hors du lit. Ils auraient à se dépêcher s'ils voulaient terminer la traite et se préparer pour la messe de neuf heures. Elle descendit dans la cuisine et chercha Ovila des yeux. Son père lui dit qu'il était à l'étable. Émilie comprit qu'il devait déjà avoir attelé son étalon, que la pluie avait ramené au bercail. Elle remonta à sa chambre, se vêtit à la hâte et sortit à la pluie battante. Elle ouvrit la porte du bâtiment. L'étalon était encore dans sa stalle.

— Ovila ?

— Ici !

Ovila trayait les vaches. Émilie éclata de rire. Elle qui avait eu la certitude qu'il était sur son départ, elle le trouva occupé à des fonctions quotidiennes. Il lui expliqua que, levé tôt et voyant que le mauvais temps retarderait son départ, il avait pensé donner un coup de main. Émilie le remercia et lui demanda s'il assisterait à la messe avec eux. Ovila répondit qu'il le ferait si le temps ne se dégageait pas.

Deux voitures venant de chez Caleb arrivèrent à l'église. La première, conduite par Caleb, transportait la famille habituelle. La seconde, dirigée par Ovila, avait à son bord Émilie et Berthe. Il n'y avait pas de paroissiens attardés devant l'église, la pluie ayant quelque peu précipité leurs dévotions. Caleb dirigea sa famille vers leurs deux bancs. Ovila fermait la marche derrière Berthe et Émilie. Ils ne purent ignorer les quelques murmures qui naissaient à leur passage. Les deux filles retenaient un fou rire. Caleb passa à côté d'Elzéar Veillette et le salua de la tête. Veillette se tourna pour regarder Ovila. Émilie n'avait pas besoin de comprendre les chuchotements pour savoir ce qu'ils disaient. On s'interrogeait sur la présence d'Ovila ; on se demandait qui il était. Les filles devaient le trouver beau et grand. Mais ce qu'Émilie souhaitait entendre, c'était qu'elle et Ovila formaient un beau couple.

La grand-messe fut chantée avec beaucoup de cœur à défaut de voix. Émilie chuchota à l'oreille d'Ovila que c'était Isidore Bédard, le cousin de sa mère, qui était le maître de chœur. Ovila s'enfonça la tête dans les épaules, faisant un air qui voulait dire à Émilie qu'il s'en excusait. Émilie sourit. Depuis les trois ans qu'elle allait à la messe du dimanche avec Ovila, elle ne s'était jamais assise dans le même banc que lui.

Un rayon de soleil illumina le seul vitrail de l'église, situé au-dessus de l'autel. Émilie et Ovila furent incapables de s'en réjouir. Ils sortirent de l'église parmi les premiers. Ovila attendit sur le perron que le cousin de sa mère descende du jubé. Il demanda à Émilie de l'identifier, certain de ne pas le reconnaître. Émilie le lui désigna discrètement. Ovila se dirigea vers lui, lui tapota l'épaule, se présenta, et Isidore Bédard lui serra chaleureusement la main. Il le présenta à la ronde, ce que Caleb n'apprécia pas, car il aurait préféré le faire lui-même. Mais il avait d'autres préoccupations. Il tenait Elzéar Veillette à l'œil, n'attendant que le moment où ce dernier apercevrait l'étalon d'Ovila. À cause de la pluie, tous les chevaux avaient été conduits aux abris. Caleb qui, habituellement, s'attardait inconsidérément sur le parvis à parler avec ses concitoyens, semblait pressé de partir. En fait, il fut le premier à aller quérir son attelage et invita Ovila à le suivre, «pour pas que tu perdes de temps à c't'heure que le soleil est revenu». Ovila lui emboîta le pas sans se douter qu'il allait être au centre d'une jolie commotion. Il suivit Caleb qui mena sa jument – la vieille – juste au pied des marches du parvis. Elzéar Veillette avait le dos tourné. Caleb immobilisa la voiture et invita sa famille à monter. Ovila descendit de la sienne et aida Berthe et Émilie. C'est à ce moment qu'Elzéar Veillette se tourna. Il vit l'étalon, ouvrit la bouche et la pipe lui tomba du bec, se brisant net sur le parvis.

— Ha ben, baptême! chuchota-t-il de façon à ne pas être entendu du curé qui venait de les rejoindre.

Il descendit les marches et s'approcha de la bête. Il en fit le tour. Ovila et Émilie le regardaient faire sans s'en formaliser. Ce cheval faisait toujours son petit effet. Caleb, par contre, ne quittait pas Veillette des yeux, riant sous cape. Veillette, son inspection terminée, se dirigea vers lui d'un pas décidé. Il fulminait.

— C'est ça, Bordeleau, ton ch'val de labour ?

— Non… C'est le ch'val de la visite. Pis laisse-moi te dire, Zéar, qu'il s'est pas fait prier pour servir la belle pouliche que tu m'as vendue. Si ça t'intéresse, Zéar, dans quelques années, tu viendras me voir. On discutera d'un bon prix pour que l'étalon que la pouliche va me donner serve tes juments.

— Elle va te donner une jument, Caleb. Elle vient d'une lignée de juments.

Il regarda encore une fois l'étalon et se retourna vers Caleb.

— Caleb Bordeleau, tu es un maudit *ratoureux* !

Veillette, enragé, *rapailla* sa marmaille et disparut en un éclair.

Ovila prit une bouchée, accepta une collation puis quitta la maison de ses hôtes. Émilie l'accompagna. Ils marchèrent lentement, lui tenant la bride du cheval, elle se dandinant à ses côtés. Il lui promit qu'il l'attendrait à l'école, mais elle le pria de n'en rien faire. Elle le verrait lorsqu'elle ferait sa visite de politesse. Ils convinrent de ne parler à personne de leur relation, espérant que la rumeur mettrait quelque temps à franchir les quinze milles qui séparaient leurs villages respectifs. Ils se quittèrent le cœur bourrelé de contradictions. Émilie resta sur le bord de la route à le regarder tant qu'elle put le voir.

13

Émilie et Berthe pleuraient à chaudes larmes. Elles se regardaient, se serraient l'une contre l'autre et éclataient en de nouveaux sanglots nés des profondeurs de leur enfance. Les parents de Berthe se tenaient à l'écart, respectant leur besoin d'intimité. Le curé, venu lui aussi à la gare assister au départ de Berthe, leur tenait compagnie. Émilie s'accrochait à Berthe. Elle lui répétait qu'elle avait compris sa vocation, mais qu'elle acceptait mal que Berthe lui ait caché que c'était le cloître qui l'intéressait. Émilie avait toujours imaginé Berthe dans l'enseignement. Elle avait toujours présumé que la vocation de Berthe serait une espèce de prolongement de ce qu'elle quittait. Elle s'en voulait de ne pas avoir demandé à son amie le nom de la communauté qu'elle avait l'intention de joindre. Berthe, carmélite ! Berthe, voilée ! Berthe qu'elle ne pourrait plus jamais voir. Berthe qui, aujourd'hui, se désincarnait.

Berthe tentait vainement de la consoler. La rupture lui apparut plus que cruelle. Ses parents, elle le savait, étaient fiers d'elle mais elle savait aussi qu'ils la regardaient partir avec uniquement du renoncement. Elle aurait dû consacrer deux journées entières à ses adieux, mais la peur des émotions qu'ils engendraient lui avait fait repousser ce moment jusqu'à la dernière minute.

Un long sifflement suivi d'un tintement de cloche les fit tous sursauter. Émilie s'enfouit le visage dans le creux de l'épaule de Berthe. Berthe l'étreignit une dernière fois puis la repoussa pour s'élancer dans les bras des siens. Les larmes longuement contenues étaient maintenant toutes au rendez-vous. Même le curé en écrasa une qui venait de s'échapper de son œil gauche. Toute la famille de Berthe s'agenouilla et il les bénit. Émilie resta debout mais se signa. Berthe monta sur la première marche d'un des wagons, tenant une seule petite valise. Émilie se rapprocha, lui souffla un baiser, tourna le dos et s'éloigna avant que le train ne se mette en branle. Elle l'entendit siffler à deux reprises. Elle entendit aussi la locomotive cracher sa vapeur. Elle entendit le crissement des roues sur les rails parsemés d'herbe. Puis les sons s'éloignèrent. Elle devina l'effort des roues motrices. Elle devina aussi à quelle distance le train devait être rendu. Elle courut jusqu'à la voiture que son père lui avait prêtée, y grimpa résolument et la conduisit à l'aveuglette jusqu'à l'endroit de la rive où elle et Berthe avaient passé tant d'heures de leur enfance et de leur adolescence. Son irremplaçable Berthe. Elle l'avait certes un peu négligée depuis qu'elle habitait Saint-Tite, mais Berthe n'avait jamais douté de son amitié.

Émilie se coucha sur le tronc pourri, regardant le ciel que les nuages avaient épargné pour la journée. Elle prit conscience qu'elle ne connaissait de Berthe que ce que Berthe lui avait permis de connaître. Berthe, carmélite ! Émilie sanglota de nouveau. Berthe à plat ventre devant toute la communauté si elle faisait quelque chose de répréhensible. Berthe qui avait choisi de ne pas avoir d'amoureux mais qui avait offert toute sa complicité aux amours récentes d'Émilie. Berthe, carmélite ! Incapable de sortir de ses quatre murs. Incapable même de visiter Montréal qu'elle allait habiter. Une sœur cachée. Une femme qui ne séduirait plus avec son sourire à fossettes. Une ourse qui a décidé d'hiberner pour le restant de ses jours.

Émilie eut mal à son âme d'enfance pendant trois longues heures. Elle reprit finalement la direction de sa maison. Caleb et Célina devinèrent son chagrin. Émilie se priva de souper et s'isola. Son besoin fut respecté. Elle bourra énergiquement ses valises, y mettant d'abord la courtepointe qu'elles n'avaient terminée que deux jours plus tôt. Elle s'y fourra le nez et chercha une goutte de sang que Berthe avait laissée en se piquant au pouce. Elle ne la trouva pas.

14

La rentrée scolaire s'était faite sans heurts. Émilie avait retrouvé sa petite école et se l'était enfilée sur l'âme comme elle enfilait une robe confortable. Elle avait essayé de reporter au lendemain de son retour sa classique visite chez les Pronovost mais elle en avait été incapable, l'impatience lui rongeant les os jusqu'à la moelle. Ovila et elle avaient joué de discrétion. Elle s'était même étonnée de la facilité avec laquelle ils avaient tous les deux mis en veilleuse le langage de leurs yeux. Félicité était gonflée par sa maternité au-delà de toute attente. Jamais elle n'avait porté un enfant si lourd et si encombrant. Elle accusait son âge de rendre la chose si difficile.

Émilie, comme à chaque année, avait accueilli ses nouveaux élèves avec empressement, convaincue que la première journée d'école était déterminante. Charlotte était revenue. Émilie lui trouva les traits tirés.

Le mois de septembre venait à peine de prendre son élan. Les élèves avaient quitté l'école un peu plus tôt, permission accordée en raison du temps magnifique. Émilie s'affairait à corriger les travaux rédigés en classe quand Ovila arriva, à bout de souffle. Il entra dans l'école en coup de vent, fit des yeux le tour de la classe pour s'assurer qu'Émilie était seule. Il s'avança alors vers elle sans dire un mot, lui prit la main et l'obligea à monter dans sa chambre. Émilie fronça les sourcils. Elle n'aimait pas cela. Si une personne, une seule personne, choisissait ce moment pour venir la visiter, elle en serait quitte pour refaire ses valises. Prenant les devants, elle monta à la hâte et se retourna uniquement quand elle fut rendue en haut, prête à faire des reproches à Ovila. Elle remarqua alors son visage défait.

— Qu'est-ce qui se passe ? parvint-elle à chuchoter devant le chagrin évident d'Ovila.

— C'est ma mère, Émilie. Mon père a demandé à Edmond d'aller chercher le docteur parce que la sage-femme vient pas à bout de sortir le bébé. Ma mère est tellement faible qu'on a peur que le cœur flanche.

Il n'en dit pas davantage, craignant de noyer ses paroles.

Émilie se figea puis, se ressaisissant, se dirigea vers chacune des fenêtres afin de s'assurer qu'il n'y avait personne en vue. Elle revint vers Ovila, l'invita à s'asseoir sur le lit, lui prit doucement la tête qu'elle déposa sur sa poitrine.

Ovila ne resta à l'école que le temps d'étouffer une peine qui lui pesait au cœur. Émilie avait réussi à le calmer, le rassurant comme elle put. Sa mère donnait naissance à son treizième enfant. Son corps y était habitué. Il ne devait pas s'inquiéter. Ovila s'en retourna le cœur allégé. Émilie, il le comprit, lui faisait le même effet que la potion que le médecin donnait à son frère

Ovide pour calmer ses accès de toux. Émilie, elle, calmait ses accès de peur et de chagrin.

15

Dosithée avait appris la grossesse de sa femme pendant qu'il était au lac Pierre-Paul. Il s'était promis de lui faire la surprise de mettre en chantier une maison plus grande. L'annonce de l'arrivée inopinée de ce nouvel enfant et la maladie d'Ovide qui s'était déclarée moins de deux mois plus tard l'avaient raffermi dans cette décision. Lorsqu'il était rentré du chantier et qu'il avait vu ses filles contraintes de dormir dans le salon, il s'était empressé, à l'insu de sa femme, d'aller discuter avec le père Mercure de l'achat d'une partie de sa terre. Le père Mercure avait durement négocié cette vente, sachant qu'il vendait afin de pouvoir vivre ses vieux jours au village, chez une de ses filles. Sa femme ne lui ayant pas donné de fils, il s'était retrouvé seul à la mort de cette dernière. Il avait déjà vendu quelques arpents à Dosithée, mais il avait nourri l'espoir, bien utopique, que ses petits-fils vieilliraient plus rapidement que lui-même.

Il avait atteint l'âge où un homme cédait ses biens à ses héritiers alors que l'aîné de ses petits-fils n'avait que dix ans. Résigné, il avait cédé à Dosithée. Il l'avait fait sans remords, sachant que sa terre serait bien entretenue par les fils Pronovost.

L'acte de vente avait été dûment notarié. Le père Mercure avait cédé ses terres « d'en haut » à Dosithée et celles « d'en bas » à un autre acheteur qui voulait sa maison et les bâtiments. Dosithée avait emmené Edmond avec lui, comme témoin, en lui faisant jurer de ne pas parler de la transaction à sa mère. En cachette, il avait fait porter les matériaux là où il avait l'intention de construire la maison. Ses fils, maintenant tous au courant de l'affaire, venaient, mine de rien, l'aider à monter la charpente quand le temps n'était pas assez clément pour travailler aux champs. Félicité, à qui il était habituellement impossible de cacher quoi que ce soit, n'avait rien vu. Sa grossesse difficile, la maladie d'Ovide et quatre arpents dont deux semi-boisés lui avaient ménagé la surprise. Ne sortant plus de la maison, pas même pour assister à la messe, elle n'avait jamais vu le chantier. Dosithée, convaincu que cet enfant serait leur dernier – comme il l'avait d'ailleurs été à la naissance de Télesphore –, avait décidé d'offrir à sa femme la maison qu'elle avait toujours souhaitée mais qu'elle n'avait jamais osé demander. Une maison avec une grande cuisine, un salon, deux chambres à coucher au rez-de-chaussée et quatre chambres à l'étage, sans parler d'un immense placard de cèdre. Dans leur présente maison, c'est ce placard que Félicité avait sacrifié pour y installer Ovide et permettre aux filles de retourner dans leur chambre. Maintenant, Dosithée en convenait, la famille était trop à l'étroit. La nouvelle maison, il le savait, ne serait pas prête avant l'été suivant, ce qui donnerait à Félicité le temps de préparer le déménagement.

Félicité n'avait encore rien appris lorsqu'elle ressentit, en pleine nuit, les premières douleurs de l'accouchement. Elle attendit le matin avant d'avertir la sage-femme. Cette dernière était arrivée aussitôt. Félicité était dans sa chambre et s'étonnait du mal qu'elle ressentait. Ce mal était le plus aigu qu'elle eût enduré depuis ses trois premiers accouchements. Elle avait perdu trois enfants avant la naissance d'Ovide. Ces enfants mort-nés l'avaient inquiétée sérieusement quant à son avenir de mère. Dosithée l'avait encouragée, blâmant sa petite taille pour tous les problèmes. L'arrivée d'Ovide avait réconcilié sa mère avec la vie, à tel point qu'elle avait par la suite donné naissance à un enfant chaque année ou presque.

La sage-femme venait de l'examiner. Félicité avait remarqué son froncement de sourcils.

— J'aime autant être bien franche avec vous, madame Pronovost, mais à moins que je me trompe, il y a quelque chose de pas correct. Le bébé m'a l'air trop haut pis le passage m'a l'air prêt. On va attendre un peu pour voir.

Félicité prit son mal en patience. La sage-femme l'examina de nouveau et fronça encore les sourcils. Dosithée la demanda, trouvant anormal le temps que sa femme mettait à accoucher. La sage-femme lui expliqua que le bébé arrivait par les pieds. Qu'elle n'aimait pas du tout l'allure que prenait l'accouchement. Dosithée lui demanda de faire tout ce qu'elle pouvait.

De retour au chevet de Félicité, la sage-femme lui demanda de se coucher sur le ventre, les épaules bien calées dans l'oreiller, la tête tournée sur le côté, et de se tenir sur les genoux pliés, les fesses en l'air. Connaissant toute l'expérience de la sage-femme, Félicité obéit, tenant quand même à préciser qu'elle n'avait jamais accouché dans cette position. La sage-femme lui expliqua qu'on lui avait déjà dit que si le bébé ne voulait pas se tourner, il fallait tourner la mère. Félicité, aux limites de l'endurance, demeura dans son inconfortable position jusqu'à ce qu'elle sente glisser le bébé et en avise la sage-femme. Cette dernière soupira et aida Félicité à se recoucher sur le dos.

— Je dirais qu'à c't'heure le p'tit va se montrer le pignon de la tête.

Mais il n'en fut rien. Félicité demanda de l'eau tant elle transpirait. La sage-femme lui en donna. Dosithée frappa encore à la porte. Il s'inquiétait. Il demanda discrètement s'il devait aller chercher le médecin. La sage-femme lui répondit que oui. Dosithée demanda à Edmond d'aller le chercher. Ovila sortit pour aller voir Émilie et chercher du réconfort. Il avait les oreilles emplies des halètements et des gémissements que la porte bien close ne réussissait pas à assourdir.

***

Le médecin était venu aussitôt que possible. Il assistait une autre femme quand Edmond l'avait rejoint. Dès qu'il avait pu se libérer, il était arrivé chez Dosithée et était entré à la hâte. Il avait discrètement interrogé la sage-femme, avec laquelle il était habitué de travailler.

— Le cordon, docteur. Au moins trois tours. Moi, j'ai réussi à en défaire juste un.

Le médecin demanda à Félicité de patienter un peu, le temps qu'il l'examine. Félicité répondit faiblement qu'elle n'avait plus grand choix. Elle demanda l'heure. Le médecin sortit sa montre et lui dit qu'il était huit heures. Elle compta mentalement que le travail était commencé depuis vingt et une heures. Elle savait qu'un bébé n'avait pas autant de patience. Le médecin avait enlevé son veston et retroussé encore une fois les manches de sa chemise blanche tachée du sang de sa dernière patiente. Il regarda la sage-femme en hochant la tête. Cette dernière lui indiqua la porte du menton. Il fit un signe d'assentiment. Il se leva, tapota la joue de Félicité pour l'encourager et lui dit qu'il la quittait pour quelques instants, le temps de prendre un bon verre d'eau. Il sortit de la chambre et se dirigea vers Dosithée.

— Monsieur Pronovost, est-ce que je pourrais vous parler ?

Ce dernier, agenouillé, la tête baissée, en prière, sursauta, se leva et invita le médecin à le suivre au salon. Le médecin expliqua au père déjà grisonnant que la mère souffrait terriblement, que son pouls était très bas et qu'il entendait à peine le battement du cœur du bébé. Il lui faudrait employer les forceps. Dosithée ne savait pas ce qu'étaient des forceps. Le médecin le lui expliqua, précisant qu'il ne les avait encore jamais utilisés mais qu'aujourd'hui il ne croyait plus avoir le choix. Se raclant la gorge, il demanda à Dosithée s'il devait essayer de sauver la mère ou l'enfant. Dosithée blêmit. Il avait déjà entendu raconter de ces histoires où un homme devait devenir Dieu et décider de la mort d'une personne. Il savait que l'Église demandait de sauver l'enfant. Il pleura, le dos tourné.

— Sauvez ma femme, docteur.

Le médecin ne réagit pas. Il s'était attendu à une autre réponse mais il comprenait Dosithée. Trop d'enfants, dans cette famille, avaient encore besoin de leur mère. Il mit la main sur l'épaule de Dosithée. Dosithée s'affala sur une des chaises du salon et pria Edmond d'aller chercher le curé. Edmond partit à vive allure.

Le médecin était de nouveau au chevet de sa patiente. Il demanda à la sage-femme de tenir la tête de Félicité et de lui donner un peu d'alcool. Il espérait ainsi l'empêcher de voir les forceps qu'il s'apprêtait à sortir de sa trousse. Félicité eut vaguement conscience qu'elle buvait. Elle voulait en finir. Le médecin demanda ensuite à la sage-femme de l'aider à installer Félicité au pied du lit. Félicité n'offrit aucune résistance. Elle ne sentit même pas qu'elle avait deux oreillers sous les reins et que ses jambes ballottaient au pied du lit. Le médecin approcha une chaise et une lampe. Il se signa avant d'introduire les forceps. La sage-femme aussi fit le signe de croix, impressionnée par ces « pinces à glace » médicales. Félicité poussa un hurlement, ranimée par le feu que le médecin venait de lui entrer dans le ventre. Dosithée décida qu'il était temps qu'il soit aux côtés de sa femme et entra dans la chambre. Les enfants pleuraient, impressionnés par le cri qu'ils venaient d'entendre.

Dosithée s'agenouilla à côté du lit et prit la frêle main de Félicité dans les siennes. Le médecin, nerveux, avait retiré les forceps et décidé de donner une injection de morphine à la mère maintenant presque inanimée. Il n'aimait pas cette drogue, convaincu qu'une femme devait enfanter dans la douleur comme le disaient les Écritures, mais il venait d'atteindre les limites de ses croyances. Il attendit que le médicament fasse effet puis réintroduisit les forceps, regardant leur lente progression à l'intérieur d'une chair blanchie d'avoir été étirée. Il avait repéré la tête du bébé et la tenait doucement mais fermement. Il priait tant il craignait de lui crever un œil ou de perforer la fontanelle. Il eut l'impression d'avoir suffisamment de prise et commença prudemment à tirer l'enfant. Il demanda à la sage-femme d'appuyer sur le ventre à toutes les trente secondes de façon à aider le bébé. Félicité n'avait plus de contractions. Dès que la sage-femme exerçait une pression, le médecin tirait l'enfant à lui. L'enfant mit vingt minutes à sortir de sa prison. Le médecin tenta, aussitôt qu'il le put, de dégager le cordon. À son grand étonnement, le bébé bougea et émit presque un son. Félicité ouvrit un œil puis le referma.

Dosithée observait maintenant le médecin de très près, étonné lui aussi que l'enfant fût vivant après s'être fait tirer avec des pinces. Le médecin dégagea complètement l'enfant, coupa le cordon à toute vitesse et frappa le nouveau-né sans hésitation. L'enfant, visiblement, ne pouvait respirer. Le médecin lui pinça les talons, lui tapa les fesses et le dos. L'enfant ne respirait toujours pas. Félicité, heureusement, n'avait plus conscience de ce qui se passait.

Le curé venait d'arriver. Il frappa à la porte de la chambre et entra sans attendre de réponse. Il comprit la scène d'un coup d'œil, enfila son étole sans prendre le temps de la baiser et se dirigea vers le lit. Pendant que le médecin s'acharnait encore à faire respirer le bébé, le curé aspergea la petite chose violacée et inerte. Dans son énervement, il utilisa beaucoup trop d'eau. Le bébé réagit à cette douche froide et s'agita. Le médecin s'empressa de le poser sur une commode. Le bébé gémit doucement puis poussa un cri. Le médecin crut que le cœur allait lui sortir de la poitrine tant il était excité à l'idée d'avoir sauvé et la mère et l'enfant. Après son cri, le bébé retomba dans un état de totale inertie. Le médecin recommença à lui pincer les talons. Le bébé murmura mais ne cria plus.

Cependant, le curé administrait les derniers sacrements à la mère dont le teint cireux lui faisait craindre le pire. Le médecin n'avait pas encore eu le temps de s'occuper d'elle, tant il était affairé avec le nouveau-né. Il le confia à la sage-femme et revint vers Félicité. Le curé s'éloigna pour dégager les abords du lit. Dosithée priait en silence, les yeux grands ouverts, craignant que la mort ne figeât les traits de sa femme. Il entendit de vagues gargouillis mais ne tourna pas la tête pour voir l'enfant. Il aurait bien le temps de le regarder.

Félicité n'avait pas repris conscience et n'avait pas expulsé le placenta. Le médecin fit un rapide examen et comprit qu'il était collé. Le curé avait quitté la chambre pour prier avec les enfants. Le médecin regarda Dosithée et soupira. Il tenterait l'impossible pour la sauver mais il avait rarement vu des mères survivre à tant de problèmes. Dosithée l'encouragea. Le médecin tenta une première fois d'extraire le placenta. Rien ne vint. Il prit le pouls de la mère et décida de la laisser se reposer quelques minutes et de voir comment était le bébé. D'un signe de tête, la sage-femme lui fit comprendre qu'il n'y avait plus de bébé. Il revint vers Félicité, suivi de la sage-femme qui avait couvert le petit corps sans vie.

— Vous allez pousser comme tantôt. Avec de la chance, ça va sortir.

À eux deux, ils réussirent. Ils tremblèrent d'épuisement et de tension. Dosithée, plus mort que vif, n'avait pas eu l'énergie d'avoir peur.

16

Émilie s'était assise à la fenêtre, curieuse et inquiète. Elle vit accourir le médecin. Puis elle fut témoin du départ d'Edmond. Sa poitrine se serra quand elle le vit revenir avec le curé.

La nuit cacha à Émilie les détails du drame qui se jouait chez les Pronovost. Elle distingua des silhouettes qui sortaient de la maison. Elle crut reconnaître la sage-femme. Puis le curé, en compagnie de Dosithée. Depuis combien de temps était-elle là à essayer de comprendre une histoire que personne ne pouvait lui raconter ? Elle regarda l'heure. Minuit. Elle demeura rivée à sa fenêtre pendant encore quelques heures. Tant pis pour la fatigue du lendemain, les enfants n'auraient qu'à rester calmes. Après tout, le vendredi n'était pas une journée trop longue.

À trois heures, elle décida d'abandonner son poste d'observation et de dormir un peu. Elle n'avait pas encore vu sortir le médecin mais c'était probablement parce qu'il avait décidé de passer la nuit au chevet de la mère. C'était peut-être aussi parce qu'il voulait veiller sur l'enfant. Émilie eut peur. La visite du curé l'avait terrorisée. Qu'est-ce qui n'allait pas ? Qui est-ce qui n'allait pas ? La mère ? L'enfant ? Les deux ? Elle se refusa à penser que quelque chose avait pu tourner au malheur. Non ! Mme Pronovost, quoique petite, était une femme solide. Une femme en santé. Rien de malheureux ne pouvait arriver à Mme Pronovost. Si une femme comme Mme Pronovost ne pouvait accoucher sans problèmes, alors aucune femme ne pouvait accoucher.

Émilie se dévêtit en pleurant, se glissa sous ses couvertures comme une somnambule et se frotta les pieds l'un contre l'autre comme elle le faisait toujours lorsqu'elle avait mal. Ce soir, elle avait mal à son corps qui lui criait qu'elle aussi était une femme qui aurait des nuits à vivre dans le déchirement de ses entrailles. Elle avait mal à son cœur d'amante qui battait au rythme de l'angoisse qu'elle soupçonnait dans le cœur d'Ovila. Elle avait mal à son âme de petite fille apeurée de ce qu'elle pourrait apprendre au matin. « Berthe, j'ai encore mal… » Ses pieds s'agitèrent frénétiquement pendant quelque temps puis se calmèrent. Ses sanglots se muèrent lentement en un souffle saccadé qui caractérisa les quelques heures de sommeil qu'elle put s'accorder.

À l'aube, elle s'éveilla en sursaut. Elle courut à la fenêtre. La voiture du médecin était partie. La maison semblait calme. Trop calme, pensa-t-elle. Un calme de mort, qu'elle refusa d'envisager. Elle retourna s'étendre, prit le temps de prier comme elle ne l'avait pas fait depuis longtemps, appelant Berthe à son secours. Elle pria dans une espèce de demi-sommeil, mêlant les mots de sa prière à ceux de ses rêves. Elle s'éveilla enfin, les yeux bouffis de larmes et de veille. Elle s'aspergea le visage d'eau glacée, se vêtit rapidement et descendit chauffer l'eau de son thé. Elle décida de corriger les dernières copies de devoirs qu'elle avait mises de côté la veille à l'arrivée d'Ovila.

Elle n'avait pas réussi à corriger une seule copie, le nez trop souvent rivé à la fenêtre, lorsqu'elle vit Ovila se diriger vers l'école. Elle comprit, à sa démarche, qu'il avait les épaules lourdes d'affliction. Elle sortit de l'école et marcha lentement à sa rencontre. Il la vit mais n'accéléra pas le pas. Ils marchèrent suivant tous deux une même cadence, soulevant les épaules ensemble, avançant un pied, puis l'autre, mus par une même mécanique. Émilie eut l'impression qu'ils n'arriveraient jamais à se rejoindre, tant ils marchaient lentement. Elle aurait voulu courir mais les yeux et le dodelinement de la tête d'Ovila semblaient l'exhorter au calme. Ils se rencontrèrent enfin à mi-chemin de l'école et de la maison des Pronovost. Ils s'immobilisèrent, tous les deux prisonniers d'un long et insupportable face-à-face. Les yeux d'Émilie questionnaient ceux d'Ovila. Les yeux d'Ovila taisaient ce qu'Émilie y cherchait. Elle trouva enfin la force de parler.

— Veux-tu prendre un thé à l'école ?

— Non, j'aimerais mieux qu'on marche dans la Montée.

Émilie hésita, puis se rappela qu'elle s'était levée assez tôt. Elle disposait de quelques minutes. Ils marchèrent côte à côte jusqu'au haut de la colline, là où le chemin faisait un virage et leur cachait enfin la vue de l'école et des maisons voisines. Ovila s'arrêta net, prit Émilie par le bras, l'obligeant à s'immobiliser. Il l'attira vers lui puis, l'enserrant dans des bras soudainement faibles, il éclata en sanglots. Émilie frémit. Elle s'abstint de l'interroger, trop craintive à la perspective des réponses qu'elle pouvait obtenir. Le malheur d'Ovila la toucherait bien assez vite. Il resta accroché à ses épaules pendant un interminable moment, puis, après s'être dégagé, il se moucha violemment avant de dire à Émilie que sa mère avait reçu les derniers sacrements et que le curé avait baptisé le bébé de justesse avant qu'il n'expire.

— Marie-Anne, Émilie. Une grosse fille qui a vécu un peu moins de dix minutes. Toute une vie, hein… ?

Il se tut, ayant l'impression d'avoir tout dit. Émilie osa enfin demander comment se portait la mère.

— Le docteur est parti de bonne heure à matin. Si moman passe la journée, elle sera probablement correcte.

Il interrompit sa phrase et sa pensée. Émilie avait compris. Une longue journée en perspective. Elle lui serra la main, s'excusa de devoir le bousculer mais lui expliqua qu'il était temps qu'elle retourne à l'école. Ovila se retourna, furieux.

— Ma mère agonise pis tu trouves rien de mieux à me dire que tu dois aller travailler ? Bonyeu, t'as-tu une roche à place du cœur ? Tu pourrais pas rester avec moi quand j'ai besoin que tu restes ?

Déchirée, Émilie tourna les talons et s'enfuit en courant. Ovila n'eut même pas le temps de l'arrêter. Elle l'entendit lui demander de l'attendre mais elle n'en fit rien.

— Tu es pas une femme, Émilie, tu es un cerveau sans cœur !

La journée fut longue et triste. Aucun des enfants Pronovost ne s'était présenté en classe. Émilie permit à ses élèves de partir tôt. Elle ne tenait plus debout, drainée par son manque de sommeil et par sa peine. Elle rangea la classe méticuleusement, préférant nettement occuper ses mains plutôt que de permettre à son esprit de divaguer. Elle attendait Ovila, certaine qu'il avait vu les enfants quitter l'école. Il ne vint pas. Son absence lui fit craindre le pire.

Émilie trompa son attente jusqu'au coucher du soleil. N'y tenant plus, elle décida d'aller s'informer. Elle sortit de l'école et marcha résolument en direction de la maison des Pronovost. Mais elle s'arrêta. Et si elle arrivait pendant que la mère rendait son dernier souffle ? Elle décida de frapper à la porte des Joseph-Denis. Ils devaient sûrement être au courant.

Mme Joseph-Denis, la mère Virginie, lui ouvrit, un tablier bleu épinglé sur son tablier blanc. En d'autres circonstances, Émilie aurait souri à cette manie qu'elle avait de protéger son tablier propre par un tablier sale. La mère Virginie l'invita à entrer et à s'asseoir. Émilie accepta en jetant un coup d'œil circulaire dans la cuisine. Elle n'était jamais entrée dans cette maison, mais elle avait entendu dire qu'elle était tenue de façon impeccable. Elle fut impressionnée par les lieux, et oublia même pour quelques instants l'objet de sa visite. Pas un grain de poussière. Pas une petite motte de boue à l'entrée de la porte arrière. Un plancher ciré comme un plancher de salon. Une table recouverte d'une nappe repassée et empesée. Elle coupa court à ses réflexions quand la mère Virginie lui demanda si elle avait eu les dernières nouvelles. Émilie lui avoua qu'elle n'en avait eu aucune depuis le matin. Elle s'arrêta quelques secondes, le temps de voir si elle avait sonné une alerte en disant qu'elle avait eu des nouvelles le matin. Ne discernant aucune réaction, elle demanda s'il y avait eu des développements. La mère Virginie lui sourit et lui annonça sa belle-sœur se portait bien, compte tenu des circonstances évidemment, qu'elle avait mangé le midi et le soir et qu'il semblait bien que l'extrême-onction avait, encore une fois, fait des miracles. Émilie ferma les paupières et soupira. Un long soupir de soulagement. Elle se leva enfin, légère, ranimée, les remercia tous, les complimenta sur la maison et reprit le chemin de l'école.

Elle s'assit longtemps dans sa berceuse et attendit l'arrivée d'Ovila. Il devait probablement être retenu par ses corvées. Elle commença à s'inquiéter quand le soleil fut couché depuis assez longtemps pour avoir endormi les animaux. Elle alluma ses lampes et attendit encore. Elle attendit jusqu'à ce qu'elle vît s'éteindre toutes les lumières chez les Pronovost, sauf celles d'un bâtiment.

***

Les nuages voilèrent le soleil, jetant une ombre sur les visages déjà gris de Dosithée et de ses enfants. Plusieurs personnes avaient assisté à la cérémonie des Anges. On mettait en terre le petit cercueil blanc qu'Ovila avait fabriqué pendant la journée du vendredi et la nuit qui avait suivi. Félicité étant alitée, le curé avait proposé que le bébé ne soit exposé que le matin du samedi et enterré l'après-midi même. Émilie n'avait pas été avisée. Elle n'assista donc pas à l'enterrement, pensant qu'il aurait lieu le lundi.

Elle était au village à faire ses courses quand elle vit le corbillard revenir du cimetière. Elle vit ensuite la famille Pronovost retourner au Bourdais. Elle demeura figée derrière la vitrine du magasin général, d'abord étonnée en comprenant la situation, puis chagrinée qu'Ovila n'ait pas eu besoin de sa présence, aussi discrète fût-elle.

17

Un mois de novembre rempli de froidure avait succédé à un trompeur octobre qui avait fait croire que l'été pouvait ne pas avoir de fin. Mme Pronovost s'était remise de ses pénibles couches, à la surprise non avouée du médecin et de la sage-femme. Elle avait accompagné son mari au cimetière pour visiter cet enfant qu'elle n'avait jamais vu. Marie-Anne dormait paisiblement à côté de ses trois frères. Félicité avait serré le bras de son mari en lui disant combien elle regrettait qu'ils aient eu à enterrer les trois premiers et le dernier de leurs enfants. Dosithée avait répondu qu'il n'avait jamais compris les intentions du Créateur, mais qu'il lui était reconnaissant de lui avoir permis, à elle, de demeurer parmi eux. Il n'avait jamais raconté à Félicité tous les détails de l'accouchement, se contentant de lui expliquer que le médecin avait utilisé des pinces pour aller chercher le bébé et que celui-ci, s'il avait pu, aurait survécu sans problèmes. Le médecin lui avait certifié que le bébé était mort de ne jamais avoir su respirer seul. Ce n'étaient pas les forceps qui l'avaient tué.

Dosithée avait voulu effacer de sa mémoire le dilemme posé par le médecin. Il ne l'avait jamais avoué à sa femme. Il avait tenté de chasser, à grands coups de pipée et de réflexion, le son des gargouillis de l'enfant cherchant son souffle. Il avait essayé d'oublier qu'il ne s'était pas levé pour aller le voir, croyant l'enfant en vie et en forme. Lui non plus n'avait jamais vu l'enfant de son vivant. Il le regrettait amèrement, troublé à l'idée qu'il aurait peut-être pu faire quelque chose, ne fût-ce que lui donner la bénédiction paternelle comme il l'avait fait pour ses trois premiers fils.

Félicité et lui avaient quitté le cimetière, chacun s'appuyant sur le bras de l'autre, jetant un dernier coup d'œil au minuscule renflement de terre qui protégeait Marie-Anne du froid et de la vie. En revenant à la maison, Dosithée s'était enfin décidé à parler de l'achat de la terre du père Mercure. Depuis l'accouchement, il n'avait pas voulu ajouter un seul clou à la structure de la nouvelle maison. Il avait conduit sa femme devant l'ossature décharnée et elle était demeurée impassible. Dosithée lui dit qu'il la terminerait dès qu'il le pourrait. Félicité s'était contentée de hocher la tête. Elle n'en croyait pas un mot. Dosithée non plus. Il avait fait son deuil de cette maison. La charpente tenait, solidement arrimée à la terre. Les murs du premier étage étaient complètement montés. Félicité pouvait deviner la porte principale, la porte latérale et les fenêtres. Tout s'était arrêté au plancher du second, que le vent et la pluie avaient à plusieurs reprises balayé et nettoyé de toute sciure. Félicité, suivie de Dosithée, avait quand même fait le tour de la maison. Elle lui avait finalement souri et l'avait remercié d'avoir pensé à elle. Dosithée s'était contenté d'émettre un grognement.

Félicité n'avait plus reparlé de la maison, si ce n'est pour taquiner ses fils d'avoir si bien gardé le secret. Ces derniers, encore ébranlés par la peur qu'ils avaient eue de perdre leur mère et l'émoi qu'ils avaient ressenti à enterrer une sœur, n'avaient fait aucun commentaire.

Le mois de décembre, malgré les réjouissances promises, n'avait pas réussi à faire pénétrer de rires dans les maisons du Bourdais. Émilie, assise dans sa chambre, surveillait la cuisson de cretons qu'elle s'était presque obligée à faire mijoter. Elle n'avait envie de rien. Depuis la journée de l'enterrement, elle n'avait plus revu Ovila. Elle avait su, au hasard des conversations de ses frères, qu'il avait quitté le village pour aller travailler à Shawinigan ou « quelque part dans ce bout-là ». Elle avait attendu quelques semaines avant de visiter Mme Pronovost et s'était réjouie de voir qu'elle se portait bien. Félicité lui avait confirmé le départ d'Ovila.

Émilie allait souvent à la poste, espérant toujours recevoir des nouvelles d'Ovila. Son espoir fut vain. Elle comprit qu'il ne lui avait probablement pas pardonné le fait qu'elle l'ait laissé à sa solitude ce fameux matin... Elle regrettait son entêtement à vouloir rentrer à l'école, mais elle savait aussi qu'elle n'avait pas eu de véritable choix. Depuis, elle avait passé de nombreuses soirées à s'essuyer les yeux, secouée par une peine qu'elle voulait sans fondement réel. Il aurait été si simple qu'elle et Ovila puissent reparler de cette journée. Ovila n'avait pas semblé être du même avis. Elle écrivit à Berthe et lui raconta tous les malheurs qui avaient frappé la famille Pronovost. Elle avait terminé sa lettre en disant qu'« un de leurs fils, Ovila, avait tellement été ébranlé qu'il avait quitté le village sans en aviser personne ». Elle était certaine que Berthe comprendrait. Elle n'avait pu relater dans les détails la scène qu'ils avaient eue, se contentant de dire que ce même fils, son ancien élève, était venu la voir pour chercher «réconfort et bonne parole» et lui demander de prier. Ne sachant trop comment décrire son attitude à elle, elle s'était contentée d'écrire qu'elle n'avait pu «lui accorder toute l'attention désirée», étant donné qu'elle devait «être en classe pour l'arrivée des enfants».

Berthe avait compris le message d'Émilie et lui avait écrit une longue lettre pour la consoler. Elle avait fait allusion à l'«enfant prodigue» en termes tellement discrets qu'Émilie dut relire la lettre à plusieurs reprises pour comprendre que Berthe lui disait qu'il reviendrait sûrement et qu'ils pourraient tous les deux s'expliquer. Berthe, dans son silence, avait entendu les cris du cœur d'Émilie.

Émilie était allée dans sa famille pour le temps des fêtes. Exceptionnellement, elle n'avait montré aucune envie de rentrer à Saint-Tite. Elle avait commencé l'année 1899 sans prendre conscience qu'elle était témoin de la fin d'un siècle. L'hiver avait encore une fois cédé le pas au printemps et Émilie avait espéré qu'Ovila revienne du chantier. Il ne revint pas. Elle avait concentré toutes ses énergies sur son enseignement, préparant ses élèves à une fin d'année sans heurts pour la visite de l'inspecteur. Fidèle à ses habitudes, ce dernier était venu, poussiéreux, par une journée chaude et humide de juin. Il s'était efforcé d'arriver plus tôt de façon à pouvoir passer l'après-midi entier dans la classe d'Émilie. Elle avait compris qu'il en serait toujours ainsi et n'avait pas abandonné sa coquette gentillesse.

Le soleil tapait aussi dru que possible quand il était arrivé. Henri Douville avait commencé sa visite comme il le faisait toujours, soit en lisant tous les cahiers qu'Émilie mettait à sa disposition. Elle n'avait plus oublié de préparer un plan de la classe. Elle s'était même permis d'indiquer lesquels de ses élèves excellaient dans les différentes matières. Elle avait compris que l'inspecteur Douville ne tenait pas particulièrement à interroger les élèves qui connaissaient des difficultés. Henri Douville faisait son travail honnêtement. Il détestait ses pairs qui jugeaient trop sévèrement une institutrice en interrogeant les élèves au hasard. Henri Douville, lui, avait un jour décidé que l'école était faite pour apprendre et il connaissait les difficultés éprouvées par les enfants qui voulaient y être de façon assidue. Les parents, selon lui, ne les encourageaient pas suffisamment, n'ayant pas compris ce que lui, Douville, avait compris. L'instruction deviendrait une nécessité. À preuve, les frères de Saint-Gabriel avaient entrepris depuis quelques mois la construction d'un collège à Saint-Tite même. Henri Douville avait eu le privilège d'étudier dans un collège et il espérait que quelques-uns des élèves assis devant lui voudraient en faire autant. Aussi se gardait-il de décourager la moindre ambition.

Comme à chaque année, les élèves d'Émilie avaient fort bien passé l'examen. Cette institutrice méritait vraiment beaucoup d'éloges et il ne se gênait pas pour la complimenter. Il aurait trouvé déplacé de lui dire qu'il aimait toujours la rencontrer. En revanche, il trouvait correct de le lui faire savoir par des attentions toutes particulières. Il l'avait chaudement recommandée à chaque année pour qu'elle obtienne la prime d'enseignement, mais sa candidature n'avait jamais été retenue.

Les enfants avaient quitté l'école depuis une quinzaine de minutes lorsqu'un orage éclata. Douville fut forcé d'attendre que le tonnerre se taise et que la pluie se calme. Émilie avait souri au « malheur » du pauvre inspecteur, l'avait candidement invité à partager son repas, ce qu'il avait accepté avec empressement. Émilie avait donc préparé une salade qu'elle avait servie avec des tranches de rôti de bœuf froid. Ils s'étaient installés dans ses locaux et Émilie s'apprêtait à afficher son air intéressé lorsque Douville lui demanda si elle avait déjà voyagé.

— De quel genre de voyage parlez-vous ?

Douville lui dit qu'il parlait de voyages importants, aux États-Unis ou même en Europe. Émilie durcit son regard. Douville la connaissait depuis trois ans et il savait bien qu'elle n'avait franchi que la route reliant Saint-Tite à Saint-Stanislas, avec, il était vrai, une courte excursion à Trois-Rivières pour ses examens du gouvernement.

— Vous savez ben, monsieur l'inspecteur, que j'ai jamais voyagé.

Douville mastiqua lentement. Il avait demandé une serviette de table à Émilie et l'utilisait après chacune de ses bouchées. Émilie le regardait faire, consciente tout à coup qu'il avait de belles manières. Elle l'imita. Douville la complimenta sur le repas. Il lui dit ensuite qu'il avait plutôt voulu lui demander si les voyages l'intéressaient. Émilie s'illumina. Les voyages l'attiraient énormément. Elle aurait bien aimé voir du pays, en commençant par Montréal et Québec. Ensuite, elle parla du cousin de son père qui était parti pour le Klondike et d'un autre qui habitait à Keene, au New Hampshire, où, depuis 1892, il travaillait dans une usine textile. L'inspecteur l'écoutait attentivement. Elle ajouta que si elle ne se mariait pas, elle mettrait de côté tout l'argent qu'elle pourrait afin de prendre un jour un grand bateau à New York et traverser l'Atlantique jusqu'en Europe. L'inspecteur était encore plus attentif.

— Pourquoi est-ce que vous me demandez ça ? dit-elle enfin.

Douville s'était levé de table et était allé à la fenêtre regarder la pluie qui tombait encore, tout en se curant les dents discrètement. Émilie avait ramassé les assiettes et commencé à les laver. Elle ne savait plus trop comment occuper ce visiteur dont la présence l'intimidait. Malgré de grands efforts, elle ne cessait d'entrechoquer les assiettes dans le plat à vaisselle.

Douville se rassit, non sans avoir jeté son cure-dents aux ordures. Émilie lui jeta un rapide coup d'œil et pensa que, sans son strabisme, il aurait été un fort bel homme. De profil, ses yeux ne se remarquaient pas. Elle l'examina une seconde fois. Ses cheveux étaient gris, certes, mais il avait les épaules solides, quoique un peu voûtées. Douville la laissa terminer la vaisselle seule, Émilie ayant refusé son aide.

La pluie tombait toujours à pleines fenêtres. La noirceur avait envahi l'école, non pas tant à cause de l'heure – on approchait du solstice – mais à cause de la densité de l'écran d'eau et de nuages. Émilie enleva son tablier et revint s'asseoir à la table. Douville la regarda attentivement. Le silence se glissa entre eux. Émilie offrit de faire du thé. Douville la remercia en lui rappelant qu'il n'aimait pas boire de thé en été. Elle avait oublié ce détail.

Émilie se leva, le pria de l'excuser et descendit dans la classe. Elle marcha jusqu'aux toilettes. Elle y avait installé un miroir et une étagère sur laquelle elle rangeait un peu de poudre de riz, du khôl qu'elle avait fait venir de Montréal et qu'elle pouvait utiliser sans avoir l'air d'être maquillée, une brosse à cheveux, un peigne et une petite bouteille d'eau de toilette. Elle avait évidemment soustrait toutes ces choses à la vue de ses élèves en les rangeant dans une boîte bien fermée. Elle se regarda dans le miroir et décida de « se rafraîchir » un peu. Elle y mit une bonne dizaine de minutes puis rejoignit Douville à l'étage. Il semblait bien endormi dans la berceuse. Elle en fut déçue. Mais aussitôt qu'il entendit le froissement de ses jupes, il ouvrit les yeux.

— Je me détendais, dit-il. Vous savez que ces journées sont extrêmement éreintantes.

— J'en doute pas.

Douville l'avait regardée attentivement, voyant bien que son regard était différent sans qu'il puisse en donner la raison. Il le lui fit remarquer.

— J'ai les yeux brillants ? dit-elle, feignant la surprise. Ça doit être la fatigue.

Douville se leva d'un bond.

— Je m'excuse. Je vais partir. Vous auriez dû me faire savoir que vous étiez fatiguée.

— Voyons donc ! Restez donc encore un peu. La pluie a pas cessé.

— N'a pas…, dit Douville.

— Quoi ?

— Vous avez dit « a pas ».

— J'ai dit ça, moi ?

— Oui. Vous devriez faire un peu plus attention. Vous avez un vocabulaire excellent mais vous mangez toutes vos syllabes.

Émilie était estomaquée. Personne ne lui avait jamais dit quoi que ce fût en rapport avec son langage. Elle se demanda si elle devait le remercier ou lui dire carrément de se mêler de ce qui le regardait. Elle le remercia sèchement, ajoutant qu'elle essaierait de faire plus attention. Douville, comprenant qu'il l'avait piquée, s'cxcusa. Il avait, disait-il, été déformé au collège et vouait un culte « presque païen » à la langue de Molière. Émilie le rassura en disant qu'il avait bien fait de la reprendre – ce qu'elle n'était pas certaine de vraiment apprécier – et parla plus lentement, faisant attention à tous ses mots.

La pluie commença à faiblir. Douville se leva et retourna à la fenêtre.

— Bon, je crois que je vais pouvoir partir.

Émilie acquiesça. Elle était à court de sujets de conversation. Douville descendit dans la classe ramasser ses papiers. Il la remercia une autre fois, en ajoutant qu'il ne lui était jamais arrivé de manger en aussi agréable compagnie. Émilie sourit à cette remarque et déclara qu'elle avait rarement mangé avec une personne ayant d'aussi bonnes manières. Douville balaya cette remarque du revers de la main.

— Que voulez-vous, dit-il, j'ai passé ma vie en institution. J'ai été élevé par les religieuses puis par les jésuites, à Montréal.

— Ah! fit Émilie, surprise de la soudaine confidence. Je pensais que vous étiez de la région.

— J'y suis depuis dix ans, à cause de mon travail, mais j'ai été élevé à Montréal.

— À Montréal! Vous êtes chanceux. J'ai justement une amie qui vit maintenant à Montréal…

— Vous croyez que j'ai de la chance d'avoir passé toute mon enfance dans un orphelinat?

Émilie se mordit les lèvres. Elle avait cru qu'il avait pu recevoir une instruction privilégiée parce qu'il venait d'une famille aisée.

— Je suis désolée…

— Il n'y a pas de quoi. Je croyais que vous aviez compris… Vous savez, quand les bonnes gens vont à l'orphelinat pour adopter un enfant ou le prendre *en élève*, ils préfèrent quand même un enfant «parfait». Avec ma tête, je suis resté à l'orphelinat.

Émilie le laissa parler. Elle ne savait trop comment soigner cette apparente blessure. Douville mit son chapeau et se dirigea vers la porte. Il se retourna vers elle.

— Je vous ai demandé si vous aimiez les voyages. Vous m'avez dit que oui. Voici. Je ne vous demande pas une réponse tout de suite. Mais si vous le voulez bien, je vous demanderais d'être ma femme. L'été prochain, nous pourrions aller en France, à Paris où il y aura une grande exposition internationale.

— Oui, je sais..., s'entendit-elle répondre.

— Je sais que vous savez. Là n'est pas la question, ajouta-t-il sèchement. Je voudrais simplement que vous pensiez un peu à ma proposition. Si vous n'y voyez pas d'objection et si vos parents sont d'accord, j'irais vous visiter occasionnellement cet été. Nous pourrions faire meilleure connaissance. Je sais que je suis plus âgé que vous, mais nos goûts communs – la littérature, la langue française, les enfants – sont probablement suffisants pour nous aider à fonder une union durable.

Émilie ne répondit rien. Elle préférait réfléchir. Douville était sorti de l'école sans ajouter un mot. Elle courut à la porte.

— Monsieur Douville ! Si vous passez à Saint-Stanislas, vous savez où me trouver.

18

Émilie était rentrée pour la saison estivale. Elle avait encore une fois confié la clé de l'école aux Pronovost. Profitant de sa visite, elle leur avait demandé des nouvelles d'Ovila. Ils lui avaient dit qu'il était toujours à Shawinigan. Dosithée avait cru comprendre qu'il avait été dans un camp de bûcherons durant l'hiver, puis qu'il avait travaillé comme aide-cuisinier dans un camp de draveurs. Finalement, il avait été embauché sur le chantier de construction d'une centrale électrique.

— Vous savez, Ovila est pas *écriveux*, pis ce qu'il dit, c'est pas détaillé.

Émilie les avait remerciés. Il était clair qu'ils n'approuvaient pas le départ de leur fils, encore moins maintenant qu'ils avaient besoin de lui sur la ferme. Ovila lui avait d'abord terriblement manqué, puis, peu à peu, sa peine s'était faite moins aiguë. Une amourette. Elle avait eu une amourette. Elle aurait bien souhaité autre chose, mais elle comprenait maintenant qu'Ovila n'avait pas eu pour elle des sentiments aussi profonds que les siens.

À Saint-Stanislas, elle avait rarement fait allusion à Ovila. Caleb lui avait demandé de ses nouvelles et Émilie l'avait vaguement renseigné. Caleb jugea qu'il n'avait pas intérêt à retourner le fer dans la plaie. Par contre, Émilie parla d'Henri Douville à maintes reprises. Caleb et Célina comprirent qu'il y avait un gendre à l'horizon. Caleb l'avait déjà rencontré à une réunion dont il avait oublié l'objet. Douville lui était apparu comme un homme cultivé. C'était peut-être ce genre d'homme qui plaisait à Émilie. Après tout, elle avait besoin d'un homme savant à ses côtés. Un cultivateur n'aurait probablement pas réussi à la satisfaire pleinement.

Douville, comme promis, était venu voir Émilie. Elle l'avait présenté à sa famille. Personne n'avait fait de commentaire sur son strabisme. Émilie, elle, ne le remarquait même plus. Ils firent de longues promenades dans le bois. Émilie ne put s'empêcher de comparer son empêtrement à l'aisance d'Ovila.

Douville lui apportait toujours une petite surprise. Des mouchoirs brodés à ses initiales. Une boîte de fruits confits. Une bouteille de vrai parfum. Émilie trouvait qu'il lui faisait la cour avec beaucoup de dignité. Elle commença à se plaire en sa présence. Il lui apprenait tant de nouvelles choses. Elle châtia de plus en plus son langage. Ils passèrent de nombreuses soirées à veiller à la lueur d'un fanal, parlant de l'Europe et de Paris, que Douville avait hâte de visiter. Paris et son métropolitain. Paris et ses musées. Paris et son histoire. Émilie s'imaginait à ses côtés, d'abord sur un pont de bateau, puis dans une cabine – petit détail auquel elle songeait comme à une fatalité –, puis à Paris, dans des cathédrales et des musées. Elle ne réussissait pas très bien à imaginer le métropolitain. Un train sous terre…

L'été tirait à sa fin. Émilie regardait la nouvelle pouliche qui tétait sa mère. Elle avait, comme l'étalon, une belle crinière blonde. Caleb l'avait baptisée « la Tite », en souvenir de ses origines. Émilie revivait la journée qu'elle et Ovila avaient eue, il y avait tout au plus un an de cela. Et Berthe était là. Qu'est-ce que Berthe penserait de son prochain mariage avec Henri ? Ah ! si seulement elle avait pu parler à Berthe. Lui dire combien elle appréciait la compagnie d'Henri, même s'il ne faisait rien naître en elle comme l'avait fait Ovila. Lui dire combien il était érudit, qu'il avait de bonnes manières. Lui dire qu'il n'avait jamais connu l'atmosphère d'une maison et qu'elle s'acharnerait à lui faire rattraper le temps perdu. Lui dire qu'il voulait beaucoup d'enfants même s'il commençait sa famille un peu tard. Lui décrire comment il parlait avec aisance d'une foule de sujets. Si seulement elle avait pu parler à Berthe. Berthe aurait compris.

L'arrivée de Douville interrompit ses pensées. Elle lui sourit et alla à sa rencontre. Il lui apportait un vase à fleurs en cristal taillé. Émilie n'avait jamais rien vu d'aussi beau. Douville prit le repas du soir avec toute la famille, puis demanda à Caleb s'il pouvait lui parler. Émilie comprit. Caleb aussi. Les deux hommes allèrent dehors et revinrent quelques minutes plus tard. Caleb demanda à Émilie et à Célina de se joindre à eux au salon. Il les informa que M. Douville avait mis ses gants blancs et lui avait demandé la main d'Émilie. Caleb lui avait répondu qu'il acceptait à la condition qu'Émilie fût d'accord. Caleb lui demanda son avis. Émilie rougit, regarda Douville et répondit qu'elle l'était, mais qu'elle préférait prendre l'année pour y penser. Elle rassura Douville en lui disant qu'elle aurait vingt et un ans en décembre et qu'elle avait l'intention de terminer son année à Saint-Tite. Elle ajouta que rien ne pressait, qu'ils pourraient fort bien se marier à la fin juin 1900. Elle se mit à rire nerveusement en ajoutant que cela simplifierait les calculs. En se mariant en 1900, ils sauraient toujours à quel anniversaire ils en seraient rendus. Douville soupira. Il fut convenu qu'ils se fianceraient à Noël.

Caleb avait connu Émilie et Ovila. Maintenant il voyait sa fille avec Douville et n'osait avouer qu'il avait un petit faible pour le premier de ses soupirants. Douville était un homme très bien, certes, mais sa fille n'était plus la même. Douville lui assurerait un bel avenir, mais Caleb n'était pas certain qu'Émilie avait ce qu'il fallait pour vivre avec un homme aussi raisonnable et aussi sage. Il entrevoyait déjà quelques flammèches. Henri ne connaissait pas la fougue de sa fille. Caleb s'inquiéta de savoir s'il y avait encore de cette fougue chez Émilie. Elle était devenue tellement posée, tellement « demoiselle ». Elle parlait presque une autre langue que sa langue maternelle quand Douville était là. Lui, c'était certain, parlait « dans les termes », mais chez Émilie, cela faisait drôle à entendre. Caleb parla du mariage à Célina. Celle-ci ne semblait pas nourrir les mêmes appréhensions que son mari. Elle admirait Douville et rappela à Caleb qu'une femme devait admirer son mari si elle voulait être heureuse. Elle parla vaguement d'Ovila en disant qu'il semblait être un aventurier et qu'Émilie avait besoin d'un mari stable comme Henri. Caleb n'en était pas si certain. Il trouvait bien mystérieux ce départ précipité.

Émilie et Douville avaient convenu qu'il était préférable qu'il s'abstienne de la visiter à Saint-Tite. Ils se reverraient aux fêtes. Par contre, il pouvait lui écrire autant qu'il le voulait, sur du papier officiel, bien entendu. À la suggestion d'Émilie, ils ne parleraient de leurs fiançailles à personne. Douville avait compris cette restriction. Une telle nouvelle aurait pu compromettre ses chances d'acquérir une prime.

Henri et Émilie se quittèrent la veille du retour de celle-ci à Saint-Tite. Elle lui avait permis de l'embrasser, ce qu'il avait fait avec une pudeur tout à son honneur. Il aurait pu profiter de l'absence de chaperon pour mordre plus goulûment à ses lèvres. Il s'en était abstenu. Émilie lui en fut reconnaissante. Elle l'avait regardé partir. Dès qu'il lui avait tourné le dos, elle s'était essuyé la bouche et s'était mordu les lèvres à plusieurs reprises comme si elle voulait en vérifier la sensibilité. Elle n'avait rien ressenti. Mais il était tellement bon, tellement généreux. Et Paris…

19

Émilie revint à l'école sans grand enthousiasme. Cette année d'enseignement s'annonçait un peu comme un purgatoire. Elle avait pris des nouvelles d'Ovila dont le départ remontait à presque un an. Mme Pronovost lui avait dit qu'il avait fait une courte visite durant l'été, le temps de guérir complètement d'une blessure qu'il s'était infligée au chantier. Émilie l'avait pressée de lui donner quelques détails, essayant de demeurer impassible lorsqu'elle apprit qu'il s'était entaillé le pied avec une pioche. Félicité avait précisé qu'il n'était resté que quelques jours, mais qu'il en avait profité pour aller faire un petit tour à l'école, en utilisant la clé qu'elle leur avait confiée. Émilie s'était excusée, puis les avait quittés pour aller ranger tous ses effets.

En mettant les pieds dans l'école, elle déposa ses valises, fit le tour de la classe des yeux pour voir si Ovila ne lui avait pas laissé quelque chose. Rien.

Elle monta l'escalier, repoussa la trappe et pénétra de peine et de misère dans ses appartements, traînant ses lourdes valises. Ici non plus, il n'y avait pas de traces d'Ovila.

Elle consacra la soirée entière à laver la vaisselle, ranger ses vêtements et préparer son lit. Cela fait, elle descendit et s'assit à son pupitre. Elle regarda la classe. Elle savait que, cette année, elle aurait trente et un élèves. Jamais encore elle n'avait dépassé le nombre de trente. Cela l'inquiétait un peu. Elle avait dû demander des pupitres supplémentaires aux commissaires, qui lui avaient promis qu'elle les aurait pour la rentrée. Elle verrait M. Pronovost pour s'assurer qu'on viendrait bien les lui porter le lendemain, la rentrée étant fixée au surlendemain. Elle demeura à sa place, son regard fixant tout et n'importe quoi dans sa classe. Tantôt elle regardait une des fenêtres qui était fêlée depuis le mois de mai. Tantôt elle fixait la planche à clous qui avait l'air abandonnée. Prenant conscience de l'heure, elle monta à sa chambre et s'assoupit rapidement. Elle rêva d'Henri. Ils étaient tous les deux dans une chaloupe sur une mer déchaînée.

Le matin la trouva presque en forme. Elle s'était vêtue et coiffée avant de se rendre chez les Pronovost pour s'assurer de la livraison des pupitres supplémentaires. M. Pronovost se tapa le front. Il avait complètement oublié. Il demanda à Émilie si elle voulait l'accompagner jusqu'au village. Il y avait sûrement des pupitres qui étaient disponibles dans l'école du rang sud. Émilie serra les dents. Elle aurait eu bien d'autres choses à faire. Néanmoins, elle accepta. Ils convinrent de partir aussitôt que Dosithée pourrait se libérer.

Il vint la chercher à la porte de l'école. Elle l'en remercia, lui assurant qu'elle aurait facilement pu marcher la courte distance entre l'école et sa maison. Ils avaient à peine roulé pendant cinq minutes lorsqu'ils virent la maison commencée un an plus tôt. Dosithée soupira.

— Je pense que ça aurait été une belle maison. À c't'heure, j'ai pus le cœur de la finir. Je voudrais pas me plaindre, mais depuis que j'ai commencé à acheter la terre du père Mercure, Lazare a recommencé ses crises, Ovide est attaqué aux poumons, j'ai failli perdre ma femme, j'ai enterré un quatrième enfant, pis Ovila est parti comme un coup de vent sans rien nous dire. Vous, sauriez-vous pourquoi Ovila est parti ?

Émilie fut giflée par cette question. Elle n'avait pas compris le ressentiment des Pronovost face à leur fils. Maintenant, tout s'éclairait. À eux non plus, il n'avait rien dit.

— Comment voulez-vous que je le sache ? Ovila… Ovila est un… euh… bien drôle de garçon. J'aurais quand même aimé avoir de ses nouvelles.

— On pensait qu'il vous écrirait.

— Ah oui ? Pourquoi ?

Elle n'était pas aussi étonnée de cette remarque qu'elle aurait voulu le faire croire.

— Ben, mam'selle, c'est un secret pour personne qu'Ovila vous a toujours trouvée de son goût. En tout cas, c'est pas un secret pour moi.

Il garda le silence pendant quelques minutes. Émilie ne voulait surtout pas lui dire qu'il avait eu raison. Il enchaîna :

— Aussi bien vous l'avouer. Moi, j'avais espéré que vous… qu'un jour vous… en tout cas… J'avais pensé à Ovide, mais… Pis j'avais pensé qu'Edmond, mais… Lazare, lui, j'y avais pas pensé. Ovila, même si je savais qu'il était un peu plus jeune, je me disais que peut-être que… En tout cas… On peut pas dire que mes gars, c'est des *marieux*…

Émilie n'avait pas parlé. Elle revivait les avances discrètes d'Ovide, les attentions particulières d'Edmond et enfin les déclarations d'Ovila. Elle ne sentit même pas qu'une larme sans fin lui baignait la joue. Dosithée ne le remarqua pas non plus.

— Ovila vous a rien dit, cet été ? demanda-t-elle finalement.

— Non, pas un mot. Il a passé ses soirées à l'hôtel Brunelle, pis ses journées à *gosser* son éternel p'tit bout de bois. J'avais espéré qu'il était revenu pour de bon, mais c'était pas ça. La terre, ça l'intéresse pas. Ça laisse pus grand-relève pour le père. Il reste Émile, pis Oscar pis Télesphore, pis Edmond. Mais Edmond aime pas mal plus l'élevage des ch'vaux que la culture. On peut pas vivre rien que de ça sur la ferme.

Émilie se demandait pourquoi elle avait droit à toutes ces confidences. Elle ne voulait pas commenter ce qu'il venait de dire. Elle le sentait terriblement triste. Sensible à sa tristesse à lui, elle n'avait pas senti la sienne reprendre sa place dans sa poitrine et ses poumons, lui coupant le souffle et empêchant son cœur de battre doucement.

Ils avaient réussi à trouver les pupitres manquants, les avaient montés dans la voiture et étaient de retour à l'école. Émilie se demandait encore pourquoi Ovila était venu s'y asseoir durant l'été. Dosithée la précéda, transportant le premier pupitre. Émilie le suivit avec une chaise. Ils firent les autres voyages en silence. Ils déposèrent le tout à l'arrière de la classe. Dosithée offrit à Émilie de l'aider à les placer. Elle le remercia, lui disant qu'elle préférait faire cela seule. Elle disposait de tout l'après-midi pour organiser la classe et écrire son mot de bienvenue sur l'ardoise. Dosithée la quitta après lui avoir gentiment pincé la joue. Elle lui sourit, se demandant s'il n'avait pas voulu lui faire comprendre qu'il n'était pas dupe et avait compris qu'il y avait eu quelque chose entre elle et Ovila. Elle monta à l'étage pour changer de vêtements. Elle descendit deux marches, puis s'assit dans l'escalier. Était-il venu s'y asseoir lui aussi ? Elle regarda sa classe, de haut. Elle fixa le pupitre d'Ovila. Elle l'imaginait en train d'écrire. Elle le revoyait le bras levé pour répondre à une question. Elle revivait ses moindres gestes, allant de la main qu'il se passait dans les cheveux pour les mettre en place quand il arrivait le matin, à son empressement à ouvrir ou à fermer une fenêtre.

Le cœur d'Émilie fut frappé par l'éclair. Elle se leva précipitamment, descendit l'escalier à la hâte, se dirigea vers le pupitre d'Ovila et l'ouvrit. Elle était là ! Une lettre ! Une lettre d'Ovila ! Enfin ! Troublée, elle se laissa choir sur la chaise. Elle tourna et retourna la lettre dans ses mains. Elle la sentit. Son cœur battait la chamade. Elle froissa la lettre et la défroissa. Elle défaillait. Elle respira enfin profondément et déchira l'enveloppe, adressée à ÉMILIE, avec un dessin d'oiseau.

Les grillons s'étaient donné le mot pour mettre en musique les pensées d'Émilie. Elle s'était couchée tôt, contrairement à ce qu'elle avait prévu. Elle s'était d'abord hâtée d'organiser sa classe puis elle s'était dévêtue lentement, faisant quelques pas de valse en tenant la lettre près de son cœur. Elle avait voulu se coucher pour laisser voguer son imagination. Ovila était là tout près d'elle. Ovila lui parlait. Ovila lui racontait sa honte et son désespoir. Ovila lui demandait s'il lui avait manqué. Il implorait son pardon de l'avoir si lâchement laissée tomber. Puis il racontait le chantier de bûcherons. Et la drave. Et le chantier de cette centrale dont elle ne connaissait pas encore le nom mais qui, disait-il, produirait assez d'électricité pour éclairer une grande ville. Ovila lui avouait ensuite qu'il regrettait de lui avoir dit tant de bêtises. Il lui demandait si elle avait toujours les cheveux longs et si elle se faisait encore des tresses quand elle était fatiguée, comme elle le faisait avant. Il la suppliait de l'attendre encore un peu. Pas longtemps. Le temps qu'il puisse mettre de côté l'argent dont « ils » auraient besoin. Ovila...

Elle s'était roulée en boule, bien repliée sur elle-même pour sentir son corps qui venait d'avoir une montée de sève. Elle se tenait l'échine courbée, le menton appuyé sur les genoux, la lettre collée à la peau sous sa chemise de nuit. Pas une seconde elle n'avait pensé à Henri. À la promesse presque formelle qu'elle lui avait faite. Elle rêvait d'Ovila. De sa démarche nonchalante. De son regard bleu et clair. Elle se retourna, ouvrit les yeux et essaya d'imaginer les traits d'Ovila. Elle en fut presque incapable. Cela l'angoissa. Avait-elle pu l'oublier si rapidement ? Et lui, se souvenait-il d'elle ? L'imaginait-il comme elle le faisait en ce moment ? Vivement son retour ! Elle se leva, but un verre d'eau et se recoucha. Elle chercha le petit coin qu'elle avait réchauffé, se faisant croire qu'Ovila s'y était glissé.

Le matin la surprit alors qu'elle était endormie sur le dos, la chemise de nuit relevée jusqu'au menton. Pudeur instinctive : elle l'abaissa aussitôt. Elle se leva, langoureuse comme si elle avait vraiment passé la nuit avec son grand fou. Elle chantonna en faisant ses ablutions. Elle descendit dans sa classe et remercia le ciel de l'avoir emplie de soleil. Le parquet brillait, comme il le faisait toujours le matin de la rentrée. Son purgatoire était fini. Ovila arriverait dans quelques semaines. Elle accueillit ses élèves avec joie et commença en riant cette cinquième année d'enseignement.

20

Émilie avait chanté sa bonne fortune jusqu'à la mi-octobre. Tous les matins, elle s'était dit qu'Ovila la sur-prendrait. Tous les soirs, elle s'était convaincue que la surprise serait pour le lendemain. Certaine de son arrivée imminente, elle écrivit à ses parents pour leur dire qu'elle passerait le congé de la Toussaint à Saint-Tite. À la fin octobre, elle avait commencé à désespérer. Aucune nouvelle d'Ovila et quatre lettres d'Henri. Elle avait toujours répondu à ce dernier, n'ayant pas à lui reprocher son assiduité. Henri lui écrivait des lettres tendres, remplies de poésie. Il la décrivait en termes flatteurs, se pâmant sur sa chevelure d'automne et ses yeux de printemps. Il lui parlait d'oiseaux et de nids, de brindilles de paille et de nichées. Il lui racontait des his-toires comme si elle avait été une petite fille, décrivant, entre autres, la longue traversée de l'Atlantique faite par une bouteille scellée contenant un message d'amour. Si

Émilie avait d'abord été agacée de recevoir ses lettres, l'absence d'Ovila et sa désespérance lui avaient finalement fait apprécier la lecture des lettres d'Henri et même, elle dut en convenir, attendre leur venue. Le visage, l'allure et même l'odeur d'Ovila lui devinrent de plus en plus confus.

Le 2 novembre, jour des Morts, elle accompagna les parents Pronovost au cimetière afin de se recueillir sur les tombes de leurs quatre enfants. Elle avait tenu à le faire pour se pardonner de n'avoir pas assisté à l'enterrement de Marie-Anne. Ils étaient tous les trois agenouillés lorsqu'ils entendirent des cris suivis presque immédiatement du son angoissant de la sonnerie des pompiers et du tocsin de l'église. Ils se levèrent, se signèrent rapidement et se précipitèrent vers le couvent. Celui-ci était en flammes. Dosithée pria sa femme de s'éloigner et demanda à Émilie de la raccompagner au Bourdais. Félicité lui répondit qu'elle préférait demeurer sur les lieux, quitte à s'écarter s'il y avait danger, afin d'être disponible pour porter secours aux religieuses et aux pensionnaires, le cas échéant. Dosithée, qui avait déjà enlevé son veston et retroussé ses manches de chemise, cria à Émilie d'aller chercher ses fils pour qu'ils viennent aider à combattre l'incendie. Elle obéit et mena la monture à folle allure jusqu'à ce qu'elle arrivât chez les Pronovost. Ovide et Edmond étaient dehors. Elle les pressa d'aller chercher Lazare, Émile et Oscar. Les frères réagirent sans poser de questions, sachant d'emblée que l'arrivée d'Émilie annonçait quelque chose de sérieux. Ils montèrent dans la voiture, aucun des garçons ne songeant à prendre la place d'Émilie qui remit l'attelage en marche en direction du village. Elle n'eut pas besoin de fournir d'explications sur cette chevauchée car déjà une épaisse fumée indiquait la nature et l'urgence de leur déplacement. Ils arrivèrent sur les lieux du sinistre en même temps que des dizaines d'autres villageois. Le travail s'organisa rapidement. Les pompiers donnaient les ordres et plaçaient les hommes aux points stratégiques. Les charretiers s'affairaient autour de leur tout nouveau véhicule à incendie, les uns déroulant les boyaux, les autres faisant la navette entre le couvent et la rivière des Envies pour remplir leur baril de cent gallons. Le dernier pompier arrivé sur les lieux, toutefois, dut consacrer la majeure partie de son temps à calmer les chevaux. S'ils étaient d'une fiabilité sans conteste pour conduire le camion sur les lieux d'un incendie, ils s'agitaient dangereusement dès qu'ils devaient s'approcher du brasier.

Les volontaires, Dosithée en tête, formaient deux longues chaînes. Les hommes de la première chaîne faisaient parvenir le plus rapidement possible des seaux d'eau jusqu'au feu, ceux de la seconde retournaient les récipients vides à la source d'approvisionnement. Ovide et ses frères prirent place dans ces lignes, l'aîné évitant, à cause de ses poumons, de se tenir à proximité des tonneaux de fumée.

Le travail des femmes s'organisa différemment. Elles convertirent la sacristie de l'église en une vaste salle d'urgence. Elles y accueillaient les religieuses et les quelques pensionnaires qui n'avaient pu retourner dans leurs familles pour le congé de la Toussaint. Au grand soulagement de tous, personne n'avait été blessé lors de l'incendie. Les choses auraient pu être fort différentes si le sinistre avait éclaté en pleine nuit. Plusieurs des victimes, quoique saines et sauves, étaient dans un état de choc. Certaines pleuraient doucement, d'autres sanglotaient bruyamment, d'autres enfin riaient aux éclats pour convertir leurs tremblements de peur en soubresauts d'hilarité.

Émilie et Félicité avaient allumé le poêle de la sacristie et avaient fait bouillir de l'eau pour faire de la tisane à la menthe. Elles en servaient à tous ceux et celles qui en réclamaient, victimes ou volontaires. D'autres femmes de la paroisse avaient apporté ce qu'elles avaient pu trouver pour ravitailler tout ce monde. Certaines avaient des chaudronnées de soupe, d'autres de fèves au lard, d'autres encore de bouilli de légumes.

En moins de trois heures, on avait accumulé vêtements et victuailles pour toute la population couventine. En moins de trois heures aussi, le couvent avait complètement disparu des rues de Saint-Tite. L'église était remplie de tous ses paroissiens, hommes et femmes, les premiers barbouillés de suie collée par la sueur, les secondes transpirant la fatigue et les efforts qu'elles avaient déployés pour transporter tout le matériel à la sacristie.

La soirée fut consacrée à organiser un campement de fortune. Un appel fut lancé pour loger les sans-abri dans les familles. Le campement de nuit servit surtout aux religieuses, qui avaient refusé toutes les invitations, préférant demeurer ensemble, dans l'église, et remercier le Seigneur de leur avoir laissé la vie. Leurs concitoyens respectèrent ce choix. Les Pronovost et Émilie revinrent au Bourdais à la brunante. Émilie avait offert de loger deux des pensionnaires chez elle. Les Pronovost allèrent donc reconduire les trois filles avant de rentrer chez eux.

Depuis quatre ans, Émilie ouvrait son école à des dizaines d'enfants. Quand, à l'église, on avait demandé des volontaires pour héberger les sinistrées, elle avait accepté de recueillir Alma et Antoinette. Elle n'avait pas réfléchi à son geste, mue plutôt par sa compassion. Elle n'avait pas non plus pensé qu'elle n'accueillait pas des enfants mais des jeunes filles. Elle les avait aidées à monter dans la voiture, mais leur avait peu parlé durant le trajet, soudainement mal à l'aise. Elle les avait regardées. Antoinette d'abord, petite, trapue, les cheveux retenus par un ruban, la bouche amère et l'œil vif. Puis

Alma, l'air triste, pensif, lointain, des traces de fossettes invisibles pour le moment mais sûrement jolies lorsque son visage s'éclairait d'un sourire.

Émilie ouvrit la porte à ses « pensionnaires ». Elles regardèrent l'école avec soulagement. Les pupitres bien alignés et l'ardoise les retransplantaient dans un décor familier. Le cœur d'Émilie se manifesta bruyamment. Il lui fallait maintenant les emmener dans sa chambre. « Sa » chambre. Il lui fallait dévoiler qui elle était, ses goûts, les heures passées à coudre et à décorer. Il lui fallait partager son petit coin de vie à elle, bien différent de la classe. Saisiraient-elles, d'un coup d'œil, à quoi elle rêvait ? Trouveraient-elles l'endroit où elle conservait la lettre d'Ovila et celles d'Henri ? Elle pensa qu'il était urgent qu'elle les rangeât dans un endroit sûr. Du coup, elle avait perdu toute son assurance d'institutrice. Elle redevenait une fille comme ces deux filles qu'elle regrettait de voir sous son toit.

Elles montèrent rapidement à l'étage. Émilie chauffa immédiatement de l'eau pour que toutes les trois puissent se tremper dans un bon bain. Les deux jeunes filles, qui avaient presque son âge, lui en furent reconnaissantes. Polies, elles offrirent à Émilie de se baigner la première. Émilie les remercia. Elle s'était demandé si les jeunes filles auraient cette délicatesse. Elle aurait été bien mal à l'aise de se laver dans la même eau que de pures étrangères. Elle prêta à chacune un vêtement propre et s'excusa de ne pouvoir leur fournir de chemises de nuit. Elle n'en avait que deux. Elle portait la première et la seconde n'était pas lavée. Les deux jeunes filles la remercièrent encore une fois de son attention, mais lui dirent qu'elles seraient aussi à l'aise avec de bons sous-vêtements.

Émilie remplit son bac d'eau chaude et y agita frénétiquement son *savonnier* de façon à faire de la mousse pour éviter que le bain ne s'encrasse trop rapidement. Elle se baigna le plus vite possible afin que l'eau reste chaude pour Antoinette et Alma. Si elle prit grand soin de se cacher derrière le paravent pour se dévêtir, elle fut encore plus prudente lors de ses ablutions, usant de mille précautions pour ne pas faire de bruit. Elle aurait été extrêmement gênée si elle avait, par des sons incongrus, indiqué quelle partie de son corps elle savonnait. Quand à son tour Antoinette s'immergea, Émilie ne put éviter d'entendre les sons émanant du petit coin. Avait-elle été aussi bruyante ? Alma, la plus jeune, avait trouvé tout à fait normal de se laver la dernière. Émilie avait ajouté de l'eau chaude qu'elle avait refait mousser.

Les trois filles, vêtues pour la nuit, commencèrent à parler. Émilie ne sut d'abord que raconter pour intéresser ses invitées, mais Alma lui posa aussitôt plusieurs questions sur ses années d'enseignement. Émilie parla donc de la petite vie qu'elle menait depuis son départ de Saint-Stanislas, omettant toutefois plusieurs détails. Candide, Alma l'écoutait religieusement. Elle buvait systématiquement toutes ses paroles, demandant parfois une précision. Antoinette, elle, ne réagissait pas. Elle semblait perdue dans ses pensées, l'air renfrogné. Émilie se tut et lui demanda s'il y avait quelque chose qui n'allait pas. Antoinette lui répondit que tout allait « très bien, merci ». Émilie fronça les sourcils. Elle eut le sentiment qu'Antoinette taisait quelque chose. Elle n'insista pas et reporta son attention sur Alma.

Antoinette se leva et descendit pour aller au « petit coin » derrière la classe. Sachant qu'Émilie était au second, elle en profita pour ouvrir la boîte dans laquelle Émilie rangeait ses objets de toilette. Elle remonta. Émilie lui demanda si elle avait besoin de quelque chose. Antoinette lui répondit qu'elle aimerait bien dormir. Que la journée avait été éreintante et qu'elle avait besoin de sommeil. Émilie s'excusa de ne pas y avoir songé plus tôt. Elle installa des couvertures sur le plancher, y déposa les coussins de ses chaises, n'ayant pas d'oreillers supplémentaires, recouvrit le tout d'une bonne catalogne et les invita à se coucher. Elle essaya de blaguer tout au long des préparatifs afin de mettre ses invitées à l'aise – ce qui fut plutôt inutile car elles l'étaient manifestement plus qu'elle –, afin aussi de se faire à l'idée qu'elle devait contrôler ses rêves, au cas où elle parlerait en dormant.

Elles se couchèrent finalement dès qu'Émilie et Antoinette eurent réussi à consoler Alma qui venait de prendre conscience qu'elle n'avait plus rien. Plus de livres, plus de vêtements, plus de peigne, plus de brosse à cheveux, plus de missel, plus même les lettres que sa mère lui avait écrites.

**

Le soleil avait coloré les carreaux des fenêtres d'un rose matin. Émilie ouvrit les yeux, se tourna sur le dos, s'étira en bâillant avec cœur, se gratta la tête, se frotta les yeux et entendit des bruits de chaudrons que l'on brassait. Elle se figea, remonta rapidement sa couverture et referma les yeux. Elle avait oublié qu'elle n'était pas seule. Elle toussota pour attirer l'attention d'Alma qui, à ce qu'il lui sembla, préparait du gruau.

— Bonjour, Émilie. Est-ce que tu as bien dormi ?

Émilie chercha Antoinette des yeux avant de répondre.

— Antoinette est partie marcher dehors pour faire sa prière. Antoinette est bien pieuse, tu sais. Quand le déjeuner va être prêt, on a juste à aller la chercher. Antoinette va pas nous faire attendre. Pis ? As-tu bien dormi ?

— Comme une marmotte. J'ai même pas entendu sortir Antoinette.

— Ça fait déjà une bonne demi-heure qu'est partie. J'espère que c'est pas moi qui t'ai réveillée avec le bruit des casseroles. J'imagine qu'une maîtresse d'école ça a besoin de se reposer pendant les p'tits congés. Je voulais juste vous faire une surprise, à toi pis à Antoinette.

— C'est gentil de ta part, Alma.

Alma sourit au commentaire d'Émilie et retourna à son gruau. Émilie profita du fait qu'elle avait le dos tourné pour passer derrière le paravent et se vêtir à la hâte.

— Antoinette a mis une de tes robes. Elle trouvait que la sienne puait la *boucane*. Moi, j'ai pensé que la mienne était encore correcte.

Émilie était horrifiée. Antoinette avait mis une de ses robes sans lui demander la permission ! Elle lui en aurait offert une de bon gré, mais il y avait des robes qu'elle ne pouvait prêter. La bleu pâle, par exemple, celle qu'elle venait tout juste de terminer et qu'elle étrennerait à Noël, pour ses fiançailles.

— J'imagine, dit-elle d'une voix mal assurée, qu'Antoinette a choisi ma robe brune ou ma robe grise.

Elle avait cessé de s'habiller pour bien entendre la réponse.

— Ah non ! Le brun pis le gris, c'est des couleurs qu'Antoinette aime pas. Antoinette a choisi une robe bleue.

— Bleu pâle ou bleu foncé ? demanda Émilie, la voix angoissée.

— Pâle, me semble. Oui, pâle. Un beau bleu *poudre* avec des dentelles au collet pis aux poignets. Mon Dieu ! Émilie, c'est-y toi qui l'as faite ? Si c'est toi, tu as des vrais doigts de fée.

La fée s'empourpra. Elle attacha rageusement les derniers boutons de sa robe, sortit de derrière le paravent à la hâte, dévala l'escalier pendant qu'Alma lui demandait si elle avait dit ou fait quelque chose qui l'avait choquée, ne prit même pas le temps d'arrêter au « petit coin » pour se soulager de toute une nuit de continence, ouvrit la porte de l'école et se retrouva dehors en plein milieu du Bourdais à regarder à gauche et à droite, tournant sur elle-même comme une toupie. Elle ne voyait pas Antoinette. Elle se dirigea vers l'arrière de l'école en passant du côté de la montée des Pointes et l'aperçut au sommet de la colline. Elle ne l'attendit pas. Elle partit à sa rencontre en courant. Dès qu'elle sut qu'Antoinette pouvait l'entendre, elle se mit à crier.

— Antoinette je sais pus qui, mon innocente ! Enlève-moi cette robe-là de suite ! Viens ici, mon enfant de carême pis dépêche-toi ! J'ai deux pis trois mots à te dire, ça fait que lâche tes prières mais lâche pas la robe parce que tu es tellement p'tite que tu vas piler dessus.

Antoinette avait cessé de marcher. Elle regardait fixement Émilie qui venait de la rejoindre.

— Tu es tout essoufflée, Émilie. Tu devrais pas courir de même le matin avant le déjeuner. À moins que tu aies déjà mangé.

— Change pas le sujet pis laisse-moi courir quand ça me tente. De quel droit que tu as pris ma robe bleue ?

— J'ai juste pris la première qui m'a donné l'impression d'être propre.

— Menteuse ! Triple menteuse ! Alma m'a dit que tu avais pas voulu mettre la brune ou la grise !

Émilie était tellement furieuse qu'elle avait de la difficulté à respirer. Elle inspira profondément puis enchaîna, incapable de maîtriser sa colère :

— Me semble que ça paraît que c'est pas une robe pour tous les jours. Tu penses-tu que j'enseigne avec des robes de même ?

Antoinette dodelina de la tête, regarda Émilie de côté, fit bouger ses épaules avant de répondre.

— À voir ce que tu caches dans ton «p'tit coin», je me suis même pas posé de questions sur le linge que tu mettais pour enseigner.

Émilie suffoqua. Elle avait osé fouiller dans sa boîte ! Pour toute réponse, elle se contenta de donner un violent coup de pied au sol.

— À te voir de même, je commence à penser que c'est vrai, l'histoire du gars qui s'est fait tremper la tête dans la pisse.

Émilie étouffa. Encore cette maudite histoire qui lui revenait après tant d'années !

— Est-ce que quelqu'un t'a déjà dit, Antoinette, que tu étais méchante ?

— Pas à ma connaissance, Émilie. Pis toi, est-ce que quelqu'un t'a déjà dit qu'au village tu avais la réputation de péter plus haut que le trou ?

— Moi ? Moi péter plus haut que le trou ? Tu parles de qui, Antoinette ? Qui c'est qui dit des affaires de même ? Dis-le si tu as du courage !

— J'ai le courage de tenir parole. Ça fait que mets ça dans ta pipe pis essaie pas de savoir d'où qu'il vient, le tabac !

Émilie lui tourna le dos et se dirigea vers l'école. Des larmes coulaient sur ses joues. Qui était-elle, cette Antoinette, pour venir détruire sa quiétude ? Jamais plus, elle se le promettait formellement, jamais plus elle n'accueillerait d'étrangers chez elle. Jamais plus elle ne rendrait service. Jamais plus ! Tout ce qu'elle en retirait était une immense peine.

Antoinette, un sourire mesquin aux lèvres, avait laissé tomber la robe et la piétinait en marchant derrière Émilie. Bientôt son sourire se changea en rictus, puis du rictus en une franche grimace. À son tour, elle éclata en sanglots.

— Émilie, cria-t-elle, Émilie, viens ici. Attends-moi.

Elle pleurait de plus en plus fort, comme un enfant qui vient de s'érafler les genoux en tombant.

— Émilie, je m'excuse ! M'as-tu entendue ? Je m'excuse !

Émilie s'essuya les yeux avant de se retourner. Elle attendit Antoinette tout en la regardant, découragée, piétiner sa robe. Antoinette la rejoignit enfin. Émilie la regarda froidement, consciente toutefois qu'elle devait avoir les yeux rouges, et lui demanda pourquoi elle agissait ainsi. Antoinette sanglota en lui disant qu'elle avait entendu parler d'elle depuis des années. Que tout le monde semblait s'entendre sur le fait qu'elle était sans pareille. Que même les sœurs disaient qu'elle enseignait bien. Qu'elle ne l'avait jamais vue avant la veille parce qu'elle sortait rarement du couvent, mais qu'en entrant dans la sacristie elle l'avait reconnue tellement on la lui avait souventes fois décrite. Qu'Alma, sa meilleure amie, ne s'était même pas occupée d'elle la veille, tant elle, Émilie, racontait des choses intéressantes. Qu'elle n'avait pas pu résister, le matin, à mettre cette robe bleue, parce que jamais elle n'avait eu une aussi belle robe et que même si elle voulait s'en faire une, elle n'avait pas d'habileté en couture et que, de toute façon, elle devait coudre pour le couvent, étant là en élève depuis que son père était mort et que sa mère devait travailler à Trois-Rivières.

— Pis Alma, hier, a pleuré parce que toutes ses affaires avaient brûlé... Alma a même pas pensé que sa meilleure amie avait pas brûlé...

Émilie avait écouté la fureur d'Antoinette avec compassion. Sa colère s'était estompée. Non, Antoinette n'était pas une méchante fille. Antoinette se remettait d'une peur plus grande qu'elle ne l'avait imaginé. Émilie la prit dans ses bras et lui frotta le dos. Antoinette sanglotait encore.

— J'ai honte, Émilie, j'ai tellement honte de ce que j'ai fait. Regarde ta belle robe. Je l'ai toute gâchée.

— On va voir ce qu'on peut faire. Le bord est pas mal massacré. Mais on va voir.

Émilie avait des sanglots d'émotion dans la voix. Et ces sanglots n'avaient rien à voir avec le fait que sa robe fût salie et effilochée. Antoinette relâcha l'étreinte d'Émilie, renifla avec cœur et dit d'une voix toute douce, une voix de petite fille, qu'elle avait froid. Émilie se rendit compte qu'elle-même frissonnait. Elle était sortie sans prendre la peine d'enfiler un manteau. Elle regarda la terre blanche de gelée.

— Pourquoi est-ce que tu es sortie sans mettre de manteau, Antoinette ?

— Je voulais marcher avec juste la robe, pour l'entendre froufrouter.

Elles entrèrent dans l'école bras dessus, bras dessous, montèrent rejoindre Alma qui les regarda sans dire un mot. Le gruau avait collé au fond du chaudron qu'elle s'affairait à récurer. Antoinette, sans dire un mot, passa derrière le paravent pour se changer. Piteuse, elle remit la robe à Émilie qui l'examina attentivement. Il n'y avait plus qu'une solution : se hâter d'en coudre une autre.

Antoinette et Alma étaient retournées au village, où une classe de fortune avait été organisée pour les élèves de huitième et de neuvième années. Émilie avait accueilli cinq élèves de sixième dans son école. Les autres étaient allées dans l'école du rang sud et dans l'autre école du Bourdais. Tous les matins, l'employé du couvent reconduisait toutes les jeunes filles et venait les chercher en fin de journée. Les jeunes pensionnaires du couvent s'étaient habituées au style d'enseignement d'Émilie, même si elles avaient, au début, fait quelques comparaisons disgracieuses.

Émilie avait occupé ses soirées à coudre une nouvelle robe. Elle n'avait plus trouvé de tissu aussi beau que le bleu pâle, mais elle avait néanmoins fait quelque chose de très convenable pour des fiançailles. À cause de sa surcharge de travail et du temps qu'elle devait consacrer à la couture, elle n'avait pas fait de crèche ni monté de spectacle. Les samedis, elle était allée visiter Antoinette au village en faisant ses courses et Antoinette était venue passer ses dimanches à l'école. Les religieuses lui avaient accordé cette permission spéciale, sachant qu'elle passerait les fêtes éloignée de sa mère, comme chaque année.

Émilie avait reçu deux lettres d'Henri pendant le mois de décembre et n'en avait eu aucune d'Ovila. Ovila, décida-t-elle, pouvait bien aller paître. Elle s'était abstenue de parler de ses histoires sentimentales avec Antoinette. Celle-ci avait bien essayé de lui tirer les vers du nez, mais Émilie s'était contentée de lui dire qu'une maîtresse d'école ne pouvait se permettre « ce genre de choses ».

Le mois de décembre avait été particulièrement clément cette année-là. Il était bien tombé un peu de neige, mais si peu que les gens roulaient encore en calèche. Émilie avait bouclé ses valises et quitté l'école le 23 décembre avec son frère. Ils s'étaient arrêtés au village pour saluer Antoinette. Émilie était descendue, seule, demandant à son frère de l'attendre, ajoutant qu'elle n'en avait que pour quelques minutes. Antoinette lui avait ouvert la porte, heureuse de la voir et de lui souhaiter de joyeuses fêtes. Heureuse aussi qu'Émilie ne l'ait pas oubliée.

— Tiens, Antoinette, je t'ai apporté un p'tit quelque chose pour le Nouvel An.

— Pour moi ? fit Antoinette, à la fois émue et étonnée.

— Pour toi.

Antoinette prit la boîte qu'Émilie lui tendait. Elle la serra sur son cœur, passa sa main dessus à plusieurs reprises avant de se décider à l'ouvrir. Émilie trépignait d'impatience.

— Cesse de flatter la boîte comme si c'était un chat pis ouvre-la.

Antoinette l'ouvrit enfin. Elle éclata en sanglots. La robe bleue ! La belle robe bleue ! Les Trudel, chez qui elle habitait, s'extasièrent. Antoinette avait déplié la robe et la tenait devant elle.

— Tu l'as toute réparée !

— Tu parles ! J'ai rétréci les épaules, pis raccourci les manches, pis enlevé huit pouces du bord. Crains pas, ma fille, j'avais eu le temps en masse de voir où qu'il fallait que je l'arrange.

— Compte sur moi pour arrêter de grandir ! Si tu penses que j'vas me passer de cette robe-là pour un ou deux pouces de plus ! Je suis un p'tit bout de quatre pieds onze, pis j'ai l'intention de le rester, même si à côté de toi j'ai l'air d'une naine.

Les deux amies s'étaient quittées la larme à l'œil. Antoinette parce qu'elle n'avait pu donner qu'un sachet d'herbes odorantes à Émilie, Émilie parce qu'elle avait vraiment fait plaisir à Antoinette.

21

La maison était sens dessus dessous. Célina avait consacré d'interminables heures à la préparation du réveillon. Ce réveillon était plus que spécial. Il devait souligner la Noël, le vingt et unième anniversaire d'Émilie et ses fiançailles. Ses filles l'avaient aidée le plus possible, même si tous ces préparatifs lui avaient redonné une énergie depuis longtemps perdue. À la demande d'Émilie, la petite fête qui suivrait la messe de minuit devait se faire en famille. Caleb, qui aurait bien aimé fiancer son aînée avec ostentation, s'était incliné. Émilie était radieuse. Elle montra sa robe à sa mère et à ses sœurs et leur demanda si elles croyaient qu'elle pouvait la porter en été. Célina lui répondit qu'à son avis elle serait fort convenable pour les soirées fraîches. Émilie sourit. Elle n'avait parlé à personne du projet qu'elle et Henri caressaient pour le voyage de noces. Elle porterait cette robe sur le pont du paquebot. Elle regretta un peu de ne pas avoir la bleu pâle, mais celle-ci était aussi jolie, quoique d'apparence un peu moins désinvolte.

Henri, comme il l'avait promis à Émilie dans sa dernière lettre, arriva à Saint-Stanislas quatre heures avant la messe de minuit. Il fut accueilli à bras ouverts. Émilie fut étonnée de remarquer son strabisme. Il lui avait semblé, lors de leur dernière rencontre, qu'il n'était plus aussi apparent. Henri avait un énorme paquet sous le bras. Il demanda discrètement à Célina de le cacher quelque part. Célina obéit. Ils s'assirent tous dans le salon et parlèrent de la température clémente. Henri assura à Émilie qu'elle pouvait fort bien se rendre à l'église sans couvre-chaussures. Émilie ricana et lui dit qu'elle le ferait. Ce serait bien la première fois qu'elle entendrait résonner ses pas sur le plancher de l'église une nuit de Noël.

Imitant leurs parents, les enfants se retirèrent du salon pour aller enfiler leurs vêtements propres. Émilie, déjà prête, resta seule avec Henri. Il vint s'asseoir à ses côtés et lui prit une main.

— Émilie, je n'aurais jamais pensé être aussi chanceux. Quand je t'ai vue ce soir, il me semblait que j'assistais à un opéra et que la diva faisait son entrée.

— Tu ne m'as jamais dit que tu étais allé à l'opéra, répondit-elle en s'efforçant de bien prononcer chacun de ses mots.

— En fait, je n'y suis jamais allé, mais j'ai lu beaucoup de descriptions dans des journaux venus de la métropole.

— La métropole… ?

— Mais la France, voyons, Émilie. Tu sais très bien que les gens des colonies appellent la France la métropole.

— Oui, mais on n'est pas… nous ne sommes plus une colonie française.

— Si, Émilie, si. Dans le cœur de tous les Canadiens français, la France sera toujours notre mère et nous serons toujours des Français. Nous parlons la langue des Français, nous avons le code Napoléon et nous sommes entêtés comme les Normands, nos ancêtres. Enfin, je présume que tes ancêtres étaient normands.

— Je pourrais... je ne pourrais pas te dire, Henri. Tout c'que... ce que je sais, c'est que l'ancêtre était soldat dans le régiment de Carignan et qu'il a marié une fille du Roy.

— Vraiment ? Ah ! les filles du Roy... Joli mythe.

— Qu'est-ce que tu veux dire par ça ?

— Rien du tout, ma chère, mais j'ai ma petite idée là-dessus.

— Ah bon !

Émilie s'était tue. Elle ne savait pas ce qu'il avait voulu dire. Elle était aussi quelque peu agacée par ses attitudes empesées. Elle se demandait, un peu craintive, si elle pourrait toujours tenir des conversations aussi sérieuses. Mais elle était flattée de l'effet qu'elle faisait sur Henri. Elle était certaine qu'en devenant sa femme elle enorgueillirait Henri, et un homme fier de sa conquête, elle le savait, ferait toujours un mari attentif.

Caleb revint au salon, non sans prendre la peine de toussoter avant d'entrer. Henri n'avait pas pour autant laissé la main d'Émilie. C'est elle qui la retira. Caleb le remarqua.

— Bon, les jeunes, est-ce que ça fait votre affaire si on part à onze heures et quart ? Me semble que ça serait une bonne heure.

— C'est vous qui décidez ça, pâpâ. Si vous pensez que c'est la bonne heure, alors c'est que c'est la bonne heure.

Caleb regarda sa fille, intrigué. Normalement, elle aurait discuté de l'heure du départ. Il avait dit onze heures quinze pour être certain qu'elle voudrait bien être prête à partir à onze heures et demie. De plus, elle avait, devant Henri, une de ces façons de parler qui lui portait sur les nerfs. Il refusait de croire qu'elle faisait toujours autant d'efforts. S'il ne voulait pas faire de commentaires, il se sentait néanmoins obligé de dire quelque chose à sa fille.

— Émilie, est-ce que tu pourrais venir avec moi deux minutes dans la cuisine ?

Émilie s'excusa auprès d'Henri et suivit Caleb, pensant qu'il y avait quelque chose à mettre au point pour le réveillon.

— Qu'est-ce qu'il y a, pâpâ ?

— Ça serait plus à moi de te demander ça.

— Je comprends pas.

Caleb s'assit dans la berceuse. Il jeta un coup d'œil en direction de sa chambre pour s'assurer que Célina y était encore. Il écouta aussi les sons qui provenaient de l'étage. Les autres enfants avaient l'air affairés à souhait. Il se berça lentement. Émilie s'impatienta.

— Qu'est-ce qu'il y a ?

— Je le sais pas. Je voudrais pas avoir l'air d'un père qui joue à la mère poule, mais il me semble, ma fille, que tu es pas comme avant. Je sais que tu es assez grande pour te choisir un mari, pis je sais qu'Henri c'est un maudit bon parti pour toi. Mais quelque chose me *chicote*. Tu es peut-être pas prête à te fiancer tout de suite.

Il soupira. Il avait réussi à lui dire ce qu'il avait sur le cœur depuis qu'elle était arrivée de Saint-Tite.

Émilie avait rougi. Elle détestait que son père intervienne de cette façon. Elle se débrouillait seule depuis assez d'années maintenant pour avoir l'impression qu'il n'avait plus vraiment l'autorité de lui parler sur ce ton. Mais, ce soir, elle se devait de demeurer calme.

— Je vous remercie de me dire ça, pâpâ, mais je pense que vous faites erreur. Henri est un homme remarquable que je respecte énormément...

— C'est justement ça, le problème, Émilie. Tu le respectes. Ça veut-tu dire que tu l'aimes, ça ?

Émilie s'abstint de répondre. Elle ne s'était jamais posé la question en ces termes. Henri était un bon choix, elle le savait. Elle serait gâtée, choyée, protégée. Avec lui, elle n'avait même pas besoin de se préparer un coffre de cèdre. Voyant qu'elle ne répondait pas, Caleb enchaîna :

— Moi, j'ai toujours eu pour mon dire que mes filles marieraient des hommes à leur goût. Mais il me semble qu'Henri est bien différent de toi...

— Les contraires s'attirent, pâpâ...

— Pis qui se ressemble s'assemble, *itou*.

Il fit une courte pause, la regarda, pinça les lèvres, se leva, lui tapota la joue en lui disant que finalement c'était son affaire à elle et que ce n'était pas le moment de gâcher une si belle soirée.

— Au fait, Émilie, comment est-ce qu'il va, le grand Pronovost qui m'avait si gentiment prêté son étalon pour servir la pouliche ?

— J'imagine qu'il doit bien aller, répondit-elle sèchement.

— Ah ! tu as pas eu de ses nouvelles ?

— Ben oui ! Je viens de vous dire qu'il va bien.

Elle devenait cassante.

— M'avait semblé que tu disais que tu le savais pas trop, trop.

— Il va bien, d'abord. Est-ce que vous êtes content, là ?

Elle était aux limites de la furie.

— J'aime mieux ça de même, se contenta de dire Caleb, un petit sourire moqueur accroché aux lèvres.

— Ça quoi ?

— *Ça* quand tu te choques un peu, pis *ça* quand tu parles comme tu as appris à parler, sans passer tes *t* pis tes *i* dans l'aiguisoir à crayons.

Satisfait de lui-même, il tourna les talons et se dirigea vers le pied de l'escalier pour rappeler ses autres enfants à l'ordre et leur dire qu'ils devaient partir.

Émilie était retournée au salon rejoindre Henri qui, visiblement, s'impatientait. Il l'accueillit avec un soupir de soulagement et de fascination. Elle l'invita à passer à la cuisine pour se préparer. Henri lui demanda si elle pouvait exceptionnellement ouvrir un petit cadeau avant de partir pour la messe. Elle lui dit qu'elle préférait attendre. Il insista. Elle s'entêta. Il lui dit que si la chose n'avait pas été sans importance, il ne se serait pas permis d'insister. Elle répondit qu'une étrenne du nouvel an était une étrenne du nouvel an. Agacé, Henri lui expliqua qu'elle pouvait considérer ce petit cadeau comme son cadeau d'anniversaire. Émilie accepta donc d'ouvrir le cadeau que Célina, à la demande d'Henri, alla chercher. Caleb, témoin de l'altercation, s'en était amusé. Son Émilie était revenue.

Émilie s'assit à la table de la cuisine, faisant attention de ne pas déplacer le couvert. Sa mère avait remis la boîte à Henri qui, à son tour, l'avait déposée sur les genoux d'Émilie.

Émilie revit les gestes qu'Antoinette avait faits quand elle-même lui avait donné son cadeau et les imita pendant quelques secondes. Elle n'avait pas envie d'ouvrir le cadeau d'Henri, mais elle le fit quand même. La boîte contenait une toque et un énorme manchon de castor. Émilie demeura bouche bée.

— Hâte-toi d'enfiler ton manteau, Émilie. Tu me pardonneras mon enfantillage mais je ne peux attendre de voir si la toque te sied.

Caleb grinça intérieurement des dents. Décidément, il aurait toujours de la difficulté à écouter parler son gendre. Il aida sa fille à enfiler son manteau pour montrer à Henri que chez les Bordeleau aussi on avait de bonnes manières. Émilie alla se planter devant le miroir du salon pour ajuster le chapeau. Il lui allait à ravir. Elle sourit à son reflet et revint vers la cuisine quand elle prit conscience qu'elle avait complètement oublié de remercier Henri. Elle le fit avec un peu moins de cœur qu'elle ne l'aurait souhaité. Henri lui répondit que ce qu'il avait fait n'était que « normal ».

Émilie était montée dans la carriole d'Henri et avait invité ses sœurs à se joindre à eux. Elles avaient chanté des cantiques de Noël tout au long du trajet. Henri avait bien essayé de se joindre à elles, mais tout le monde avait éclaté de rire au son de sa voix on ne peut plus fausse. Émilie l'avait taquiné en lui disant qu'il avait fait un bon choix de carrière en préférant l'enseignement à la vie de chanteur d'opéra. Henri n'avait émis qu'un petit grognement, mais Émilie sut qu'elle l'avait blessé dans son orgueil.

À l'offertoire, Henri avait passé une magnifique bague à diamant au doigt d'Émilie. S'il avait eu l'œil pour la grandeur du chapeau, il s'était trompé pour la bague. Elle était beaucoup trop grande et Émilie dut l'enlever, de crainte de la perdre. De retour à la maison, il lui avait donné un autre cadeau, son « vrai cadeau des fêtes » : une resplendissante broche représentant une tête de femme sculptée dans du camée. Émilie le remercia encore une fois, gênée par tant d'attentions si coûteuses. Ses parents lui remirent une jolie valise. Elle éclata en sanglots et se précipita dans sa chambre.

— Quel cœur fragile ! constata Henri, quelque peu dérouté.

— Émilie a toujours été comme ça, répondit Caleb. Bien prompte, bien imprévisible, bien orgueilleuse, bien coléreuse, bien têtue...

— Voyons donc, Caleb, l'interrompit Célina. Faut pas exagérer. Émilie est juste émue d'avoir tant d'attentions. Vous pensez pas, Henri ?

Henri acquiesça. Mais le comportement d'Émilie l'inquiétait. Elle avait beaucoup changé depuis leur dernière rencontre. Avait-il écrit quelque chose dans ses lettres qui aurait pu choquer son âme sensible ?

Émilie était revenue. Elle avait fêté allègrement, toute trace de chagrin évanouie. Célina aussi s'était beaucoup amusée et elle était restée debout jusqu'à l'aube. Toute la famille – sauf Caleb qui était allé traire ses vaches – s'était couchée après que le soleil eut montré que la journée serait sans nuages. Une belle journée de Noël.

Caleb n'avait pas voulu d'aide ce matin-là, préférant être seul pour réfléchir, comme il le faisait si souvent, au milieu de la chaleur que dégageaient ses animaux. Il avait trait ses vaches, la main nerveuse et sèche. Ses vaches avaient manifesté leur désapprobation en donnant quelques coups de patte, plusieurs coups de queue, et l'une d'elles avait même exprimé son mécontentement en renversant une pleine chaudière de lait chaud et mousseux.

— Maudite Joséphine !

Caleb avait finalement trait sa dernière vache, replié sur les trayons, certes, mais davantage sur ses pensées. Il avait peur. Pas une peur comme celle qu'il avait connue lorsqu'un bœuf l'avait forcé à courir et à sauter une clôture, mais une autre sorte de peur. Il avait peur pour Émilie. Jusqu'à la veille encore, il avait été très entiché d'Henri Douville. Et puis, sans savoir pourquoi, il avait trouvé que Douville lui faisait trop penser à un cul de poule. Il voyait mal comment sa fille, fringante comme un animal de race, pourrait passer sa vie aux côtés d'un homme dont elle devrait laver et empeser les chemises tous les jours. C'est qu'il suait, le bougre. Caleb l'avait remarqué.

Il savait qu'il avait été maladroit pour faire comprendre à Émilie qu'elle pouvait reporter ses fiançailles d'une autre année. Il savait aussi qu'Émilie jouait un jeu. Il la connaissait si bien. Le cœur lui faisait mal de voir qu'elle courait à son malheur.

La porte de l'étable s'ouvrit. Caleb se retourna. C'était Émilie. Il lui demanda ce qu'elle faisait là.

— J'étais pas capable de dormir. Ça fait que je me suis dit que vous deviez être encore ici à jongler.

— As-tu l'impression que j'ai des raisons de jongler ?

— Oui. J'avais même pas besoin d'être dans l'étable, moi, que je jonglais aussi.

— As-tu l'impression qu'on jonglait à la même affaire ?

— Ça dépend. Moi, je jonglais à mon voyage de noces. Vous ?

Caleb demeura muet. Ainsi donc, elle se marierait.

— Comme je connais ton *futur*, il doit avoir une idée pas ordinaire pour faire un voyage de noces. Il voudrait t'emmener voir les grosses chutes du Haut-Canada que ça m'étonnerait même pas.

Émilie sourit. Son père avait bien jaugé Henri. Elle le regarda pendant quelques minutes avant de lui révéler leur destination. Elle savait qu'il en tomberait de son tabouret. Caleb, lui, attendait qu'elle parle. Elle n'avait, Dieu merci, pas remarqué le tremblement de ses mains.

— Cette année, pâpâ, j'vas être obligée d'être remplacée à l'école pour le mois de juin.

— Pourquoi ça ?

— Parce que Henri et moi, on se marie.

— Vous avez décidé de la date comme ça sans nous en parler !

— C'est qu'on n'a pas eu le choix. Il faut qu'on embarque sur le bateau au début de juin.

— Le bateau ? Quel bateau ?

Émilie attendit quelques secondes afin de s'assurer de l'effet qu'elle produirait.

— Le bateau qu'on va prendre à New York pour se rendre en France. Voir l'Exposition de Paris !

Caleb ne tomba pas du tabouret, mais c'était bien parce qu'il était solidement arrimé au pis de sa vache.

— Ben, ma fille, on peut dire que c'est tout un projet. J'espère que tu tiens pas de moi, parce que je suis même pas capable de prendre le traversier de Trois-Rivières sans vomir ce que j'ai dans le ventre. Pis il paraît que la mer, ça vous brasse une panse, madame, que c'en est même pas drôle. J'espère qu'Henri a le pied marin, parce que tu vas avoir affaire à nettoyer quelques p'tits dégâts.

Émilie cessa de sourire. Elle n'avait jamais pensé à cet aspect du voyage. Elle n'avait vu que le chic d'un paquebot, les lumières se reflétant sur la mer dans la nuit, les repas servis sous l'éclairage d'immenses chandeliers. Et s'il fallait qu'elle ou Henri ait le mal de mer ? Ou les deux ?

— Henri m'a dit qu'en juin c'est rare que ça brasse.

— Ils disent que ça a pas besoin de brasser pour donner le mal de mer. Juste le fait de pus être sur le plancher des vaches, ça suffit. En tout cas, c'est ce qu'ils disent. Moi, j'ai juste l'expérience du fleuve, pis si ma mémoire est bonne, l'eau était calme.

— Oh ! vous ! Chaque fois que j'ai une idée pis que vous avez pas la même, vous vous arrangez toujours pour... pour...

Elle ne termina pas sa phrase. Elle tourna les talons et sortit de l'étable. Elle referma la porte et, de dos, s'appuya dessus. Elle bascula quand Caleb l'ouvrit, quelques secondes plus tard.

— J'ai bien pensé que tu serais encore ici. C'est quoi au juste, Émilie, que tu voulais me dire ?

— Rien de spécial… En fait, je voulais juste vous dire qu'Ovila Pronovost m'a écrit. J'aime mieux Douville. Au moins, avec lui, on sait ce qui va arriver le lendemain, pis le jour après.

— C'est certain. Le grand Pronovost, c'est pas le même genre pantoute. Il m'a l'air d'avoir toute une tête de mule, lui *avec*.

— Pour avoir une tête de mule, il a une tête de mule. Ça fait que deux têtes de mule, pâpâ, c'est rien de bon. Vous pouvez pas comprendre pourquoi Henri c'est le mari qu'il me faut. Oubliez pas que ça fait bien des années que je vis pus ici, pis que vous me connaissez un peu moins qu'avant.

— Je sais ça, Émilie. C'est pour ça que je me demande pourquoi tu te donnes tant de mal à essayer de me convaincre. Si tu étais si sûre de toi, ça paraîtrait dans ta face, me semble.

Il avait visé juste. Émilie s'était dit qu'en convainquant son père elle trouverait les arguments pour se convaincre elle-même. Elle doutait de ses sentiments et détestait cette confusion. Elle soupira. Comment pourrait-elle expliquer à Henri que leurs fiançailles n'auraient duré que le temps d'une nuit ?

Caleb avait suivi le cours des pensées de sa fille.

— Dans mon temps, Émilie, on avait pour notre dire que les fiançailles ça servait à deux choses. La première, ça voulait dire au prétendant qu'on allait le marier, ou *bedon* la deuxième, qui voulait dire qu'on prenait plus de temps pour réfléchir. Tu peux choisir.

Il se frotta la nuque, puis les yeux. Il s'étira en bâillant.

— Bon, bien, moi, si tu as rien contre, j'vas aller faire un p'tit somme, pis je pense que tu devrais faire pareil.

La journée de Noël se passa sans encombre. Émilie avait choisi de ne pas parler à Douville. Ne sachant plus très bien où situer ses sentiments, elle avait décidé de ne rien brusquer. Il quitta Saint-Stanislas le soir de Noël en promettant d'être présent la veille du jour de l'An. Pour rien au monde, avait-il dit, il n'aurait voulu être éloigné de sa fiancée pour regarder tourner le siècle.

Caleb et Émilie n'avaient plus parlé de son mariage. Il était certain qu'Émilie reviendrait sur sa décision. Émilie, elle, n'en savait toujours rien.

Henri arriva, encore une fois, quatre heures avant la messe de minuit. Il avait l'air troublé. Il demanda à Émilie s'il était possible qu'ils aillent marcher dehors, même si le temps était extrêmement froid. Émilie ne posa pas de questions et enfila son manteau, prenant bien soin de porter sa toque et son manchon. Douville était trop silencieux pour que son silence annonçât quoi que ce soit qui vaille.

— Émilie, parvint-il enfin à dire, j'ai beaucoup songé à toi et à nous depuis une semaine. Je t'ai écrit au moins dix lettres que j'ai toutes détruites. Vois-tu, Émilie, je me suis demandé si le peu d'empressement que nous mettions à sceller notre union n'indiquait pas que nous n'étions pas prêts. Tu... tu es vraiment tout ce dont j'ai rêvé, d'aussi loin que je me souvienne. Mais j'ai mes... appelons-les mes craintes. Je suis un vieux garçon et je ne connais rien aux femmes. Tu es tellement jeune, tellement enthousiaste à propos de tout et de rien, que je me demande si, à côté de toi, je ferais bonne figure. Je te prie de me croire, Émilie, quand je te dis que je souffre beaucoup. Je t'ai fait tant de promesses que je crains de ne pouvoir tenir.

Il se tut, essayant d'éviter le regard d'Émilie. Elle se retourna et le dévisagea. Si elle s'était écoutée, elle se serait roulée par terre, tant elle avait envie de rire. Mais Henri, lui, ne semblait pas partager cette humeur. Elle se contint donc, pour lui dire qu'il la voyait défaite et déçue – *qu'est-ce qu'elle était menteuse* –, qu'elle voyait s'éteindre un beau rêve – *il ne faudrait quand même pas exagérer* –, que si la vie voulait qu'ils s'unissent, la vie verrait à ce que cela se fasse – *non !* –, qu'elle avait passé de merveilleux moments en sa compagnie – *surtout le moment présent* –, que ce qu'elle souhaitait le plus ardemment, c'était son bonheur à lui – *loin d'elle* –, et que finalement rien ne les empêcherait de demeurer amis.

Henri lui baisa la joue après lui avoir dit, ému, qu'il savait qu'elle comprendrait. Il la pria cependant de ne rien dire à ses parents. Il préférait leur annoncer la « mauvaise nouvelle » lui-même, comme un homme. Émilie lui demanda de n'en rien faire. Elle voulait être sa propre messagère.

À la messe de minuit, Émilie et Henri s'assirent côte à côte. À minuit juste, ils se regardèrent. Émilie lui souhaita beaucoup de bonheur pendant ce nouveau siècle. Henri chuchota, en retour, qu'il leur en souhaitait à tous deux. Il lui fit un clin d'œil et elle lui sourit. Cet Henri Douville était quand même un homme bien et elle était certaine que si elle devait revenir sur sa décision, il reverrait sûrement la sienne.

Malgré cette certitude, Émilie ressentit quand même un pincement. La solitude commençait à lui peser. Demeurerait-elle éternellement institutrice ?

22

L'hiver, distraction ultime, avait presque oublié d'expédier de la neige. Aussi s'était-elle évaporée au soleil comme une flaque d'eau sans importance. Avril avait montré des rayons brûlants pour raviver les cœurs et annoncer la fin du carême. Dosithée, qui détestait cette période de pénitence, fulminait en ce vendredi saint. Il avait terminé son contrat annuel au lac Pierre-Paul depuis une semaine et Félicité l'avait obligé à jeûner et à faire pénitence, ne fût-ce que pour se faire pardonner les gourmandises qu'il s'était certainement permises au chantier.

— Tu t'imagines quand même pas que quand on a des grosses journées à faire dans le bois, on se demande si le bon Dieu regarde ce qu'on mange. Il nous a dit de travailler à la sueur de notre front, mais il a jamais dit de travailler le ventre vide.

— Le bon Dieu a dit de faire pénitence, ça fait que tu vas faire comme il dit, Dosithée Pronovost !

— Moi, si tu veux savoir, je pense qu'on nous a toujours caché que le bon Dieu était marié pis que c'est sa femme qui a inventé l'histoire du carême juste pour pas montrer que les provisions commençaient à descendre pis pour être capable de se rendre jusqu'aux premières récoltes. Parce que, entre toi pis moi, demander au monde de pas manger pendant quarante jours avec des froids comme on en connaît, ça a juste pas d'allure…

Félicité lui fit comprendre qu'elle aurait préféré qu'il se tût devant les enfants. Elle avait déjà assez de difficultés à les priver de dessert et à leur faire accepter de diminuer les portions sans que leur père arrive avec ses idées presque sacrilèges. Elle soupira et résista mal à l'envie de le gronder comme elle l'aurait fait avec un enfant désobéissant.

— Prends patience, ça va être Pâques dans deux jours.

Dosithée se contenta de tirer une profonde bouffée sur sa pipe en susurrant un « Alléluia ! » de rage.

Télesphore entra dans la maison en coup de vent. Sa mère eut juste le temps de le retenir quand il perdit pied en glissant sur une des carpettes.

— Voyons donc, le jeune, combien de fois que ta mère t'a dit de pas rentrer dans la maison comme si tu rentrais dans l'étable ? lui lança Dosithée.

— Ovila arrive ! J'ai vu Ovila ! Il est rendu à peu près vis-à-vis de l'ancienne maison du père Mercure. C'est lui, c'est sûr ! Il y a personne d'autre d'aussi grand que lui.

Tout le monde se leva, Dosithée le premier. Enfin une bonne nouvelle pour lui faire oublier les tiraillements de son estomac ! Le père et la mère, suivis de leurs enfants, marchèrent à la rencontre de ce fils dont ils avaient été sans nouvelles depuis des mois.

Il leur fit un signe de la main. Même à distance, ils purent deviner son sourire, mais s'étonnèrent de voir combien sa carrure avait changé. Dosithée et Félicité étaient émerveillés de constater que cet homme n'était nul autre que leur indépendant de fils, celui qui faisait toujours à sa tête. Ils purent enfin le toucher. Félicité lui posa un baiser sur les lèvres et Dosithée s'empara de sa main droite qu'il serra pendant de très longues secondes.

— Bonyeu de bonyeu ! fit Ovide, tout essoufflé. Faudrait pas que personne décide de te marcher sur un pied.

— Surtout pas celui que je me suis blessé, répondit Ovila en riant.

— Est-ce que ça te fait encore mal ? demanda Rosée.

— Seulement quand c'est humide.

Toute la famille revint à la maison, Oscar et Télesphore s'étant emparés du bagage de leur frère pour lui montrer à quel point ils avaient grandi et combien ils étaient devenus forts, eux aussi. Ils s'engouffrèrent tous dans la cuisine, impatients d'entendre ce qu'il avait à leur raconter.

***

Émilie s'était assise sous l'effet du choc. C'était lui ! C'était bien lui ! Il était de retour. Elle aurait reconnu sa démarche à des milles à la ronde. Elle était restée rivée à sa fenêtre à le regarder venir tranquillement dans le rang du Bourdais. Elle avait vu Télesphore rentrer dans la maison à toute vitesse puis elle avait été témoin de l'accueil que sa famille lui avait réservé. Elle aurait voulu être avec eux à ce moment-là, mais elle le laisserait faire. S'il voulait la voir, il n'avait qu'à se déplacer. Il savait où la trouver. Elle ne brusquerait rien. Il devait comprendre qu'elle n'avait pas passé tous ces mois à l'attendre. « Mon Dieu, faites qu'il vienne », priait-elle silencieusement. Mais qui essayait-elle de leurrer ? Elle savait bien qu'elle n'avait jamais cessé d'espérer son retour. Que la lettre qu'il lui avait laissée dans son pupitre était toute fanée, tant elle l'avait lue et relue... Sans parler des nuits où elle l'avait placée sous son oreiller.

Henri était à cent mille lieues de ses pensées. Henri. L'homme qui lui avait donné l'assurance d'être belle et désirable. Henri qui, finalement, lui avait permis de répéter son rôle d'amante. « Mon Dieu, faites qu'il vienne », ne cessait-elle de se redire. Elle respira longuement puis décida de passer à l'action. Elle abandonna le lavage des fenêtres, monta à l'étage, se fit chauffer de l'eau et couler un bain. « Mon Dieu, faites qu'il vienne. »

Elle s'affaissa dans l'eau, ferma les yeux et tenta de se calmer avant de commencer à se savonner. Elle demeura ainsi pendant de longues minutes avant de procéder au lavage de tête qu'elle s'était promis pour le lendemain en fin de journée. Elle s'immergea la tête puis, satisfaite, décida que toute cette mousse l'avait sûrement bien lavée.

Elle enfila sa vieille robe de chambre en pensant qu'il était grand temps qu'elle en confectionne une autre et essora ses cheveux avec une bonne serviette. Elle lança la serviette sur le dossier de sa chaise, s'assit sur le bord du lit et commença à se démêler la crinière. Elle détestait cela. Ses cheveux étaient tellement longs. Elle allait passer derrière le paravent pour revêtir sa robe lorsqu'elle aperçut Ovila, debout sur la dernière marche. Saisie, elle resta au beau milieu de la pièce, bouche bée, devant lui. Ses cheveux mouillaient la robe de chambre sur ses fesses et sur ses seins. Elle oublia que l'eau rendait transparent le coton léger de sa robe.

Ovila la regarda de la tête aux pieds, sourit et s'approcha d'elle pour l'enlacer dans ses bras.

— J'ai cogné trois fois. Comme ça répondait pas pis que je savais que tu étais là parce que la porte était débarrée, je me suis permis d'entrer. Remarque que j'étais loin de penser que tu serais aussi belle en plein milieu de l'après-midi.

Émilie n'avait pas encore réussi à se remettre de ses émotions. Il était là, devant elle, souriant, plus sûr de lui que jamais. À le voir agir, on aurait pu penser qu'il l'avait visitée la veille. Elle réussit enfin à parler.

— Cesse tes moqueries. J'ai l'air d'un chat mouillé.

— Une chatte, Émilie, une belle chatte.

Cette remarque ne l'aida pas à dissiper le malaise qui la gagnait.

— Depuis quand est-ce que tu es arrivé ? demanda-t-elle innocemment.

— Depuis à peu près une heure.

— Ta famille a dû être surprise vrai...

— Oui, très.

Émilie regarda autour d'elle, se cherchant une contenance. Elle demanda à Ovila de se retourner, le temps qu'elle passe derrière le paravent pour enfiler sa robe. Ovila la pria de n'en rien faire, disant qu'elle était bien à son goût comme elle était. Elle éclata d'un rire niais, essayant de lui faire croire qu'elle avait pris cette remarque comme une boutade, et passa quand même derrière le paravent afin d'être plus à l'aise pour se tenir la poitrine à deux mains. Ovila s'assit sur le lit et la regarda. Toute la tête d'Émilie dépassait.

— J'ai dit de te retourner, Ovila Pronovost.

— Ça fait tellement longtemps que je t'ai vue que j'ai pas envie de perdre une minute de plus.

En un temps record, Émilie enfila ses sous-vêtements, son cache-corset, ses jupons et sa robe.

— As-tu pensé à moi pendant que j'étais parti, Émilie ?

— Pas souvent, Ovila. On peut pas dire que tu m'as aidée à le faire. Pourquoi est-ce que tu m'as écrit rien qu'une lettre ?

— Parce que j'haïs ça, écrire.

— Pis moi, tu sauras que j'haïs attendre un fantôme.

— Tu devais avoir confiance. J'avais dit que je travaillais pour gagner l'argent pour nous installer.

— C'est facile à dire, ça, Ovila Pronovost. As-tu vraiment l'impression que j'ai passé tout ce temps-là à me morfondre ?

— Moi, je me suis morfondu, dit-il amèrement.

Émilie n'y tint plus. Elle sortit de derrière le paravent et se précipita vers lui. Ils basculèrent tous les deux sur le lit.

— Mon grand fou ! Faut pas avoir de cœur pour faire ça à une fille.

— Non, mais j'ai le cœur de faire ça.

Il l'embrassa tendrement. Elle s'abandonna, aux limites de la correction. La fougue d'Ovila augmenta.

— Ovila, on devrait aller marcher. J'aimerais mieux que les gens nous voient dehors.

— Dans deux minutes. Promis…, dit-il en mordant goulûment dans une de ses joues.

Ils sortirent une demi-heure plus tard. Émilie avait consacré beaucoup de ses énergies à freiner cette femme qui lui criait de la laisser sortir. Ils prirent le chemin de la montée des Pointes.

— J'ai beaucoup pensé à toi. J'ai passé des nuits blanches à me demander si tu avais oublié toutes mes bêtises. J'espérais que tu m'en voudrais pas trop. Je sais pas comment dire ça, mais j'aurais voulu, le matin de la mort de Marie-Anne, que tu restes avec moi pour me consoler.

— Je le savais, Ovila, mais je pouvais rien faire sauf te dire de revenir. Je pouvais quand même pas perdre mon poste.

Ovila gratta le sol du bout de sa chaussure, donnant ensuite quelques petits coups de pied aux cailloux qu'il n'avait pu déplacer.

— C'est parce que j'avais trop honte que je suis parti. Il est arrivé trop d'affaires en deux jours. Moi, j'ai besoin de temps pour réfléchir quand tout change.

— Si ça te fait rien, j'aimerais qu'on parle d'autre chose.

— Ça tombe bien ! J'espère que tu m'as pris au sérieux quand je t'ai dit que j'étais parti pour faire de l'argent pour qu'on s'installe.

— Ça m'a pas semblé aussi clair que ça.

— Je l'ai écrit noir sur blanc !

— Oui, mais comme j'ai pus entendu parler de toi, j'ai pensé que c'étaient des paroles en l'air.

— Maudite tête de mule, Émilie ! Tu es pire que moi. Ben là, tu vas m'écouter. Quand je dis que je suis revenu, c'est que je suis revenu. Cet été, j'vas aider au père. Pis le soir, j'vas finir la maison qui est en chantier depuis trop de temps. Si tout va bien, mes parents pourraient déménager l'année prochaine. Nous autres, on va se marier pis rester dans la vieille maison. Edmond pis Ovide ont pas l'air intéressés de la prendre.

— Je comprends pour Ovide, mais Edmond…

— Edmond préfère rester près du père pis de la mère pis de ses ch'vaux. En tout cas, si tout va bien, on va pouvoir se marier l'été prochain. À c't'heure, tu vas me dire, un, si c'est clair, pis deux, ce que tu en penses.

— Pour être clair, c'est clair. Pour savoir ce que j'en pense, tu vas attendre un peu.

— Comment ça ? Tu veux pus qu'on se marie ?

— Comment ça, je veux pus ! C'est la première fois que tu m'en parles.

— Me semblait que c'était ça qu'on avait dit qu'on ferait.

— Ovila Pronovost, tu vas attendre. Tu arrives comme un cheveu sur la soupe, tu me prends mouillée comme un canard, tu dis qu'on se marie l'année prochaine pis qu'on va rester dans la maison à ton père. Pis moi, là-dedans ? Est-ce que ça se pourrait que j'aie mon mot à dire ?

— Choque-toi pas, Émilie. Moi, j'ai pensé rien qu'à ça depuis que je suis parti. J'vas attendre. J'vas faire comme tu veux.

Émilie s'était tue. Elle attendait ce jour d'aussi loin qu'elle pouvait se souvenir. Et voilà que la peur venait de commencer à lui ronger un coin du cœur. Elle regarda Ovila, le trouva plus beau que jamais, remercia le ciel de ne plus être fiancée à Henri, aurait voulu croire tout ce qu'il venait de lui dire, mais quelque chose lui faisait peur. Et s'il décidait de repartir ? Et s'il oubliait ses belles promesses ? Non ! Le regard qu'il lui jetait en ce moment était imprégné de tellement de confiance, de tellement d'incertitude et de naïveté qu'elle eut envie de lui crier qu'elle acceptait. Mais il l'avait blessée. Il lui avait fait passer des heures d'attente dans le doute et l'angoisse. Il n'avait jamais douté d'elle. Elle ne pouvait pas en dire autant...

— Trouverais-tu que ça serait raisonnable que je te donne ma réponse au début de l'année scolaire ? J'vas penser à tout ça pendant l'été. Pis comme ça, toi pis moi, on va avoir le temps de se fréquenter en bonne et due forme, pis de se connaître un peu mieux.

Ovila avait émis un sifflement de désespoir. Elle lui demandait d'attendre sa réponse pendant quatre mois. Quatre longs mois durant lesquels il ne pourrait parler de leur projet.

— Si tu veux que j'attende jusqu'au mois de septembre, je pourrai pas commencer les travaux sans énerver tout le monde.

— Ovila, je veux juste avoir quatre mois pour penser ! Toi, tu as pensé pendant pas mal plus de temps que ça.

— C'est correct. J'vas attendre. Reste juste à espérer que l'hiver sera pas trop dur pour que j'aie le temps de travailler sans trop avoir de problèmes.

Tout à leurs pensées, ils n'avaient plus parlé sur le chemin du retour. Ils se séparèrent en se touchant discrètement la main. Émilie lui sourit.

— Je peux quand même te dire que je suis contente que tu sois revenu.

— Je peux bien répondre que j'en pouvais pus d'être trop loin du Bourdais pis de la p'tite école. Pis, si ça peut te rassurer, je peux bien te répéter que je t'aime. Toujours, pis plus.

**

Le printemps avait filé tout aussi parfaitement que l'amour entre Ovila et Émilie. Ils avaient tous les deux vu approcher la fin des classes avec un brin d'angoisse. Les deux mois de séparation leur apparaissaient comme deux mois d'éternité. Émilie avait gardé précieusement le secret de sa réponse, non pas parce qu'elle était indécise, mais bien parce qu'elle Almait voir Ovila lui faire la cour. Il n'avait certes pas la finesse et la tournure de mots d'Henri, mais il avait une spontanéité qui manquait à ce dernier.

Henri était venu comme à chaque année. Si Émilie n'avait pas été certaine de s'être fiancée à lui l'année précédente, elle aurait cru rêver, tant il était distant malgré sa courtoisie coutumière. Il n'avait fait aucune allusion à leur courte fréquentation. Il n'avait pas non plus parlé de la bague de fiançailles, qu'elle n'avait plus jamais revue. Elle avait attendu un autre inspecteur, convaincue qu'il avait dû s'embarquer pour l'Europe, mais s'était abstenue de lui demander comment il se faisait qu'il ne voguait pas sur l'Atlantique.

Sa journée terminée, Henri avait refusé le verre d'eau qu'elle lui avait offert, prétextant qu'il était attendu à Sainte-Thècle. Émilie lui avait dit qu'il était préférable, en effet, qu'il ne fasse pas patienter la personne avec laquelle il avait rendez-vous. Douville avait remis son chapeau et salué Émilie poliment. Contrairement aux années passées, il ne lui avait pas envoyé la main, une fois rendu sur la route.

Émilie avait bouclé ses malles. Elle avait averti ses parents qu'elle arriverait le 23 juin et qu'il n'était pas nécessaire d'envoyer son frère avec la calèche. Une connaissance, avait-elle écrit, lui avait offert de la conduire. Ovila était venu la chercher. Il n'avait pas voulu la quitter à Saint-Tite, préférant les heures de solitude que leur permettrait le parcours. Émilie avait d'abord hésité puis s'était laissé convaincre. Ce n'était pas la première fois qu'un Pronovost lui rendait un tel service.

Le trajet avait été long et pénible, ponctué d'orages subits et fréquents. Ils étaient partis sous un ciel éclatant qui, à tout moment, s'était chagriné sans avertissement. Ils étaient trempés en arrivant à Saint-Séverin. Émilie proposa donc à Ovila de faire une halte chez sa cousine, le temps de se sécher un peu et de prendre une bouchée. Ovila ne s'était pas fait prier.

Lucie fut vraiment surprise de les voir arriver. Elle les accueillit chaleureusement. Émilie présenta Ovila comme un « bon ami à elle », un ancien élève. Lucie, qui avait l'œil vif, ne fut pas dupe pour deux sous.

— B-ben, ma chère, si tous tes anciens élèves ont l'air de m-même, je comprends pourquoi tu aimes l'enseignement.

Émilie la foudroya du regard, pour ensuite lui sourire. À quoi lui servirait de cacher une chose qui, d'après la réaction de sa cousine, devenait de plus en plus manifeste ?

Ils ne restèrent qu'une petite heure. Leurs vêtements avaient repris une forme presque normale et le ciel s'était égayé encore une fois.

Émilie et Ovila parlèrent peu durant le reste du trajet. Ils se contentaient de se tenir par la main, chacun pressant la main de l'autre au fil de sa pensée. Émilie ne nourrissait aucune crainte quant à la réaction de son père. Elle redoutait plutôt celle de sa mère, qui avait mal réagi au fait de s'être donné tant de mal pour préparer une réception qui s'était, finalement, soldée par un échec.

Ils arrivèrent à la côte Saint-Paul. Ovila avait reconnu le chemin sans qu'elle ait eu besoin de lui fournir d'indications.

— Il y a pas un arbre, une roche, un brin d'herbe, un virage, une lumière, un son pis une odeur que je reconnais pas, Émilie. C'est ici que j'ai commencé à penser que l'avenir ça pouvait exister.

Il fit arrêter le cheval.

— Si ma mémoire est bonne, c'est ici même que j'ai crié que je t'Almais.

— Ta mémoire est bonne.

Que de temps passé depuis cette visite ! Que d'eau avait coulé dans sa Batiscan ! Il lui faudrait écrire à Berthe et lui raconter tout ce qu'elle avait vécu depuis le vendredi saint. Elle n'avait pas encore pris le temps de le faire. Il lui faudrait aussi écrire à Antoinette, qu'elle avait tellement négligée. Antoinette avait eu l'amabilité de lui offrir ses services pour l'aider avec sa classe, toujours surchargée à cause des élèves du pensionnat. Émilie lui avait dit qu'elle y réfléchirait. Antoinette avait ajouté qu'elle ne demanderait pas de compensation financière. Elle se contenterait d'installer un deuxième lit à l'étage et elles pourraient vivre, toutes les deux, comme au début de leur amitié. Depuis qu'Alma avait quitté Saint-Tite pour retourner dans sa famille et qu'Ovila était revenu, Antoinette avait connu de longues heures de solitude. Émilie l'avait visitée un peu moins souvent.

Elle lui avait même demandé, à quelques reprises, de reporter sa visite dominicale. Émilie s'était promis de réfléchir à cette proposition durant ses vacances. Certes, un tel arrangement lui faciliterait la tâche. Mais elle se demandait comment elle pourrait voir Ovila en évitant de tenir Antoinette dans le secret. Oui, elle y réfléchirait. Elle aimait Antoinette comme on aime une amie très chère, mais elle craignait que sa présence ne la prive de sa liberté. Elle y réfléchirait.

Ovila immobilisa la calèche au même endroit qu'il l'avait fait lors de sa première – et dernière – visite. Tous les membres de la famille, qui, apparemment, étaient aux aguets, accueillirent Émilie. Ils furent tous surpris de voir Ovila. La surprise de Caleb n'était toutefois rien comparée à celle de sa femme. Célina leur souhaita la bienvenue, tout à fait inconsciente qu'Ovila était le soupirant de sa fille. Caleb, pour sa part, lui avait chaleureusement serré la main en lui répétant sans arrêt qu'il était « très, très, très » heureux de le revoir.

Ils portèrent les bagages d'Émilie à l'intérieur et invitèrent Ovila à passer la nuit à Saint-Stanislas. Ovila aurait eu le temps de retourner à Saint-Tite, mais il accepta. Émilie rougit de plaisir. Ils pourraient, le lendemain matin, faire une belle promenade dans le bois. Seuls.

23

Émilie avait refusé, pour la première fois, de prendre des élèves durant l'été. Elle voulait vraiment se reposer de cette difficile année qu'elle avait connue. Elle voulait aussi réfléchir à toutes les décisions qu'elle devrait prendre. Elle avait repensé à ce qu'Ovila lui avait dit concernant ses plans et s'était rendu compte avec étonnement qu'il n'avait jamais entrevu la possibilité que ses parents refusent de déménager. Ovila était tellement enthousiasmé par tous ses projets qu'il n'avait même pas songé qu'ils puissent ne pas convenir à tous. Émilie se sentirait bien malheureuse si elle devait avoir l'impression de forcer toute la famille Pronovost à changer de domicile.

À la fin juillet, elle avait écrit à Antoinette pour lui dire qu'elle acceptait son offre. Trois raisons étaient venues à bout de ses hésitations. La première, elle aimait vraiment ce petit bout de femme replète. La deuxième, elle ne se sentait pas le courage d'entreprendre cette année scolaire sans aide. Elle savait que le nombre d'élèves serait encore plus grand, les religieuses lui ayant demandé si elle accepterait de garder avec elle les pensionnaires de l'année précédente et d'accueillir en plus les nouvelles de sixième. Elle enseignerait donc à plus de quarante enfants. Normalement, cela aurait nécessité l'embauche d'une seconde institutrice, ce que les commissaires n'avaient pu assumer. Émilie savait que ses charges de travail seraient augmentées terriblement et qu'elle devrait, par surcroît, préparer son coffre de cèdre. Tout cela demanderait une organisation serrée de son temps. Enfin, dernière raison, elle avait pris conscience qu'elle et Ovila ne pourraient cacher indéfiniment leur relation. Aussi, il lui avait semblé préférable qu'Antoinette habitât avec elle pour faire taire les mauvaises langues qui commenceraient certainement à s'agiter.

Antoinette lui avait répondu qu'elle était très excitée à l'idée de revenir habiter le rang du Bourdais. Elle promit à Émilie qu'elle serait le plus discrète possible et ferait en sorte qu'Émilie ne regrette jamais sa décision.

Caleb avait tenté de parler d'Ovila à sa fille mais elle n'avait rien laissé transpirer de ce qu'il y avait à l'horizon. Il avait maugréé un peu, se sentant privé de sa confiance. Émilie n'avait pas non plus satisfait sa curiosité quant à sa rupture avec Henri.

Malgré un été moins occupé que les précédents, elle avait été surprise de voir surgir la fin août. Ovila lui avait terriblement manqué durant ces deux mois, mais elle s'était gardée de lui écrire. Elle savourait d'avance le moment des retrouvailles. La veille de son départ, la mine renfrognée, Caleb lui avait demandé s'il pouvait lui parler. Elle avait laissé tomber ce qu'elle faisait pour le suivre à l'étable.

— Émilie, je pense que demain je pourrai pas aller te reconduire.

— C'est pas grave, pâpâ, j'irai avec un de mes frères.

— C'est justement ça, le problème. Demain, j'ai besoin des bras de tout le monde pour finir ma récolte de patates.

— On partira après-demain si c'est plus simple.

— C'est que j'ai promis au voisin qu'on irait l'aider après-demain.

Émilie ne comprenait pas ce qui se passait. Encore un peu et elle aurait cru qu'il ne voulait pas la laisser partir. Elle regarda son père, les sourcils froncés, et lui dit qu'elle se débrouillerait. Elle irait chez le marchand général pour lui demander si, à sa connaissance, quelqu'un du village devait se rendre à Saint-Tite.

— C'est une bonne idée, ça, Émilie…, sauf que tu vas être obligée d'aller à pied jusqu'au village parce que j'ai promis de prêter ma calèche à Éphrem.

Émilie cessa de discuter. Son père montrait une mauvaise volonté qui lui répugnait. Lasse de toute cette discussion, elle lui demanda s'il avait une solution à proposer.

— J'en aurais peut-être une.

Il fit mine de chercher ses mots.

— Tu sais que la Tite est d'âge d'être attelée. Je me suis dit de même que, quitte à passer pour un fou, ça serait peut-être bien utile que ma fille ait sa propre calèche pis son ch'val. J'ai demandé à ta mère d'écrire au père Pronovost pour savoir s'il pouvait lui donner un peu de pacage pis la pension pendant l'hiver, pis il a répondu que ça lui ferait plaisir.

Émilie sauta de joie. Un cheval et une calèche à elle ! Elle embrassa son père.

— Je sais que c'est pas dans les habitudes du monde de voir une fille équipée de même, mais me semble que, pour les vingt-deux ans que tu vas avoir, ça serait pratique. Pis à part ça, c'est moi qui vas passer pour un vieux fou. Ça fait qu'une fois de plus ou une fois de moins, ça me dérange pas tellement.

Émilie avait tenu à atteler elle-même sa bête. Elle avait brossé et rebrossé sa pouliche en lui parlant doucement à l'oreille. Elle savait que la plupart des gens trouvaient qu'il était idiot de s'attacher à un animal, mais ils pouvaient bien braire. En quelques minutes, elle s'était liée à sa Tite.

Son père lui avait acheté une calèche presque neuve, payée pour une bouchée de pain à une paroissienne que la mort de son mari avait laissée seule. La calèche était la plus belle qu'Émilie eût jamais vue. Elle aurait bien pu se contenter de la vieille calèche de son père, mais il avait insisté pour qu'elle prenne la neuve. Une superbe calèche dont le toit avançait tellement vers l'avant que, à moins d'avoir une pluie de front, elle pourrait demeurer au sec presque en tout temps.

Émilie avait installé son bagage sur la banquette avant, à côté d'elle, se laissant peu de place pour manœuvrer.

— Pourquoi tu fais ça, Émilie ? Tu as tout le banc d'en arrière pour te servir.

— Je veux juste voir si je peux m'organiser comme ça, c'est tout.

— Fais à ta tête, ma fille, fais à ta tête. C'est toi qui vas avoir mal partout en arrivant à Saint-Tite.

— C'est pas certain. En tout cas, pâpâ, si je vois que c'est trop fatigant, craignez pas, j'vas repenser à mon affaire.

Comme à chaque année, les parents, frères et sœurs d'Émilie assistèrent à son départ.

— Salue juste le monde que tu connais, avait dit Célina. On sait jamais qui peut se promener par les chemins.

Elle avait chuchoté à Caleb qu'elle n'aimait vraiment pas ça. Qu'elle trouvait qu'il avait exagéré un tantinet en donnant ce bel attelage à leur fille. Caleb n'avait pas répliqué. Son idée était faite depuis le début de l'été et rien ne le ferait revenir sur sa décision.

— Vas-y, la Tite. J'vas te montrer le chemin.

Émilie avait bien écouté la consigne de sa mère. Elle n'avait salué que les gens qu'elle connaissait. Mais elle les avait salués avec une ostentation à la limite de l'exhibitionnisme. Son père aurait sûrement été très fier d'elle s'il l'avait vue faire une courbette devant Elzéar Veillette, qui, surpris, avait encore une fois laissé tomber et cassé sa pipe. Elle roula joyeusement jusqu'à Saint-Séverin. Elle alla voir sa cousine Lucie, qui fut renversée de voir l'attelage d'Émilie.

— Ah ben ! Ah ben ! La fille à son p-père qui arrive comme une princesse. C'est-y à toi, ce b-bel attelage-là ?

— Oui, ma chère. C'est le cadeau que pâpâ me donne pour mes vingt-deux ans.

— Ouais, j'vas m'arranger p-pour avoir vingt-deux ans à ma prochaine fête. Mon Phonse va peut-être p-penser de m'acheter un cadeau comme le tien.

Émilie demanda à sa cousine si elle pouvait s'absenter pour faire une course au village. Lucie lui dit qu'elle le pourrait certainement. Elle demanda donc à son mari de jeter un coup d'œil sur les enfants.

Lucie pria Émilie de l'attendre, le temps qu'elle aille mettre un chapeau. Émilie lui dit qu'elle n'en avait pas besoin. Lucie s'entêta.

— M-ma chère cousine, si tu réussis à faire partir m-mon chapeau au vent, c'est que tu mènes comme un homme.

Les deux filles partirent rapidement. Lucie, seule à l'arrière et riant aux éclats, avait retenu son chapeau.

— Une chance qu'il vente un peu, p-parce que je dirais que tu mènes bien.

Après avoir ri avec sa cousine, Émilie devint plus sérieuse. Elle dit à Lucie qu'elle avait besoin de son aide. Lucie, comprenant qu'Émilie n'avait pas improvisé cette randonnée en voiture, lui demanda en quoi elle pouvait lui être utile.

— J'ai besoin que tu m'aides à monter un coffre de cèdre sur le banc d'en arrière.

Elle n'ajouta plus un seul mot, certaine que Lucie avait compris ce dont il s'agissait.

— J'imagine que c'est le « bon ami à toi » qui va t'aider à le vider d-de son contenu ?

— Oui, mais il y a encore personne qui le sait.

— Ah !

Elles s'en allèrent chez le marchand général et achetèrent le coffre. Dès qu'il fut installé sur la banquette, Émilie, le trouvant trop visible, demanda une vieille toile. Le marchand lui en donna une. Elle et Lucie recouvrirent le coffre.

— Ça ressemble à quoi, Lucie ?

— À un coffre caché en dessous d'une grosse toile.

— Ouais… D'abord, aide-moi à mettre des valises pis des sacs dessus. Comme ça, la boîte va être moins carrée.

— On p-peut dire que tu as toujours des bonnes idées.

Le coffre fut camouflé en bagage ordinaire qu'une institutrice apportait avec elle en début d'année. Émilie reconduisit sa cousine et la remercia à plusieurs reprises de sa complicité. Lucie lui répondit que tout cela lui faisait extrêmement plaisir. Elle ajouta qu'elle trouvait Ovila bien à son goût. Émilie sourit. Lucie, toujours futée, comprit qu'Émilie n'aurait pas pu acheter son coffre à Saint-Stanislas sans que tout le village sache qu'elle songeait à se marier. Pour cette même raison, il lui aurait été impossible de l'acheter à Saint-Tite. La confiance d'Émilie lui avait picoté le cœur.

Elles s'étaient quittées un peu avant d'arriver chez Lucie, de façon à éviter que Phonse ne voie l'achat. Lucie espérait que le marchand général n'en dirait rien. Elles avaient eu la chance d'être les seules clientes dans le magasin.

Émilie avait repris le chemin de Saint-Tite sans s'inquiéter de son arrivée. Ovila viendrait sûrement l'aider à monter le coffre. Elle s'était dit que le coffre serait sa réponse. Quelle jolie façon de donner une réponse !

24

Émilie était arrivée à Saint-Tite assez tôt pour aller faire quelques emplettes chez le boucher, acheter des provisions, saluer Antoinette et l'inviter à emménager le lendemain. Elle s'était ensuite dirigée vers le rang du Bourdais.

Émilie approchait de la terre du père Mercure. Le battement de son cœur se confondit avec le trot rapide de la Tite. Elle vit sa petite école et lui trouva un air coquet. Elle ralentit la cadence en passant devant la maison des Pronovost, pour s'assurer que quelqu'un la verrait. Elle ne se trompa pas.

— Hé ! la grande de Saint-Stanislas, on n'arrête pus chez le monde pour les saluer ?

— Bonjour, Ovila ! Je voulais juste aller me rafraîchir avant de venir te demander de l'aide.

Elle avait dû se tourner pour lui parler. Elle le regarda marcher jusqu'à elle, les yeux remplis de

sourires et de plaisir. Non, elle n'avait pas rêvé de l'été.
Il était conforme à ses aspirations et à ses désirs les plus
fous.

— Pas besoin de te rafraîchir, ma belle. Tu as l'air
d'une fleur qui vient de recevoir des gouttes de rosée.

— Mon Dieu ! Ovila, as-tu pratiqué ta phrase pendant tout l'été ? lui répondit-elle moqueusement, tant
elle était surprise de son accueil.

— Voyons donc, Émilie, je pouvais pas savoir que
tu aurais de la p'tite sueur sur le front ! répliqua-t-il en
riant. Si tu veux, je peux aller t'aider tout de suite.

— Je veux.

Il s'assit à ses côtés, sans lui demander de prendre
sa place.

— Ton père t'a vraiment acheté quelque chose de
bien.

Il la regarda et plissa les yeux.

— Mais on peut dire que sans la pouliche l'attelage
serait pas mal moins beau.

À leur arrivée à l'école, Émilie lui demanda d'ouvrir la porte. Pendant qu'il s'exécutait, elle s'empressa
de retirer la toile, après s'être assurée qu'il n'y avait
personne en vue. Ovila revint vers la calèche. Il aperçut
le coffre de cèdre. Il le regarda, regarda Émilie, puis le
coffre. Il ne savait que dire. Émilie était émue.

— Ma foi du bon Dieu, Ovila, si tu avais eu un chapeau sur la tête, tu te serais découvert comme devant
une église.

— Entre toi pis moi, Émilie, c'est pas un coffre que
je vois, c'est toute une cathédrale.

— Fais attention, faudrait pas que tu attrapes la
folie des grandeurs.

— Inquiète-toi pas pour moi. La folie, ça fait longtemps que je l'ai. Pis la grandeur, tu viens juste de me
la donner.

L'année scolaire avait commencé comme toutes les autres. Émilie était occupée plus que jamais. Elle se levait tôt pour préparer sa journée pendant qu'Antoinette faisait le petit déjeuner. Antoinette lui était d'un grand secours et Émilie n'avait jamais regretté de lui avoir permis d'habiter avec elle pour l'année. À la mi-temps de l'avant-midi, elle commençait à sentir le dîner qu'Antoinette préparait. Il avait été convenu, comme l'année précédente, qu'elle donnerait à manger aux pensionnaires du couvent. Elle avait aussi continué à nourrir ses quelques élèves qui demeuraient discrètement à l'école. Les commissaires avaient fermé les yeux sur cette pratique au nom de la charité chrétienne, mais aussi parce que Émilie n'avait jamais demandé de hausse de ses gages pour acheter la nourriture. La majeure partie de l'avant-midi était consacrée aux petits. L'après-midi, elle s'occupait principalement des grands, dont la concentration était meilleure. Durant cette période, Antoinette prenait les petits en charge, les aidait avec leurs devoirs et les accompagnait parfois dehors. La classe avait été réaménagée pour permettre à Antoinette de parler à voix basse sans pour autant nuire à Émilie.

L'automne avait filé rapidement. Les arbres n'avaient conservé leur magnifique rouge que quelques jours, la gelée les ayant rapidement obligés à se dénuder. Ovila, comme il l'avait planifié, avait commencé à travailler à l'achèvement de la maison. Enfin au courant des intentions de son fils et d'Émilie, Dosithée s'était réjoui. Quelques personnes de la paroisse regardaient cette situation d'un œil sceptique, mais les bonnes mœurs d'Émilie, la présence d'Antoinette et le succès des élèves empêchèrent les murmures de se propager.

Émilie et Antoinette, si elles n'avaient pas de visiteurs, consacraient leurs soirées à la correction des travaux puis à la préparation du trousseau d'Émilie. Antoinette avait patiemment appris à manipuler l'aiguille. Elle avait commencé par faire des choses simples : taies d'oreiller, bordures de drap. Puis, suivant les conseils patients d'Émilie, elle avait enfin su broder. D'humeur presque toujours égale, Antoinette ne s'assombrissait que lorsqu'elle constatait qu'elle ne semblait pas attirer de soupirants. Émilie se moquait alors gentiment d'elle, en lui disant de prendre patience.

— Faut pas que tu prennes le mors aux dents, Antoinette. Les jeunes hommes de Saint-Tite s'intéressent pas mal plus à la *bricade* pis à l'hôtel Brunelle qu'à l'amie de la maîtresse d'école du Bourdais. À part de ça, si tu veux mon avis, les jeunes hommes de Saint-Tite auraient besoin de porter des lunettes une fois de temps en temps.

Antoinette riait et s'encourageait. Elle vouait une admiration sans borne à Émilie, qui le lui rendait bien.

— Des fois, Antoinette, je me demande ce que j'aurais fait si tu étais pas venue rester ici. Je me demande même comment je me débrouillais avant que tu sois là.

Antoinette rougissait et continuait à piquer son aiguille sans dire un mot. De sa vie, jamais elle n'avait connu un tel sentiment d'utilité.

Émilie avait écrit chez elle dès le début du mois de septembre pour annoncer qu'elle se fiancerait à Noël. Elle avait plaisanté sur le fait qu'elle semblait prendre plaisir à la chose, mais avait ajouté que cette fois-ci, elle avait bien l'impression que c'était la bonne. Elle avait demandé à sa mère de ne pas commencer à penser à des extravagances, mais elle avait permis à ses parents d'annoncer que leur aînée se fiançait. Quand Caleb avait reçu cette lettre, il avait souri de plaisir. Émilie se fiançait pour de vrai.

Ovila fréquentait Émilie en soupirant transi. Il ne tenait plus en place, comptant les jours qui restaient avant le mariage, dont la date avait été fixée au premier samedi de juillet. Tous les soirs, il faisait une coche au couteau sur un bout de bois en disant à Émilie qu'il comptait les jours qu'il lui restait à être «prisonnier de sa liberté». Pour tout commentaire, Émilie lui donnait un petit coup de poing sur l'épaule et Antoinette riait sous cape. Elle aurait tant aimé être adulée comme l'était Émilie.

Le mois de décembre était arrivé, sournoisement caché derrière une énorme tempête de neige. Ovila avait été forcé d'arrêter les travaux de construction de la maison pendant plus d'une semaine parce que le vent soufflait en rafales et l'étouffait. Suivant les conseils de sa mère, il avait consacré ce temps à acheter ce qu'il lui fallait pour les fêtes. Émilie lui avait offert de l'accompagner, mais il avait refusé, lui disant en riant qu'il y avait déjà sa mère qui se mêlait de lui dire ce qu'il lui fallait et qu'il ne voulait pas donner à sa fiancée l'occasion de «jouer à la maîtresse d'école» avec lui.

Antoinette avait aidé Émilie à poser la dentelle sur sa robe de fiançailles. Elle était de beaucoup plus jolie que celle qu'elle avait confectionnée l'année précédente, soulignant de façon très flatteuse la ligne de son buste généreux, de ses épaules carrées, et cachant adroitement son cou trapu, sa taille et ses hanches un peu trop en chair. Émilie avait offert à Antoinette de lui faire une nouvelle toilette, mais Antoinette avait refusé. Elle tenait à porter sa robe bleu pâle. Émilie avait invité Antoinette à l'accompagner à Saint-Stanislas pour les fiançailles. Antoinette avait accepté sans se faire prier. Lucie aussi devait être là avec Phonse et ses enfants. Elle avait écrit à Émilie pour lui dire qu'elle acceptait son invitation et pour lui demander si le coffre était rempli au tiers, à la moitié ou s'il débordait déjà.

Le 21 décembre, tous les Pronovost étaient venus à l'école pour fêter les vingt-deux ans d'Émilie.

C'est en véritable procession qu'ils avaient quitté Saint-Tite, Émilie ayant tenu à ce qu'ils soient tous présents. Seul Edmond était resté derrière, pour s'occuper des animaux. Le trajet avait été long et pénible. Toutefois, personne ne s'était plaint, la chaleur des cœurs l'emportant sur les morsures du froid.

Les réjouissances commencèrent le matin de la veille de Noël. Célina et Caleb avaient insisté pour que tous les Pronovost logent chez eux. Dosithée et Félicité avaient décliné l'offre, ayant déjà fait des arrangements avec les cousins Bédard. La moitié de leur famille s'était donc déplacée. Ovila, bien entendu, était demeuré auprès d'Émilie malgré les taquineries des deux pères, qui avaient longuement discuté de la chose en disant qu'il ne fallait surtout pas que le curé l'apprenne et force les deux tourtereaux à changer la journée des fiançailles en une journée de noces. Antoinette, Rosée et Éva avaient tenu à être ensemble. Lucie et Phonse n'étaient attendus que pour le réveillon. Célina s'affairait à mettre la touche finale à tous les préparatifs, le cœur léger et la main adroite. Caleb lui avait tiré la pipe en lui disant que plus elle avait de travail, plus elle semblait en forme. Célina lui avait répondu que c'était parce que le travail l'empêchait de manger et qu'elle se sentait toujours en meilleure forme quand elle se contentait de grignoter.

Les Pronovost, qui logeaient chez les Bédard, avaient quitté les Bordeleau vers dix heures du soir, promettant de les retrouver devant l'église à minuit moins le quart. Félicité avait pris Ovila à part, lui recommandant une dernière fois de bien placer son col de chemise. Ovila avait ri en lui répondant qu'il y avait assez de femmes autour de lui pour le passer en revue. Il était connu de tous qu'il détestait s'endimancher, préférant nettement ses habits de travail à ses habits propres.

La nuit était rêvée. Une neige légère poudrait les épaules d'Émilie. Par respect, elle n'avait pas porté sa toque de castor et son manchon. Elle était donc restée tête nue, protégeant son chignon et ses oreilles d'un foulard.

Conduite par Ovila, la carriole glissait doucement, faisant chanter ses patins sur l'épaisse neige. Émilie se collait contre lui, lui chuchotant toutes sortes de joies à l'oreille. Le tintement de plus en plus intense des grelots et les cris venant des traîneaux annonçaient qu'ils approchaient de l'église.

Caleb et Dosithée firent une entrée remarquée, marchant tous les deux au pas derrière le zouave de la garde paroissiale. Ils étaient suivis de leurs femmes et de leurs enfants. Émilie et Ovila fermaient la marche, Ovila lui soutenant le bras.

Le cousin Bédard entama *Minuit, chrétiens*, détonnant aussi allègrement que d'habitude. Émilie et Ovila, pourtant, ne sourirent pas, n'ayant d'écoute que pour leur présence respective.

La deuxième messe terminée, la plupart des femmes quittèrent l'église pour aller préparer le réveillon. Quelques hommes les accompagnaient pour conduire les attelages. Émilie et Ovila restèrent pour la messe de l'aurore. Quand le curé chanta son *Ite missa est*, les paroissiens se hâtèrent vers la sortie. Ils s'attardèrent sur le parvis pour échanger leurs vœux. Plusieurs se souvenaient d'avoir rencontré Ovila. Le curé les rejoignit et félicita tous les couples qui s'étaient fiancés.

Célina et Caleb accueillirent au moins trente personnes pour le réveillon. Dès que la troisième tablée fut rassasiée, on tassa tous les meubles le long des murs et les musiciens sortirent leurs instruments : guimbardes, violons et accordéons. La danse commença. Les fiancés furent invités à faire les premiers pas. On les applaudit avant de se joindre à eux. Lucie réussit à faire transpirer son mari dès la première danse. Elle s'amusait follement. Antoinette avait trouvé un partenaire. Elle avait fière allure dans sa robe bleue, pour laquelle elle reçut de nombreux compliments. Mais Émilie fut la reine de la soirée. Pendue tantôt au cou, tantôt au bras d'Ovila, elle virevoltait dans un froufrou de joie.

Les gens de Saint-Stanislas lancèrent un défi à ceux de Saint-Tite. Un concours de gigue fut organisé. Lucie essaya de convaincre Phonse de sauver l'honneur de Saint-Séverin, mais il refusa de participer, offrant toutefois ses services comme juge. Caleb se déchaîna, imité par Dosithée. Tous les fils firent aussi leur grand effort, excepté Ovide, bien entendu, qui s'était joint à Phonse dans le jury. La folie gagna tous les fêtards à un point tel que les membres du jury ne nommèrent jamais de vainqueur. Il leur aurait été difficile de le faire, leur vue et leur jugement étant embrouillés par les vapeurs du *p'tit blanc*.

Le soleil était levé quand les derniers invités quittèrent la côte Saint-Paul. Lucie avait bien essayé de convaincre son mari de ne pas prendre les rênes, mais Phonse n'avait rien voulu entendre. Lucie avait néanmoins mené l'attelage jusqu'à Saint-Séverin, Phonse s'étant endormi avant même qu'ils n'atteignent les rives de la Batiscan.

Émilie, surexcitée, n'avait pas trouvé le sommeil. Elle s'était changée à la hâte et était allée donner un coup de main à Caleb qui essayait de traire ses vaches. Caleb lui dit qu'il n'avait jamais eu un aussi beau réveillon. Émilie lui répondit que cela paraissait. Il avait essayé de traire deux fois la même vache. Caleb s'était esclaffé, avait basculé dans le foin et s'était endormi. Le travail terminé, Émilie l'avait réveillé.

Le midi de Noël, la fête recommença. Exceptionnellement, on procéda encore à l'échange de quelques cadeaux. Ovila remit un collier de perles de nacre à Émilie. Elle lui donna un coupe-vent qu'elle avait confectionné dans une serge épaisse, ainsi qu'un cadre avec une photo d'elle-même. Ovila enfila le coupe-vent et glissa le cadre sous sa chemise. Tout le monde rit. Antoinette reçut un bracelet qu'Émilie et Ovila lui avaient acheté. Antoinette les remercia chaleureusement en disant qu'elle n'avait jamais eu un aussi beau bracelet.

L'échange de cadeaux terminé, on recommença à manger et à s'abreuver généreusement. Ce soir-là, Émilie, Antoinette et Rosée se chargèrent de traire les vaches, les hommes étant trop occupés à jouer aux dames, ou à ramasser les pièces du jeu qu'ils échappaient à tout moment.

Les Pronovost ne quittèrent Saint-Stanislas que le lendemain de Noël. Émilie leur promit qu'elle serait de retour pour la fête des Rois. Ovila prit les commandes d'un des traîneaux, délesté de la Tite, et salua Émilie.

— Que tu t'étouffes ou pas avec le pois, c'est toi, Émilie, qui vas être la reine.

Il rappela à Antoinette qu'elle aussi était attendue. Antoinette le remercia. Après le départ des Pronovost, Célina et ses filles passèrent deux journées complètes à astiquer la maison. Le plus difficile fut de faire disparaître les stries noires laissées sur le plancher par les talons des danseurs.

Caleb, comme il l'avait promis à sa fille dans une lettre, lui avait donné une carriole comme cadeau de fiançailles. Émilie et Antoinette rentrèrent donc seules à Saint-Tite, la première journée assez clémente de janvier, soit le 3. Durant le trajet, Émilie se demanda si elle devait raconter à Antoinette son idylle avec Henri Douville. Elle ne lui en avait jamais parlé, par orgueil et par discrétion. Elle décida de n'en rien faire. Cette histoire était morte de sa belle mort.

Elles prirent leur temps pour rentrer, faisant une longue halte chez Lucie qui leur raconta tous les problèmes qu'elle avait eus à réveiller et à faire entrer Phonse dans la maison au retour du réveillon.

— C'est p-pas mêlant, j'avais l'air d'un p'tit *mené* qui essayait de bouger une b-baleine !

À Saint-Tite, elles s'arrêtèrent chez les Trudel pour leur offrir leurs vœux. Les Trudel furent enchantés de cette attention.

Émilie et Antoinette firent la dernière partie du trajet dans un silence presque complet. Émilie pensait à cette année qui venait de naître et à Ovila qui s'était greffé à cette naissance. Elle eut l'impression que le bonheur lui sortait par tous les pores de la peau. Ne se contenant plus, elle donna un coup de coude à Antoinette.

— Antoinette, plus j'y pense, plus il me semble que ça se peut pas.

— Quoi donc, Émilie ?

— Ça se peut pas d'être heureuse de même.

TROISIÈME PARTIE

1901-1913

25

L'hiver 1900-1901 avait vengé son prédécesseur. Les tempêtes de neige jouaient à saute-mouton avec les nuages encore gorgés de flocons, qui ne réussissaient jamais à quitter le ciel et à se débarrasser de leur trop-plein. Ovila avait abandonné les travaux sur la maison de son père : le froid était si intense que les clous fendaient le bois. Émilie et Antoinette continuaient à occuper leurs soirées à faire de la correction et à tirer l'aiguille, gonflant le coffre de cèdre de cotonnade, de lin et de toile.

La terre n'avait commencé à se réchauffer qu'au mois de mai. Ovila avait repris ses travaux sur la maison, secondé par ses frères et son père, qui était rentré du lac Pierre-Paul. Il s'inquiétait. Les travaux n'avançaient pas aussi rapidement qu'il l'aurait voulu. Dosithée lui offrit d'habiter avec eux dans la maison actuelle en attendant que la nouvelle maison soit prête. Ovila avait refusé. Il voulait porter Émilie dans « leur » maison. Dosithée ne comprenait rien à l'obstination de son fils mais promit qu'il ferait tout son possible pour que son vœu se réalise.

Afin d'éviter des problèmes à Émilie, Ovila mentionna la possibilité de reporter le mariage de quelques semaines. Émilie lui répondit que s'ils ne pouvaient faire autrement, elle se plierait à ce désagrément. Elle avait espoir que les travaux seraient terminés à temps. À la mi-mai, elle dit à Antoinette qu'elle commencerait la confection de sa chemise de nuit. Antoinette rougit en la voyant déplier une fine toile de lin translucide.

— Tu vas pas faire ta robe de nuit de noces dans ça !

— Pourquoi pas ? C'est pas mal plus de circonstance qu'un gros coton épais. Je me marie en été, Antoinette, pas en hiver.

— Oui, mais quand même, c'est presque transparent !

— Presque… De toute façon, as-tu l'impression que j'vas la garder sur moi longtemps ?

Antoinette ne parla plus. Elle regarda Émilie tailler sa robe. À sa grande surprise, Émilie la tailla de façon qu'elle ouvre à l'avant. Antoinette n'avait jamais vu ça. Émilie lui avoua s'être inspirée d'une illustration qu'elle avait vue dans une publicité. Antoinette fut encore plus surprise quand elle comprit qu'Émilie n'avait pas l'intention de poser de boutons.

— Je pense que des p'tits rubans, six p'tits rubans qui font des belles boucles, ça va être pas mal plus beau.

Encore une fois, Antoinette s'abstint de commentaires. Elle commençait à se demander si Émilie se rendait compte de ce qu'elle faisait. Elle devint encore plus perplexe en constatant que la chemise de nuit n'aurait pas de manches. Le tissu était simplement froncé à l'épaule.

— Tu exagères pas un peu, Émilie ? Pas de manches, pas de collet, pas de boutons, pas de doublure. Juste du tissu transparent avec des p'tits rubans pis de la dentelle. Tu pourras jamais remettre ça deux fois. Ça va tomber en lambeaux.

Émilie lui répondit en souriant qu'elle l'espérait bien. Antoinette fut scandalisée de cette réponse.

Au début de juin, il devint évident que la maison ne serait pas prête. Émilie écrivit à ses parents pour les aviser qu'elle rentrait pour l'été. Elle les rassura en leur disant que ce n'était pas parce que les fiançailles avaient été rompues. Elle offrit à Antoinette de passer l'été à Saint-Stanislas. Antoinette refusa, disant qu'elle irait à Trois-Rivières chez sa mère, qu'elle n'avait pas vue depuis au moins cinq ans. Les deux amies étaient chagrines. Cette année scolaire avait été, grâce à Antoinette, la plus agréable qu'Émilie eût connue. Antoinette, pour sa part, n'avait jamais été aussi heureuse.

Ovila les visitait tous les jours. Maintenant que les fiançailles étaient connues de tous, le village se montrait tolérant.

Émilie et Antoinette préparaient les élèves à la visite de l'inspecteur. Antoinette n'avait jamais rencontré Henri. Émilie le lui avait décrit aussi fidèlement que possible. Antoinette avait fait la moue.

— Le pauvre a pas l'air bien *emmanché*.

— Détrompe-toi. Il est pas joli, mais c'est un homme bien spécial.

— Comment ça se fait que tu sais ça, toi ?

— Voyons, Antoinette, je le connais depuis 96.

Elle avait clos le sujet, beaucoup trop glissant à son goût, et souhaita plus que jamais la discrétion d'Henri.

Il arriva un peu plus tôt que d'habitude, ce qui permit à Émilie de lui présenter Antoinette et de lui offrir un verre d'eau. Ils montèrent à l'étage et Antoinette, au grand étonnement d'Émilie, s'anima subitement. Henri, pour sa part, sembla la trouver intéressante. Émilie lui demanda donc s'il lui plairait de rester après la classe et de souper avec elles. Henri accepta.

Antoinette passa l'après-midi à nettoyer l'étage et à faire disparaître toute trace des travaux de couture : bouts de fil, petits morceaux de tissu, surtout les retailles de la chemise de nuit. Elle commença très tôt à faire mijoter le souper, espérant mettre ainsi Henri en appétit. Sa mère, avant que son père ne meure et qu'elle ne soit forcée de la quitter, lui avait appris qu'un homme bien nourri allait rarement chercher ailleurs une autre sorte de nourriture. Antoinette pensait à ce qu'Émilie lui avait dit d'Henri. Elle trouvait que son amie avait un peu exagéré l'importance de son strabisme et l'ampleur de son maniérisme.

Les enfants quittèrent l'école très tôt, comme il était de coutume. Henri et Émilie montèrent à l'étage.

— Mademoiselle Antoinette, Émilie me disait à l'instant que vous l'aviez beaucoup aidée avec le groupe des petits.

— Beaucoup…, beaucoup, faudrait pas exagérer. Disons que j'ai fait mon possible pour aider Émilie à faire tout le travail. Je sais pas si vous avez remarqué, monsieur Douville, mais Émilie a la plus grosse classe de tout le canton. Mais la construction du nouveau couvent avance pas mal vite. Avec un peu de chance, les sœurs vont être capables de recommencer leurs classes cette année.

Tout en parlant, elle brassait le contenu du chaudron, ramassait une *traînerie* qui n'en n'était pas une pour la remettre à la place exacte où elle l'avait prise, revenait au poêle et demandait sans cesse à M. Douville s'il avait besoin de quelque chose. Elle remplissait son verre d'eau dès qu'il y trempait ses lèvres.

Émilie s'amusait. Jamais elle n'avait vu Antoinette *s'épivarder* de la sorte. Enfin, le couvert fut dressé et ils passèrent à table.

— C'est délicieux, mademoiselle Antoinette.

— Oh ! mon Dieu ! c'est rien de compliqué. Juste une vieille recette de bouilli de volaille de ma grand-mère.

— Oui, peut-être, mais il a un petit quelque chose de spécial.

— Ça pourrait être le fait que j'ai mis des os à moelle. Ça change pas mal le goût d'un bouilli.

— Ou c'est cela, ou c'est votre touche personnelle, renchérit Henri.

Émilie ne voulait pas priver Antoinette de son plaisir évident d'être avec Douville. Elle cherchait une raison de sortir mais n'en trouva aucune. Elle suggéra donc à Antoinette d'aller montrer à M. Douville combien la vue était belle du haut de la montée des Pointes.

— Montre-lui la place où on a eu notre première chicane, Antoinette.

Heureusement, se dit-elle, elle n'avait jamais parlé à Douville de l'histoire de la robe bleu pâle. Antoinette demanda à Douville s'il était intéressé à aller admirer le site. Henri répondit qu'il n'attendait que cela depuis des années. Émilie rit sous cape.

— Prends tout ton temps, Antoinette, j'vas faire la vaisselle.

Ovila arriva à l'improviste. Émilie était encore seule et rangeait les derniers chaudrons.

— Qu'est-ce qui se passe ? Antoinette est pas là ?

— Imagine-toi donc qu'est partie faire une promenade avec Henri Douville.

— L'inspecteur ? Je me suis toujours demandé quel genre de femme attirait un homme de même. J'ai ma réponse.

Émilie ne releva pas cette phrase. Elle demanda plutôt à Ovila où en étaient rendus les travaux, question qu'elle lui posait chaque jour.

— On est toujours en dedans. C'est le plus long. La p'tite finition, ça prend un temps de fou, pis je serais mal à l'aise de dire à mes parents de rentrer dans la maison si la maison était pas finie à la perfection.

Émilie répondit qu'il avait bien raison, même si, en son for intérieur, elle n'en pouvait plus d'attendre que soit fixée la nouvelle date du mariage. Elle se rapprocha et lui chuchota à l'oreille qu'elle avait hâte. Ovila lui flatta la nuque, du bas vers le haut. Il le savait, elle aimait toujours ce geste.

Henri et Antoinette rentrèrent. Henri était d'une affabilité exemplaire. Antoinette était rouge de plaisir et d'essoufflement. Henri avait accepté de « veiller un peu », comme il lui avait été offert. Antoinette lui présenta Ovila sans attendre.

— Henri, j'imagine que vous reconnaissez Ovila Pronovost. C'est un des anciens élèves d'Émilie. C'est aussi son fiancé.

À ces mots, la main d'Henri serra un peu plus fort celle qu'Ovila lui avait tendue.

— Comme c'est romantique ! Vous allez vous marier avec votre ancienne institutrice.

— Je sais pas si c'est romantique, mais nous autres ça fait longtemps qu'on sait qu'on est faits pour aller ensemble.

— Ah ! vraiment ? Comme c'est intéressant ! Un amour caché pendant des années. Et vous, mademoiselle Émilie, est-ce que vous avez toujours su que monsieur était l'homme de votre vie ?

Émilie se racla la gorge. Elle voulait à tout prix conserver sa contenance, mais Henri venait de commencer un petit jeu qu'ils étaient les seuls à comprendre. Elle haussa les épaules et se contenta de sourire, essayant de montrer à quel point les hommes, Ovila en l'occurrence, étaient naïfs. Ovila, qui ne savait pas du tout ce qui se passait, renchérit.

— J'ai été parti pendant quasiment deux ans, pis j'ai écrit une lettre à Émilie pour lui dire de m'attendre. Quand je suis rentré, l'année passée, Émilie m'attendait.

Les propos d'Ovila étaient teintés tantôt d'orgueil, tantôt de tendresse, tantôt d'amour. Émilie ne savait plus où regarder. Henri semblait passionné par cette histoire et Antoinette aussi.

— Et vous, ma chère Antoinette, avez-vous déjà connu une chose semblable ?

— Oh ! non ! Moi, vous savez, je vous l'ai dit, j'ai passé une bonne partie de ma vie en élève au couvent. Pis vous, monsieur Henri, avec tout votre charme, vous avez dû en faire couler, des larmes.

— Pas vraiment, ma chère. À vrai dire, je ne me suis intéressé qu'à une seule femme. Je me suis même fiancé. Mais voyez-vous, ma chère, je me suis rendu compte qu'elle ne me rendait pas tout l'amour que j'avais pour elle. Alors, j'ai feint de craindre le mariage et je lui ai redonné sa liberté.

— Pauvre vous ! C'est pas drôle, des histoires de même, hein, Émilie ? Vous avez dû en avoir, de la peine.

— Oui, un immense chagrin, au point que j'ai reporté un voyage en Europe. Nous devions y aller en voyage de noces.

— En Europe ! s'écria Ovila. Ça devait être une belle capricieuse, votre fiancée. Je connais pas beaucoup de femmes qui refuseraient un voyage de même.

— Que voulez-vous, mon cher ? Il y a un homme chanceux quelque part qu'elle aimait en secret. Le malheur des uns fait le bonheur des autres.

— Est-ce que vous avez encore du chagrin ? lui demanda Antoinette, toute à son romantisme.

— Occasionnellement, surtout quand il m'arrive de la voir.

— Oh ! fit Antoinette, ça doit être terrible de la voir. Surtout si, comme vous dites, ça vous arrive encore. Tu trouves pas, Émilie ?

Émilie, qui depuis le début de cette conversation était de plus en plus confuse, regarda Antoinette. Puis Henri. Puis Ovila. Puis Henri de nouveau. Elle ne savait quelle attitude adopter. Elle venait de comprendre l'ampleur du mal qu'elle avait fait. Il lui fallait trouver un moyen de s'excuser. Elle prit finalement son courage à deux mains.

— Je comprends, pauvre monsieur Douville, que cette femme vous a terriblement blessé. Mais j'aurais de la difficulté à croire qu'une femme honnête irait jusqu'à se fiancer pour jouer une comédie. Personnellement, si je connaissais une femme capable de faire une chose comme ça, je ne lui parlerais plus jamais.

Henri l'avait écoutée religieusement. Entre elle et lui, la situation commençait à devenir tendue. Émilie décida néanmoins d'aller jusqu'au bout de cette explication.

— Je connais une fille qui a vécu, disons, quelque chose de semblable...

— Ah oui ? fit Antoinette. Tu m'as jamais dit ça !

— C'est parce que c'est une fille de Saint-Stanislas, Antoinette.

Émilie enchaîna, oubliant soudainement de châtier son langage :

— Donc, cette fille-là, il paraît que c'est pas par méchanceté qu'elle s'était fiancée. Elle avait la certitude de pouvoir rendre son fiancé heureux. Pis il paraît – en tout cas, c'est ce que les gens racontent qu'elle aurait dit –, il paraît qu'elle s'est rendu compte que peut-être que lui pis elle ils avaient pas grand-chose en commun. Ça fait

que le gars, qui, il paraît, pensait la même affaire, a dit
à la fille que c'était mieux de même. Il paraît aussi que,
quand la fille a su que le gars avait menti, elle avait eu le
cœur absolument crevé.

— Tu parles d'une niaiserie ! Si seulement le monde
se parlait des fois, fit Antoinette, impressionnée par
cette histoire.

Douville se moucha bruyamment, éternua à deux
reprises et se moucha encore une fois. Émilie revit dans
ce geste l'attitude du curé Grenier lors de sa représentation de Noël. Le curé Grenier avait ainsi caché ses rires.
Henri venait de cacher ses pleurs. Si Émilie avait pu, elle
l'aurait consolé. Du regard, elle essaya de lui faire savoir
qu'elle venait de comprendre toute la générosité de sa
rupture.

Henri changea le sujet de la conversation. Il reporta
toute son attention sur Antoinette. Celle-ci, remise de
ses émotions, proposa une partie de cartes, ce qu'Ovila
approuva chaudement. Quelque chose dans l'attitude
d'Émilie l'avait troublé et il était bien content qu'on lui
offre de s'occuper les mains et l'esprit.

La soirée se poursuivit sans autres nuages. Émilie
avait retrouvé sa bonne humeur, Henri aussi. Antoinette était resplendissante. Son plaisir fut à son comble
lorsque, sachant qu'elle passerait l'été à Trois-Rivières,
Henri lui glissa :

— Je sais que je devrai aller à Trois-Rivières à plusieurs reprises cet été. Avec votre permission, Antoinette, j'irais vous visiter.

La soirée s'acheva joyeusement. Ovila avait raconté
à Henri le souvenir qu'il avait de lui comme inspecteur.

— « Épousailles » ? Qui peut me donner le singulier
d'« épousailles » ? disait-il en imitant l'accent d'Henri.
Crois-le ou non, Henri, je me suis toujours rappelé de
la réponse : « Il n'y a pas de singulier à "épousailles".

Souvenez-vous de cela ! Il y a toujours deux personnes qui se marient ! »

La partie de cartes terminée, Henri se leva, prit son chapeau et demanda un dernier verre d'eau qu'Antoinette lui versa.

— Émilie, pourrais-je vous voir deux minutes ? Il y a une petite chose que je voudrais vérifier dans votre cahier d'appel.

Émilie et lui demeurèrent dans la classe pendant qu'Antoinette et Ovila sortaient pour s'occuper de l'attelage.

— Je suis désolé de t'avoir blessée, Émilie. Je t'ai prêté plus de mauvaise volonté à mon égard que tu n'en avais eu. Mais je rumine cette histoire depuis si longtemps que je crois en avoir déformé les faits.

— J'aurais dû parler plus vite.

— L'incident est clos, ma chère, et, comme dit le philosophe, la vie continue.

Il se dirigea vers la sortie, regarda Antoinette par une des fenêtres. Antoinette et lui : deux enfants seuls. Deux enfants élevés dans les communautés. Oui, Antoinette et lui pourraient peut-être découvrir ensemble les joies d'une famille.

— Émilie, tu as été une étoile filante dans ma vie. Les gens disent que si on aperçoit une étoile filante, il faut s'empresser de faire un vœu. J'ai fait mon vœu ce soir.

Il désigna Antoinette d'un mouvement de tête.

— Mon désir, c'est d'arriver au port. Je crois que le marin que je suis, en errance sur une mer déchaînée depuis tant de mois, vient enfin d'apercevoir son étoile du Nord.

Il se racla la gorge, fit un sourire moqueur et ajouta :

— À ton avis, Émilie, cette phrase était-elle assez poétiquement tournée ?

Ils éclatèrent de rire. Oui, Henri Douville était quelqu'un de vraiment spécial.

— Une dernière chose, Émilie. Si par hasard tu revoyais au doigt d'Antoinette cette bague que tu as déjà portée pendant quelques minutes, aurais-tu l'amabilité...

— De quelle bague est-ce que tu parles, Henri ?

***

Antoinette, qui savait depuis longtemps qu'elle aurait immensément de chagrin à quitter l'école du rang du Bourdais, sa première maison depuis des années, le fit finalement beaucoup plus facilement qu'elle ne l'avait cru. Elle s'en allait allègrement vers une autre vie. Une vie, elle l'espérait, avec Henri. Émilie s'était bien gardée de lui révéler les propos d'Henri. Elle s'était simplement réjouie de voir qu'Antoinette nourrissait à son égard des sentiments sans équivoque. Toute à sa joie, Antoinette n'avait pas vu les tourments d'Émilie.

Antoinette avait offert à Émilie de rester avec elle jusqu'à la dernière journée. Émilie lui avait répondu, avec douceur, qu'elle préférait être seule pour quitter l'école. Elle n'avait pas eu besoin d'en dire davantage. Antoinette avait compris. Henri était venu la chercher, arrivant tout en sueur et aussi poussiéreux que d'habitude. Il avait hissé le maigre bagage d'Antoinette – une valise et un petit lit de fer – sur le banc arrière de la calèche.

Émilie et Antoinette étaient restées seules à l'étage. Antoinette était excitée à l'idée de faire toute la route avec Henri, mais son bonheur était quand même nuageux.

— Comment est-ce qu'une fille peut dire que jamais elle a été aussi heureuse que depuis le feu du couvent ?

— Comme tu viens de le faire, Antoinette.

L'étreinte des deux amies fut de courte durée. Henri appelait Antoinette. Toutes les deux, elles refoulaient leurs larmes.

— Dire que tout ça a commencé à cause de ma jalousie parce que tu étais plus belle pis plus grande que moi.

— J'ai toujours été jalouse de toi aussi.

— Toi ? jalouse de moi ?

— Oui. Les personnes qui ont un cœur aussi grand que le tien font toujours des envieux.

— Oh ! Émilie, arrête, tu vas me faire brailler.

À ces mots, les deux amies éclatèrent en sanglots, au grand désespoir d'Henri, qui venait de les rejoindre.

— Si j'étais peintre, je ferais une toile que j'intitulerais *Les Pleureuses*.

— Cessez donc de blaguer, monsieur Henri, fit Émilie.

— Mais je ne blague pas du tout. Seulement, je ne suis pas peintre. Alors, je vous en prie, *chessez* vos larmes, comme diraient les enfants.

Ovila arriva. Il n'avait pas voulu rater le départ d'Antoinette. Il savait qu'il lui devait beaucoup. Son intuition lui disait aussi qu'Émilie ne devait pas être seule. Aidée d'Henri, Antoinette monta sur le siège.

Henri mit la calèche en marche. Antoinette serra encore la main d'Émilie pendant quelques instants, puis elle la laissa tomber. Émilie resta dehors à regarder la poussière retomber dans le rang du Bourdais. Ovila ne dit pas un mot, se contentant d'être à ses côtés.

***

Émilie tournait en rond. Elle avait bouclé ses valises et ses multiples malles. Elle s'était levée avec le soleil, pour s'assurer que tout était en ordre. Elle avait pris son dernier petit déjeuner, lavé sa tasse, son assiette, son couteau, sa fourchette et sa cuiller. Elle avait rangé le tout sur l'étagère, à l'envers, de façon à empêcher la poussière de s'accumuler. Elle avait enlevé sa literie, aéré son matelas, ouvert toutes grandes les fenêtres de la classe et de ses locaux. Elle respirait à pleins poumons l'odeur des murs et des planchers. Ses odeurs. Six années d'odeurs, de rires, de pleurs. Six années de travail et de plaisir. D'ennui, aussi.

Elle descendit au rez-de-chaussée tout ce qu'elle pouvait porter elle-même avant l'arrivée d'Ovila. Elle se dirigea ensuite vers son pupitre, s'assit et regarda la classe vide d'enfants, vide d'elle-même. Six ans d'enseignement. Six ans qui avaient filé dans sa vie. Six années qui ne reviendraient plus jamais. Elle quittait l'enseignement. Pour toujours. Elle n'avait pas été déçue. Bien sûr, la vie d'institutrice était souventes fois pénible. Mais c'est la vie qu'elle avait souhaitée. Maintenant, elle voulait d'une autre vie. Être avec Ovila, avoir des enfants et penser à l'avenir. Elle n'avait pensé à l'avenir qu'en de rares occasions. Pendant six ans, l'avenir avait toujours eu le même décor : une classe, des pupitres, des fenêtres difficiles à garder propres, des enfants qui changeaient mais qui avaient toujours les mêmes airs de famille. Cette année, elle avait accueilli la petite sœur de Charlotte. Cela avait été comme si elle avait revécu l'arrivée de Charlotte elle-même. Sauf que la petite sœur de Charlotte n'avait pas eu besoin de se faire rappeler l'heure. Charlotte… Elle ne l'avait vue qu'en de rares occasions, Charlotte ne sortant presque plus de chez elle. Elle s'était déplacée pour aller la visiter. À son anniversaire, à Noël, à Pâques. Elle n'oublierait jamais Charlotte.

Six années à enseigner les mêmes choses, mais jamais vraiment de la même façon. Elle avait toujours adapté son enseignement aux enfants. Certaines années, les enfants étaient curieux, avides d'apprendre. D'autres années, ils étaient agités, distraits. Elle n'avait jamais eu un groupe d'enfants qui ressemblait au groupe précédent.

Elle ouvrit une des boîtes qu'elle avait déjà bien ficelées. Cette boîte contenait ses souvenirs les plus précieux. Un dessin. Une fleur séchée. Un rameau bien tressé et sans odeur, tant il était jauni et sec. La composition qu'Ovila avait faite sur le respect. Elle avait toujours conservé les plus beaux textes que les enfants avaient rédigés. Une autre composition d'Ovila, sur le bois. Une prière que la grosse Marie, maintenant mariée, avait écrite pour remercier ses parents de leur bonté et qu'elle avait intitulée « Mon quatrième commandement ».

Émilie souriait à travers ses larmes. Elle s'ennuierait de l'école, même si elle savait qu'elle n'en serait pas éloignée. L'enseignement lui manquerait, malgré une dernière année qui lui avait pesé un peu plus lourd. Les rires, les cris, les déceptions et les succès de ses élèves lui manqueraient. Lui manquerait aussi la variété saisonnière que lui offrait l'enseignement dans une école de rang : dix mois de travail suivis d'un été qu'elle pouvait regarder passer.

Elle remonta à l'étage pour fermer les fenêtres. Elle avait essayé de rendre le local le plus attrayant possible pour la nouvelle institutrice qui arriverait en septembre. Les commissaires lui avaient demandé si elle accepterait de remplacer l'institutrice si jamais elle était malade. Émilie, elle, préférait que ce soit Rosée qui fasse ce travail. Il valait mieux qu'elle ne touche plus jamais à une craie, à un crayon de correction, à un livre de classe. Elle voulait que l'enseignement demeure un souvenir. Une période de sa vie qu'elle pourrait toujours ranimer en disant : « Quand j'étais jeune et que j'enseignais... » Pas une seule journée elle n'avait manqué d'être à son poste. Grippe, mal de femme, extinction de voix, elle avait toujours été là. Entre dormir à l'étage et faire travailler les enfants en silence, elle avait toujours opté pour le travail des enfants.

Elle regarda l'heure. Ovila devait arriver d'une minute à l'autre. Elle redescendit dans la classe. Elle commença à fermer les fenêtres, une par une, prenant son temps pour bien s'imprégner des caractéristiques de chacune. La première, qui grinçait. La deuxième, sur laquelle il fallait donner un coup de poing à deux pieds de la base. La troisième, où il manquait une vis à la penture. La quatrième, dont le carreau du haut à droite avait été étoilé par un caillou lancé par elle n'avait jamais su quel élève. La cinquième, dont la vitre du bas avait toujours été gondolée, comme si elle avait fondu au soleil. La sixième, dont le mastic, pour une raison mystérieuse, se ratatinait d'année en année plus rapidement que celui des autres fenêtres.

Elle promena sa main sur chacun des pupitres, tout à coup attentive aux graffitis que les enfants s'étaient amusés à écrire et qu'ils n'avaient pu effacer. *Charlotte x Lazare ; Émilie, ma jolie... ; Punaise ; J'aime Jésus ; J.C. est bête.* Elle avait toujours répété aux enfants qu'il ne fallait pas abîmer la propriété d'autrui. De toute évidence, cet enseignement-là n'avait pas porté ses fruits.

Elle porta ensuite son attention sur le plancher. Toujours les mêmes planches fendues. Toujours les mêmes jours entre les joints. Ses ramasse-poussière, comme elle les appelait. Toujours les mêmes taches impossibles à faire partir, surtout celle-là, en forme d'ours, que le petit Oscar avait involontairement dessinée en cassant son encrier. La tache avait bien pâli un peu à force d'être passée à l'eau de Javel, mais elle était encore là.

Émilie sortit. Elle fit le tour de l'école, reculant pour mieux la regarder. L'école s'embrouilla. Elle décida donc de rentrer.

Elle s'assit encore à son pupitre. Elle regardait chacune des places devant elle. Elle entendait encore les voix. Elle voyait encore les visages, tantôt sérieux, tantôt rieurs. Finalement, elle conclut qu'elle était la seule à avoir changé. Elle était arrivée ici à seize ans. Elle en avait vingt-deux. Elle avait vieilli. Non ! elle n'avait pas vieilli.

Fébrilement, elle enleva toutes les pinces qui retenaient son chignon. Ses cheveux dévalèrent la pente de sa nuque et de son dos. Elle courut au « petit coin ». Elle se fit des nattes, beaucoup plus longues, beaucoup plus lourdes que celles qu'elle avait tressées en ce premier hiver après le spectacle de Noël. Elle se regarda dans le miroir, se sourit à pleines dents. Son sourire se changea en une grimace de myope. Elle s'approcha du miroir. Elle avait bien vu ! Un cheveu blanc la narguait de tout son éclat. Son premier cheveu blanc ! Elle l'arracha. Tant pis, elle gardait ses tresses.

Ovila arriva et pouffa de rire.

— Tu as l'air d'une jeunesse, ma belle.

— J'espère. Je pars d'ici sans trop de rides. Juste un cheveu blanc.

— Un cheveu blanc ! Ben, ma belle, il est grand temps qu'on s'occupe de vous enlever vos problèmes.

Ovila s'approcha d'elle, lui enserra la taille et lui posa une bise dans le cou. Émilie laissa tomber sa tête vers l'arrière.

— Ça sera pas l'été que je voulais, Ovila.

— C'est une question de semaines, Émilie. Ça sera pas plus facile pour moi. Mais en tout cas, j'vas avoir la fierté de te porter chez nous, dans notre maison, sous notre toit.

— Le seul toit que je veux, Ovila, c'est le creux de ton épaule.

Ils restèrent sans bouger pendant quelques minutes. Puis Émilie suivit Ovila à l'étage.

— Laisses-tu ton coffre de cèdre à Saint-Tite ? Je vois pas l'utilité de tout trimballer ça à Saint-Stanislas.

Émilie réfléchit pendant quelques minutes. Elle en avait besoin pour le jour du mariage. Tous ses effets y étaient rangés.

— Je l'apporte… pour le mariage et pour les jours où j'vas trop m'ennuyer de toi.

— Si c'est ce que tu veux, on va le monter dans la calèche.

Ovila voulut enchaîner, mais revint sur sa décision. Émilie sentit son hésitation.

— Qu'est-ce que tu voulais dire ?

— Rien.

— Rien ?

— Tu rirais de moi.

— Dis toujours.

— Aurais-tu quelque chose qui, qui… que tu aurais porté pis qui sentirait un peu comme toi. Comme ça, quand moi aussi j'vas m'ennuyer, je pourrais me consoler un p'tit peu.

— Un mouchoir pis un peigne de cheveu, est-ce que ça ferait ton bonheur ?

— Si tu promets de pas rire de moi, ça ferait mon bonheur.

— Je pourrai jamais rire de l'ennui, Ovila. L'ennui, c'est quelque chose qui fait tellement mal.

Ovila transporta le coffre de cèdre, Émilie, le reste du bagage. Elle quitta son école sans verser de larmes. Ovila l'accompagna jusqu'à Saint-Stanislas. Ils se suivirent sur la route, roulant côte à côte quand la voie était libre.

Ils firent une courte halte chez Lucie, comme cela devenait la coutume. Lucie les accueillit à bras ouverts et s'enquit de la date du mariage. Émilie répondit qu'elle le lui dirait aussitôt que possible.

Juste avant d'arriver à Saint-Stanislas, elle rappela à Ovila de l'aviser au moins trois semaines à l'avance afin qu'ils aient le temps requis pour la publication des bans. Ovila promit.

Ils arrivèrent à la côte Saint-Paul à la brunante. Célina et Caleb, presque méfiants à l'endroit de leur fille, furent soulagés de voir leur « gendre ». En son for intérieur, Caleb s'était avoué qu'il aurait été à peine surpris si elle lui avait annoncé une seconde rupture.

Émilie et Ovila se quittèrent le lendemain matin, le cœur au bord des lèvres. Ovila promit à Émilie que cette fois il écrirait. Émilie lui dit qu'elle attendrait chacune de ses lettres et qu'elle répondrait le plus rapidement possible. Il promit aussi qu'il viendrait la voir à quelques reprises durant l'été. Elle lui demanda de ne pas l'en aviser afin que ce soit toujours une surprise.

— Deux mois, Émilie, deux p'tits mois de rien du tout, pis on va être ensemble pour pas mal de temps.

— J'espère de pas être obligée d'attendre deux mois.

— Moi aussi, mais ça va dépendre de la température.

Et Ovila partit en lui faisant mille signes de la main. Émilie constata que c'était toujours elle qui restait. Avec Berthe, avec Antoinette et, encore une fois, avec Ovila. Berthe n'était jamais revenue. Antoinette reviendrait occasionnellement et Ovila, elle l'espérait, reviendrait pour toujours.

Elle rentra dans la maison, sourit tristement à ses parents, s'assit à la table de la cuisine, commença à défaire ses tresses. Son regard était fixe, bien accroché derrière une calèche qui roulait quelque part entre un passé déjà flou et un avenir qui lui serra la gorge tant il lui parut lointain.

26

L'été traînait en longueur. Les jours s'étiraient les uns après les autres comme de vieux élastiques éventés, sans ressort et sans rebondissements. Émilie avait consacré ses journées à repenser à ses six années d'enseignement, racontant à ses jeunes frères et sœurs les meilleurs moments qu'elle avait connus. Après quelques semaines, ils connaissaient déjà ses anecdotes préférées.

Elle avait enfin reçu une lettre d'Ovila lui demandant si le 9 septembre lui conviendrait. Elle avait répondu que la date était parfaite et que pour aucune considération elle n'accepterait de la reporter. Ovila avait réécrit en lui demandant de courir au presbytère régler les détails de la journée. Caleb avait accompagné sa fille pour remplir les formalités. Le curé avait été d'une gentillesse extrême, malgré l'absence du fiancé.

Émilie était allée dans le bois se chercher une belle branche sèche et droite. Utilisant un des couteaux de son père, elle l'avait dénudée des quelques lambeaux d'écorce qui s'accrochaient encore à la chair, puis avait fait une petite entaille.

— Qu'est-ce que tu fais là, Émilie ? lui avait demandé Caleb.

— Je compte les jours.

— Tu aimerais pas mieux faire des croix sur le calendrier ?

— Non, parce que je sais qu'Ovila aussi compte les jours avec son p'tit bout de bois.

Elle avait trouvé cette façon de se tenir près d'Ovila. Toucher à son bout de bois tous les jours comme lui touchait probablement au sien. Caleb ne lui avait plus fait de commentaires mais, un soir, il avait parlé de cette manie avec Célina.

— C'est-y moi qui vieillis ou bien est-ce qu'à cet âge-là nous autres on était plus sérieux ?

— Je dirais que c'est toi qui vieillis. Des fois, le monde fait des affaires pas importantes pantoute en y mettant bien du cœur. C'est sûr que toi, tu aurais jamais coché un p'tit bout de bois, mais moi, j'ai dessiné des fleurs sur le calendrier.

— Tu as fait ça, toi ?

Ovila n'avait pu venir une seule fois voir Émilie. Au fond d'elle-même, elle n'avait pas cru qu'il tiendrait cette promesse. Mais il avait tenu celle d'écrire et elle lui en sut gré.

Elle n'en pouvait plus d'attendre le 9 septembre mais fut quand même happée par un remous d'énervement lorsqu'il arriva enfin. Elle avait dit à Ovila qu'elle préférait ne le voir qu'à l'église. La messe devait être chantée à neuf heures. À huit heures et quart, Caleb avait discrètement demandé à un de ses fils d'aller voir à l'église si les Pronovost étaient arrivés de Saint-Tite. Son fils n'avait fait qu'un aller retour et avait murmuré à l'oreille de Caleb qu'ils étaient tous là. Caleb soupira. La noce aurait lieu.

— Émilie ! Émilie, *bonyenne*, est-ce que tu vas faire attendre ton homme le matin de ses noces ?

— J'arrive. Pas besoin de crier de même, pâpâ. Moman achève de mettre des fleurs dans mon chignon.

— Tu vas quand même pas te mettre des fleurs dans les ch'veux !

— Juste des p'tites. Vous allez voir, c'est pas mal joli.

Caleb haussa les épaules. Qu'est-ce qu'elle allait encore inventer ! Des fleurs dans les cheveux !

Émilie descendit l'escalier sur la pointe des pieds, demandant à ses sœurs de rester en haut. Elle voulait surprendre son père. Ses frères, assis à la table de la cuisine, comprirent son jeu et ne soufflèrent mot. Caleb était occupé, devant le miroir suspendu au-dessus de la pompe à eau, à recommencer pour la énième fois la raie de ses cheveux. Il bougonnait, ne réussissant jamais à la faire droite. Ses sillons étaient plus rectilignes.

— Maudite calamité ! J'vas pourtant l'avoir.

Il prit un épi de cheveux rebelles avec ses doigts patauds, tenta de lui faire changer de direction. L'épi se redressa inexorablement. Il mouilla la mèche. Elle pointa encore plus désespérément.

— Dans ce temps-là, il faut coller tout ça avec un p'tit peu de savon.

Émilie avait parlé avec tellement de calme et tellement d'ironie que Caleb ne s'était pas rendu compte que c'était elle qui venait de trouver la solution à son problème. Il aperçut finalement son reflet dans le miroir. Il se tourna lentement. Pour la première fois, il venait de prendre conscience que sa fille était belle.

— Si je savais pas que c'est toi, Émilie, je penserais que tu es une apparition de ma mère, quand elle était jeune.

— Il paraît que je lui ressemble, répondit-elle doucement.

— Tu es son portrait tout craché.

Il resta quelques instants à la regarder en se disant que c'était une vraie faveur du ciel que de lui envoyer une image vivante de sa mère. C'était aussi une vraie faveur du ciel que de lui avoir donné une si belle mariée.

— Bon, ben, vas-tu rester là à regarder ma couette ou est-ce que tu vas venir me montrer comment on colle ça avec du savon ?

Émilie rejoignit son père, se mouilla trois doigts, les passa sur le savon puis sur la mèche indisciplinée en lui donnant le pli souhaité. La mèche ne broncha plus.

— Vous voyez ? C'était pas plus compliqué que ça.

Caleb sourit enfin à son image. Célina était maintenant devant lui, ajustant les boutons de son faux col.

— Ça va faire, le tripotage ! C'est fatigant, à la longue. Bon, tout le monde dehors, on part.

Caleb, Célina et Émilie montèrent tous les trois dans une calèche. Les autres enfants s'installèrent dans une seconde voiture et prirent les devants.

— Tu as de la chance d'avoir une belle journée de même, Émilie. Regarde-moi la Batiscan qui brille comme si elle avait mis ses beaux atours pour ton mariage.

Émilie regarda la rivière. Puis elle regarda sa robe. Puis elle regarda de nouveau la rivière.

— C'est drôle, mais je viens juste de me rendre compte que ma robe est de la même couleur que la rivière.

Le clocher se faufilait entre les maisons. Tantôt il se découvrait, tantôt il se cachait. Enfin, il ne put que se montrer au grand jour. En voyant arriver la voiture des enfants Bordeleau, les Pronovost et tous les invités étaient entrés dans l'église. Émilie sentit sa gorge se nouer. Elle prit la main de sa mère. Célina la regarda et lui sourit.

— Je me demande si nos parents étaient nerveux comme nous autres le jour de nos noces, Caleb.

— Je suis pas nerveux. Ça fait assez longtemps que j'essaie de me débarrasser de cette grande tannante-là.

— Arrête donc de la taquiner.

— C'est correct, moman, ça me change les idées quand je l'écoute dire des niaiseries.

— Des niaiseries ! fit Caleb, faussement offusqué. J'vas t'en dire une autre, à part de ça. Je pense que je suis encore plus nerveux que quand j'ai marié ta mère.

Il venait d'immobiliser la calèche. Il descendit, en fit le tour et aida Célina puis Émilie à descendre. Émilie frotta énergiquement le devant de sa jupe pour la débarrasser de tous les plis qui s'étaient formés pendant le trajet. Célina frotta l'arrière.

— Le velours est pas trop *tapé*. C'est de la belle qualité. Bon, moi je rentre. J'vas te regarder marcher. Tiens tes épaules pis ta tête bien droites. Pis toi, Caleb, marche pas plus vite qu'elle. Laisse-la te donner le pas.

— *Envoye*, envoye, presse-toi. On a juste une minute pour rentrer.

Célina alla s'asseoir à l'avant, saluant au passage les visages qui lui étaient les plus familiers. Elle fit un petit signe de tête à Dosithée et à Félicité qui, à en juger par leurs bouches crispées, étaient aussi nerveux qu'elle et Caleb. Dosithée mâchouillait sa moustache et Félicité se mordait la lèvre inférieure. Ovila se tenait fièrement à l'avant, le dos tourné à l'autel, le curé à ses côtés. Il salua sa belle-mère en lui souriant de toutes ses dents. Célina le regarda et se demanda comment il faisait pour être aussi calme. Puis elle vit qu'une petite veine lui battait au front. Une toute petite veine bleue. Discrète. Traîtresse.

Un murmure partit de l'arrière de l'église, bondissant comme un galet lancé sur l'eau jusqu'à l'avant. Caleb et Émilie venaient de faire leur apparition. Célina se haussa sur la pointe des pieds et s'étira le cou pour bien voir. Félicité et Dosithée se sourirent. La petite veine sur le front d'Ovila accéléra son battement.

Émilie serrait le bras de son père. Elle avait vu Ovila, et Caleb sentit que son pas se faisait de plus en plus rapide. Il la retint un peu. Elle ralentit. Elle marcha pendant toute l'éternité de l'allée centrale. Elle ne reconnut personne, ne voyant que les yeux d'Ovila qui se fondaient dans les siens. Enfin, elle le rejoignit.

Le reste de la cérémonie ne fut que brouillard jusqu'à ce que le curé lui demande si elle acceptait de prendre Charles pour époux. Elle allait dire oui quand tout à coup elle se rendit compte que le curé avait dit « Charles ».

— Charles ? avait-elle répété, étonnée.

Le curé avait regardé de nouveau sur son papier et dit que c'était bien ce qui était écrit. Émilie se tourna alors vers Ovila.

— Charles ?

— Oui, c'est mon nom de baptême. J'ai jamais pensé de te le dire.

Il riait presque.

Émilie dit donc oui. Le brouillard s'était de nouveau épaissi, ne laissant filtrer que l'éclat de l'anneau qui lui avait été glissé au doigt.

Elle signa les registres en se demandant ce qu'elle signait. Ovila avait apposé sa signature et leurs pères aussi. Puis elle se retrouva encore dans cette allée sans fin, pendue au bras d'Ovila, ne voyant que des sourires. Elle comprit qu'ils répondaient au sien et à celui de son mari. Le soleil vint enfin dissiper la brumaille.

— Est-ce que je peux embrasser ma femme ?

— Oh ! oui, tant que tu voudras.

Ovila l'embrassa avec une générosité que les gens n'étaient pas habitués à voir.

— Félicitations, madame Pronovost.

Émilie se retourna, pensant qu'on s'adressait à sa belle-mère, pour finalement comprendre que c'était à elle qu'on parlait.

— Antoinette ! Regarde, Ovila, Antoinette est venue !

Les deux amies s'enlacèrent. Émilie cachait difficilement son émotion. Ce n'est qu'après toutes ces effusions qu'elle aperçut le sourire d'Henri.

— Henri ! Comme c'est gentil de t'être déplacé !

— Mais voyons, Émilie, penses-tu que j'aurais laissé ma femme faire seule tout ce trajet ?

— Ta femme ?

— Antoinette.

— Antoinette ! Vous êtes mariés ?

— Depuis la semaine passée, Émilie, fit Antoinette, rayonnante.

Sous le coup de l'émotion, Émilie ne songea pas au fait que ses amis ne l'avaient pas invitée. Antoinette ne lui laissa pas le temps d'y réfléchir.

— Ma mère est vraiment pas bien. Ça fait qu'Henri pis moi on a décidé de faire ça vitement. On a même eu une dispense de bans, grâce au curé de la paroisse de ma mère. Notre voyage de noces, c'est hier soir qu'on l'a commencé quand on a attelé pour venir ici. On pense qu'à soir on va aller dormir à l'hôtel Grand-Nord de Saint-Tite. C'est à Saint-Tite qu'on veut aller parce qu'on est des romantiques.

Elle avait dit cette phrase en chuchotant.

— Demain, on a l'intention d'aller au lac aux Sables. L'année prochaine, Henri m'emmène voir les chutes Niagara.

Tout attentive à son amie, Émilie n'avait pas remarqué les gens qui attendaient pour la féliciter. Antoinette, mal à l'aise, laissa Émilie à ses parents, en lui disant qu'elle la reverrait à la côte Saint-Paul. Émilie fut embrassée par tout le monde, Ovila, farceur, prenant la file à toutes les minutes ou presque. Caleb mit fin aux effusions en disant à ses invités qu'il les attendait tous à la maison. Ils se dispersèrent et se dirigèrent vers leurs voitures. Les jeunes mariés prirent place dans la calèche d'Ovila et ouvrirent le défilé.

— Qu'est-ce que tu penserais de ça, Émilie, si on restait le temps d'être polis, pis qu'on s'en allait à Saint-Tite ? J'ai hâte que tu voies la surprise que j'ai pour toi.

— Si tu penses que ça peut se faire, moi je demande pas mieux.

La noce avait été parfaitement réussie. Émilie, toute à sa joie, avait quand même pris le temps de parler à chacun des convives, s'attardant plus particulièrement à Lucie et à Antoinette. Voyant qu'Ovila commençait à s'impatienter, elle monta à sa chambre, enleva sa robe de velours et enfila une autre robe, plus confortable pour la route. Il avait été convenu que les Pronovost transporteraient tous ses bagages, y compris le coffre de cèdre, délesté de quelques vêtements et effets nécessaires.

Profitant de sa courte absence, ses parents placèrent tous les cadeaux sur le plancher, au centre du salon, et obligèrent Émilie à fermer les yeux dès qu'elle redescendit. Émilie, au bras d'Ovila, entra dans le salon, les yeux toujours fermés et le rire facile.

— Pourquoi est-ce que vous m'obligez à fermer les yeux comme ça ?

— C'est parce qu'il y a des cadeaux qui pouvaient pas être emballés, lui répondit sa mère. Bon, à c't'heure tu peux regarder.

Émilie ouvrit les yeux et poussa un cri. Devant elle, il y avait un rouet, un ourdissoir et toutes les pièces d'un métier à tisser. Les Pronovost avaient acheté le rouet et fabriqué l'ourdissoir. Caleb avait fait venir le métier de chez Leclerc, à L'Islet. Émilie et Ovila déballèrent ensuite les autres cadeaux. Lucie, imprévisible comme toujours, avait offert un fouet à Émilie.

— Faudrait p-pas que tu comprennes mal. C'est pour ta Tite, pas p-pour ton mari.

D'Antoinette et Henri, ils reçurent un vase au cou de cigogne.

— Je sais combien tu aimes les fleurs, Émilie. Ça fait que j'ai pensé qu'un vrai beau pot ça te ferait plaisir.

Émilie continua de sourire à Antoinette tout en pensant que c'était Henri qui lui avait donné son premier vase.

Bientôt, il ne leur resta plus à ouvrir qu'un colis, en provenance de Saint-Tite, comme en faisait foi le cachet de la poste. Émilie déchira prudemment l'emballage, le mot « fragile » étant inscrit à plusieurs endroits. Le colis contenait une toute petite ardoise, une craie, une petite brosse et un mot qui disait que cette ardoise se voulait un rappel de six années d'enseignement. Sur l'ardoise, expédiée par Charlotte, une seule phrase : « Merci ! Et je n'ai jamais trahi notre secret ! »

Émilie et Ovila quittèrent Saint-Stanislas au milieu de l'après-midi. Suivant les recommandations d'Ovila, elle emporta sa valise – celle reçue de ses parents l'année précédente –, remplie de tout le nécessaire pour une semaine. Ovila n'avait pas voulu lui dire pourquoi elle avait besoin de ces choses.

— Tu as quand même pas envie, Ovila, de me garder dans la maison pendant une semaine sans sortir ? Sans voir de monde ?

— Prends donc patience, Émilie. Tu vas comprendre quand on va arriver à Saint-Tite.

— Je veux pas dire par là que j'aurais quelque chose contre..., ajouta-t-elle d'un ton espiègle.

Ovila lui laissa tomber la main. Il glissa ses doigts le long de sa cuisse. Émilie posa sa main sur celle de son mari et soupira. Ovila la regarda de côté sans dire un mot. Lui-même avait l'air plutôt guilleret.

Ils franchirent le pont de la rivière des Envies. Émilie commença à s'agiter. Bientôt elle verrait sa petite école. Plus qu'une courbe. Elle la vit enfin mais ne ressentit pas cette excitation si familière quand elle la retrouvait après un long été d'éloignement. Elle en fut soulagée. Pas de regrets, pensa-t-elle. Pas de regrets. Elle regardait « sa » maison. Ovila l'épiait du coin de l'œil.

— Émilie, tu as même pas regardé la nouvelle maison.

— Je m'excuse, Ovila, mais j'ai oublié. C'est pas fin de ma part, surtout quand on pense que c'est à cause de cette maison-là qu'on a été obligés de retarder notre mariage.

— J'vas t'excuser en me disant que c'est pour ça que tu voulais pas la voir.

Ils arrivèrent devant leur maison. Ovila demanda à Émilie de descendre. Elle prit sa valise mais Ovila interrompit son geste.

— Laisse ça là, Émilie. Je veux juste que tu jettes un coup d'œil en dedans pour voir comme c'est changé. Ma mère a pas voulu mettre de rideaux ou d'affaires de même parce qu'elle disait que tu avais un goût bien à toi pis que c'était pas à elle de décider pour nous autres.

— Pourquoi est-ce que j'apporte pas ma valise ?

— Prends patience, Émilie, prends patience.

Elle ne posa plus de questions. Ovila lui prit la main et la dirigea vers la porte, qu'il s'empressa d'ouvrir.

— Bienvenue chez nous, madame Pronovost.

Il l'embrassa, la souleva de terre et la porta jusqu'à la cuisine. Émilie riait aux éclats. Il pivota sur lui-même, sans la déposer, et lui demanda si elle avait bien vu. Elle lui répondit qu'il tournait trop vite. Alors, il l'assit sur une chaise sans lui donner la chance de poser un pied au sol.

— Tu vas pas bouger d'ici pendant que moi je mets ce qui manque dans la calèche.

Il ouvrit la glacière et sortit quelques paquets qu'il mit dans une grande boîte déjà presque remplie. Il la ferma soigneusement, puis il alla la déposer dans la calèche. Émilie n'avait pas bronché. Elle se demandait où il voulait en venir. Ovila rentra.

— Maintenant, si madame veut me suivre, son carrosse est avancé.

Il fit une galante courbette.

Émilie le salua très dignement de la tête, répondant à son jeu. Il referma la porte et escorta Émilie jusqu'à sa place.

— Cesse tes mystères, Ovila... Dis-moi où tu me conduis.

— Pas question. Le mystère va être mystérieux jusqu'à ce que je dise qu'on est rendus au bout de notre voyage.

Il conduisit la calèche, revenant en arrière jusqu'à la nouvelle maison qu'Émilie, cette fois, regarda attentivement, complimentant Ovila sur le magnifique travail qu'il avait fait.

— La maison a juste un p'tit défaut. Le plancher du deuxième va toujours gondoler à cause de tous les hivers qu'il a passés sans protection.

Émilie pensait qu'ils redescendraient vers Le Bourdais d'été en tournant à gauche, mais Ovila tourna à droite et engagea la calèche dans un sentier péniblement tracé par des roues de voiture.

— On s'en va dans le bois ? demanda-t-elle, étonnée.

— On s'en va vers le bois, Émilie, mais à une place spéciale que tu as jamais vue.

— Je suis déjà allée par là.

Ovila la regarda, craignant tout à coup que sa surprise n'en fût pas une.

— Jusqu'où ?

— Je pourrais pas dire.

Il soupira de soulagement. Ils continuèrent à cahoter pendant plusieurs minutes. Émilie était occupée à repousser les branches d'arbre qui menaçaient à tout moment de les gifler.

— On arrive. On va être là dans dix minutes au plus.

Il fit enfin arrêter le cheval. Il le détela pendant qu'Émilie, à sa demande, vidait la calèche. Ovila attacha le cheval avec une longue corde, pour lui permettre de brouter à son aise. Il recouvrit ensuite la calèche d'une bonne toile. Émilie ne comprenait toujours pas.

— Encore une p'tite marche de cinq minutes pis on est arrivés.

Émilie lui emboîta le pas. Ovila porta la boîte de provisions et demanda à Émilie de laisser sa valise. Il viendrait la chercher. Elle répondit qu'elle pouvait la porter elle-même. Ils avancèrent à travers le bois maintenant plus dense. Ovila s'immobilisa enfin.

— Tu vas m'attendre ici. J'ai juste deux p'tites affaires à faire pis je reviens.

Elle obéit. Pour rien au monde, elle ne se serait levée pour se faufiler à travers les arbres et avoir un indice de ce que pouvait être la surprise. Elle adorait les surprises et elle savait qu'Ovila devait mettre au point quelque petit détail. Un suisse passa à côté d'elle sans paraître la remarquer, puis il s'arrêta en saccadant sa queue. Émilie retint son souffle pour ne pas l'effrayer. Le suisse se retourna, la regarda et repartit rapidement, changeant de couleur selon qu'il traversait une flaque d'ombre ou de soleil. Un froissement de feuilles et le craquement d'une branche sèche lui annoncèrent le retour d'Ovila.

— Tu es encore là, Émilie ?

— Oui, Ovila. J'ai pas bougé d'un poil.

Il apparut, un foulard de couleur pendant de sa poche de chemise. Il le prit dans ses mains.

— Ça, Émilie, c'est un p'tit cadeau. Mais avant de te le donner, j'aurais besoin que tu me le prêtes une minute.

Avant qu'Émilie ne dise un mot, il commença à lui bander les yeux avec le foulard.

— Vois-tu quelque chose ? demanda-t-il en agitant une main devant la figure d'Émilie.

— Rien.

Il lui prit le bras et lui demanda de le suivre en lui promettant de lui indiquer le trajet et de faire attention qu'elle ne trébuche pas. Émilie, encore une fois, se plia à tous ses caprices. Ils marchèrent pendant à peine trois minutes. Émilie entendit un clapotis et sentit la présence de l'eau. Elle comprenait de moins en moins. À sa connaissance, il n'y avait pas d'eau dans les environs. Ovila dénoua le bandeau. Un lac ! Un merveilleux petit lac d'eau claire et frémissante. Ovila, debout derrière elle, avait posé ses mains sur la tête d'Émilie, juste derrière les oreilles. Elle lui tint les poignets.

— Mais comment ça se fait, Ovila, que j'aie jamais entendu parler d'un lac ?

— Parce que c'est un lac qui était sur la terre du père Mercure. Faut croire qu'on n'a jamais pensé d'en parler.

— Ovila, c'est un p'tit bijou bien caché dans son coffre en bois.

— À c't'heure, Émilie, tourne-toi.

Il la fit pivoter. Devant elle, une toute petite maison de bois rond, fraîchement construite. Ovila la poussa légèrement pour qu'elle avance. Elle se dirigea vers la porte. Au moment où elle allait l'ouvrir, Ovila la retint et la souleva.

— Mes honneurs, madame.

D'un léger coup de pied, il ouvrit la porte qu'il avait laissée entrebâillée et entra.

— Une grande pièce pour vous, madame, avec tout le confort. Une *truie*, une table avec une nappe dessus, quatre chaises, un p'tit chiffonnier, de la vaisselle, une glacière qui un jour aura de la glace. Oh ! j'oubliais : un miroir pour vous permettre de regarder vos beaux yeux pis vos beaux cheveux, et, le confort de tous les conforts, un beau grand lit avec une paillasse remplie de bon foin frais, deux oreillers, des draps pis une couverte qu'Éva s'est fait un plaisir d'installer.

Il s'y dirigea, et y déposa Émilie tout doucement. Émilie l'enlaça et le laissa commencer à l'explorer. Son lourdaud était une ouate qui lui chatouillait le corps de sa tendresse. Il se leva et voulut entreprendre de déboutonner sa chemise. Émilie l'attira à elle et lui fit comprendre que c'était elle qui le ferait. Il ne discuta pas.

La soirée transpirait la chaleur de la journée. Les grenouilles et les ouaouarons chantaient le clair de lune quand Émilie et Ovila sortirent du petit camp, tous les deux enroulés dans la couverture. Ils se dirigèrent vers le lac et s'assirent, les pieds dans l'eau. L'eau était tiède et invitante.

— Reste ici, Ovila, je reviens dans une minute.

Émilie courut jusqu'au chalet, alluma une lampe, prit sa valise, la posa sur le lit, l'ouvrit et en retira sa chemise de nuit qu'elle enfila à la hâte. Elle noua les six rubans, sans prendre la peine de faire des boucles. Elle enleva les quelques pinces qui tenaient encore à sa chevelure qu'elle brossa vigoureusement. Elle jeta un rapide coup d'œil dans le miroir et sourit. Elle sortit. Ovila l'entendit et se retourna. La lune jouait avec son ombre dans chacun des plis du vêtement. Émilie marcha jusqu'à lui, sans dire un mot. Rendue à sa hauteur, elle ne s'arrêta pas. Elle avança résolument vers le lac. Elle ne ralentit le pas que pour habituer ses pieds à la douceur du sable qui lui glissait entre les orteils. Elle marcha encore, sans se retourner. Quand elle eut de l'eau jusqu'à la taille, elle plia les genoux et se trempa jusqu'aux épaules. Elle tourna sur elle-même, dans l'eau, et se releva. Ovila était debout. Il avait laissé tomber la couverture. Émilie lui ouvrit les bras. Il vint la rejoindre, l'enlaça, lui chuchota qu'elle était complètement folle et complètement belle et que les belles folles le rendaient toujours fou.

***

Le soleil avait depuis longtemps commencé à faire chanter les oiseaux lorsque Ovila ouvrit les yeux. Il se retourna et contempla le sommeil souriant d'Émilie. Il lui mordilla une oreille. Elle soupira et lui tourna le dos. Il lui mordilla l'autre oreille. Elle s'éveilla.

— Bonjour, ma belle brume. Est-ce que ça te tenterait de manger un p'tit quelque chose avec moi ? Ta mère est une maudite bonne cuisinière, mais son repas est rendu pas mal loin.

Émilie dit oui, se leva et enfila sa chemise de nuit froissée mais sèche. Ovila l'imita mais n'enfila rien. Il sortit pour aller « soulager sa nature ». Émilie fit de même. Ils mangèrent en riant de leur bonheur, Ovila taquinant Émilie sur le fait que bien peu de gens pouvaient savoir que les maîtresses d'école avaient plein de talents cachés.

— Ça fait six ans, Ovila Pronovost, que je regarde tes épaules, ton cou, tes jambes, pis tes cuisses. Le seul talent que j'ai, c'est d'avoir eu la patience de les attendre.

Elle émit un petit rire victorieux et moqueur.

— Pis moi, ça fait six ans que je trouve que tu vieillis plus vite que moi. Que j'ai peur que tu oublies de me regarder. Ça fait six ans que je rêve à toi à toutes les maudites nuits en trouvant que tu es la plus belle. Ça fait six ans que j'ai peur que tu trouves quelqu'un à ton goût. Pis là, ça fait un jour que je veux pas me réveiller parce que j'ai trop peur d'être encore en train de rêver.

Pendant cinq jours, ils dormirent, mangèrent les provisions qu'Ovila avait apportées, regardèrent les clairs de lune et continuèrent de découvrir leur intimité. Ils ne se baignèrent plus, les chaleurs ayant définitivement quitté la Mauricie.

La sixième journée de leur exil, ils furent troublés d'entendre arriver quelqu'un. Ovila se vêtit à la hâte et sortit du chalet, faisant signe à Émilie de ne pas bouger. Elle resta donc dans le lit, se cachant complètement sous la couverture, ayant une terrible envie de rire, tant son attitude lui paraissait enfantine. Elle entendit Ovila parler. Elle crut ensuite reconnaître la voix de Lazare. Qu'est-ce que Lazare était venu faire ici ? se demanda-t-elle vaguement, se répondant aussitôt qu'il était probablement venu vérifier s'ils avaient besoin de quelque chose. Elle tendit l'oreille. Ovila ne parlait plus. Elle se leva, marcha sur la pointe des pieds et regarda discrètement par la fenêtre. Ovila était seul, la tête soutenue par ses bras appuyés sur le tronc d'un arbre. Il lui tournait le dos. Elle eut le terrible pressentiment que Lazare venait de lui apprendre quelque chose de désagréable. Elle se dirigea vers la porte et chuchota :

— Ovila, est-ce que je peux sortir ?

Il fit oui de la tête avant de se retourner. Émilie se dirigeait déjà vers lui, sautillant entre les cailloux et les bouts de bois secs. Il la regarda venir, ne sachant comment lui annoncer la mauvaise nouvelle qu'il venait d'apprendre. Émilie essaya de sourire, mais la gravité du visage d'Ovila l'en empêcha.

— Qu'est-ce qui se passe, Ovila ?

— C'était Lazare, Émilie.

Il cherchait ses mots.

— Viens ici, ma belle brume, j'ai quelque chose à te dire.

Elle s'approcha de lui et il l'enserra dans ses bras.

— Tu me fais peur, Ovila. Qu'est-ce qui se passe ? Est-ce que quelqu'un est malade ?

Ovila soupira. Elle avait visé juste. Il lui dit finalement que Lazare était venu pour l'avertir, elle, que Charlotte la réclamait. Charlotte était au plus mal. Le médecin ne lui donnait que quelques heures.

Émilie se précipita à l'intérieur du petit camp, en ressortit à la hâte pour remplir un bol à main d'eau fraîche du lac, retourna aussi rapidement à l'intérieur et demanda à Ovila d'atteler le cheval. Il lui dit que Lazare s'en était chargé et que l'attelage serait prêt. Elle lui demanda alors de se raser mais il répondit qu'il était préférable de ne pas perdre de temps à chauffer de l'eau.

— Ça presse tant que ça ? demanda-t-elle, soudain très inquiète de ne pas arriver à temps pour embrasser sa petite Charlotte.

— Je pense que ça presse, oui.

Elle enfila une robe à la hâte, emporta son peigne et ses pinces à cheveux pour se faire un chignon en cours de route et dit à Ovila qu'elle était prête. Ils coururent jusqu'à la calèche, y montèrent précipitamment et Ovila poussa la bête.

Ils arrivèrent chez Charlotte. Émilie sauta de la calèche et se hâta vers la maison, soulagée de voir que la voiture du curé n'était pas là. Elle frappa à la porte et entra avant même qu'on vienne ouvrir. La mère de Charlotte l'accueillit, le visage inondé de larmes.

— Charlotte vous attend, mam's… madame. On dirait qu'il y a quelque chose qu'elle veut vous dire.

Émilie suivit la mère jusqu'au chevet de Charlotte. Toute sa famille était agenouillée autour du lit. Émilie s'approcha, soudain prise d'effroi à l'idée que c'était la première fois qu'elle côtoyait la mort. On lui dégagea un passage. Elle respira profondément, prit une des mains de Charlotte dans les siennes et se pencha pour lui chuchoter qu'elle était là. Charlotte, émaciée, jaunâtre et cireuse, clignota des yeux. Elle demanda péniblement à Émilie si elle avait reçu son cadeau. Émilie lui dit que oui, essayant de mettre un peu de gaieté dans sa voix, et lui jura que c'était le cadeau le plus gentil et le plus pratique qu'elle avait reçu. Charlotte esquissa un sourire. Elle lui répéta qu'elle n'avait jamais trahi leur secret. Émilie ne savait toujours pas de quel secret il s'agissait. Elle avait à maintes reprises, depuis son mariage, essayé de résoudre l'énigme de cette petite phrase, s'étant promis de venir voir Charlotte dès son retour du lac à la Perchaude. Elle n'eut plus le courage de lui demander, maintenant, quel était ce fameux secret qui semblait avoir eu beaucoup d'importance pour Charlotte. Un sanglot lui monta à la gorge. Combien Charlotte avait eu d'importance pour elle aussi. Pourquoi l'avait-elle tant négligée depuis un an ? Charlotte laissa tomber sa tête lourdement sur l'oreiller. Puis elle rouvrit les yeux encore une fois, regarda tout autour de la pièce, essayant de fixer son regard sur chacune des personnes présentes, puis tourna les yeux vers Émilie. Elle émit un gargouillement. Émilie crut qu'elle tentait de parler et colla son oreille près de la bouche de Charlotte, consciente qu'elle prenait la place que la mère de Charlotte aurait dû occuper. Elle entendit une toute petite phrase bien faiblement soufflée :

— C'est l'heure, Charlotte.

Charlotte expira. Émilie crut s'évanouir et se tourna vers la mère de Charlotte pour lui dire qu'elle croyait bien que c'était fini. La mère de Charlotte s'approcha du corps de sa fille, prit un petit miroir et le lui mit sous le nez. Il n'y eut pas de buée. Elle s'agenouilla et se signa.

Émilie se retira, préférant laisser la famille de Charlotte seule avec son chagrin. Elle s'assit dans la cuisine et regarda Ovila qui était entré discrètement pour l'attendre et la soutenir. Qu'Émilie ait adoré la petite Charlotte n'avait été un secret pour personne.

Émilie tint à passer une partie de son dimanche dans la famille de Charlotte dont le corps était exposé dans le salon. On l'avait déposé dans un angle de la pièce, sur une planche de bois. Charlotte avait été vêtue de sa plus jolie robe et recouverte d'un linceul blanc. À sa tête, sur une table, il y avait une statue de l'Immaculée Conception. À ses pieds, un Sacré-Cœur protégeant de ses bras ouverts un bénitier et un goupillon. Au mur, juste derrière elle, un Christ en croix, niché dans les multiples replis de nappes brodées accrochées au mur et faisant une espèce d'alcôve autour de la morte. Des lampes à huile brûlaient à toute heure, noircissant des globes rouges dont les reflets, destinés à colorer la lividité de Charlotte, réussissaient davantage à protéger de la lumière trop crue les yeux des affligés, craquelés par le manque de sommeil et l'abus de larmes.

Émilie regarda sa pauvre petite élève que ses reins avaient finalement réussi à empoisonner. Charlotte ne s'était jamais plainte. Elle avait vécu avec ses constantes humiliations, sans gémir. Chaque année, Émilie avait calmement et gentiment expliqué aux enfants nouvellement arrivés en quoi consistait le respect, faisant toujours le lien avec les «petits problèmes d'heure de Charlotte».

Le soleil, en ce dimanche 17 septembre, luisait effrontément de tous ses rayons. Émilie quitta le salon et sortit de la maison pour lui dire ce qu'elle pensait de lui. Elle rageait. Elle fulminait. Elle pleurait. Ovila parvint à peine à la consoler. Lazare arriva, seul, pendant que son frère et sa belle-sœur faisaient les cent pas sur la galerie.

Il avait la mine complètement défaite. Il voulut entrer dans la maison, mais revint sur ses pas.

— Émilie, dit-il, est-ce que je peux te parler ?

Émilie demanda à Ovila de l'attendre et se dirigea vers Lazare. Elle savait qu'un lien très spécial avait toujours existé entre lui et Charlotte. Même quand tous les deux avaient quitté l'école, ils avaient continué de se voir. Émilie se souvenait de la première crise de Lazare et de l'entêtement de Charlotte à ne pas le laisser avant d'être assurée qu'il n'était pas mort. À partir de ce jour, la petite Charlotte avait toujours protégé le grand Lazare comme si elle avait compris qu'ils souffraient tous les deux de la même souffrance : celle de la différence et de la solitude.

— Émilie, est-ce que Charlotte est bien *maganée* ?

— Non, Lazare, elle est comme toujours. Je dirais même qu'elle a encore son p'tit air moqueur.

— Je sais pas si j'ai la force de la voir... de même. Je sais pas si c'est pas mieux de garder un souvenir d'elle comme elle était, maigre pis malade, mais... en vie.

Il se tut pour cacher les trémolos de sa voix.

Émilie trouva pathétique ce jeune homme déchiré par la mort d'une fillette de douze ans. Mais Lazare n'avait jamais pu, à cause de sa maladie, mûrir comme il aurait dû. Il avait encore un peu l'âge de Charlotte.

— Fais comme tu penses, Lazare. Si tu penses que tu veux la voir, rentre, pis j'vas aller avec toi si ça t'aide. Si tu veux pas la voir, retourne chez vous pis essaie de te souvenir d'elle comme tu veux t'en souvenir.

Lazare décida finalement d'entrer. Il ne resta que deux minutes, le temps d'offrir ses condoléances et, rapidement, de prendre et de baiser la main de la morte. Le choc fut trop grand pour lui. En sortant de la maison, il poussa son grand cri d'impuissance et de surprise et s'affaissa sur la galerie, se déchirant la tête sur la rampe et les lèvres sur les planches non peintes du plancher. Ovila et Émilie le retournèrent rapidement et demandèrent aux gens de s'éloigner pour lui éviter, quand il reprendrait connaissance, de penser qu'il s'était encore une fois rendu ridicule. C'était son drame. Il s'était toujours senti ridicule au lieu d'accepter son mal.

Émilie ne voulut pas quitter le lac à la Perchaude. Elle y revint avec Ovila le soir de la mort de Charlotte. Elle savait que, de la fenêtre de sa maison, elle pouvait voir l'école. Elle n'avait pas envie de la regarder avant que Charlotte ne fût enterrée. Ovila n'avait pas discuté. Ils avaient donc raccompagné Lazare puis étaient partis, seuls, pour le chalet. Émilie, le souper fini et la vaisselle lavée, passa de longues heures à regarder le lac et à en écouter les soupirs. Ovila parla peu, se contentant de la tenir par l'épaule et de lui essuyer les larmes avec ses gros pouces.

Le lundi matin, ils bouclèrent leurs valises, nettoyèrent et fermèrent le petit chalet, portèrent toutes leurs choses dans leur maison, après quoi ils partirent pour l'église. Les funérailles furent tristes comme seules peuvent l'être les funérailles d'enfant. Ovila ne cessait de penser à la cérémonie des anges chantée pour la petite Marie-Anne. Émilie, elle, se jura qu'elle ne mettrait jamais un enfant au monde pour le voir mourir. Elle mourrait la première. Ce n'était pas dans l'ordre des choses qu'une mère enterrât son enfant. Un enfant, c'était la seule véritable garantie d'éternité.

27

Ovila était ravi. Les religieuses lui avaient demandé de fabriquer une bonne partie des meubles pour les réfectoires du nouveau couvent, dont la construction s'achevait. Il s'était attelé à la tâche après avoir aménagé un atelier dans un des bâtiments. Il lui fallait livrer le tout pour le 8 décembre, date prévue pour la bénédiction du couvent.

Émilie consacrait presque tout son temps à tisser des catalognes et des couvertures. En secret, elle était allée voir le médecin, qui lui avait confirmé qu'elle serait mère au mois de juin de l'année suivante. Quand Ovila devait s'absenter pour quelques heures, elle s'empressait de sortir sa laine et son crochet et elle agitait fébrilement ses doigts pour confectionner des petites couvertures, des petits bas et des petites *capines*. Elle n'avait pas encore voulu annoncer la nouvelle à Ovila qui, inconscient, n'avait pas remarqué qu'il n'y avait jamais eu de guenilles sur la corde à linge depuis leur mariage.

Émilie avait posé des rideaux de dentelle crochetée, la plupart à motifs d'oiseaux et de fleurs. Elle avait placé les meubles à des endroits différents, simplement pour donner à la maison paternelle d'Ovila un air de nouveauté. Quand il ne devait pas s'absenter, il passait la journée à travailler à ses tables, ses chaises et ses dessertes. Il aurait pu se contenter de faire des choses simples, mais il trouvait le temps, le soir, d'entrer un meuble dans la maison et d'y sculpter des fleurs ou des petites pointes de diamant.

— C'est beau, ce que tu fais, Ovila. On dirait que les chaises sont plus légères, juste à cause des fleurs.

— C'est bien parce que ça me change les idées que je fais ça, parce que les sœurs ont jamais demandé que ça soit aussi soigné.

— Faudrait pas que tu arrives en retard parce que tu fignoles.

— J'ai calculé mes affaires, pis j'ai organisé mon travail pour que ça aille vite. Je prépare tous mes barreaux, je taille tous mes morceaux pour les pattes, je fais tous mes trous pour les chevilles, je fais tous mes sièges. Après, je rassemble tout ça, en montant tous les meubles de front. Comme ça, je suis certain que toutes les chaises vont être de la même grosseur. Tout cela, madame, me laisse le temps de sculpter, le soir, assis près de vous. Vous et moi, madame, nous le savons, c'est ce que j'aime le plus faire.

Émilie l'avait écouté en souriant, revoyant son grand élève qui construisait une crèche immense dans une petite classe.

L'automne et l'arrivée des gelées étaient presque passés inaperçus, tant le soleil continuait de réchauffer leur maison. Tous les matins, entre deux discrètes nausées, Émilie se gargarisait de son bonheur. Trois jours avant la date de la bénédiction, Ovila avait porté le matériel qu'on lui avait commandé. Les sœurs l'avaient félicité pour son travail, fait « au plus-que-parfait, monsieur Pronovost ».

Dès son retour du couvent, Émilie lui demanda de ne pas ranger ses outils.

— J'aurais un p'tit travail à te faire faire.

Ovila fronça les sourcils en se demandant ce qu'elle voulait. Il lui avait déjà dit qu'il lui ferait quelque chose de bien pour leur chambre à coucher et qu'il ferait une nouvelle table pour la cuisine. Il avait déjà terminé les chaises en même temps que celles du couvent.

— Je voudrais que tu fasses un beau p'tit berceau, dit-elle.

Elle avait parlé d'un ton tellement désinvolte qu'il fallut deux bonnes minutes à Ovila pour saisir ce qu'elle venait de dire. Quand il comprit enfin, il resta bouche bée, puis se leva et la prit dans ses bras en riant aux éclats. Émilie l'imita, toute à sa joie. Sans se remettre réellement de ses émotions, il la contraignit à enfiler son manteau, ses bottes et son chapeau, fit de même et l'entraîna en direction de la maison de ses parents.

— Demande-moi pas de garder un secret comme ça, Émilie.

Les Pronovost partagèrent leur excitation, les obligeant à rester pour le souper. Dosithée n'en revenait pas. Il allait être grand-père.

Émilie et Ovila passèrent la Noël à Saint-Stanislas. Émilie dut discuter assez violemment avec son père et son mari pour qu'ils acceptent qu'elle danse. Ils craignaient pour sa santé. Ils cédèrent finalement quand, n'écoutant que sa tête, elle commença à giguer. Ils revinrent à Saint-Tite pour le jour de l'An. Caleb avait remis un cadeau à Émilie, lui faisant promettre de ne pas l'ouvrir avant la nouvelle année. Elle l'avait juré, après avoir vainement essayé d'en connaître le contenu.

— Tout ce que je peux te dire, Émilie, c'est que ça va occuper tes soirées.

Avant d'aller chez les Pronovost, Émilie ouvrit le cadeau que son père lui avait remis. Elle s'esclaffa. Elle s'était attendue à trouver quelque chose pour préparer l'arrivée du bébé : accessoires de broderie ou de couture. Caleb lui avait acheté un accordéon !

— Veux-tu me dire où mon père va chercher ses idées ? dit-elle à Ovila.

Elle voulut commencer à jouer quelques notes, mais Ovila la pressa de partir.

— Tu auras le temps d'apprendre.

Dosithée bénit toute sa famille, blaguant sur le fait qu'il bénissait une personne « qui est pas encore arrivée ».

La soirée du jour de l'An fut pleinement réussie. Émilie rit quand on la taquina sur son embonpoint naissant.

— Je mange pour deux ! Je passe mon temps à grignoter.

— Grignoter, répliqua Ovila, tu veux rire ! Savez-vous ce qu'elle a grignoté hier soir ? Une aile pis une cuisse de poulet avec deux grosses tranches de pain *beurrées* de graisse de rôti.

— Ovila sait pas que j'ai remangé pendant la nuit parce que j'avais une p'tite fringale. Mais j'ai été raisonnable. J'ai juste pris une grosse tranche de pain, trempée dans de la belle crème épaisse avec du bon sucre du pays. C'était bon !

Félicité sourit, mais lui dit de faire attention. Beaucoup de femmes ne réussissaient pas à perdre le poids pris pendant leur grossesse. Émilie lui répondit qu'elle avait un peu exagéré, mais que, de fait, elle devrait faire attention.

Les hommes s'éloignèrent comme ils le faisaient toujours, pour parler politique et saisons. Dosithée en profita pour inviter Ovila et Edmond à se joindre à lui pour terminer son contrat de coupe pour les traverses de chemin de fer au lac Pierre-Paul. Edmond, embarrassé, lui dit qu'il préférait demeurer au Bourdais. Remarquant la déception de son père, il s'empressa d'ajouter qu'Ovide et Lazare avaient vraiment besoin de lui. Dosithée tourna son regard vers Ovila et fit un petit signe de tête. Ovila était mal à l'aise. Il n'avait pas du tout envie de quitter Émilie, surtout pendant sa grossesse. D'un autre côté, l'argent qu'il avait reçu des religieuses ne pouvait suffire jusqu'à la naissance du bébé. Il promit à son père d'en parler avec Émilie et de lui donner une réponse dès que son idée serait faite.

— En tout cas, nous autres, on attelle de suite après les Rois. Si tu embarques dans l'*buggy*, arrange-toi pour être prêt. Personne va te courir après.

Ovila tourna autour d'Émilie pendant deux jours. Il avait tant de fois promis de ne jamais la quitter. Il dormit mal. Il savait qu'il ne pourrait pas toujours rester à la maison. Peu d'hommes le faisaient. Il en voulait un peu à son père de lui avoir fait cette proposition. Son père aurait dû comprendre qu'il voulait être chez lui, près de sa femme. Il avait déjà parcouru tant de chemins, travaillé sur tellement de chantiers, que la seule chose à laquelle il aspirait était la tranquillité de sa maison. Il avait envie d'entendre le ronronnement de la truie, le cliquetis des aiguilles à tricoter. Il avait envie d'être bien collé sur Émilie, dans leur lit, et d'écouter le vent gronder. Il avait envie de passer des heures dans son atelier à faire le berceau et la commode pour le petit, pendant qu'Émilie serait occupée à faire des rideaux, des *piqués* et des langes. Il n'avait surtout pas envie de s'éloigner. Mais, en même temps, il voulait montrer à son père qu'il avait changé ; lui prouver qu'il était le fils qui pourrait prendre la relève avec Edmond ; lui faire plaisir après lui avoir fait faux bond à tellement de reprises.

Il se décida enfin à parler à Émilie. Elle écouta toutes ses raisons de partir et toutes ses raisons de ne pas le faire. Ovila semblait vouloir qu'elle décide à sa place. Elle sentait bien son tiraillement. Elle savait aussi qu'il ne lui disait pas tout. La vie dans le bois l'attirait. Peut-être n'en avait-il pas encore pris conscience, mais elle, elle le savait. Une femme sentait ces choses. Quand Ovila n'était pas dans le bois, il lui fallait travailler le bois, toucher le bois. Elle avait su cela quand il lui avait avoué qu'il avait construit le chalet du lac à la Perchaude en même temps qu'il avait terminé la maison de son père. Il l'avait fait pour elle, pour qu'elle ait une belle place près de l'eau. Émilie aimait l'eau, ce n'était un secret pour personne. Mais Émilie avait compris que s'il avait construit le chalet, c'était aussi et beaucoup parce que, pendant tout ce temps, il avait été dans le bois. Il avait vécu au lac presque tout le mois d'août. Il avait été tellement absorbé par ses travaux de construction qu'il n'avait plus eu le temps d'aller la voir à Saint-Stanislas. Elle avait appris toutes ces choses pendant leur semaine au lac. Elle avait compris que son Ovila serait toujours tiraillé. Elle ne pouvait lui en vouloir. Elle-même, depuis son mariage, trouvait que les journées étaient bien longues sans sa trentaine d'enfants. Heureusement, la présence d'Ovila avait toujours compensé. Maintenant, il lui parlait de partir. À peine trois mois. Mais trois mois. Elle ne se sentait pas le courage de lui dire de rester. Elle ne se sentait pas non plus le courage de lui dire de partir. Il devait décider lui-même. S'il partait, elle l'attendrait. S'il restait, elle serait encore mieux.

— Écoute, Ovila, moi je pense que tu peux faire ce que tu veux. C'est pas trois mois qui vont me faire mourir. Quand une femme vit dans un pays de bois, faut qu'elle se fasse à l'idée que, des fois, le bois devient bien important. Pis pas rien que pour gagner de l'argent...

Ovila avait longuement hésité, incertain d'avoir bien compris ses propos. Elle avait peut-être essayé de lui faire comprendre qu'elle était incapable de l'avoir à côté d'elle tout le temps, habituée qu'elle était à sa solitude. Le lendemain, il lui dit qu'il avait décidé d'accompagner son père. Émilie sourit pour bien cacher la grimace que son cœur venait de faire. Sa grande rivale, la forêt, venait de gagner une bataille.

Elle prépara ses vêtements. Il affûta sa scie et sa hache. Le lendemain de la fête des Rois, il partit, le cœur chagrin. Elle l'accompagna jusqu'au traîneau, le tenant par la main, s'efforçant de sourire.

— Je vas être ici pour Pâques, ma belle brume. Fais attention au p'tit, ajouta-t-il en lui mettant une main sur le ventre.

— Je vas lui parler de toi à tous les jours, crains pas... Je m'ennuie déjà de toi, Ovila.

Dosithée leur dit de cesser leurs *minouchages* et de se presser. Ovila embrassa Émilie sur les dents, tellement elle souriait, mais elle lui avait mouillé une joue de ses larmes.

Elle refusa de passer la soirée dans sa belle-famille. Elle était pressée d'être dans sa maison. En franchissant le seuil, elle en ressentit tout le vide. Elle courut à sa chambre, s'allongea sur son lit et pleura. C'est ce moment que choisit le bébé pour donner son premier coup de pied.

Ses fringales l'avaient quittée en même temps qu'Ovila. Elle passa toutes ses soirées à apprendre à jouer de son accordéon et sut rapidement quelques airs qu'elle fredonnait ou chantait, le regard absent. Ovila lui écrivait souvent, mais elle le sentait tellement loin. Ovide venait fréquemment lui tenir compagnie. Voyant qu'elle ne cessait de s'ennuyer, malgré une bonne humeur apparente, il lui offrit d'aller surprendre Ovila le dimanche suivant. Émilie bondit de joie, lui disant qu'il était le beau-frère le plus extraordinaire de la terre. Elle occupa le reste de sa semaine à se préparer le cœur, à faire du sucre à la crème pour Ovila et à finir le chemisier qu'elle avait commencé avant son départ mais qu'elle n'avait pas eu le courage de terminer.

Le dimanche arriva enfin, impossible à distinguer tant la neige était opaque... Ils ne purent se déplacer. Ils reportèrent la visite au dimanche suivant. Le samedi qui le précéda fut mémorable pour Émilie. Son père et sa mère vinrent la visiter et restèrent à coucher. Elle se promit donc d'aller voir Ovila la semaine suivante, mais elle reçut Antoinette et Henri qui, au ton d'une des lettres qu'elle avait écrites, avaient décidé de venir lui tenir compagnie. Ovide, fiévreux, annula la visite du quatrième dimanche. Il ne resta plus que deux semaines avant le retour d'Ovila. Émilie décida donc qu'elle ne le surprendrait pas. C'est lui qui la surprit, en pleine nuit, le mardi suivant.

Elle dormait paisiblement lorsqu'elle s'éveilla, ayant cru entendre entrer quelqu'un. Elle n'eut pas le temps de s'inquiéter.

— Salut ! ma belle brume.

— Ovila ? demanda-t-elle, surprise.

— J'espère que je suis le seul homme qui rentre ici en pleine nuit...

— Ovila ! dit-elle d'un ton qui criait sa joie.

— Non, c'est Charles.

— Ovila..., roucoula-t-elle, plongée enfin dans une réalité de rêve.

Il s'empressa de se dévêtir, plongea littéralement dans le lit et l'étreignit.

— J'en pouvais pus de m'ennuyer, Émilie.

— J'en pouvais pus d'attendre, Ovila.

Il lui caressa le ventre, elle lui embrassa la nuque.

— Ça fait quatre dimanches que j'essaie d'aller te voir. Comment ça se fait que tu es revenu avant Pâques ?

— Le travail était à peu près fini, ça fait que le *foreman* a dit qu'il fallait que des hommes partent. Je me suis porté volontaire, ça a pas pris *goût de tinette*.

— Tu as le meilleur *foreman* du monde.

Le soleil de juin avait confondu ses mois, laissant paraître ses rayons de juillet, brûlants et sans cesse présents. Émilie se traînait les pieds du lit à la cuisine, de la cuisine à la chambre du bébé, de la chambre du bébé à son lit. Elle n'en pouvait plus de porter sa maternité. Plus la journée de l'accouchement approchait, plus elle tremblait. Elle avait peur. Elle savait que la nature l'avait rendue difforme et lourde pour l'obliger en quelque sorte à souhaiter la naissance. Mais Émilie ne pouvait pas encore s'y résoudre. Elle aurait voulu être une ardoise et demander à Ovila d'effacer toute trace de sa grossesse. Leurs nuits étaient agitées d'insomnies. Elle se levait à tout moment pour soulager sa vessie trop comprimée, venait se recoucher et tentait de se coller sur Ovila. Elle avait peur. Ovila tentait bien faiblement de la rassurer. Lui-même souffrait d'une angoisse qui lui collait au ventre. Il ne voulait pas revivre des heures comme celles qu'il avait connues pendant et après la naissance de Marie-Anne. Non ! Jamais il n'accepterait, cette fois, de faire un petit cercueil blanc.

Chacun se gardait bien de dire à l'autre la profondeur du gouffre de sa peur. Ils avaient vu le médecin, qui les avait rassurés en leur disant que tout allait très bien. Qu'Émilie était faite pour porter un enfant. Il lui avait offert de l'assister pour l'accouchement, mais elle avait blagué en lui répondant qu'elle préférait que ce soit la sage-femme.

— Je vous promets que si ça prend trop de temps, je vais envoyer Ovila vous chercher pour que vous apportiez vos pinces à glace. Je veux bien faire mon effort, mais j'ai pas envie de pâtir là.

Le médecin lui avait répété qu'elle pouvait compter sur lui.

Le 9 juin, neuf mois jour pour jour après son mariage, Émilie sentit quelque chose lui serrer le ventre et lui déchirer les reins. Elle n'en parla pas à Ovila. Ces tiraillements ne durèrent que quelques heures et disparurent. Le lendemain, à l'aube, le même phénomène se produisit. Cette fois, il ne disparut pas.

Elle essaya d'être calme et se rassura en se disant qu'elle était jeune et en santé, mais le cœur lui débattait dès que son ventre se recroquevillait. Elle prit un ton très posé – où en avait-elle trouvé la force ? – pour dire à Ovila qu'elle croyait bien que ça y était. Ovila partit à la hâte chez ses parents, pour demander à sa mère de venir tout de suite et pour envoyer Oscar chez la sage-femme. Félicité rit de son énervement.

— Calme-toi, mon gars. La première fois, ça prend des heures. C'est le premier qui fait le chemin pour les autres à venir.

Elle promit à Ovila qu'elle viendrait dès qu'elle se serait habillée et qu'elle aurait mis un peu d'ordre dans sa maison. Ovila ne la comprenait pas. Il avait l'âme à l'envers à cause des difficultés qu'elle avait connues. Elle ne semblait même pas s'en souvenir.

— En attendant la sage-femme, rends-toi utile. Nettoie bien la cuisine pis garde de l'eau chaude tout le temps.

Dosithée ne dit pas un mot. Un accouchement l'inquiétait toujours. Il avait hâte d'être grand-père, mais il aurait voulu que la chose prenne deux minutes. Il serra l'épaule d'Ovila. Ovila lui en fut reconnaissant. Son père, lui, n'avait pas oublié. Non, Dosithée n'avait pas oublié le terrible choix qu'il avait eu à faire. Ovila repartit en répétant à sa mère qu'il l'attendait.

Félicité rentra dans sa chambre. Elle ferma la porte bien lentement. Dès qu'elle fut seule, elle s'agenouilla. Elle tremblait. Elle n'avait pas le courage d'aller chez Ovila. Elle n'avait pas la force d'entendre crier Émilie. Elle ne voulait plus voir le sang de la naissance. Quatre fois, pour elle, ce sang avait été celui de l'immolation d'un bébé. « Bon Dieu, aidez-moi à aider Émilie. C'est encore un Pronovost qui va naître. Bon Dieu, laissez-le donc naître en paix ! »

Elle ressortit de sa chambre aussi calmement qu'elle y était entrée. Elle regarda son mari bien en face.

— J'y vas, Dosithée. Pense un peu à elle.

Dosithée savait qu'il ne ferait que cela. Il lui promit de « brasser le Saint-Esprit ».

Félicité frappa avant d'entrer chez son fils. À son grand soulagement, Émilie était assise dans la cuisine, presque souriante. Félicité regarda Ovila en se demandant s'il n'avait pas alerté la sage-femme pour rien. Émilie lut ses pensées.

— C'est moi, madame Pronovost, qui veux rester ici le plus longtemps possible. J'ai pas vraiment envie d'aller me coucher, parce que c'est dans les reins que ça fait mal.

Félicité lui dit qu'elle resterait avec elle toute la journée s'il le fallait. Émilie se demanda comment elle pourrait endurer ce mal pendant toute une journée.

La sage-femme arriva, demanda à Émilie de passer dans la chambre à coucher pour qu'elle l'examine, lui posa toutes les questions d'usage et revint dans la cuisine, satisfaite.

— Ça va bien, dit-elle en se lavant les mains. Elle est déjà à deux doigts.

Émilie rejoignit son monde dans la cuisine. Elle marchait de long en large, s'appuyant au bras d'Ovila, en disant qu'elle préférait être debout pendant les contractions.

Le soleil avait atteint son zénith qu'elle marchait encore. La sage-femme l'avait examinée deux autres fois. Le travail était lent.

— Elle est toujours à deux doigts.

Émilie s'inquiétait. Pourquoi le travail était-il si long ? Quand le soleil commença à décliner, Dosithée vint aux nouvelles. Il avait empêché ses enfants de le faire, espérant toujours voir revenir sa femme. Il s'en retourna, plus inquiet encore.

La sage-femme annonça enfin à Émilie qu'elle arrivait presque à quatre doigts et lui demanda de rester couchée. Émilie ne discuta pas. Elle avait repoussé ce moment le plus longtemps possible, ayant l'impression qu'une femme commençait à avoir l'air misérable quand elle était allongée. Elle entendit l'horloge sonner les onze coups. Elle calcula que l'orage de son ventre durait depuis dix-huit heures. La sage-femme fit chauffer beaucoup d'eau et commença à lui appliquer des serviettes chaudes aux entrailles.

— C'est pas pour vous laver, madame, c'est pour empêcher la peau de déchirer.

Émilie la laissa faire sans poser de questions. La tempête était maintenant de plus en plus violente. La sage-femme l'examina encore une fois.

— Vous êtes à quatre doigts ! Quand vous allez sentir que ça pousse, poussez.

Elle sortit de la chambre pour annoncer à Ovila et à sa mère que la délivrance commencerait d'une minute à l'autre. Ovila blêmit. Félicité ferma les yeux.

Émilie eut l'impression qu'elle avait crié. Elle cherchait son souffle. Ses cheveux, épars sur l'oreiller, étaient mouillés. La sage-femme lui parlait doucement. Émilie se demanda depuis combien de temps elle avait perdu tout sens de la réalité. Venait-elle de crier encore une fois ? Il ne fallait pas qu'elle crie. Ovila s'inquiéterait.

À chacun des cris d'Émilie, Félicité sursautait comme si une douleur qu'elle avait oubliée, mais qui était inscrite en elle, revenait la faire souffrir. À chacun des cris d'Émilie, Ovila retenait un sanglot et s'accrochait à la main de sa mère. Les sons étaient les mêmes et il était assis au même endroit. L'histoire était la même. Si seulement il avait pu, aujourd'hui encore, sortir de la maison et courir jusqu'à l'école se nicher dans l'épaule d'Émilie…

La sage-femme fronça les sourcils. Qu'est-ce qu'il y avait chez ces femmes Pronovost ? Pourtant, celle-ci n'était pas une Pronovost. Elle était une Bordeleau et elle lui avait dit que sa mère n'avait pas trop connu de problèmes pendant ses accouchements. Elle encouragea Émilie à pousser encore une fois.

— Allez-y, madame. Cette fois-là, on devrait voir des p'tits cheveux.

L'horloge sonna lugubrement ses douze coups, suivis, une éternité plus tard, d'un seul coup. Ovila marchait de long en large, se précipitant vers sa mère dès qu'il entendait un nouveau hurlement. Il en entendit un, plus profond et plus long que les autres. Il se prit la tête en pleurant.

— J'en peux pus, j'en peux pus. Faites que ça finisse.

Puis il n'entendit plus rien. Son cœur cessa de battre. Il regarda sa mère qui fixait la porte de la chambre, l'oreille attentive.

L'enfant avait trop souffert. Il ne respirait pas encore. La sage-femme ne perdit pas une minute. Émilie la regarda, les yeux exorbités et remplis de larmes.

— Qu'est-ce qui se passe ? parvint-elle à dire.

La sage-femme ne répondit pas. Puis le miracle se produisit. Émilie vit le petit bébé gris changer de couleur, se déplier comme une fleur au soleil, rosir, puis l'entendit pousser un hurlement. Ovila entra dans la pièce à toute vitesse. Depuis le silence, il s'était tapi derrière la porte, tous ses muscles bandés, prêt à bondir.

— C'est une fille. P'tite, mais bien belle.

Ovila regarda le bébé qui s'agitait, comme s'il était en colère qu'on ait troublé son sommeil. Émilie pleurait à chaudes larmes, ses cuisses tremblant nerveusement. La sage-femme déposa le bébé à côté d'elle et lui dit de ne pas s'inquiéter.

— C'est le choc pis la fatigue des muscles d'avoir trop travaillé. Mettez la p'tite sur votre sein. Ça va vous calmer, ça va la calmer, pis ça va aider aux restes à sortir.

Émilie obéit. Ovila avait posé sa tête à côté de la sienne sur l'oreiller. Elle eut une autre contraction et expulsa le placenta.

Félicité aida la sage-femme à laver sa belle-fille, qui n'avait plus conscience que d'une chose. Elle était vivante! Ovila était là! Le bébé, tout rose, tétait déjà.

Émilie, que l'accouchement avait littéralement drainée, ne put assister au baptême. Elle et Ovila avaient décidé qu'ils nommeraient leur fille Rose. Émilie avait décrit à Ovila l'instant du changement de couleur et lui avait dit que seul le prénom de Rose pouvait convenir à sa fille. Félicité lui avait confié que Rosée avait reçu son nom parce qu'elle était née à l'aube.

— On a une drôle de façon, nous autres les mères, de se rappeler de la naissance de nos p'tits. Des fois, on s'en rend même pas compte. Mais moi j'ai pour mon dire qu'en arrière de chaque nom il y a une p'tite histoire. Des fois, c'est juste une impression, d'autres fois, c'est un souvenir, d'autres fois, c'est la face du p'tit.

Mais je suis sûre qu'en arrière d'un nom il y a une p'tite histoire.

Émilie serra Rose bien fort. Sa belle-mère n'avait pas tort. Avant la naissance, elle s'était promis qu'elle nommerait sa fille, si elle avait une fille, Charlotte. Mais en voyant son bébé, elle avait changé d'idée. Elle se demandait maintenant si elle n'avait pas eu peur de la nommer Charlotte. Charlotte, c'était le souvenir de la douceur et de la gentillesse. Charlotte, c'était aussi le souvenir de la mort. Elle avait essayé de se convaincre que Charlotte, c'était surtout le féminin de Charles. Mais elle-même, elle ne s'était pas crue.

Le jour du baptême, elle resta seule à la maison, refusant qu'on lui tienne compagnie. Elle avait dit à Ovila qu'elle était certaine d'entendre les cloches.

— Le vent souffle du bon côté. J'vas être capable de savoir quand vous allez vous en revenir.

Elle entendit les cloches et son cœur se gonfla d'amour.

Ses parents étaient arrivés de Saint-Stanislas le matin même. Antoinette et Henri étaient présents eux aussi. Henri, comme à chaque année, devait faire ses visites dans le secteur. Antoinette avait donc pu assister son amie depuis ses couches. Elle en avait profité pour confier à Émilie que c'était une bonne expérience à prendre.

— Quand est-ce que tu vas te décider, Antoinette?

— C'est tout décidé. Tu remarques pas que je suis un p'tit peu plus grosse?

Émilie l'avait bien regardée puis elle avait éclaté de rire.

— As-tu envie de me faire croire qu'il y a un bébé là-dedans?

— J'ai pas envie de te faire croire ça, Émilie. Ça fait déjà cinq mois qu'il dort dans ma graisse.

— Ben, il y a rien qui paraît. Pourquoi est-ce que tu m'en as pas parlé ?

— Parce que j'ai jamais été régulière pis que, comme j'ai pas remarqué, moi non plus, que j'engraissais, je l'ai su ça a fait trois semaines.

— Tu as cinq mois de faits pis tu savais pas que tu étais enceinte !

— Dis pas ça à personne. J'vas avoir l'air d'une innocente vrai. Mais entre toi pis moi, je trouve qu'une grossesse de quatre mois, c'est spécial.

Ils étaient tous revenus de l'église et Émilie s'empressa de donner le biberon au bébé qui criait son indignation et son appétit.

Elle avait dû se résigner à ne pas allaiter, son lait ne pouvant satisfaire la petite.

Ovila versa une bonne rasade à tout le monde. Même Émilie accepta de prendre un verre. Caleb et Dosithée ne cessaient de se féliciter. Tous les deux, ils étaient *pépères*. Émilie avait déjà oublié les difficultés de son accouchement. Elle rassura Antoinette.

— C'est sûr que ça fait mal, mais c'est pas si pire.

La journée fut très longue, au-delà des forces d'Émilie. Avant l'heure du souper, elle blêmit et alla s'étendre. Les invités essayèrent d'être le plus discrets possible pour lui permettre de dormir. Effort louable, mais vain. À huit heures, ses parents décidèrent d'accompagner les Pronovost chez eux pour jouer aux cartes. Antoinette donna un bon bain d'éponge à Émilie et au bébé et monta se coucher avec Henri. Ovila insista pour rester avec sa femme. Il n'alla pas chez ses parents. Émilie lui en fut reconnaissante.

À minuit, Caleb et Célina revinrent de chez les Pronovost. Caleb monta, ouvrit la porte de sa chambre, entra sans regarder, ressortit, le temps de demander à Célina si elle arrivait, revint, toujours avec sa lampe, et se dévêtit. Puis il vit Henri, bien installé sur Antoinette, et Antoinette qui le regardait, les yeux remplis de rires et de surprise. Caleb s'excusa, ramassa son linge et sortit de la chambre sans prendre la peine de se cacher les fesses. Il referma la porte derrière lui, essayant de ne pas faire de bruit. Il se dirigea vers l'autre chambre, s'assit sur le lit, reprit son souffle, puis éclata de rire. Antoinette, dans sa chambre, fit de même. Célina, intriguée par la commotion, monta à la hâte. Caleb riait tellement qu'il ne put lui expliquer les raisons de l'émoi.

— Tais-toi donc, Caleb. Émilie donne à boire à la p'tite.

Ovila monta pour voir ce qui se passait. Il frappa à la porte de la chambre de ses beaux-parents. Célina lui répondit que tout allait bien, mais qu'il ne pouvait entrer parce que Caleb n'était pas « montrable ». Caleb s'essuyait les yeux, tant il riait. Ovila frappa à la porte de la seconde chambre. Pour toute réponse, il entendit les gloussements d'Antoinette et les « chut ! » d'Henri. Il rejoignit Émilie.

Le lendemain matin, Henri fut le premier à descendre. Du moins le crut-il. Il voulait se hâter de partir pour ne pas rencontrer Caleb. Il se dirigea vers le « petit coin » et ouvrit la porte. Caleb était assis en roi et maître, un journal à la main.

— Fais-tu exprès, Douville ? Tu t'organises pour être là chaque fois que je baisse mes culottes.

Henri referma la porte avec empressement. Puis il éclata de rire, incapable de s'arrêter. Caleb lui faisait écho, profitant de l'occasion pour camoufler quelques sons embarrassants, qu'Henri entendit néanmoins fort bien.

— Ça recommence ! dit Ovila.

Il se leva à la hâte. Henri était assis à la table de la cuisine. Voyant Ovila, il se leva et se dirigea vers la porte arrière.

— Tu m'excuseras, Ovila, mais je me vois forcé d'aller uriner dehors. J'essaierai d'être le plus discret possible.

Il éclata de rire de nouveau. Caleb sortit du « petit coin », attachant le dernier bouton de sa braguette.

— J'ai jamais vu ça, Ovila. Douville pis moi, on a bien des problèmes à faire des affaires bien naturelles.

Douville rentra. En voyant Caleb, il recommença à rire. Caleb aussi.

— Allez-vous me dire ce qui vous arrive, vous deux ?

Émilie se tenait dans la porte de sa chambre, le bébé dans les bras. Caleb et Henri rirent encore plus fort. Antoinette descendit l'escalier, suivie de Célina. Antoinette riait déjà, même si elle ne connaissait pas encore la suite des événements.

Caleb parvint enfin à parler.

— Ben, c'est juste qu'hier soir, je me suis trompé de chambre pis je me suis déshabillé devant ces deux-là.

— Vous êtes trop discret, monsieur Bordeleau. Puisque nous en rions, pourquoi ne pas tout dire ? enchaîna Henri.

— Si tu me donnes ta bénédiction, Henri... Ce qu'Henri veut que je vous dise, c'est que pendant que moi j'avais les culottes à terre, lui il était en train de servir sa belle Antoinette.

Il s'interrompit pour regarder si Antoinette avait rougi. Elle riait.

— Pis à matin, je pensais que je pourrais regarder le journal tranquille. Ben non. Il a fallu qu'Henri rouvre la porte pis qu'il me poigne encore les culottes à terre !

Henri hurlait. Célina se pinçait les lèvres. Émilie essayait de consoler Rose que les cris et les rires avaient apeurée. Ovila se tapait les cuisses et Caleb courut encore en direction du « petit coin ».

Personne n'oublia le baptême de Rose.

28

Pour leur permettre de fêter leur premier anniversaire de mariage, Rosée avait offert à Émilie et Ovila de garder la petite Rose. Ovila, qui avait réussi à se trouver un travail régulier comme menuisier chez M. Légaré, demanda à Émilie si elle voulait faire un voyage.

— Pour aller où ? demanda-t-elle, mise en appétit.

— Choisis. Montréal ou Québec.

Émilie songea à sa proposition en se léchant les lèvres. Elle préférait Montréal.

— Pour combien de temps ?

— Le temps que tu voudras, si Rosée peut rester avec le bébé.

Émilie alla voir Rose, qui dormait paisiblement. Pouvait-elle la laisser pendant une semaine sans qu'elle lui manque ? La petite se rendrait-elle compte de son absence ? Elle se rembrunit. Que diraient les gens ? Non, ils pouvaient dire ce qu'ils voulaient. Elle ne commencerait pas à se mettre martel en tête et à s'empêcher de s'amuser à cause d'eux.

— Si tu continues à me tordre le bras rien qu'un peu, j'vas dire oui.

Ovila se leva, lui prit le bras droit, le tordit puis le replia vers l'arrière. Émilie grimaça.

— Es-tu fou ? Je voulais pas que tu le tordes pour vrai.

Ovila ne lâcha pas sa prise mais appuya encore un petit peu plus.

— C'est oui. Ouiouiouiouiouioui…, dit Émilie, ne sachant plus trop si elle se tordait de rire ou de douleur.

Rosée accepta de rester avec la petite aussi longtemps qu'ils seraient partis. Émilie fit les valises et, en secret, Ovila compta leur argent. Ils en auraient assez pour se payer une semaine qu'ils n'oublieraient jamais.

Émilie embrassa Rose avant de partir. Elle avait la poitrine serrée. Mais elle avait la poitrine encore plus serrée à l'idée de passer une semaine seule, loin, avec Ovila. Elle se laissa bercer par le train, résistant à l'envie d'abandonner sa tête sur l'épaule d'Ovila. Elle avait revêtu ses airs de grande dame et n'aurait pas voulu gâcher l'illusion. Elle avait tellement hâte d'arriver à Montréal qu'elle trouvait que le train avançait à pas de tortue. Ils y furent enfin. Ovila lui demanda où elle voulait habiter.

— À l'hôtel Windsor.

Elle en avait vu des photographies et s'était promis qu'au moins une fois dans sa vie elle logerait à cette enseigne.

— Au Windsor ! Si c'est le Windsor que tu veux, ça va être le Windsor pour deux !

Ils montèrent à bord d'une des calèches qui attendaient devant la gare. Ovila demanda l'hôtel d'une voix forte et assurée qu'Émilie ne lui connaissait pas. Elle le regarda et retint une féroce envie de rire. Ovila se pencha et lui chuchota à l'oreille que c'était sa voix de chantier.

— Quand tu parles comme ça, personne te demande l'heure.

Le caléchier se retourna et demanda à Ovila de répéter le nom de l'hôtel. Ovila répéta, certain de l'avoir impressionné.

— Vous êtes des visiteurs ?

— Comment est-ce que vous savez ça ? demanda Ovila.

— C'est facile à savoir. Vous avez deux valises pis il y a rien que le monde en visite qui prend une calèche pour faire un coin de rue.

Émilie regarda autour d'elle, se mordit les lèvres à plusieurs reprises pour s'empêcher de rire de la déconfiture d'Ovila et aussi pour se convaincre qu'elle ne rêvait pas. Elle laissa enfin tomber sa tête sur l'épaule de son mari. Elle avait remarqué que plusieurs femmes le faisaient.

— C'est laid, hein, Ovila ?

— Montréal ?

— Non, les poteaux pleins de fils.

— Attends de voir les éclairages que ça donne avant de te plaindre. Il paraît que c'est quelque chose.

Il avait eu raison. Ils arrivèrent à l'hôtel et Émilie dut faire de nombreux efforts pour ne pas crier de plaisir. L'hôtel n'étant pas trop achalandé, ils eurent une chambre au troisième étage, avec vue sur le square Dominion. Émilie s'empressa d'aller à la salle de toilette, tirant la chasse d'eau à plusieurs reprises. Elle ouvrit les robinets et fut fascinée de voir qu'il y avait de l'eau chaude. Elle se lava les mains avec un savon odorant qui avait été laissé là pour les clients. De retour dans la chambre, elle alla à la fenêtre rejoindre Ovila.

— C'est un vrai château, ici.

— Il y a rien de trop beau pour toi, ma belle brume.

Ils vérifièrent pendant deux bonnes heures le confort du matelas avant de se décider enfin à descendre à l'impressionnante salle à manger. Ils étaient seuls à une table pour quatre. Ils regardèrent le menu et choisirent ce qu'il y avait de moins cher. Émilie n'avait pas les yeux assez grands pour tout voir. Elle passa tout le repas à s'extasier devant la richesse dont elle était témoin.

— J'en compte au moins vingt-quatre.

— De quoi ?

— Des lumières dans chacun des candélabres.

— C'est quelque chose, l'électricité. As-tu remarqué, la lumière danse même pas !

Elle ne cessait de s'enthousiasmer, entraînant Ovila dans sa folie.

— As-tu vu les belles peintures peinturées à même les murs tout autour de la pièce ?

— Je vois pas où c'est que ça peut être.

— Je pense que c'est quelque part dans les vieux pays.

— C'est bien pour ça que je reconnaissais rien.

Après le repas, ils décidèrent de marcher dehors. Ils ne s'éloignèrent pas de l'hôtel, craignant de s'égarer. Pour le lendemain, il fut convenu qu'avant toute chose ils iraient voir Berthe. Ils décidèrent aussi de faire plusieurs tours de *p'tit char*.

Le temps était chagrin. Le ciel avait la pluie au bord des yeux quand ils quittèrent l'hôtel après une nuit plutôt agitée. Ils avaient été réveillés à maintes reprises par l'arrivée des autres clients.

— C'est pas possible ! Quand est-ce que le monde dort en ville ? Il est passé onze heures ! On dirait que ce monde-là a des fêtes à tous les soirs, avait dit Ovila en grognant.

***

Émilie avait le cœur serré. Ils avaient été introduits dans le parloir. Une pièce toute blanche et un rideau derrière un grillage. Pendant qu'ils attendaient, elle n'osa pas faire de commentaires à Ovila, craignant qu'une religieuse n'écoute leurs propos. Ils entendirent finalement un bruit de porte. Puis quelqu'un tira le rideau. Deux religieuses étaient assises derrière le grillage, voilées. Le regard d'Émilie alla de l'une à l'autre. Laquelle était Berthe ? Elle n'attendit pas de deviner, certaine que Berthe réagirait aussitôt qu'elle parlerait. Ovila avait enlevé son chapeau et il le tourna plusieurs fois dans ses mains nerveuses avant de le déposer sur ses genoux.

— Bonjour, Berthe. On est tous les deux bien contents de te voir.

Une des deux religieuses fit un signe de tête. Comment, elle ne parlerait pas ?

— Votre amie, madame, est en période de pénitence. Durant ce temps, elle a choisi de s'isoler et de vivre seule, en silence, dans un des endroits aménagés à cet effet au fond du jardin. Vous auriez dû annoncer votre arrivée. Mais, considérant que vous veniez de si loin, notre mère prieure a permis à votre amie de venir au parloir. Toutefois, votre amie n'a pas la permission de vous parler. J'espère que vous comprendrez qu'il s'agit d'un choix qu'elle a fait et non pas d'une règle qui lui est imposée.

Émilie demanda à la religieuse si Berthe pouvait au moins lui faire des signes de tête. La religieuse lui dit qu'elle le pouvait. Émilie crut que Berthe, ces explications données, resterait seule avec eux. Il n'en fut rien. Émilie fouilla dans son sac à main et en sortit une photo.

— Il y a un photographe, Berthe, qui est passé au Bourdais. Ovila pis moi, on en a profité pour faire faire notre portrait de mariage.

Elle rit nerveusement.

— C'est pas un vrai portrait de mariage, parce qu'il est passé il y a deux mois. C'est encore heureux que j'avais déjà accouché.

Elle appuya la photo sur le grillage pour que Berthe la voie. Émilie aurait tant voulu voir son expression.

— On va la laisser ici dans le parloir. Tu pourras venir la chercher. On l'a apportée pour toi.

Berthe fit non de la tête. Émilie fronça les sourcils et regarda en direction de l'autre religieuse.

— Votre amie a fait le vœu de ne pas s'attacher aux biens de la terre. Elle préfère ne pas avoir le portrait en sa possession.

Émilie rangea la photo dans son sac et en sortit une autre, celle de Rose dans les bras de son grand-père Pronovost. Berthe la regarda longuement et Émilie crut entendre un discret soupir. Pour meubler le silence, Émilie commença à décrire la photo comme si Berthe avait perdu les yeux en même temps que la langue.

— Rose a les cheveux pas mal longs pour une p'tite de son âge. Comme tu vois, elle frise un p'tit peu. J'ai fait sa robe. C'est une p'tite robe toute blanche avec des dentelles pis des plis cousus. Elle avait des bas blancs pis des beaux p'tits souliers noirs avec une courroie pis des p'tits boutons ronds. Tu connais pas mon beau-père. C'est lui qui tient Rose. Mais on le voit mal parce qu'il y avait de l'ombre à cause de son chapeau.

Berthe s'approcha du grillage et regarda la photo pendant de longues minutes. Émilie aurait tant voulu être en mesure de suivre le cours de ses pensées. Puis Berthe éloigna sa tête voilée.

— Même celle-là, tu veux pas la garder, Berthe ?

Berthe fit signe que non. La seconde religieuse s'agita sur sa chaise. Émilie regarda Ovila. Il semblait aussi mal à l'aise qu'elle.

La seconde religieuse se leva, imitée par Berthe. Émilie et Ovila en firent autant.

— Bon, Berthe, je pense que nous autres on va y aller. On reste pour la semaine, ça fait qu'on va en profiter pour visiter la ville.

Elle ne savait plus quoi dire. Si seulement Berthe avait répondu. Craignant d'avoir fait quelque chose d'incorrect, elle voulut gagner l'estime de la seconde religieuse.

— Est-ce qu'on pourrait visiter votre chapelle ?

***

Ovila et Émilie passèrent deux journées extraordinaires. Ils montèrent sur le mont Royal. Ils allèrent voir l'impressionnant Hôtel de Ville et descendirent vers le port. Au passage, Ovila regarda la marchandise qu'offraient les cultivateurs, place Jacques-Cartier. Arrivés au port, ils se dirigèrent vers le quai Bonsecours. Devant le marché, d'autres cultivateurs, bien installés sous leurs toiles protectrices. Arrivés au quai, ils virent le *Terrebonne* et son immense roue à aubes.

— Ça doit être quelque chose de descendre à Trois-Rivières là-dessus, dit Émilie, béate d'admiration.

Ovila fit un calcul rapide et demanda à Émilie de l'attendre quelques instants. Elle s'assit dans une charrette entre le bateau et les provisions de bois destinées à alimenter les chaudières du vapeur. Ovila revint une demi-heure plus tard.

— Écoute-moi bien. Si tu veux, on peut changer d'hôtel. On pourrait prendre une chambre tout près d'ici. Il y a quatre ou cinq hôtels dans les environs qui coûtent pas mal moins cher que le Windsor. C'est pas aussi beau, c'est sûr. Mais il paraît que c'est bien convenable. Surtout le Rasco. En restant ici pour deux jours, on aurait assez d'argent pour s'en retourner en bateau. Qu'est-ce que tu en penses ?

Émilie n'en pensa que du bien. Ils portèrent leurs effets jusqu'à l'Auberge du Canada, le Rasco n'ayant plus de chambres disponibles. Ils passèrent deux autres journées à voir tout ce qu'ils pouvaient voir et embarquèrent finalement sur le *Richelieu*. Le *Terrebonne* avait déjà quitté le port. Ils quittèrent la ville, les yeux encore remplis de tout ce qu'ils y avaient vu. Ils regardèrent l'île Sainte-Hélène et, comme tous les autres passagers du *Richelieu*, firent des signes de la main à ceux du traversier qui revenaient de l'île.

Émilie respirait l'air à pleins poumons. Elle avait l'estomac quelque part entre sa place normale et le fond de la gorge.

— Je me sens pas bien, Ovila.

Ovila la regarda. Elle était verte.

— Tu ferais mieux d'aller t'étendre.

Il l'accompagna jusqu'à leur cabine, dans laquelle elle demeura tout le temps du voyage. Elle ne put s'empêcher de penser à sa traversée en Europe. Jamais elle n'aurait pu se rendre, en digne fille de son père... Ils accostèrent enfin à Trois-Rivières et elle fut la première à débarquer. Ovila rit d'elle.

— Tu parles d'une voyageuse. En tout cas, on pourra dire qu'aussitôt que tu as touché au plancher des vaches, tes couleurs sont revenues.

Ovila se gratta la tête, puis demanda à Émilie si elle voulait prendre le train ou la calèche pour rentrer. Émilie lui dit qu'elle voulait prendre le train jusqu'à Shawinigan et faire le reste en calèche. À Shawinigan, ils firent une visite-surprise chez Antoinette, qui était plus grosse que jamais. Ils y restèrent pendant une journée, au cours de laquelle Antoinette écouta Émilie décrire son voyage à Montréal. Elle riait de voir combien son amie était encore une petite fille. Henri arriva quelques minutes avant leur départ. Il eut le temps d'entendre

Ovila raconter combien Émilie avait le pied marin. Il regarda Émilie et sourit. Elle fit un petit haussement d'épaules, lui signifiant qu'elle savait à quoi il songeait et qu'à son avis il l'avait échappé belle. Au grand plaisir de tous, Henri leur dit qu'il devait aller au lac aux Sables rencontrer les commissaires. Émilie et Ovila attendirent donc au lendemain pour rentrer et faire route avec lui.

***

Rose bouda sa mère pendant deux jours, lui reprochant d'un regard sombre de l'avoir abandonnée pendant si longtemps. Émilie et Ovila inventèrent toutes sortes de grimaces pour la faire sourire. Ils y parvinrent enfin, au grand soulagement d'Émilie, qui commençait à se dire qu'elle ne laisserait jamais plus son enfant. Ce petit nuage vint assombrir le cœur léger d'Émilie. Mais cet ombrage ne fut rien à côté de celui qui suivit.

Ovila avait rôdé comme s'il avait quelque chose à cacher. Émilie le sentit.

— Qu'est-ce que c'est, Ovila, que tu veux pas dire ?

— M. Légaré aura pas besoin de moi pour les mois à venir... Ça fait que si je veux être capable d'arriver, va falloir que je descende au lac Pierre-Paul avec le père.

Ovila repartait... Elle l'attendrait... Encore. Des journées sans soleil. Des soirées froides. Des nuits glacées.

— Tu m'avais dit que tu repartirais jamais, Ovila. Tu m'avais dit que tu pourrais jamais pus être loin de moi. On a la p'tite à c't'heure, pis tu as vu comment elle s'ennuie quand on n'est pas là.

— Je sais tout ça, Émilie. Je sais que Rose me reconnaîtra probablement pas quand j'vas venir aux fêtes. Mais j'ai pas grand choix. Légaré a pas d'ouvrage pis le voyage a fait un gros trou dans notre bas de laine.

Il essaya de la faire rire. Elle ne rit pas. Un grand froid venait d'entrer dans la maison. Ils passèrent des jours complets, chacun à son chagrin, à tourner en rond. Émilie se sentait faible. Elle avait tellement besoin d'Ovila. Elle lui en voulait de manquer à sa promesse. Elle n'aurait jamais le courage de vivre loin de lui. Si seulement il pouvait trouver un petit contrat, même à la briqueterie. Pour un hiver, il pouvait bien se passer du bois. Rose choisit évidemment ce moment pour percer une dent, empêchant ses parents de dormir.

Ovila s'était résigné à travailler au lac, après avoir tenté par tous les moyens possibles et impossibles de trouver quelque chose qui lui aurait évité de s'éloigner. Il n'en pouvait plus d'être loin de sa femme et elle le regardait comme s'il avait choisi de partir. Elle lui tournait le dos, le soir, et ne le laissait plus s'approcher. Il lui en voulait de ne pas comprendre.

Il était assis près du poêle à tailler son nouveau bout de bois. Émilie avait déposé son accordéon et s'affairait au métier à terminer une couverture. Le vent criait son énergie par toutes les fenêtres, apportant sûrement la première gelée. Une gelée trop précoce. Rose dormait enfin, Émilie lui ayant frotté les gencives avec du clou de girofle. Ovila regardait Émilie et avait la gorge serrée. Elle lui manquait déjà. De temps en temps, Émilie lui jetait un coup d'œil et leurs regards s'accrochaient l'un à l'autre. Puis elle brisait la magie en soupirant et en retournant à son ouvrage.

Ovila se leva, prit son manteau et sortit de la maison, faisant claquer la porte. Il en avait soupé de ses reproches silencieux. Émilie sursauta. Elle lui laissa le temps de s'éloigner puis courut à la fenêtre pour voir où il allait. Elle avait exagéré. Il lui en voulait. Qu'est-ce qu'elle avait fait ? Elle enfila son manteau à son tour, voulut partir à sa recherche puis se rendit compte que Rose la tenait prisonnière. Elle commença à pleurer d'impuissance.

Émilie l'attendit. Il rentra aux petites heures, visiblement ivre. Il la regarda d'un air bravache, puis se dévêtit en oubliant d'enlever un bas. Émilie l'avait regardé faire, ne comprenant pas très bien ce qui se passait. Il n'avait pas l'habitude de s'enivrer.

— Où c'est que tu es allé ? lui demanda-t-elle finalement.

— Au Grand-Nord. Là au moins, le monde est de bonne humeur. Pis à part de ça, j'ai gagné quand on a tiré du poignet. Quatre piastres, madame. Quatre belles piastres neuves.

Il rit sauvagement puis éclata en sanglots. Il lui dit en hoquetant qu'il n'en pouvait plus de la voir aussi triste. Qu'il n'avait pas envie de partir mais qu'en bon père de famille il le devait. Qu'il avait deux bouches à nourrir. Qu'elle faisait tout pour le rendre malheureux. Qu'il faisait tout pour qu'elle soit heureuse. Qu'elle ne cessait de lui faire la tête et qu'il se sentait comme à l'école quand elle le grondait. Qu'elle devait cesser de jouer à la maîtresse d'école avec lui. Qu'il était son mari. Qu'elle était sa femme.

Émilie sanglota elle aussi tout au long de sa complainte. Tout ce qu'elle avait voulu lui dire, c'est qu'elle l'aimait et qu'elle souffrait terriblement quand il n'était pas là. Elle lui avait pris la tête et lui caressait les cheveux. Ils étaient tous les deux inondés de larmes lorsque Ovide frappa violemment à leur porte. Ovila, qui était un peu dégrisé, pensa à regarder l'heure. Émilie se leva rapidement et alla ouvrir pendant qu'Ovila gémissait que cinq heures du matin n'était pas une heure pour réveiller le monde.

— Va donc traire les vaches, Ovide, pis laisse-moi pis ma femme dormir.

Il avala un rire à peine entamé lorsqu'il vit la silhouette de son frère encadrée à l'entrée de sa chambre.

— C'est Lazare, Ovila, dit-il, la voix enrouée.

— Il veut pas faire le train ?

— Même s'il voulait, Ovila, il en fera pus jamais. Il vient de s'étouffer pour de bon.

Ovila mit quelques minutes avant de comprendre ce qu'Ovide venait de lui dire. Puis il entendit sangloter Émilie. Ses esprits s'éclairèrent enfin.

— Quoi ?

Ovide leur raconta qu'ils venaient de se lever pour aller à l'étable quand Lazare avait fait sa crise fatale.

— C'est pas possible ! Hier, il était bien. Ça faisait même quelques mois qu'il avait pas fait de crise.

— C'est comme ça, Ovila. Qu'est-ce que tu veux que je te dise ? Lazare est mort. À matin.

La querelle entre Émilie et Ovila se noya dans leur océan d'horreur et de chagrin. Dosithée pressa Ovila de faire son bagage.

— On va partir tout de suite après les funérailles, avait-il dit de son ton coupant qui ne trompait personne quant à la profondeur de sa blessure. Organise-toi pour être prêt.

Émilie prépara la valise d'Ovila pendant qu'il veillait le corps. Elle ne put être avec lui aussi souvent qu'elle l'aurait voulu, Rose ayant eu un nouvel accès de fièvre.

Ovila et ses frères portèrent Lazare en terre pendant que Félicité, affaissée, baignait le manteau de la petite Rose de ses larmes.

— Donnez-la-moi, madame Pronovost. À la longue, un bébé, ça vous pèse sur les bras.

Félicité regarda Émilie et lui fit comprendre qu'elle voulait garder Rose dans ses bras.

— C'est vrai que ça pèse. Mais même quand un enfant cesse d'être bébé, ça pèse encore, pis toujours. D'une autre manière... Ça fait que laisse-moi Rose. Ça me donne l'impression que je me tiens après la vie.

Émilie et Félicité regardèrent leurs hommes partir pour le lac dès qu'ils furent changés. Dosithée ne voulait pas prendre un seul instant pour regarder le vide qui venait de naître encore une fois dans sa maison. Émilie retourna chez elle et, après avoir couché Rose, que le changement de routine avait rendue maussade, s'assit à la table de la cuisine et écrivit une longue lettre à Berthe. Elle avait reporté cet instant depuis son retour de Montréal, ne sachant comment lui parler de ce qu'elle avait ressenti en sa présence. Incapable aussi de reprendre le ton désinvolte qu'elle avait toujours eu dans toutes ses lettres. Berthe était maintenant tellement loin d'elle. En fait, se demandait-elle, Berthe était-elle toujours là ?

Émilie, de sa fenêtre, regarda passer un automne faiblard qui n'offrit aucune résistance à la prise de l'hiver. Elle s'occupa, consacrant tout son temps à Rose, au cardage, au tissage et à la couture. Elle entreprit de faire une robe de Noël pour Rose, dont la croissance avait rapetissé sa belle robe blanche. Sa belle-sœur Rosée fut terrassée par une vilaine grippe alors même qu'elle remplaçait l'institutrice, alitée elle aussi. On demanda à Émilie si elle ne pouvait pas revenir sur sa décision. Elle accepta, Éva lui ayant promis de veiller sur Rose. Émilie, une fanfare au cœur, se retrouva donc à son pupitre, la craie à la main. Elle regarda longuement les élèves, souriant à ceux qu'elle connaissait et encore plus à ceux qu'elle ne connaissait pas. Leurs traits lui indiquaient leurs noms de famille. Elle leur parla de leurs aînés qu'elle avait bien connus. Seul un jeune Crête, un élève de deuxième année qu'elle n'avait pas encore rencontré, lui faisait la moue.

— Tu dois être le plus jeune de la famille, toi.

— Ouais...

Un petit « ouais » sec comme le craquement d'une branche. Émilie haussa les épaules. Même après sept ans, semblait-il, les Crête parlaient encore de sa prise de bec avec leur aîné.

L'institutrice fit savoir aux commissaires qu'elle ne pourrait être de retour avant les fêtes. Rosée, remise de sa grippe, demanda à Émilie si elle accepterait de continuer pour les deux semaines qui restaient. Sa mère avait besoin de son aide. Émilie n'eut pas le courage de refuser. Le fait de se retrouver en classe tous les matins lui faisait oublier l'ennui qui lui collait au cœur. Elle se sentait aussi plus proche d'Ovila. Quand elle soupirait à cause de son absence, elle pouvait regarder le pupitre qu'il avait occupé pendant si longtemps et se réfugier dans ses rêveries d'adolescente. Et le peu d'argent qu'elle toucherait lui permettrait d'acheter pour son homme une petite surprise pour le jour de l'An.

Ovila rentra le soir de son anniversaire. Émilie allait se mettre au lit, seule avec ses vingt-quatre ans, quand il ouvrit la porte. Il le fit si brusquement qu'Émilie pensa qu'elle était mal fermée et que le vent venait de s'en emparer. Elle se releva et se dirigea vers la cuisine pour enrayer la bise qui, croyait-elle, devait déjà commencer à lécher le plancher.

— J'ai bien pensé, ma belle brume, que si je faisais claquer la porte deux pis trois fois, tu te lèverais pour voir ce qui se passe.

Ovila ! Elle se précipita dans ses bras, ne trouvant rien à dire pour exprimer sa joie. Ovila l'accueillit chaudement malgré le froid qui transpirait de son manteau.

— Bonne fête, mam'selle Bordeleau, fit-il quand elle eut relâché son étreinte.

Il mit un doigt sur ses lèvres, enleva toutes ses pelures et, sur la pointe des pieds, se dirigea vers la chambre de sa fille. Émilie le suivit. Il demeura un long moment à regarder le sommeil paisible de Rose, le sourire aux lèvres et l'œil en émoi chaque fois qu'un rêve la faisait bouger un peu. Ils revinrent à la cuisine.

— Prendrais-tu un bon thé chaud ?

— Seulement si tu en prends un aussi.

Il la regarda d'un air taquin et heureux avant d'ajouter que le thé l'empêchait toujours de dormir. Émilie posa deux tasses sur la table et y versa de généreuses portions de thé.

— Avant qu'on passe aux choses sérieuses, ma belle brume, j'ai un p'tit quelque chose à te donner. C'est pas pour rien que je suis arrivé le soir de ta fête. Je voulais que tu voies ce que j'ai pour toi. Pis, comme tu le sais, je suis jamais capable d'attendre quand j'ai une surprise.

— Encore une surprise ? Juste le fait d'être ici, ça me fait un beau cadeau, dit-elle, à la fois émue et intriguée.

Ovila, fidèle à ses habitudes, l'obligea à fermer les yeux et à patienter, le temps qu'il prépare le tout. Émilie, fidèle à ses habitudes aussi, se plia au jeu. Elle entendit un bruit de froissement de papier. Du gros papier, pensa-t-elle, pas du papier fin. Elle entendit ensuite Ovila bourdonner autour des chaises et de la table. Entre deux déplacements, il venait l'embrasser sur le front ou sur une joue ou dans les cheveux ou à la naissance de la nuque. Elle riait, ne réussissant jamais à lui rendre la pareille. Il vint enfin se placer derrière elle, lui demandant de garder les yeux fermés pendant qu'il la dirigeait. Il lui couvrit les yeux de ses mains maintenant réchauffées et l'aida à se lever.

— Ta-dam ! fit-il en laissant tomber les mains.

— Oh !

Sur les dossiers et les sièges des chaises, sur la table, partout, il avait étendu des peaux de castor. De belles peaux, bien fournies et bien luisantes.

— Pas plus tard que demain, j'vas aller au village trouver la personne chanceuse qui va avoir le plaisir de faire le plus beau manteau de castor du village. Pis pas n'importe quel castor ! Du castor que j'ai trappé moi-même !

Émilie toucha chacune des peaux, les flattant tantôt à rebrousse-poil pour en palper l'épaisseur, tantôt dans le sens du poil pour en sentir la douceur. Ovila avait certainement pensé à son chapeau et à son manchon. Quel ensemble elle aurait maintenant ! Le froid pouvait toujours essayer de frapper à la porte de sa peau, elle serait définitivement à l'abri de ses assauts.

Ils bercèrent leurs retrouvailles jusqu'au réveil de Rose, qu'Ovila, dès son premier gargouillement du matin, s'empressa d'aller chercher pour la coucher avec eux. Émilie, pour que la chose fût possible, dut la langer. Ils s'amusèrent avec la petite jusqu'à ce qu'elle cesse de sourire et réclame son petit déjeuner. Émilie, les yeux bouffis d'amour et de manque de sommeil, s'affaira à préparer un plantureux repas. Ils mangèrent tous les trois de bon appétit : Rose, sa purée de fécule ; Émilie et Ovila, des œufs.

— Je pense que la p'tite me reconnaît.

— Je pense aussi. De ce temps-là, elle est pas mal sauvage, pis là elle a pas l'air effarouchée du tout.

Ovila consacra tous ses moments libres à faire un traîneau pour sa fille, ne s'arrêtant que pour fêter Noël. Il voulait que le traîneau soit prêt pour le jour de l'An. Il avait quand même pris le temps d'aller porter ses peaux avec Émilie qui, elle, avait apporté un modèle de manteau qu'elle avait découpé dans un journal. Ils allèrent voir M. Tourigny. Il leur dit qu'il n'avait plus l'habitude de s'attaquer à un si gros travail, préférant maintenant faire des chaussures et des bottes. Il leur conseilla de demander à Marchildon.

— Pis inquiétez-vous pas si Marchildon a trop de travail. Il y a assez de monde qui travaille le cuir ici, à

Saint-Tite, qu'on peut pas faire autrement que de trouver quelqu'un qui va faire la fourrure. Après tout, c'est rien que du cuir poilu.

Les Marchildon n'osèrent pas accepter d'abord, craignant de manquer d'expérience pour la finition. Émilie leur demanda de ne coudre que les peaux. Elle pouvait faire la doublure. Ils acceptèrent et promirent à Émilie qu'elle aurait son manteau avant la fin du mois de janvier.

Le temps d'arrêt des chantiers fila comme l'éclair. Ovila avait à peine repris son rythme quotidien que déjà Émilie refaisait ses valises, y déposant la pipe qu'elle lui avait offerte. Le culot était déjà noirci. Ils avaient encore tous les deux le cœur qui battait la chamade.

— Avec un peu de chance, l'année prochaine, j'vas me trouver quelque chose pour pas être obligé de repartir.

Émilie acquiesça, espérant, elle aussi, qu'ils n'auraient plus à être séparés.

Ovila embrassa Émilie une dernière fois, monta à côté de son père et regarda longuement sa femme, qui tenait la poignée du traîneau rouge dans lequel Rose dormait en faisant une petite vapeur blanche dans l'air frais et piquant.

29

Rose ne parvenait pas encore à s'asseoir. Émilie avait
bien essayé de lui montrer comment faire, l'installant
sur une chaise, bien entourée de coussins. Elle aurait
voulu pouvoir écrire à Ovila que Rose avait réussi cet
exploit. Elle écrivit plutôt, à la fin mars, que Rose dormait encore presque tout le temps, qu'elle mangeait
bien sa pâtée, qu'elle avait percé deux autres dents et
qu'elle souriait assez souvent. Elle ajouta toutefois
qu'elle lui trouvait l'air songeur. Inquiet presque. Puis
elle parla de son manteau de fourrure, qui lui était
encore fort utile. Elle se garda bien de lui dire qu'il
y avait eu des peaux en surplus et qu'elle en avait eu
suffisamment pour lui faire faire un manteau court.
Jamais, pensait-elle, il ne voudrait porter un manteau
de fourrure. Alors, elle avait demandé aux Marchildon
de tourner la peau. De mettre le poil à l'intérieur, sauf
pour le collet. Les Marchildon avaient accepté, sachant

que pour un homme la confection demandait moins de petits détails.

Émilie lui parla aussi des dernières nouvelles du village, insistant sur le fait qu'une rumeur voulait que le conseil municipal songeât à faire construire un aqueduc. Ovila comprit, à la lecture, qu'elle lui suggérait d'essayer de trouver du travail sur ce petit chantier. Il se promit de le faire, espérant que cette histoire d'aqueduc était autre chose qu'une promesse électorale.

Pour la première fois, Émilie avait trouvé que l'hiver s'était effacé très rapidement. Elle avait passé beaucoup de temps avec Rosée, à préparer le coffre de cèdre de celle-ci. Rosée leur avait annoncé qu'elle allait se marier avec Arthur Veillette au mois de septembre. Émilie et elle avaient donc consacré la majorité de leurs soirées à coudre, tricoter, tisser. Le trousseau de Rosée était plus sévère que celui d'Émilie. Rosée ne semblait pas avoir son audace. Émilie n'avait fait aucun commentaire.

Félicité était tellement énervée à l'idée de marier l'aînée de ses deux filles qu'elle était convaincue que le temps s'était mis à bégayer, butant deux et trois fois sur la même journée.

— C'est pas pareil quand on marie un garçon. On sait qu'on va avoir une fille de plus. Mais quand on marie sa fille, on sait qu'on la perd pour de bon. C'est sa belle-famille qui gagne au change.

Rosée avait bien vu que sa belle-sœur se languissait. Elle semblait ne penser qu'à Ovila, ne parler que de lui, ne vivoter chaque jour que dans l'attente de son retour.

— Tu es drôle, Émilie. Quand on passe beaucoup de temps avec toi, on se rend compte que c'est vrai que tu aimes pas ça quand mon frère est parti.

Émilie n'avait rien dit, se contentant d'écouter ce que lui racontait Rosée. Celle-ci la regarda et rougit.

— Des fois, je te trouve bien romantique. Je me demande si c'est Rose que tu aimes ou si tu l'aimes parce que c'est la fille d'Ovila.

Émilie lui avait répondu qu'elle aimait Rose parce qu'elle l'aimait, tout simplement. Elle avait pourtant ajouté qu'elle s'amusait de retrouver chez sa fille quelques traits d'Ovila.

— Je me suis toujours promis, Rosée, que je marierais un bel homme, parce que je voulais avoir des beaux enfants. Quand j'ai connu ton frère, je l'ai trouvé beau.

Elle s'était tue quelques instants pour imaginer chacun des traits de son mari.

— Je l'ai dans la peau, ton frère.

Rosée l'avait regardée puis avait souri. Elle lui dit qu'elle espérait qu'elle et Arthur seraient aussi heureux qu'eux. Elle lui avait finalement demandé leur secret.

— C'est pas un secret. On s'aime. On aime ça, être ensemble. Aller au lac ensemble. Manger ensemble. Faire des projets pour l'avenir. Pis on aime ça dormir ensemble.

Elle pensa à ces nuits qui n'appartenaient qu'à elle et Ovila. Ces nuits auxquelles elle songeait le soir et qui lui donnaient la chair de poule.

Le coffre de cèdre était presque rempli quand Ovila revint. Une semaine après son retour, il fut réembauché chez M. Légaré. Cette fois, crut-il, ils auraient assez de travail pour qu'il ne s'éloigne pas de Saint-Tite l'automne venu. Il travailla pendant tout l'été et le contrat de M. Légaré était loin d'être terminé. Ils avaient à faire de nombreux meubles pour le collège des frères de Saint-Gabriel, dont la construction était terminée depuis longtemps. Les frères avaient toutefois attendu de se refaire un capital avant de le meubler complètement. Ovila avait eu la chance extraordinaire de faire valoir ses talents de sculpteur, les frères lui ayant offert de sculpter un chemin de croix.

— Vous êtes sûrs que vous voulez pas que ça soit peinturé ? On n'entend pas souvent parler de ça, des chemins de croix en bois.

— Nous en sommes certains. Nous croyons qu'à long terme ce sera une économie. Pas besoin de rafraîchir la peinture à toutes les décennies. La chose se fait souvent dans les vieux pays.

— Si c'est ça que vous voulez, c'est ça que vous allez avoir.

Ovila avait annoncé l'heureuse nouvelle à Émilie. Ils avaient valsé de joie dans le salon, au grand étonnement de Rose. Ce chemin de croix voulait dire qu'Ovila pourrait rester toute l'année.

— En tout cas, Charles Pronovost, si tu changes d'idée pis que tu repars, c'est moi qui vas te crucifier.

— Si c'est avec une de tes épingles à chapeau, j'ai rien contre. Pis appelle-moi pas Charles. J'aime pas ça. Me semble que c'est pas à moi que tu parles.

Le mariage de Rosée fut célébré en grande pompe, Dosithée ne lésinant sur aucune dépense. Le lendemain matin, elle quitta sa famille pour suivre Arthur à Cap-de-la-Madeleine. Félicité et Émilie lui promirent toutes les deux qu'elle s'habituerait à vivre dans une nouvelle paroisse.

— Tu vois, ma fille, moi je suis venue de Sainte-Geneviève-de-Batiscan. Je m'en trouve pas plus mal.

— C'est pas pareil. Vous, vous êtes venue avec toute votre famille.

— Pas moi, fit Émilie. Je suis arrivée toute seule. Remarque que ça aurait été pas mal plus facile si j'avais eu un mari avec moi, mais j'ai quand même passé à travers. À c't'heure, je me demande même comment c'était quand je restais à Saint-Stanislas.

Rosée sécha ses appréhensions et c'est radieuse qu'elle quitta sa famille. Dès qu'elle fut hors de vue,

Félicité regarda son mari et comprit qu'il ressentait la même chose qu'elle.

— C'est dur, hein, mon vieux, de voir partir les p'tites ?

Dosithée arracha Rose des bras de sa mère et la serra sur sa poitrine.

— La vie est quand même bien faite. À c't'heure, la p'tite Rose va prendre sa place.

Émilie et Ovila passèrent presque tous leurs jours de congé d'automne au lac, emmenant Rose avec eux quand ses grands-parents ne la réclamaient pas. Le plus souvent, ils étaient seuls et profitaient pleinement des douces heures qui tictaquaient lentement.

Ovila avait acheté un fusil et il avait montré à Émilie à s'en servir. Ils revenaient toujours à la maison avec un lièvre ou une perdrix. À la surprise d'Ovila, Émilie tirait admirablement bien du fusil.

— Tu es sûre, ma belle brume, que tu as jamais touché à un fusil de chasse avant ?

— Jamais. Je trouve que c'est facile de viser.

— Facile…, facile… Faudrait quand même pas exagérer.

— Ovila, regarde ! C'est quoi, cet oiseau-là ?

Ovila regarda l'endroit qu'Émilie lui montrait du doigt dans le ciel. L'oiseau montait en vrille à une vitesse étonnante. L'envergure de ses ailes était impressionnante. Ovila était fasciné. Sans quitter l'oiseau des yeux, il s'assit sur une pierre et contempla le spectacle.

— Regarde, Émilie, comme c'est beau. C'est la deuxième fois de ma vie que je vois ça.

Émilie, à ses côtés, regardait l'oiseau elle aussi. L'oiseau survola leurs têtes une dernière fois puis disparut dans le bois.

— Pour moi, Émilie, on va l'entendre cette nuit.

— Tu m'as toujours pas dit ce que c'était.

— Un grand duc, Émilie. Un maudit beau grand duc. Pis presque blanc. J'en connais qui auraient donné cher pour le tuer pis l'empailler. Moi, un oiseau de même, je pourrais pas tuer ça.

Ce soir-là, ils s'endormirent serrés l'un contre l'autre, l'oreille à l'écoute des hululements du grand duc.

***

Le calme de leurs journées ne laissait qu'un mince sillon sur la glace de l'hiver. Elles se ressemblaient toutes. Émilie se levait la première et langeait Rose. Ovila s'extirpait ensuite du lit et chauffait le poêle et l'eau. S'il savait son frère fatigué, il allait parfois donner un coup de main pour la traite des vaches. Si Ovide était en état de superviser le travail des jeunes, Ovila restait tranquillement près d'Émilie et de Rose à siroter un thé chaud et à grignoter des croûtons de pain. Rose dandinait son année et demie avec beaucoup de sérieux. Quand la journée s'annonçait ensoleillée, Ovila s'isolait plus tôt dans son atelier de façon à pouvoir se permettre une pause traîneau avec Rose. Émilie les accompagnait parfois, quand elle n'avait pas les mains mouillées par l'eau de vaisselle ou de lessive ou si elle n'avait pas quelque morceau de tissu qui trempait dans la teinture. Elle avait donné le manteau de castor à Ovila. Elle avait attendu pendant des mois qu'il se plaigne du froid avant de le sortir de la naphtaline et de le lui remettre. Ovila avait été fort surpris qu'elle ait trouvé le moyen de faire deux manteaux dans les peaux qu'il avait rapportées.

Le froid étant trop traître, ils n'allèrent pas à Saint-Stanislas pour les fêtes. Célina leur avait écrit qu'elle comprenait leur hésitation à faire faire le voyage à Rose. Caleb et Célina arrivèrent donc pour les surprendre la veille de l'Épiphanie. Émilie s'empressa de les accueillir, de les réchauffer et de leur faire entendre quelques airs d'accordéon pendant que Caleb jouait au cheval avec Rose. Il avait croisé une jambe et avait installé la petite sur le dessus de sa bottine, lui tenant fermement les mains. Il la faisait sauter au rythme de sa comptine.

— Viens-t'en, ma Rose. Viens faire du ch'val sur le pied à pépère. Accroche-toi bien, là, parce que c'est un maudit bel étalon, le ch'val à pépère. Tu te tiens, là ? On part. *À Paris... à Paris, sur un petit cheval gris. Au pas, au pas... au trot, au trot... au galop... au galop !*

Rose souriait en se dandinant au pas, ricanait en rebondissant au trot et riait aux éclats en s'accrochant au galop.

— Veux-tu recommencer, ma Rose ? Le cheval à pépère se fatigue jamais.

— A-o, répondit Rose.

— As-tu entendu ça, Émilie ? La p'tite a dit « galop ».

Émilie rit aux éclats en regardant les joues rouges de Rose.

— Je voudrais pas vous décevoir, pâpa, mais Rose dit « a-o » pour tout. « A-o » pour « en haut » ; « a-o » pour « de l'eau » ; « a-o » pour « bobo » ; « a-o » pour « gâteau » ; « a-o » pour « traîneau », pis à c't'heure elle va dire « a-o » pour « galop ». On a juste à regarder où c'est qu'elle regarde pour savoir de quel « a-o » il s'agit.

Caleb feignit d'être terriblement déçu et s'acharna pendant tout son séjour à essayer de faire dire « galop » à Rose.

— Me semble qu'elle parle pas beaucoup pour son âge.

— Rose est de même. Elle parle pas, elle a marché tard, pis elle a pas l'air intéressée pantoute à aller sur le pot.

— Tu tiens pas de ton pépère, ma Rose, pour être paresseuse de même. Regarde ton pépère. Il est pas paresseux pis il va vivre vieux pareil.

Célina s'abstint de commentaires autres que les rappels qu'elle lançait à Caleb de cesser de faire galoper la petite après les repas.

— Arrête-toi donc deux minutes, Caleb. Tu vas lui mettre l'estomac à l'envers.

— Célina, j'ai jamais eu le temps de m'amuser avec les nôtres parce que j'étais trop affairé. À c't'heure que le lait tombe dans les chaudières même quand je suis pas là, j'vas toujours bien pas me priver de jouer avec ma p'tite fille. Rose connaît rien que son pépère Pronovost. Faut que je lui mette le ventre un peu à l'envers si je veux qu'elle se souvienne de moi.

***

Émilie et Ovila regardèrent arriver le printemps de la fenêtre de leur chambre. Émilie en profita pour annoncer à Ovila qu'il y avait aussi un bourgeon qui voulait éclore en elle. Ovila, encore une fois, valsa de plaisir. Les affres de l'accouchement d'Émilie étaient presque oubliées.

— Cette fois-là, ma belle brume, j'vas pas te quitter pendant tout le temps que le p'tit va se faire un caractère. J'vas le regarder pousser sur ton nombril. Euh… jusqu'à quand est-ce qu'il faut que je patiente ?

— Jusqu'à l'automne. Crains pas, tu vas finir ton chemin de croix avant que moi je finisse le mien.

Émilie se demandait si c'était la présence d'Ovila qui facilitait sa deuxième grossesse ou si c'était parce que son corps se moulait simplement à la maternité.

— C'est un ange, ce bébé-là. Il me laisse dormir la nuit, pis il me fait pas mal au dos.

— Ça doit être un garçon.

— Je dirais que non. Je suis grosse de la même manière.

— Dis-moi pas que tu crois à ces histoires-là, Émilie. Instruite comme tu es ! Les p'tits, filles ou gars, sont dans le même ventre.

— Dis ce que tu voudras, moi, je suis certaine que ça va être une autre fille.

— Pis moi je dis que ça va être un gars. Veux-tu gager ?

— Oui. On gage que si c'est une fille tu repars pas pour les chantiers l'hiver prochain.

Émilie avait lancé sa gageure l'air triomphant, comme si elle venait de trouver un moyen miraculeux de tenir Ovila loin de la forêt. Près d'elle.

— Ouais... Tu y vas pas avec le dos de la cuiller !

Ovila avait feint d'être très inquiété par l'enjeu. Émilie souhaitait que ce fût bien une feinte.

— Quand on gage, on gage, mon vieux.

— Gagé !

***

Les feuilles avaient depuis longtemps pris possession des branches puis abandonné leur domaine quand Émilie ressentit les premières douleurs de la naissance. Elle demanda à Ovila d'aller chercher la sage-femme. Ovila voulut envoyer Oscar ou Télesphore mais Émilie le pria de n'en rien faire.

— J'aimerais mieux que tu y ailles toi-même. Si tu vas chez tes parents, tout le monde va s'inquiéter. De même, on va pouvoir les avertir à la dernière minute.

Ovila, Rose sur les genoux, partit chercher la sage-femme en prenant bien son temps, comme Émilie le lui avait recommandé. Ils revinrent une heure plus tard. La sage-femme frappa à la porte de la chambre, mais Émilie la pria d'attendre, le temps qu'elle s'installe. Ovila frappa à son tour et lui demanda si tout allait bien. Elle lui répondit par l'affirmative, ajoutant que c'était beaucoup plus facile que la première fois. Elle lui suggéra d'emmener Rose jouer dehors.

— Je veux pas te laisser toute seule.

— J'aime mieux que Rose soit pas dans la maison.

— D'abord, j'vas aller la porter à ma mère ou à Éva.

— Non ! Je veux que tu restes tout près de la maison.

— Émilie, c'est complètement *niaiseux* de se parler de même à travers la porte. La sage-femme est prête à venir t'aider.

— J'vas la laisser rentrer aussitôt que tu vas être dehors avec Rose.

Ovila regarda la sage-femme qui finissait de chauffer l'eau et de déchirer de vieux draps en longues lisières.

— Une femme qui accouche a toujours ses caprices, dit-elle avec un sourire moqueur.

Ovila sortit de la maison, Rose à sa suite. La sage-femme frappa à la porte et entra dans la chambre. Émilie était rouge, ce qui fit craindre à la sage-femme une poussée de fièvre. Émilie lui demanda si elle avait apporté le fil. La sage-femme lui rappela qu'elles n'en étaient pas encore là.

Émilie éclata de rire.

— Le bébé est arrivé ! J'ai juste besoin du fil pour le cordon.

La sage-femme la regarda, incrédule, puis souleva rapidement le drap. Une toute petite fille gigotait sur la poitrine d'Émilie. Émilie riait encore et la sage-femme comprit que ses rougeurs étaient des rougeurs de plaisir. La sage-femme prit son fil, attacha puis coupa le cordon. Pendant ce temps, Émilie regardait par la fenêtre. Elle voyait Ovila qui essayait bien de distraire Rose mais qui visiblement avait énormément de difficulté à le faire.

— Depuis quand est-ce qu'elle est née ?

— Depuis bien avant que vous arriviez. C'est pour ça que je voulais pas vous laisser rentrer pis que je voulais pas qu'Ovila la voie avant qu'elle soit bien lavée.

— Pourquoi est-ce que vous l'avez pas envoyé me chercher avant ?

— Parce que je savais que tout allait bien. Pis j'ai quand même été un peu surprise de la sentir arriver.

— Ça a pas d'allure. Combien de temps que ça vous a pris depuis les premières douleurs ?

— Deux heures !

— J'aurai tout vu. La première fois, ça finissait pus, pis la deuxième, ça a même pas eu le temps de commencer.

Émilie demanda à la femme d'aller chercher Ovila, qui jouait à faire les cent pas dehors, comptant bien fort chacun des pas comme s'il montrait les chiffres à sa fille. Dès qu'Ovila aperçut la sage-femme, il blêmit. Elle lui sourit et lui demanda d'entrer dans la chambre.

Ovila fronça les sourcils quand il frappa à la porte. Un pleur de bébé lui répondit qu'il était attendu.

— Pas déjà, Émilie !

— Eh oui ! Pis j'ai gagné la gageure.

— Une autre fille ?

— Oui, monsieur. Belle comme un ange. Le portrait tout craché de ta mère.

Ovila embrassa Émilie avant de se pencher sur l'enfant. Il porta son regard sur le petit front plissé qui coiffait deux yeux aveugles et grands ouverts. Il compta les doigts et les orteils et s'assura en blaguant qu'il s'agissait bien d'une fille. Il la prit dans ses bras. L'enfant n'émit aucun son.

— Je pense que je sais comment l'appeler, Ovila.

— Félicité ? Comme ma mère ? C'est vrai que la p'tite lui ressemble.

— Peut-être une autre fois. Celle-là, je voudrais l'appeler Marie-Ange.

Ovila regarda la petite longuement en répétant son nom sur tous les tons. Puis il sourit à sa femme.

— C'est un nom qui lui va bien.

L'automne berça Marie-Ange de longues journées ensoleillées. Un automne rempli d'étés des Indiens. À l'arrivée de sa sœur, Rose avait commencé à se sucer le pouce. Émilie et Ovila essayèrent tout pour lui faire perdre cette habitude.

— Suce pas ton pouce, Rose. Tes dents vont être croches.

— É bon, ouce.

— Je sais que c'est bon, répondit Émilie patiemment, mais tu es pus un bébé à c't'heure. Tu es encore la belle Rose à maman, mais le bébé c'est Marie-Ange. Pis Marie-Ange va apprendre à sucer son pouce si tu suces le tien.

— É bon, ouce !

Émilie avait soupiré et décidé de ne plus faire allusion à la nouvelle habitude de Rose. Ovila commença à l'ignorer lui aussi. Rose n'en continua pas moins à sucer son pouce goulûment.

— Pendant vingt-sept mois, Rose a jamais sucé son pouce. C'est aujourd'hui qu'elle commence ça, dit Ovila un soir.

— Pis aujourd'hui, elle a recommencé à se salir.

— Non !

— Oui. Me voilà prise avec deux bébés aux couches.

Ovila s'était emporté. Il dit à sa femme que Rose avait déjà mis beaucoup de temps à être propre et qu'il n'endurerait pas qu'elle les oblige à tout recommencer. Émilie lui demanda d'être patient. Rose était probablement jalouse du bébé.

— Ça arrive presque tout le temps. Ma mère m'a raconté que moi-même j'avais arrêté de manger toute seule quand mon frère est né.

— C'est pas une raison pour qu'on laisse Rose faire la même affaire.

Ovila, au grand désespoir d'Émilie, avait entrepris de « dompter » Rose, la laissant assise pendant des heures sur le pot. Rose pleurait, gémissait et essayait de se lever. Ovila la rassoyait. Elle commença à s'éveiller la nuit et à réclamer de l'eau dès qu'Émilie se levait pour Marie-Ange.

— On va venir fous, Émilie. On a rien que deux enfants pis on en a plein les bras. Veux-tu me dire comment nos mères faisaient pour en avoir autant ?

Émilie soupirait et haussait les épaules. Elle avait perdu beaucoup de poids et était de plus en plus cernée. Le bébé, heureusement, était facile, ne pleurant que s'il avait faim ou si sa couche était sale.

Marie-Ange avait trois mois quand Émilie et Ovila décidèrent qu'ils n'assisteraient pas à la messe de minuit. Ils se contentèrent d'aller au réveillon. Rose n'avait toujours pas cessé de se sucer le pouce, avait continué à salir sa culotte et, comme sa mère l'avait fait plusieurs années avant elle, avait cessé de manger seule. Émilie et Ovila tinrent bon pendant plusieurs jours, refusant de la nourrir. Rose jeûna. N'y tenant plus, Ovila avait cédé.

— Je sais pas ce qu'elle a, mais moi, aujourd'hui même, j'vas aller voir le docteur. Rose a deux ans et demi pis elle est pire qu'un bébé.

Il avait emmitouflé sa fille et avait filé directement chez le médecin pendant qu'Émilie pleurait doucement. Elle ne reconnaissait plus Ovila. Impatient, irascible, nerveux. Trop de nuits blanches, pensa-t-elle. Trop de problèmes avec Rose. Félicité avait peut-être raison de dire qu'il s'occupait trop des enfants. Que ce n'était pas un travail d'homme. Émilie avait bercé Marie-Ange, essuyant ses larmes avant qu'elles n'humectent la petite.

Ovila revint deux heures plus tard, ce qui permit à Émilie d'avaler sa peine. Il entra doucement dans la maison, tenant une Rose endormie dans ses bras. Il alla la coucher dans son lit, enlevant son manteau avec de multiples précautions. Marie-Ange dormait à poings fermés. Émilie était affairée à laver les couches, les frottant énergiquement sur sa planche. Elle sourit à Ovila, qui s'approcha d'elle et lui enserra la taille. Elle abandonna sa tête avant de se rendre compte qu'il tremblait. Elle se redressa rapidement et se tourna pour le regarder.

— Qu'est-ce qui t'arrive ?

Ovila lui prit le poignet et l'entraîna vers le salon. Là, il la fit asseoir et vint s'installer directement devant elle.

— Ovila, arrête tes *sparages*. Tu as une tête d'enterrement.

Ovila la regarda dans les yeux puis détourna son regard.

— Le docteur m'a demandé pendant combien de temps Rose avait pas respiré quand elle est née.

Il avait parlé d'une voix hésitante, presque éteinte.

— Pis tu lui as dit que ça avait duré quelques minutes, c'est tout ?

— C'est ce que j'ai dit.

— Pis ?

— Le docteur a examiné Rose pendant pas mal de temps. Il trouve qu'elle parle pas beaucoup pour deux ans et demi. Il m'a même demandé si on lui parlait de temps en temps.

— J'espère que tu lui as dit qu'on lui parlait tout le temps.

Émilie était piquée. Le médecin avait-il l'impression qu'elle ne savait pas comment s'occuper d'un enfant ?

— J'ai tout dit ça, Émilie, crains pas. Ensuite, le docteur l'a fait marcher dans son bureau.

— Pis ?

— Il trouve que Rose marche pas mal sur la pointe des pieds.

— Rose a toujours marché de même !

— Je le sais. Mais le docteur dit qu'à deux ans et demi Rose devrait marcher sur les talons.

— Tu lui as pas dit que c'était parce qu'elle avait juste commencé à marcher à dix-huit mois ?

— J'ai dit ça, Émilie.

— Pis après ?

— Pis après ça, le docteur a posé des questions à Rose. Son nom, par exemple.

— Elle le dit, son nom.

— Non, Émilie, elle le dit pas.

— Voyons, Ovila !

Émilie s'énervait de plus en plus. Elle avait l'impression de passer en jugement et de ne pas savoir exactement de quoi elle était coupable. Elle avait la certitude qu'Ovila l'accuserait bientôt de quelque méfait.

— « Ose Ovo. » C'est ça qu'elle dit. « Ose Ovo. » Nous autres, on le sait que c'est « Rose Pronovost » qu'elle veut dire, mais c'est pas ça qu'elle dit. Émilie, le docteur pense que Rose va avoir des p'tits problèmes rapport qu'elle a pas eu d'air en naissant.

Émilie blêmit. Elle respirait bruyamment. Elle s'humecta les lèvres à plusieurs reprises.

— Qu'est-ce qu'il connaît aux enfants, lui ?

Elle criait maintenant.

— Il a jamais vu Rose de sa vie parce que Rose a jamais été malade, pis il vient nous dire que Rose est pas correcte ! Il se prend pour qui, lui ? Le bon Dieu ? Rose pas correcte ! Veux-tu me faire rire ? Rose est juste un peu moins vite que d'autres.

— C'est ça, Émilie. Juste moins vite, ça veut dire plus lente. Rose est lente.

Émilie l'avait toujours su. Elle se l'était bien caché et avait enseigné à Rose tout ce qu'elle avait pu. Maintenant, ses craintes étaient devenues réalité. Émilie serra les dents. Elle inspira profondément et tenta bien vainement de refouler ses larmes.

— Écoute-moi bien, Ovila Pronovost. Je jure sur la tête de Rose pis sur celle de Marie-Ange que ma fille va lire, écrire pis compter. Fie-toi à moi. Ça prendra le temps que ça prendra, mais Rose va être comme les autres. Rose va grandir en beauté pis un jour elle va se marier ! As-tu compris ça, Ovila Pronovost ?

— Choque-toi pas contre moi, Émilie.

— Je suis pas choquée !

— Cesse de crier, d'abord. Ça me fait de la peine de te voir de même.

Il était effondré. Il avait essayé d'épargner Émilie. Il savait qu'elle n'était responsable de rien. À la voir et à l'entendre, il aurait juré qu'elle venait d'être répudiée. Elle continua de tempêter contre le médecin jusqu'à ce que Rose arrive dans la cuisine en pleurant. En voyant sa fille, elle se hâta de la prendre dans ses bras et de la bercer. Rose, ravie, suçait son pouce allègrement et chantonnait pendant qu'Émilie lui faisait des milliers de promesses tacites.

— J'ai pas l'impression, Émilie, que c'est en la traitant comme un bébé que tu vas l'aider.

— Je t'ai rien demandé, Ovila Pronovost. Je t'ai surtout pas demandé de me faire des enfants. Pis à part ça, si tu veux le savoir, il y en a un autre qui est en route.

***

Ovila était assis au Grand-Nord à ruminer sa tristesse. Elle avait exagéré. Le blâmer d'avoir fait des enfants. Lui annoncer sur un ton rageur qu'elle était encore enceinte.

— Hé ! le grand ! Est-ce que quelqu'un est mort ?

— Je sais pas.

— Qui c'est qui est mourant ?

— Moi !

— Ha ! ha ! ha ! Toujours farceur !

— Fais de l'air, Joachim Crête.

— Hé! les gars, regardez la tête de Pronovost. On dirait que sa femme l'a battu. Tu le savais, Pronovost, que de marier une maîtresse d'école, surtout comme la belle Émilie...

Ovila se leva et d'un coup de poing envoya Joachim Crête voler sur la table voisine. Ivre, il se rapprocha de lui et lui donna un autre bon coup dans le ventre. Crête hurla. Deux hommes empoignèrent Ovila et le sortirent de l'hôtel.

— Va passer ta rage ailleurs, le grand. Crête t'a juste taquiné un peu. C'est pas des affaires qu'on aime voir dans la paroisse.

Ils assirent Ovila sur la neige et revinrent pour lui lancer son manteau de fourrure et son chapeau. Ovila essaya de se relever mais en fut incapable. Il bavait sa rage, et la salive lui faisait des glaçons au menton. Il se frotta le poing et vit à travers les vapeurs de son ivresse que ses jointures étaient en sang. Il éclata de rire. Crête devait être beau à voir. Il parvint enfin à se relever et voulut rentrer dans l'hôtel. Il ne put faire qu'un pas au-delà de la porte. De nouveau on le dirigea vers la sortie mais il eut le temps de voir que Crête était encore sonné et qu'on lui appliquait de la glace sur la moitié du visage.

— Hé! Crête! J'vas leur dire que pour toi c'est mieux de te tremper la tête dans une chaudière pleine de pisse!

Crête releva la tête, lança la glace sur le plancher et se dirigea vers Ovila qui venait de sortir. Il se tourna vers les hommes qui étaient attablés et qui riaient.

— Il y a pas un chat qui va m'empêcher de le battre dehors. On va régler ça au bout des poings.

— Fais attention. Ovila, c'est un cogneur. Pis à soir, il a pas l'air de bonne humeur pantoute.

— Cogneur pour cogneur, on va voir.

Crête avait à peine franchi le seuil de la porte que les hommes gagèrent sur l'issue du combat.

— Le grand Pronovost va l'*étamper* raide.

— Pantoute ! Il est bien trop saoul ! Crête va l'avoir en criant *bine*.

— Pronovost *haït* assez Crête qu'il va dessaouler d'une claque.

— Je gagerais pas ma chemise là-dessus, moi.

Ils s'installèrent à la fenêtre et virent Crête accrocher Ovila par l'épaule. Ovila, qui essayait de monter dans sa carriole, bascula et tomba sur le dos. Crête se jeta sur lui et le laboura de coups de poing. Tout d'abord, Ovila ne résista pas. Puis, quand il entendit son nez craquer, il s'encoléra. Il fit tomber Crête et lui donna un coup de pied sur la tête. Crête se prit la tête à deux mains. Ovila lui donna un coup de pied dans les côtes et tomba à son tour, trop ivre pour se tenir en équilibre. Il injuria Crête qui ne répondit pas.

Les hommes sortirent précipitamment de l'hôtel et s'approchèrent de Crête.

— Vite, le docteur ! Il a perdu sans connaissance !

Ovila éclata de rire. Puis, au grand étonnement de tous, il se mit à sangloter comme un enfant.

— Est-ce que quelqu'un peut le moucher ? Il morve pis il saigne en même temps.

Les hommes s'éloignèrent d'Ovila et de Crête pour laisser passer le médecin. Celui-ci, furieux, se pencha d'abord sur Crête. Il lui souleva les paupières, hocha la tête, puis lui prit le pouls.

— Mettez-lui beaucoup de neige dans le cou. Faites-le marcher.

Les hommes s'exécutaient pendant que le médecin portait son attention sur Ovila.

— Ta femme va pas être heureuse. Tu trouves pas qu'un malheur par jour c'est assez ?

Ovila ne réagit pas, mais d'entendre parler d'Émilie lui fit plus mal que le coup de poing de Crête.

— Conduisez-les tous les deux à mon dispensaire.

Les clients de l'hôtel transportèrent les deux plus grands hommes du village et les confièrent au médecin. Celui-ci passa la nuit auprès de ses patients, à panser Ovila et à garder Joachim éveillé. À l'aube, il les reconduisit à leurs domiciles respectifs. Émilie lui ouvrit la porte rapidement. Le médecin comprit qu'elle n'avait pas fermé l'œil de la nuit.

— Je vous attendais, docteur. Ils m'ont prévenue qu'Ovila était chez vous. Est-ce qu'il est bien magané ?

— Le nez cassé, un œil pis les joues pas mal enflés. Ça va prendre une couple de semaines avant qu'il recommence à avoir l'air d'un homme.

Émilie aida le médecin à faire entrer Ovila qui titubait encore d'ivresse, mais surtout de fatigue et de faiblesse. Il fut conduit à sa chambre, dévêtu et couché. Le médecin quitta Émilie en lui disant qu'il repasserait pendant la journée et que d'ici là elle devait lui couvrir la figure de glace. Émilie fit un signe d'assentiment. Elle revint au chevet d'Ovila, le regarda et l'écouta gémir avant de poser sa tête sur sa poitrine et de pleurer.

— À quoi que tu as pensé, Ovila ?

— À toi.

Émilie ne posa plus de questions. La réponse d'Ovila était claire. Elle savait qu'elle l'avait poussé à bout. Mais il aurait dû comprendre tout son chagrin. Comment avait-il cru qu'elle réagirait à la mauvaise nouvelle qu'il lui avait apportée ? Puis, tout à coup, elle lui en voulut. Il l'avait abandonnée pendant toute la journée. Il n'avait pas dit un seul mot sur ce qu'il allait faire. Il lui revenait complètement ivre, le visage comme de la viande à pâté. Elle se leva et le regarda dédaigneusement.

— On dirait, Ovila, qu'à chaque fois que j'ai besoin de toi, tu es pas là. Tu te sauves. Ben là, c'est moi qui vas faire comme si tu avais pas de problèmes. J'ai assez de deux bébés. J'ai pas envie de te torcher.

Elle claqua la porte de la chambre. Ovila recommença à sangloter. Il entendit pleurer Marie-Ange, que le claquement de porte avait éveillée. Il entendit ensuite Rose qui babillait comme elle le faisait tous les matins. Il entendit la voix douce et maternelle d'Émilie puis s'endormit douloureusement.

30

Émilie était épuisée. Rose avait encore grandi mais ne semblait pas vouloir apprendre quoi que ce fût. Marie-Ange, toujours aussi sage, faisait la fierté de ses parents et de ses grands-parents. Le ventre d'Émilie grossissait à vue d'œil. Ovila et elle n'avaient plus fait allusion aux « petits problèmes » de Rose, pas plus qu'ils n'avaient reparlé de leur querelle. Ovila avait expliqué à Émilie qu'il n'avait bu que pour noyer sa tristesse et son inca-pacité à la consoler. Émilie s'était excusée à plusieurs reprises de l'avoir si violemment accueilli après sa bagarre avec Crête. Ils s'étaient donc retrouvés tous les deux avec leur quotidien, Émilie dans le rang du Bourdais à laver, semer son potager, surveiller ses filles, regarder les enfants arriver à l'école et préparer les repas. Ovila, dans la rue Notre-Dame, au village, à creuser au pic et à la pelle, à travailler de longues heures pour ins-taller la tuyauterie de l'aqueduc à venir. Tous les soirs, il rentrait fourbu et Émilie, après le souper, s'empressait de coucher les enfants et, à l'aide d'une pommade qu'elle avait fait venir de Montréal, massait les muscles d'Ovila, endoloris par le labeur et brûlés par la chaleur.

— C'est pas possible, Émilie. Je suis plus fatigué après une journée à travailler pour l'aqueduc qu'après toute une semaine dans les chantiers.

— Essaie pas, Ovila... Je sais que tu travailles dur, mais je sais surtout que c'est rassurant d'avoir quelque chose qui va durer un bout de temps. Je pense que tu as oublié combien c'était difficile dans les chantiers.

— Peut-être, disait Ovila en fermant les yeux pour bien sentir les mains de sa femme. Pis dans les chantiers, personne me frottait le dos comme tu fais.

La fin mai approchait quand Émilie reçut une lettre de sa mère la priant d'aller à Saint-Stanislas pour fêter le retour de son oncle Amédée Bordeleau, qui était rentré des États-Unis après y avoir vécu pendant treize ans. Elle en parla avec Ovila qui lui recommanda d'assister à la fête. Éva pourrait s'occuper des enfants. Émilie prépara donc tous ses effets, mais, le matin de son départ, Rose se leva avec la petite vérole.

Émilie confia Marie-Ange à ses grands-parents afin de s'assurer qu'elle n'attraperait pas le mal de sa sœur. Elle défit ses valises et s'arma de patience dès qu'elle eut écrit une courte lettre à sa mère, la priant d'excuser son absence. Elle lui promettait de se rendre à Saint-Stanislas dès qu'elle le pourrait.

Rose, empoisonnée par la maladie, recrachait son venin à doses si fortes qu'Émilie se demanda si elle aurait la patience d'attendre la disparition du dernier bouton. Pendant trois jours, elle s'affaira au chevet de sa fille à lui chanter des berceuses, à la couvrir de linges humides et frais, à l'empêcher de se gratter, à enduire chacune des pustules d'un onguent que le médecin lui avait fait préparer. Elle interdit à Éva et à Ovila d'entrer dans la maison. Ovila lui dit qu'elle était ridicule. Qu'il avait déjà eu la petite vérole et qu'elle savait que cela ne pouvait attaquer deux fois. Émilie s'entêta à l'empêcher d'entrer. Si lui ne pouvait être atteint, il pouvait transporter la maladie au village. Ses précautions furent vaines. Une vraie épidémie s'attaqua au village et aux rangs, frappant une maison sur deux. Le médecin passa voir Émilie à deux reprises, la rassurant sur le sort de sa fille tout en lui confiant qu'il n'avait jamais vu autant d'enfants alités. Il ajouta que cette petite vérole lui semblait assez sérieuse.

— Encore quelques boutons de plus que j'aurais pensé que ça pouvait être la variole. Mais on est chanceux.

Rose réussit enfin à effacer ses boutons, au grand soulagement d'Émilie, qui put prendre du repos et ouvrir sa porte à Ovila et à une Marie-Ange qui rouspétait d'avoir été éloignée de sa mère pendant trop de temps à son goût.

Émilie reprit son train-train quotidien, toujours plus lourde, toujours plus assommée par l'adhérence de la chaleur. Elle accueillit Henri Douville comme à chaque année, mais cette fois il vint seul. Antoinette, enceinte elle aussi, avait préféré rester à la maison. Henri, que les cernes d'Émilie inquiétèrent, refusa de dormir sous leur toit et s'empressa de poursuivre sa route vers Sainte-Thècle. Ovila essayait de rentrer le plus tôt possible pour prendre la relève de sa femme. Rose balbutiait encore sa mauvaise humeur qui, au grand désespoir d'Émilie, commençait à déteindre sur Marie-Ange. Ils avaient fêté les trois ans de leur aînée et s'étaient tristement avoué qu'elle n'était pas tellement plus délurée que Marie-Ange, qui n'avait pas encore un an.

À la fin juillet, Émilie fut forcée de demander de l'aide à Éva. Le médecin lui avait fortement suggéré d'essayer de passer la majeure partie de ses journées au lit. Émilie avait pleuré de désespoir et de fatigue. Cette troisième grossesse lui pesait lourd. Ovila tentait bien de l'encourager et de la rassurer, mais il ne pouvait cacher ses propres craintes. Il lui trouvait le même air que celui qu'elle avait montré tout le temps de sa première grossesse. Il craignait un autre accouchement difficile. Il regrettait ce temps, si lointain déjà, où il gageait sur le nombre d'enfants qu'ils auraient. Émilie n'avait même plus la force de lui sourire pour lui montrer que tout allait bien. Elle était couchée toute la journée et entendait Éva qui s'entêtait à être une tante parfaite avec deux nièces maintenant insupportables, tout égarées qu'elles étaient de n'avoir accès aux bras de leur mère qu'à de rares moments.

Marie-Ange donna quand même à sa mère le plus beau cadeau pour souligner son premier anniversaire. À l'aube, elle marcha jusqu'à sa chambre. Seule. Émilie éclata de rire quand elle vit apparaître sa petite frimousse dans l'entrebâillement de la porte. Ovila, que les éclats éveillèrent, ouvrit les bras et Marie-Ange s'y précipita en titubant, un sourire accroché aux lèvres et des excréments aux cuisses.

— C'est qu'elle est puante, notre p'tite marcheuse !

Émilie se leva pesamment et prit Marie-Ange par la main pour s'assurer qu'elle la suivrait et qu'elle n'irait pas salir quelque chose sur son passage. Elle se dirigeait vers la pompe à eau quand elle vit Rose, bien affairée à barbouiller le mur de ses propres excréments.

— Rose !

La petite ne se tourna même pas et continua son travail malodorant.

— Ovila, viens ici tout de suite.

Ovila entendit l'urgence dans la voix de sa femme et enfila son pantalon à la hâte. Il demeura bouche bée devant le travail de Rose. Il sentit la colère l'envahir.

— J'en ai assez de ses gâteries. C'est à matin que j'vas commencer à m'en mêler pour vrai.

Il agrippa sa fille par les deux bras, lui mit le nez dans les excréments, lui donna une fessée puis, ne sachant plus trop que faire, il empoigna un linge qu'il mouilla et ordonna à Rose de laver tout ce qu'elle avait sali. Rose sourit, heureuse d'avoir quelque chose à faire. Ovila en prit ombrage et changea d'idée. Il la reprit par le bras et la conduisit à sa chambre. Rose commença à gémir, regardant sa mère, le regard lourd de reproche, puis sa sœur qui gargouillait de plaisir devant l'activité matinale.

— Non ! pas dodo ! Rose pas dodo !

Ovila l'obligea à s'étendre et lui ordonna de ne pas se lever. Rose donna des coups de pied. Ovila l'immobilisa et lui répéta que cela irait mal si elle désobéissait.

— Pas dodo, papa ! Rose dehors !

Ovila la recoucha fermement et Rose cessa ses cris. Elle suça son pouce tout en grattant sa couverture de l'autre main. Ovila revint dans la cuisine. Émilie le regardait. Il se demandait comment elle réagirait. Depuis que le médecin leur avait parlé des problèmes de Rose, il avait essayé de laisser Émilie faire comme elle l'entendait. Mais Émilie avait manqué de souffle, son air coupé par la grossesse. Ovila chercha dans ses yeux quelque marque de colère, ou un reproche. Il ne vit rien. C'est plutôt de l'amusement qu'il crut deviner.

— Pourquoi est-ce que tu ris ? Me semble que des matins comme ça, c'est pas drôle.

— C'est toi qui le dis. Moi, je trouve que c'est pas mal drôle de te voir perdre patience de même. Pis...

Elle referma l'épingle de sûreté qu'elle venait de piquer dans la couche de Marie-Ange et prit celle qu'elle tenait entre ses lèvres avant de continuer.

— ... je suis contente que tu te sois choqué. Au moins, toi, tu te contrôles encore un peu. Si moi je m'étais choquée, Rose aurait eu des bleus sur les fesses.

— Je sais que c'est pas facile pour toi, Émilie, dit-il en l'enlaçant après qu'elle eut reposé Marie-Ange par terre. Rose voudrait encore être un bébé, Marie-Ange commence à faire comme elle, pis toi que le docteur laisse au lit toute la journée...

— Arrête de parler pis fais-moi un bon thé.

Ovila lui caressa la nuque, puis le dos, puis les reins. Il les lui tint solidement d'une main pendant que de l'autre il lui frottait le ventre. Émilie ronronna.

— C'est donc difficile, les derniers mois, pis pas rien que parce que c'est pesant à porter.

Ovila avait bien compris ce qu'elle tentait de lui dire et pressa le ventre un peu plus fortement. À lui aussi manquait la chaleur de leurs nuits. Il savait qu'il devrait se satisfaire de humer Émilie pour quelques mois encore. Jamais il ne se lasserait de son odeur.

— Je m'excuse, Émilie.

— Pourquoi ?

— Ben, me semble que ça aurait été mieux si tu avais pas été enceinte tout de suite pis qu'on avait eu le temps de prendre une p'tite vacance, toi pis moi.

— Tu sais que des vacances, faut pus y penser maintenant que la famille est vraiment commencée. Pis tu les as pas faits tout seul, les bébés, Ovila Pronovost... Bon, tu me le fais, le thé, avant de partir pour le *P'tit Canada* ? J'aimerais ça qu'on mange en tête à tête comme des amoureux avant que ta sœur arrive.

Ovila fit du thé et des rôties pendant qu'Émilie s'amusait avec Marie-Ange sur ses genoux. Rose s'était rendormie, ce qui leur donna quelques minutes de répit. Ovila servit sa femme comme un garçon de table, un torchon à vaisselle bien plié sur le bras, le geste éloquent et un sourire figé aux lèvres. Émilie éclata de rire, imitée par Marie-Ange.

— Tu es quasiment aussi bon que les garçons du Windsor.

— J'ai de l'avenir comme serveur, tu penses ?

— Non, tu es un peu trop grand.

— Ça a rien à voir...

— Je le sais.

Le mois d'octobre fut accueilli par une Émilie boursouflée mais heureuse. Ovila avait terminé son engagement avec la municipalité pour la construction de l'aqueduc et il restait à la maison pour aider Éva qui commençait à peiner dans son rôle de tante. Rose avait cessé d'exercer ses talents de peintre sur les murs et Marie-Ange trottait avec assurance. Émilie écrivit à sa mère, lui disant déjà qu'elle ne pensait pas se rendre à Saint-Stanislas pour les fêtes, ce qui fit répondre à Célina qu'elle s'inquiétait à son sujet. Émilie la rassura sur son état de santé. Elle ajouta que sous peu elle serait probablement en mesure de lui annoncer qu'elle avait enfin un petit-fils.

Le petit-fils naquit le 8 octobre et fut baptisé... Louisa ! Ovila se réjouit, malgré tout, de l'arrivée d'une troisième fille. Émilie, elle, en fut quelque peu mortifiée. Il lui faudrait se hâter de donner un fils à son mari. Elle le ruinerait par tant de coffres de cèdre !

Louisa était insomniaque, pleureuse et agitée. Émilie passa de longues nuits dans la cuisine à la bercer pour permettre à Ovila de prendre un peu de sommeil. Ce fut en vain. Ovila était de plus en plus fatigué. Émilie considérait que sa fatigue à elle était normale, mais qu'un homme avait droit au sommeil. Aussi est-ce le plus sérieusement du monde qu'elle lui demanda s'il n'avait pas envie d'aller au lac Pierre-Paul ou ailleurs jusqu'aux fêtes.

— Es-tu folle ? Penses-tu que j'vas te laisser ici avec trois p'tits aux couches ?

— Il me semble justement que la maison est tellement pleine de bébés que ça te ferait du bien de te retrouver rien qu'avec des hommes.

— Pas question ! Je veux pas être avec des hommes. Je veux être avec toi. Les chantiers, Émilie, c'est fini.

— Penses-y. J'ai l'impression que ça serait une bonne affaire. Pis quand tu vas revenir, aux fêtes, ça va déjà être pas mal mieux. Louisa va avoir deux mois et demi, Rose trois ans et demi, pis Marie-Ange quinze mois. Ça va être pas mal plus facile.

Ovila s'était entêté à ne pas partir mais Émilie l'y obligea presque. Elle ne savait pas ce qui l'avait poussée à agir ainsi. Peu de temps avant, elle aurait fait la tête s'il avait parlé de s'absenter. Mais les choses étaient différentes. Elle voulait se refaire une taille et une beauté et, pour ce, elle voulait prendre le temps de se reposer. Dormir sur ses deux oreilles, sans craindre qu'un enfant n'éveille Ovila. Être seule pour quelque temps. Consacrer toutes ses journées à ses enfants sans avoir le sentiment de négliger son homme. Il y avait bien assez de la nature qui la forçait à le faire la nuit. Elle avait mal de penser à son absence, mais tout à coup elle avait envie de l'attendre. Elle avait envie de longues soirées soupirées en regardant par la fenêtre. Elle avait surtout envie de le retrouver dans deux mois, de l'accueillir et de pouvoir lui ouvrir les bras.

Ovila avait accepté à regret de s'éloigner. Il avait le sentiment aigu qu'elle le repoussait sans qu'il en connaisse les raisons. Dès qu'il fut dans le bois, il comprit, à son grand étonnement, qu'il respirait mieux. Il soupira en pensant à Émilie, se disant qu'elle le devinait tellement facilement. Il passa ses journées à bûcher son attente, partagé entre son bien-être et son besoin d'Émilie.

Comme Ovila le lui avait prédit, l'hiver commença sans pitié. Émilie regardait la neige qui leur tombait sur la tête comme le sucre en poudre sur les beignes qu'elle avait cuisinés pour le réveillon. Plus que deux semaines et Ovila serait de retour. Elle avait souventes fois regretté son initiative, mais son miroir lui disait qu'elle avait eu raison. Elle reconnaissait maintenant celle qui avait séduit Ovila. Elle s'était fait une nouvelle robe fermée par un lacet qu'elle pourrait serrer davantage si elle perdait encore du poids. Félicité et Éva lui offrirent de garder les enfants pour quelques jours. Elle refusa, alléguant que les petites seraient maussades de ne pas reconnaître leur décor familier.

— Si c'est rien que ça, ton problème, Éva pis moi on va les garder ici même. Ovila a dit qu'il serait arrivé pour ta fête. Ça veut dire que le réveillon va être pas mal prêt déjà. Pourquoi que vous iriez pas au lac à la Perchaude pour deux jours ?

Émilie refusa avec véhémence. Leur laisser tout le travail ? Jamais. Cela n'avait aucun sens. Mais la pensée de se retrouver seule avec Ovila, la pensée de dormir le matin, bien au chaud sous son aisselle, la pensée de ne pas entendre pleurer d'enfant, la pensée de regarder passer le temps au lieu d'être obligée de le chevaucher la séduisait. Elle accepta l'offre de sa belle-mère. Félicité se contenta de sourire et de lui rappeler que la jeunesse ne passait qu'une fois.

— Jeunesse ? Vous voulez rire, madame Pronovost. J'vas avoir vingt-sept ans. Je suis pus une jeunesse.

— Toi, peut-être pas, Émilie, mais oublie pas qu'Ovila, lui, est plus jeune, ironisa Félicité.

Émilie se regarda dans le miroir encore plus désespérément. Elle avait plus de cheveux blancs, mais Ovila aussi en avait maintenant quelques-uns, parsemés dans son épaisse chevelure. Mais elle n'avait pas de rides. Pas une seule ride.

Ovila arriva six jours avant Noël. Émilie avait eu un pressentiment et, le matin du 19, elle avait mis beaucoup de soin à se coiffer, avait enfilé une robe qu'elle n'avait pu porter depuis deux ans et avait astiqué la maison sans relâche. Elle avait même réussi à libérer la corde à linge de toutes les couches qui y étaient suspendues. Heureusement, Rose était redevenue propre et sage. Elle donnait même le biberon à Louisa, que les coliques avaient presque abandonnée, lui permettant de dormir ses nuits.

L'instinct d'Émilie ne l'avait pas trompée. Ovila arriva au début de l'après-midi. Émilie, Rose et Marie-Ange se précipitèrent à son cou. Il ne put empêcher l'émotion de le gagner. La maison lui semblait maintenant accueillante, remplie de bonne humeur. Éva ne permit pas à son frère d'enlever son manteau. À peine eut-il déposé ses filles par terre qu'elle lui remplit les bras de provisions, lui ordonnant d'aller atteler une carriole.

— Si c'est pour les porter chez le père, je peux marcher. Pis il y a pas de *presse*. C'est quoi, ces manies de me mettre à la porte quand je viens juste d'arriver?

Éva se contenta de le pousser dehors. Dès qu'il eut franchi le seuil de la porte, Émilie enfila son manteau et prit la valise qui attendait sous le lit depuis deux jours. Elle embrassa ses enfants et sa belle-sœur et sortit rejoindre Ovila. Il sursauta quand elle lui donna une légère tape dans le dos. Il ne l'avait pas entendue venir, tout occupé à fixer le mors de la bête.

— Veux-tu me dire...

Elle ne le laissa pas terminer sa phrase, utilisant ses lèvres pour le bâillonner. Quand ils reprirent leur souffle, elle lui indiqua leur destination.

— Les enfants?

— Bien gardés par ta mère pis ta sœur.

— Le réveillon ?

— Bien prêt. Des femmes pas d'hommes, ça a les mains dans la pâte du matin jusqu'au soir.

— Mes affaires ?

— Dans la valise que tu vas te dépêcher de monter dans la carriole avant que je me fâche.

Et ils partirent en riant. Ovila n'avait pris qu'une minute pour embrasser ses filles pendant qu'Émilie avait tenu l'attelage. À son retour, il y avait déposé un énorme paquet mal ficelé.

— Tu es une drôle de mère, toi, ma belle brume.

— Pantoute. Je serais pas une mère si j'avais pas été une femme.

Les jeunes frères d'Ovila étaient allés au lac chauffer le poêle. À leur arrivée, Ovila et Émilie enlevèrent leurs manteaux, puis Ovila s'attaqua immédiatement à la robe d'Émilie.

— Tu as bien maigri ! As-tu mangé, au moins ?

— Pas une miette. C'est bien connu : quand une femme est en manque de son homme, ça lui coupe l'appétit.

— Tu m'as pas fait partir parce que tu voulais avoir l'appétit coupé ?

— Non. Je t'ai fait partir parce que je voulais m'ennuyer. Parce que je savais qu'il y a rien de mieux que l'ennui pour...

Elle ne termina pas sa phrase, Ovila grognant déjà du plaisir de la retrouver plus belle qu'elle ne l'avait été depuis la naissance de Marie-Ange. Ils ne prirent pas la peine de souper et s'endormirent, bien au chaud, après qu'Ovila l'eut forcée de fermer les yeux et d'ouvrir le paquet mal ficelé qu'il avait apporté.

— Étant donné les circonstances, tu vas avoir ton cadeau de fête tout de suite.

Le paquet contenait deux paires de raquettes. Émilie le remercia chaudement et lui promit qu'ils les étrenneraient le lendemain, immédiatement après avoir mangé.

La promesse fut tenue. Elle et Ovila passèrent plusieurs heures à marcher dans le sous-bois. Émilie avait rapidement compris le principe de la marche en raquettes et s'amusait du fait qu'elle avait l'impression d'être suspendue au-dessus de la neige.

La magie de l'isolement avait agi et ni Émilie ni Ovila ne pensèrent aux trois petites qu'ils avaient laissées derrière. Ovila était tout à Émilie, qui le lui rendait bien. Ils passèrent plus de deux jours dans un temps hors du temps. Un intermède entre des journées tellement pleines de quotidien qu'ils avaient peine à s'y retrouver. Ils rentrèrent le lendemain de l'anniversaire d'Émilie et Éva les gronda parce qu'ils n'avaient pas profité plus longtemps de leur petite escapade.

Émilie et Ovila s'étaient finalement rendu compte que leurs petites leur manquaient et ils étaient rentrés à la hâte. Émilie s'inquiétait des conséquences de son absence sur Rose. Ovila avait hâte de mieux connaître Louisa.

Rose, heureusement, avait continué dans la bonne voie et ses parents osaient croire que le médecin s'était peut-être trompé ou, à tout le moins, avait exagéré les conséquences du manque d'air. Marie-Ange commençait à s'affirmer et Louisa était resplendissante.

Les fêtes furent parfaitement réussies et Émilie se demanda si elle n'aurait pas pu aller à Saint-Stanislas. Ovila lui fit remarquer qu'elle aurait eu un long trajet à faire avec deux bébés et une Rose agitée. Émilie concéda qu'il avait raison.

— L'année prochaine, Émilie, on devrait pouvoir y aller.

— Si on n'a pas un autre p'tit d'ici là.

— Crains pas. La nature nous a bien gâtés depuis deux ans. Elle va nous laisser tranquilles un peu.

La nature n'avait pas entendu les propos d'Ovila et Émilie lui annonça au mois de février qu'elle allait être mère encore une fois. Heureusement, elle l'avait annoncé en riant. Ovila s'était senti terriblement coupable.

— Je comprends pas, Émilie. On passe un temps de fou à attendre notre deuxième, pis après ça, on dirait qu'on en fait un par année.

— Faut croire que la nature a décidé de me donner tous les enfants qu'il me faut avant mes trente ans.

Ovila, au grand bonheur d'Émilie, s'était trouvé du travail à la nouvelle manufacture de portes et châssis de William Dessureault. Il n'était pas retourné au chantier. Émilie, sereine dans sa nouvelle grossesse, n'avait plus ressenti le besoin de l'éloigner. Ovila, par contre, trouvait les journées et les soirées un peu longues. Aussi prit-il l'habitude, après ses heures de travail, de faire un arrêt à l'hôtel, question de parler un peu avec les hommes avant de rentrer. Émilie ne lui avait fait aucun reproche, sauf en de rares occasions où, visiblement, il avait parlé trop longtemps.

— Ça me dérange pas que tu arrêtes à l'hôtel une fois de temps en temps, mais quand tu arrives, j'aimerais ça que tu sois ici.

— Comment ça ? Quand j'arrive, je suis ici.

— Des fois oui, des fois non, Ovila. Des fois, tu es bien assis dans ta chaise mais tu as pas l'esprit bien bien alerte.

Ovila avait grimacé et, le reste de l'hiver, il avait essayé de limiter ses conversations à la durée d'un verre.

Le printemps arriva sans crier gare à la fin de mars. Au début d'avril, la neige avait fondu comme par enchantement, laissant rapidement paraître l'herbe fanée d'avoir supporté la lourde blancheur pendant de longs mois. Émilie ne semblait pas épaissir autant qu'à sa dernière grossesse. Sa santé était excellente et Ovila s'en réjouissait d'autant plus qu'Émilie n'avait pas perdu sa bonne humeur. Les trois filles étaient en grande forme et Louisa, qui allait avoir six mois le lendemain, avait déjà percé quatre dents.

Ovila était allé à l'hôtel pour fêter l'arrivée du printemps. Il savait qu'Émilie lui avait demandé d'arriver tôt, car elle devait aller chez le médecin avec Rose et Louisa. Elle avait décidé, voyant les progrès de Rose, de confondre ce dernier. Ovila, lui, croyait qu'elle cherchait à se rassurer. Émilie consacrait une heure par jour à Rose. La petite ardoise que Charlotte leur avait donnée en cadeau de noces servait à apprendre les chiffres et les lettres. Ovila avait dit à Émilie qu'il trouvait Rose un peu jeune pour toutes ces choses, mais Émilie n'avait pas démordu. Elle soutenait que si Rose pouvait savoir ses lettres et ses chiffres avant d'aller à l'école, elle pourrait réussir une première année sans trop de problèmes. Ovila avait haussé les épaules et n'était plus intervenu. Quant à Louisa, elle voulait la montrer au médecin pour qu'il lui dise qu'elle était en grande forme, malgré quelques problèmes de digestion.

Ovila commanda un deuxième verre après avoir regardé l'heure. Il avait encore le temps. Il pensait à son bonheur en écoutant les autres hommes se plaindre de leurs femmes. L'une d'elles ne voulait jamais dormir si elle n'avait pas pris le temps de réciter un rosaire. Son mari riait en disant que, depuis qu'elle avait pris cette habitude, ils n'avaient plus eu d'enfants, étant donné que lui s'endormait toujours avant la fin des quinze dizaines.

— Je peux quand même pas l'empêcher de faire ses dévotions.

— Tu peux lui rappeler son devoir, par exemple.

— Tu veux rire, toi ! Ma femme a pas trente ans pis on a huit jeunes. Son devoir est fait.

L'autre racontait que la sienne passait son temps à lui reprocher d'avoir la barbe trop forte. Il ne pouvait plus l'approcher que fraîchement rasé, ce qui n'arrivait que le dimanche matin.

— Est-ce qu'il y en a un ici qui peut prendre le temps de servir sa femme avant la messe ? Moi, j'ai jamais réussi.

Ovila les écoutait parler sans intervenir. Il ne les comprenait pas d'étaler aussi ouvertement leur vie conjugale. Il commanda un troisième verre, curieux d'entendre tout ce qu'ils raconteraient. Émilie rirait certainement aux éclats quand il lui répéterait leurs propos.

— La mienne, elle a une nouvelle manie. À c't'heure, c'est une fois par mois que je peux l'approcher. Pis pas n'importe quand, non, messieurs, seulement quand elle commence ses mauvais jours. Avez-vous déjà fait ça pendant les mauvais jours ? Elle, elle a pour son dire que c'est mieux pour pas avoir d'enfants. Moi, je pense que c'est juste mieux pour me tenir de mon bord du lit.

Ovila ricanait. Il remerciait tous les saints de la terre de lui avoir donné une femme comme Émilie. Elle n'avait jamais fait d'histoires à ce sujet. Même que...

— C'est rien, ça. La mienne est allée voir un docteur de Trois-Rivières pour qu'il lui donne un papier de dispense ! Pis savez-vous quoi ? Elle l'a eu, son maudit papier ! À c't'heure, chaque fois que j'essaie de lui faire des p'tits mamours, le papier sort d'en dessous de son oreiller ! Ça vous coupe l'inspiration, ça, monsieur...

Ovila s'amusait de plus en plus. Il commença même à se mêler à la conversation, posant une question ou se permettant un commentaire de temps à autre.

— C'est fou pareil. Le Créateur a rendu la chose plaisante pour être sûr qu'on se multiplierait. Moi, je pense qu'il avait oublié de le dire à Ève.

— Qu'ossé que tu vois de plaisant là-dedans, toi ?

— Comment ? Tu trouves pas ça plaisant, toi ?

— Pantoute ! Je trouve même ça... euh... pas mal écœurant. Forniquer, moi, c'est pas mon fort.

— Es-tu malade, toi ? Hé ! les gars, il aime pas ça, lui !

— Ça serait-tu parce que tu es pas capable de la lever ?

— Hé ! toi... Je l'ai levée assez souvent pour avoir trois enfants.

— Veux-tu nous faire accroire que tu l'as levée rien que trois fois pour ça ?

— C'est en plein ça. Je commence à penser que vous autres vous la levez pour autre chose que le devoir. Moi, je l'ai levée le soir des noces, pis deux autres fois. Ma femme a pas l'air de se plaindre d'avoir un mari à sa place. J'ai pas vos problèmes, moi. Ma femme a pas eu besoin de dispense, moi. Ma femme récite pas des rosaires à tous les soirs, moi. Quand je la sers, ma femme dit pas non, moi.

— Tu l'as servie rien que trois fois ?

— Trois fois, juré sur sa tête.

— Pis vous avez eu trois jeunes ?

— Oui, monsieur. Pis trois gars, à part de ça.

Ovila fronça les sourcils. Est-ce qu'il venait d'apprendre la raison pour laquelle il n'avait eu que des filles ?

— Qu'ossé que tu dis de ça, toi, le grand ? À l'entendre, on dirait que les gars c'est les enfants du devoir pis que les filles c'est les enfants du plaisir. Si ma mémoire est bonne, tu as trois filles, toi ?

Ovila avala tranquillement les dernières gorgées de son verre et fit signe au garçon de remplir. Il s'essuya la bouche du revers de sa manche et sourit à son interlocuteur.

— Je crois pas à ça.

— Tu veux dire que tu fais ça par devoir ? Fais-moi rire ! Tu as pas une tête à ça, pis ta femme non plus. Vous avez encore pris des p'tites vacances au lac ?

— Pis ? Ça dérange-tu quelqu'un ici ?

— C'est pas ça qu'on dit… mais ta femme est encore pleine.

— C'est pas de vos *ciboire* d'affaires, ça.

— Ben, on va voir. Si tu as un gars, on pourra croire que tu as fait ça par devoir. Mais si tu as une autre fille, on va commencer à croire ce que l'autre a dit.

— Vous croirez ce que vous voudrez. Moi, j'ai pour mon dire que c'est quasiment scandaleux de vous entendre dénigrer vos femmes de même. Vous avez des bonnes femmes. Vous avez des enfants en santé. Je vois pas pourquoi vous trouvez encore le moyen de chialer.

— Écoute, le grand : si tu aimes pas ça, des conversations d'hommes, tu as juste à rentrer chez vous pis à écouter la belle Émilie parler des couches pis de la température. Nous autres, on aime ça, jaser. Si tu aimes pas ça, tu as rien qu'à te taire.

— C'est justement ça que je pensais. Bonsoir, la compagnie !

Ovila monta dans sa calèche et essaya de lire l'heure. Neuf heures ! Il regarda encore une fois, certain de s'être trompé. Ce fut pire. Il lut minuit. La trotteuse qui l'avait induit en erreur avait maintenant rejoint les deux autres aiguilles. Il grimaça. Émilie ne l'accueillerait certainement pas avec le sourire. Il pressa sa bête et arriva chez lui. Émilie était assise dans la cuisine, bien endormie dans sa berceuse, tenant encore son accordéon d'une main. Ovila se rendit compte qu'il titubait légèrement.

Il essaya de contrôler sa démarche. Il s'approcha d'Émilie et lui frotta une épaule.

— Hé !… ma belle brume. Tu serais mieux dans le lit.

Émilie ouvrit les yeux, sourit à Ovila, puis, se rappelant qu'il l'avait empêchée d'aller chez le médecin, se rembrunit. Elle détourna les yeux. Ovila lui enleva l'accordéon des mains et fit mine d'essayer de la soulever. Elle sauta sur ses pieds.

— Touche-moi pas ! Tu m'as fait poireauter comme une dinde. As-tu oublié que j'avais rendez-vous chez le docteur avec Rose pis Louisa ?

— Oui, j'ai oublié. Excuse-moi, mais les hommes parlaient d'affaires tellement drôles que j'ai voulu tout entendre pour pouvoir te les répéter.

— Ça m'intéresse pas, leurs maudites affaires. Ce qui m'intéresse, moi, c'est de voir mon mari avec tous ses esprits, pis de voir le docteur avec mes filles quand j'ai décidé qu'il fallait que je voie le docteur avec mes filles.

Elle n'ajouta plus un mot et se dirigea vers sa chambre à coucher. D'un regard, elle demanda à Ovila de jeter un coup d'œil aux filles. Il acquiesça, mais décida de lui laisser temps de s'endormir avant de la rejoindre. Il était tellement mal à l'aise de l'avoir ainsi chagrinée qu'il n'avait pas le courage d'entendre plus de reproches. Il alluma sa pipe et se berça lentement. Il irait voir les filles avant de se mettre au lit.

Il s'éveilla à trois heures du matin. La pipe était par terre et le tabac avait brûlé le plancher. Heureusement qu'il n'y avait pas de tapis à cet endroit, pensa-t-il. Il s'étira et rota. Il ouvrit la porte de la chambre puis se rappela qu'il n'avait pas vérifié le sommeil de ses filles. Laissant la lampe dans la cuisine, il se dirigea vers la chambre de Rose. Elle dormait paisiblement. Il l'embrassa tout en soupirant. Que deviendrait sa Rose ? Il se dirigea ensuite à tâtons vers l'autre chambre. Marie-Ange dormait sur le dos, les bras en croix et les jambes écartées. Il sourit. Il s'approcha du berceau de Louisa. Comme toujours, elle était recroquevillée sur elle-même, la tête légèrement sur le côté, encadrée de ses deux bras et de ses petits poings fermés.

Ovila sortit de la chambre et referma la porte doucement. Il sourit à sa paternité puis grimaça en pensant à Émilie. Il lui faudrait s'excuser dès qu'elle ouvrirait les yeux. Il revint dans la cuisine, troublé par quelque chose qu'il ne réussissait pas à identifier. Il commença à déboutonner sa chemise. La cuisine était bercée par le silence que seul le tic-tac de l'horloge venait déranger. « C'est le cœur de notre maison, pensa Ovila. Le cœur de notre maison remplie d'Émilie et de moi-même. » Il s'assit de nouveau dans la berceuse et écouta. Il cherchait un son mais il aurait été bien incapable d'identifier le son qu'il cherchait. Il sourit encore une fois, reconnaissant dans son attitude quelque chose de semblable à ce qu'il faisait quand il chassait. Il écoutait toujours, l'oreille tendue. Sans comprendre, il se rendit compte que sa gorge s'était nouée. Qu'est-ce qu'il y avait qui pouvait tant le troubler ? Le chagrin d'Émilie ? Ses yeux lourds de reproche ? Non, elle n'avait pas eu les yeux si réprobateurs, ce soir. Oui, un peu, mais pas assez pour qu'il ressente ce malaise étrange. Il ferma les yeux et essaya de revivre chacun de ses mouvements, chacune des phrases d'Émilie depuis son retour. Le rythme de son cœur s'accéléra. Il revit Émilie le quitter pour aller dormir. Puis il revit la tache noire qu'avait imprimée le tabac brûlant sur le plancher. Il revit Rose, puis Marie-Ange. Il pensa à Louisa. Louisa. Son cœur s'accéléra encore. Louisa. Toute recroquevillée comme d'habitude. Louisa... Il bondit sur ses pieds, empoigna la lampe et courut dans la chambre du bébé. Marie-Ange, que la lumière avait indisposée, se retourna en grognant un peu. Ovila s'approcha du berceau, sur la pointe des pieds. Il leva la lampe au-dessus de la tête de Louisa.

— Émilie ! Émilie ! Oh ! non… Émilie !

Marie-Ange, éveillée en sursaut, regardait son père en lui retournant ses hurlements. Rose s'était levée et s'approchait de la porte. Émilie accourait, le visage terrorisé par le cri de douleur qui venait de la tirer du sommeil dont elle avait réussi à se débarrasser en une fraction de seconde. Elle ne vit pas le trajet entre sa chambre et celle de ses deux plus jeunes. Elle repoussa Rose qui lui obstruait le chemin et pénétra dans la chambre.

Émilie se figea devant l'ombre que la lampe projetait sur le mur. Ovila avait une poupée dans les mains, une poupée désarticulée dont la tête tombait en arrière et un bras ballottait au rythme qu'il lui imposait par son bercement. Puis les yeux d'Émilie quittèrent l'ombre et descendirent lentement vers Ovila. Il était prostré, la lampe posée par terre à côté de lui, Louisa dans les bras. Rose tira sur la chemise de nuit de sa mère. Pour toute réponse, elle reçut une taloche. Elle s'éloigna en pleurant et se réfugia près de Marie-Ange, qui n'avait pas encore cessé ses hurlements. Elle lui donna une tape, comme venait de le faire sa mère, et Marie-Ange se tut, saisie.

Émilie approcha lentement d'Ovila. Elle marcha pendant ce qui lui sembla être des heures, des jours et des nuits. Puis elle fut à côté de lui. Elle se pencha lentement, regarda son visage inondé de larmes, puis accrocha son regard au teint de Louisa. Émilie étouffait. Saisie d'une folie soudaine, elle donna un violent coup de poing à Ovila et lui arracha Louisa des bras. Elle la secoua énergiquement, la prit par les jambes en lui laissant tomber la tête tout près du plancher, la remit à l'endroit, lui tapocha le dos de plus en plus fort. Maintenant elle criait :

— Réveille, Louisa ! Réveille-toi !

Elle ouvrit toute grande sa chemise de nuit et se découvrit un sein. Ovila la regardait, crispé de chagrin. Elle savait bien qu'elle n'avait jamais eu de lait. Mais elle posa un de ses mamelons séchés sur la bouche morte de son bébé. Pleurant à chaudes larmes, des pleurs venus de profondeurs jamais explorées, elle continuait à encourager Louisa à boire. Ovila s'approcha d'elle et elle lui rugit de s'éloigner. Il recula, terrifié, puis, entendant Rose et Marie-Ange pleurer, il alla les trouver et les mena toutes les deux dans la chambre de Rose. Essayant de sourire, il demanda à Rose de bien protéger Marie-Ange. Rose et Marie-Ange se collèrent l'une contre l'autre et se turent. Ovila les laissa et revint vers Émilie. Elle avait enfoui Louisa sous sa chemise de nuit et lui disait qu'elle allait la réchauffer. Ovila s'approcha d'elle encore une fois. Elle lui ordonna de se tenir éloigné. Il ne voulut rien entendre et continua d'avancer. Elle recula, marchant sur les genoux, trébuchant chaque fois qu'elle piétinait sa chemise. Dans sa hâte à vouloir s'éloigner de lui, elle échappa Louisa qui tomba sur le plancher en faisant un son mat. Ovila pleurait à chaudes larmes.

— Émilie... Émilie, donne-moi Louisa... Lève-toi, Émilie...

— Va-t'en ! Maudit toi ! Va-t'en !

Ovila recula à son tour, sortit de la chambre et ferma la porte. Il alla voir Rose et Marie-Ange qui ne dormaient pas. Il les leva et entreprit de les vêtir malgré ses mains nerveuses et fébriles. Il y réussit, en même temps qu'il reprit un peu de son sang-froid. Il leur mit un gilet de laine et, tenant chacune de ses filles par la main, il sortit dans la nuit encore noire et se dirigea vers la maison de son père. Ses sanglots le rejoignirent à mi-chemin.

Il essaya de parler doucement pour effacer la terreur du visage de ses filles. Il fut enfin rendu chez ses parents.

Il entra dans la cuisine et appela sa mère à son secours. Félicité arriva, aussitôt talonnée par son mari. Éva était descendue, suivie de tous ses frères. Elle prit ses nièces et commença à les dévêtir. Ovila hoquetait et pleurait tant que personne ne comprit ce qu'il racontait. Ils ne reconnaissaient que les mots « Émilie », « Louisa » et « folie ». Puis Ovila sortit précipitamment de la maison et courut en direction de chez lui. Félicité ne prit pas le temps de se vêtir et partit à sa poursuite, imitée par son mari et Edmond. Éva retint les autres.

Ovila ouvrit la porte prudemment, inquiet de ce qui pouvait l'attendre. Émilie était là, dans la cuisine. Elle avait déposé Louisa au milieu de la table et, assise à côté d'elle, elle lui jouait un air d'accordéon.

— Te voilà, Ovila ! J'essayais d'endormir Louisa en t'attendant. Je voudrais pas qu'on fasse patienter le docteur.

Elle avait la voix haut perchée et traînante. Ovila la regarda, incrédule. Elle venait d'effacer les heures qui s'étaient écoulées depuis la veille. Elle l'attendait pour aller chez le médecin avec Rose et Louisa. Elle l'avait attendu pendant que lui...

Félicité le poussa légèrement. En un instant, elle avait compris la scène. Elle s'approcha d'Émilie et lui parla doucement.

— Dosithée pis Edmond vont emmener Louisa chez le docteur, Émilie.

— Non, c'est moi qui y vas. J'ai demandé à Ovila d'être ici pour garder Marie-Ange. Rose aussi est prête.

— Rose est déjà chez nous, avec Éva. À c't'heure, faut que Dosithée emmène Louisa.

Elle s'approcha du bébé et le prit dans ses bras. Émilie se précipita vers sa chambre et revint avec du linge pour Louisa.

— Pensez-vous que j'vas la laisser partir de même ? Voyons donc, madame Pronovost, on sort pas un bébé en couche pis en camisole !

Sous le regard ahuri d'Ovila, Émilie langea Louisa, la vêtit, en ne négligeant même pas de lui mettre ses souliers. Elle lui parlait sans arrêt.

— Moman va te mettre la belle p'tite robe de dentelle anglaise qu'elle avait cousue pour Rose. Tu vas être belle comme un p'tit ange. C'est bien raisonnable de pas bouger. Rose, elle, bougeait tout le temps quand je lui mettais ses p'tits bas.

Au grand émoi de tous, elle mouilla une débarbouillette et lava la figure et les mains de Louisa, doucement, comme si elle eût joué avec une poupée de porcelaine. Elle prit enfin Louisa dans ses bras et la remit à Félicité.

— C'est gentil à vous de vous en occuper. Oubliez pas de dire au docteur que Rose sait compter jusqu'à cinquante. C'est pas mal pour une enfant retardée.

Ovila éclata en sanglots. Émilie le regarda, fronça les sourcils et s'approcha de lui.

— Inquiète-toi pas, Ovila, j'vas m'occuper de Rose. Je te l'ai dit : Rose va être comme tous les enfants.

Elle accompagna Dosithée, le bourrant de recommandations.

— Faites attention. Louisa est encore p'tite. Tenez-lui la tête. Couvrez-la bien pour pas qu'elle prenne froid. Mais surtout, surveillez-la pour pas qu'elle s'étouffe. C'est bien important. Faut pas que Louisa s'étouffe.

Dosithée, suivi d'Edmond, sortit avec le corps rigide de Louisa. Félicité fit une infusion à Émilie et la conduisit dans sa chambre. Émilie riait de faire l'objet de tant d'attentions.

— Tu as un p'tit dans ton ventre, Émilie. Faut que tu sois en forme si tu veux qu'il soit en santé.

Émilie regarda son ventre et éclata de rire.

— J'avais complètement oublié. Merci. Viens-tu te coucher, Ovila, ou est-ce que tu attends les filles ?

— Les filles vont dormir chez moman, Émilie.

— Ah oui ? Ah bon ! J'avais oublié. Bonne nuit.

Elle s'était endormie. Ovila, affaissé à la table de la cuisine, pleurait à chaudes larmes. Félicité l'entourait de toute son âme.

— Qu'est-ce qui s'est passé, Ovila ?

— Je sais pas.

— Quand est-ce que Louisa est morte ?

— Je sais pas.

— De quoi est-ce qu'elle est morte ? Est-ce qu'elle faisait de la fièvre ? Elle était bien bleue. On dirait qu'elle s'est étouffée.

— Je sais rien.

Félicité avait cessé de poser des questions. Elle attendrait le retour de Dosithée.

Dosithée revint à sept heures du matin. Ovila n'avait pas dormi et avait fumé pipée après pipée. Félicité lui avait préparé du café, même si elle ne savait pas bien encore comment mesurer les quantités. Le thé était si simple, comparé à cette invention.

— Pis ?

— D'après le docteur, Louisa s'est étouffée en régurgitant. Il s'en vient. J'ai dit qu'Émilie était… euh… avait pas l'air dans son assiette.

Le médecin arriva au moment où Émilie s'éveillait. Elle appela Ovila, qui entra dans la chambre. Elle regarda la boursouflure de ses yeux et comprit qu'elle n'avait pas fait de cauchemar. Tout était vrai. Elle ouvrit les bras et il s'y précipita. Ensemble, ils pleurèrent comme jamais ils n'auraient cru pouvoir le faire.

Émilie et Ovila enterrèrent leur fille le lendemain de sa mort. Émilie avait tenu à assister aux funérailles, alléguant que si elle ne voyait pas la mise en terre, elle ne croirait jamais à la mort de Louisa. Ovila ne la quitta pas d'une semelle, craignant que son esprit ne dérape encore une fois sous la douleur. Mais Émilie tint le coup. Elle avait vaguement souvenir de la nuit de la mort de Louisa. Un goût d'amertume lui collait pourtant à la gorge.

De retour à la maison, elle s'isola dans sa chambre à coucher. Ovila n'eut pas à prier sa famille de les laisser seuls. Félicité avait fait la valise des enfants et lui avait dit qu'elle les emmenait pour au moins une semaine, le temps que lui et sa femme se remettent de leurs émotions. Il frappa à la porte de la chambre, mais Émilie ne répondit pas. Il frappa une seconde fois. Elle se tut encore. Il ouvrit et la trouva assise sur le bord du lit, fixant la fenêtre d'un regard absent. Il s'approcha d'elle et lui posa un bras sur l'épaule. Émilie souleva son épaule brusquement, de façon à lui faire relâcher son étreinte.

— Qu'est-ce qu'il y a, Émilie ?

— C'est de ta faute, Charles Pronovost. Tout ça, c'est de ta faute.

Ovila blêmit. Depuis la mort de Louisa, il n'avait cessé de se répéter ces mêmes mots. Il s'assit à l'autre bout du lit, attendant la suite. Sans le regarder, Émilie le blâma de n'être pas rentré comme il l'avait promis. De l'avoir laissée seule, à l'attendre. Elle avait la voix sèche, cassante comme une vitre.

— Si j'avais vu le docteur avec Louisa, Louisa serait encore en vie.

— Non, Émilie. Louisa s'est étouffée en dormant.

— Laisse-moi finir !

Ovila ravala son remords et se tut.

— D'abord, si tu étais pas rentré saoul, tu aurais pu entendre quelque chose.

— Comme quoi ?

— Je sais pas, moi. Tu aurais pu l'entendre tousser, ou lâcher un p'tit cri.

— Tu peux pas dire ça, Émilie. Louisa était peut-être morte quand je suis arrivé.

— Non ! Non ! Louisa était pas morte. Je suis sûre de ça.

— En tout cas…

— Pis si tu t'étais pas endormi d'un sommeil d'ivrogne, tu l'aurais entendue. Si tu étais allé la voir quand moi je suis allée me coucher, ça serait peut-être pas arrivé non plus.

— Si, si, si… Émilie, ça donne rien de parler de même.

— Je te pardonnerai jamais, Ovila. Jamais !

Elle s'était enfin retournée et l'avait regardé quand elle avait prononcé son deuxième « jamais ». Ovila baissa la tête, puis se leva. Il ne voulait pas discuter. Le médecin lui avait dit que Louisa avait dû mourir entre dix heures du soir et deux heures du matin. Ovila lui avait demandé comment il pouvait affirmer la chose.

« Tu me dis que le corps était froid quand tu l'as trouvé à trois heures du matin. Ça veut dire que ça faisait au moins une heure que Louisa était morte. Un p'tit bébé comme ça, ça refroidit vite.

— Est-ce que ça veut dire que Louisa vivait peut-être encore quand je suis arrivé ?

— Ça, Ovila, ça va toujours être un point d'interrogation. Oui ou non ? Le bon Dieu le sait pis le diable s'en doute. »

Ovila sortit de la chambre. Il tourna en rond dans la cuisine, puis revint dans la chambre. Il essaya vainement de parler à Émilie. De lui dire qu'il l'aimait. De lui parler du destin. Émilie ne l'écoutait pas. Désespéré, il prit une valise sous le lit et l'emplit de ses effets. Émilie le regarda faire sans poser de questions. Ovila se tint devant elle, espérant qu'elle ferait un geste, un tout petit geste pour le retenir. Il ne voulait pas la laisser seule avec son chagrin. Elle ne broncha pas, se contentant de nouer et dénouer ses cheveux qu'elle avait libérés de leur prison d'épingles. Voyant qu'elle ne réagirait pas, il se dirigea vers la porte. Avant de la franchir, il se retourna une dernière fois et tenta un ultime essai.

— Tu as rien à me dire, Émilie ?

— J'ai pus rien à te dire, Charles.

Ovila marcha en direction du village. Il entendit crier sa mère et sa sœur, mais il ne se retourna pas. Il entendit ensuite le galop et le crissement des roues d'une calèche. Il ne broncha pas. Son père et son frère arrivèrent à sa hauteur.

— Où c'est que tu t'en vas de même, mon gars ?

Il ne répondit pas, continuant de marcher droit devant lui. Dosithée et Edmond se regardèrent, impuissants. Ils rebroussèrent chemin, convaincus qu'ils le retrouveraient à l'hôtel.

Le soir venu, ils allèrent tous les deux à l'hôtel Brunelle. Ovila n'y était pas. Ils se dirigèrent vers le Grand-Nord. Ovila ne s'y était même pas arrêté. Ils le cherchèrent dans tout le village. Ovila n'était nulle part. Ils revinrent au Bourdais bredouilles. Émilie, la mine abattue, était chez les Pronovost. Elle interrogea son beau-père des yeux. Dosithée fit non de la tête. Émilie haussa les épaules et se désintéressa complètement de ce qu'ils avaient à raconter. Elle berçait Rose, enchantée de tant d'attentions. Émilie repartit pour sa maison, refusant de dormir chez les Pronovost. Félicité lui offrit de l'accompagner. Émilie refusa. Elle préférait être seule, ayant à réfléchir à bien des choses. Elle ne dormit pas de la nuit, entendant sans cesse le cri d'Ovila. Elle ne dormit pas le lendemain non plus. Elle se leva même en pleine nuit pour changer les draps de son lit, encore imprégnés de l'odeur d'Ovila.

Le troisième jour, elle reçut la visite du curé, à qui les Pronovost avaient demandé assistance. Elle l'écouta poliment lui parler de la vie et de la mort, mais ne retint que deux phrases : « Je viendrai comme un voleur » et « Les voies du Seigneur sont impénétrables. » Elle le remercia pour ses bonnes paroles et l'accompagna à la porte avant qu'il ait manifesté le désir de partir. Il ne s'en formalisa pas.

Le lendemain, elle alla chercher ses enfants. Elle avait rêvé que ses petites mouraient dans un feu chez les Pronovost. Elle se sentait coupable de ne pas les avoir avec elle et les ramena en les caressant sans arrêt. Elle écrivit une longue lettre à Berthe, lui demandant de prier pour elle et Louisa. Elle écrivit aussi à Antoinette, ne se gênant pas pour blâmer Ovila de son irresponsabilité.

Personne n'avait revu Ovila. Il avait complètement disparu de la circulation. Félicité et Dosithée étaient partagés. D'une part, ils s'inquiétaient pour leur fils. D'autre part, ils lui en voulaient d'avoir laissé sa femme seule après la tragédie. Émilie ne leur exprima jamais le fond de sa pensée et ne parla jamais des raisons du départ d'Ovila. Elle continuait sa routine quotidienne sans jamais faire allusion à son mari. Les gens jasaient. Les hommes qui avaient passé la soirée fatidique à l'hôtel avec Ovila racontèrent qu'il était parti complètement ivre. Certains paroissiens commencèrent même à penser qu'Ovila avait peut-être tué Louisa. Le médecin dut intervenir et jurer que la petite était bel et bien morte durant son sommeil, étouffée.

— Pis étouffée par des causes naturelles ! avait-il tenu à préciser.

On admira Émilie pour son courage. En deux jours, elle avait perdu son enfant et son mari. Émilie ne les écoutait plus. Elle ne souffrait même pas d'entendre dénigrer Ovila comme s'il avait été un parfait criminel. Elle-même avait commencé à le penser.

Émilie était assise sur sa galerie et regardait les hommes faire les foins. À perte de vue, le foin était monté en bottes, créant l'illusion que les humains n'étaient que des petites fourmis se promenant entre des tumulus géants. Des fourmis. Étaient-ils vraiment plus importants que des fourmis ? Elle se le demandait. Elle voulut se lever et se rassit aussitôt.

— Rose ! Viens ici, Rose !

Rose s'approcha de sa mère.

— Va chercher mémère. Moman a besoin de mémère. As-tu compris, Rose ?

— Ben oui. Rose aller chercher mémère avec Marie-Ange ?

— C'est une bonne idée, ça, Rose. Emmène Marie-Ange avec toi. Pis, Rose, apporte ta *catin* pis celle de Marie-Ange aussi. As-tu compris, Rose ?

— Ben oui. Ma catin pis celle de Marie-Ange aussi.

— Pis tu vas dire à mémère que les sauvages sont arrivés. As-tu compris ?

— Ben oui, je suis pas un bébé.

— Répète ce que tu vas dire à mémère.

— J'vas dire à mémère que les sauvages sont arrivés.

— C'est bien ça, Rose. Viens me donner un bec quand tu vas partir pour chez mémère. À c't'heure, va chercher Marie-Ange pis les catins. À soir, il va y avoir une surprise.

— Quoi ?

— Je pense que tu vas dormir chez mémère. Mais dis-le pas à Marie-Ange. C'est un secret.

Rose et Marie-Ange étaient parties, se tenant par la main. Dix fois par jour, elles faisaient ce trajet. Dix fois par jour, Émilie les surveillait.

Félicité arriva à la hâte avec Edmond. Celui-ci la laissa auprès d'Émilie puis s'empressa d'aller chercher la sage-femme. Émilie rentra et se coucha. La sage-femme eut à peine le temps d'arriver qu'Émilie accouchait d'un gros garçon.

***

La colère grondait chez les Pronovost. Le mois de septembre s'était estompé et Ovila n'avait donné aucune nouvelle à Émilie. Dosithée et Félicité s'étaient abstenus de commentaires, certains qu'entre leur fils et sa femme il s'était passé quelque chose qu'ils ne parvenaient pas à comprendre. Durant les six mois écoulés depuis la disparition d'Ovila, Émilie avait refusé qu'on parle de lui. Elle était méconnaissable. Elle avait même refusé de faire baptiser son fils. Ne sachant plus que faire, Dosithée décida d'écrire à Caleb pour lui demander son avis. Caleb n'avait pu venir après la naissance du fils d'Émilie et Dosithée se demandait si une visite impromptue ne serait pas de quelque utilité.

Caleb arriva sans aviser. Il n'avait plus revu sa fille depuis... depuis si longtemps qu'il ne savait pas à quoi s'attendre. Il l'aperçut dehors. Elle arrachait les branches mortes de son jardin. Ses deux filles – déjà si grandes... – gambadaient à côté d'elle. Elle avait sanglé son fils tout près de sa poitrine. Caleb fronça les sourcils. Elle se serait fait des tresses qu'elle aurait eu l'air d'une parfaite Amérindienne. Émilie l'aperçut. Elle se redressa et déposa la binette qu'elle tenait à la main. Elle appela ses filles et leur désigna Caleb. Il eut l'impression qu'elle souriait. Les deux fillettes partirent à sa rencontre. Caleb fit de grands signes avec son chapeau.

— Faites attention à vous autres, mes bougrines. Pépère voudrait pas que le ch'val vous frappe.

Les petites rirent et l'escortèrent jusque derrière leur maison. Caleb les étreignit distraitement, surveillant l'arrivée d'Émilie. Enfin, elle fut devant lui. Le cœur de Caleb fit une embardée. Elle était méconnaissable. Il s'avança vers elle, lui tendit les bras, mais Émilie ne s'y réfugia pas. Il les laissa retomber lourdement.

— Bonjour, pâpâ. Qu'est-ce qui vous amène ? La dernière fois qu'on s'est vus, Rose devait pas avoir plus d'un an et demi.

— C'est bien parce que tu nous as toujours annoncé les mauvaises nouvelles avec du retard pis que tu as jamais pu venir à Saint-Stanislas.

— C'est pas mal plus facile pour vous de venir faire un tour à Saint-Tite que pour moi de partir avec les enfants pis de descendre à Saint-Stan'.

— On rajeunit pas, Émilie.

— On reste ici ou on rentre pour prendre un café ?

Caleb la suivit docilement, enregistrant mentalement tous les changements. Elle avait dû prendre au moins vingt livres. Elle avait plus que des pattes-d'oie autour des yeux. Ses cheveux avaient perdu leur éclat, hormis les reflets que créaient les cheveux blancs. Il secoua la tête, essayant de brouiller toutes les questions qui s'y bousculaient.

Caleb s'assit dans la cuisine et prit ses petites-filles sur ses genoux. Il n'avait encore jamais vu Marie-Ange.

— Tu excuseras ma mauvaise mémoire, Émilie, mais tes filles ont quel âge ?

— Rose a eu quatre ans en juin, Marie-Ange, deux ans il y a deux semaines, pis le p'tit est né le cinq du mois passé. Louisa, elle… Louisa aurait eu un an cette semaine.

Caleb dévia son regard vers l'enfant qu'elle portait encore sur sa poitrine.

— C'est quoi, le nom du p'tit ?

— Il a pas de nom encore. J'attends qu'Ovila revienne pour qu'on le choisisse.

Caleb fit descendre ses petites-filles et leur dit d'aller voir dans sa calèche.

— Si vous avez été sages, vous allez pouvoir y trouver des surprises.

Dès qu'elles furent sorties de la maison, Caleb toussota puis tenta bien malhabilement de questionner Émilie sur l'absence d'Ovila et sur la mort de Louisa. Émilie resta muette. Caleb changea de sujet.

— Tu reconnaîtrais pas tes frères pis tes sœurs tellement…

— Ça me serait difficile de les reconnaître, pâpâ, parce qu'on peut pas dire que je les ai vraiment connus.

Caleb chercha un autre sujet de conversation.

— As-tu eu des nouvelles de Berthe ?

— J'ai reçu une lettre après la mort de Louisa.

— Ça fait que tu as pas eu les dernières nouvelles, d'abord.

— Lesquelles ?

— Rapport à sa santé.

Émilie posa sa tasse. Caleb soupira. Enfin, elle semblait réagir à quelque chose.

— Qu'est-ce qu'elle a, sa santé ?

— Elle a qu'on peut pus parler de santé.

— Comment ça ?

— Sa sœur est allée la voir parce que la supérieure de son couvent avait écrit que Berthe était malade pis que personne, même pas les docteurs, savait ce qu'elle avait.

— Pis ?

— Ça a l'air que sa sœur est revenue bien découragée.

— J'vas écrire à Berthe demain.

Elle avait clos la discussion. Caleb se leva et se dirigea vers la fenêtre. Il aperçut ses petites-filles qui s'amusaient avec les cadeaux qu'il leur avait apportés.

— J'aurais quelque chose à te demander, Émilie. J'espère que tu vas dire oui.

— Demandez toujours. Pour la réponse, on verra.

— Ta mère est pas en forme, de ce temps-là...

— Ma mère a jamais été en forme de sa vie...

— C'est pour ça qu'elle est pas venue avec moi. On s'est demandé... en fait, je me suis demandé si je pouvais pas emmener tes p'tites prendre une vacance chez leur autre pépère.

Il se tourna et lui fit face. Émilie s'approcha de la fenêtre et regarda ses filles.

— Je suis pas sûre que j'aimerais ça. Ça m'inquiète quand je suis pas avec elles depuis...

— Je le sais, Émilie. Me semble, moi, que ça te ferait du bien. Tu pourrais te reposer pis t'occuper de ton jeune. Ça permettrait à tes filles de connaître un paquet de *mononcles* pis de *matantes*.

Il fit une pause, sans quitter Émilie des yeux.

— Pis ? qu'est-ce que tu en penses ?

Émilie lui répondit qu'elle réfléchirait à la question. L'idée lui plaisait. Elle avait tellement perdu sa famille de vue qu'il lui arrivait parfois d'en oublier jusqu'à l'existence. Ses filles pourraient s'amuser à Saint-Stanislas. Elle ne pouvait pas les priver de connaître leur grand-père et leur grand-mère.

Le lendemain matin, elle dit à son père qu'elle acceptait. Caleb s'en réjouit. Émilie fit la valise de ses filles et les regarda monter dans la calèche. Elle trouva Marie-Ange bien petite.

— Êtes-vous certain, pâpâ, de pouvoir vous occuper de Marie-Ange pendant le trajet ? Je pense que ça serait mieux que Rose aille toute seule.

— Inquiète-toi donc pas. Avec ce que tu nous as donné pour manger, j'vas avoir de quoi leur remplir la bouche jusqu'à Saint-Stan'. Si ta fille c'est la fille de sa mère, aussitôt que ça va commencer à brasser un peu, elle va dormir comme une princesse.

***

Émilie se reposa à souhait. L'absence de ses filles l'aida grandement. Elle pensa à son père avec attendrissement. Il avait bien essayé de lui porter secours, mais sa maladresse proverbiale lui avait encore joué de vilains tours. Émilie avait pourtant longuement réfléchi à une toute petite phrase qu'il lui avait dite, sans arrière-pensée : « Si ta fille est comme sa mère, aussitôt que ça va brasser, elle va dormir comme une princesse. »

Oui, elle s'était endormie. Depuis la mort de Louisa, elle avait refusé d'ouvrir les yeux. Elle les avait fermés. Plus que fermés : elle les avait bouchés. L'absence d'Ovila commença à lui peser. Elle savait qu'il était à La Tuque. Elle s'était bien gardée de le dire aux Pronovost, préférant jouer les martyrs. La femme abandonnée. Les Pronovost seraient certainement furieux quand ils apprendraient qu'elle n'avait rien dit. Comment leur expliquer qu'Ovila avait fait déposer de l'argent à la banque ? Non... Oui, elle le leur dirait. Elle demanderait même à un de ses beaux-frères d'aller chercher Ovila. Ovila attendait peut-être qu'elle lui manifeste son désir de le revoir. Il attendait sûrement.

Caleb ramena ses filles deux semaines après leur départ. Il retrouva sa bonne vieille Émilie. Elle lui annonça même qu'Ovila arriverait sous peu. Edmond avait déjà pris le train pour La Tuque, mais Émilie tut ce détail à son père. Elle préférait lui laisser croire qu'elle avait eu des nouvelles de son mari.

Caleb repartit pour Saint-Stanislas en promettant à Émilie de revenir plus souvent. Maintenant qu'il connaissait ses petites-filles, il ne pourrait plus endurer de s'en sentir éloigné, avait-il ajouté.

Dosithée vint la voir pour lui dire qu'Edmond arriverait le lendemain. Émilie sauta de joie.

— J'ai dit Edmond, Émilie.

Elle cessa de sourire.

— Pis Ovila ?

— Ovila va arriver un peu plus tard.

— Combien plus tard ?

— Ça va dépendre.

— Ça va dépendre de quoi ? s'impatienta Émilie.

— Ça va dépendre de lui, Émilie. Ovila est pas...
comment dire... est pas prêt à revenir. En tout cas, tu
en parleras avec Edmond demain.

Elle interrogea Edmond, qui fut aussi vague et discret que son père.

— Ovila va revenir, au moins ?

— C'est sûr, Émilie. Peut-être même plus vite que
tu penses.

— Mais il veut pas revenir tout de suite ?

— C'est pas parce qu'il veut pas...

— C'est pourquoi, d'abord ?

Edmond ne répondit pas. Il ne voulait pas dire à
Émilie qu'il avait cherché Ovila partout et qu'il l'avait
trouvé ivre mort dans un campement d'Amérindiens. Il
ne voulait pas qu'elle sache qu'il n'avait dessaoulé qu'en
de rares occasions depuis son départ. Qu'il s'était noyé de
chagrin, dans tous les sens du terme. Qu'il lui avait fallu
attendre qu'Ovila reprenne ses esprits pour lui dire qu'il
avait un fils sans nom. Qu'Émilie l'attendait pour le baptême. Il ne voulait pas qu'elle sache qu'il l'avait conduit
au presbytère pour qu'il se fasse soigner le corps et l'âme.

— Émilie... Ovila dit que tu l'as presque accusé
d'avoir tué Louisa... pis il dit que le docteur a dit que
Louisa était peut-être morte avant même que lui arrive,
pendant que toi tu dormais. Est-ce que c'est vrai, Émilie,
que tu as dit ça à mon frère ?

Émilie cessa de refouler les larmes qui lui embrouil-
laient l'esprit. Elle sanglota longtemps et Edmond tenta
de la consoler, même s'il commençait à comprendre les

raisons du départ de son frère. Le chagrin d'Émilie lui parut tellement mince, comparé à celui qu'il avait lu dans le regard d'Ovila. Il lui raconta la version d'Ovila. Son malaise incompréhensible le soir de la mort de Louisa.

— Ovila dit qu'il est resté assis dans la cuisine à essayer d'entendre un son. Il pense que le son qu'il attendait, c'était la respiration de Louisa.

Émilie lui demanda de se taire. Elle n'en pouvait plus d'entendre parler de la souffrance d'Ovila. Elle ne lui avait même pas donné la chance de s'expliquer. Elle l'avait accusé et il n'avait même pas dit qu'elle était aussi responsable que lui. Non, lui l'avait épargnée.

Émilie regarda mourir l'automne et naître l'hiver sans nouvelles d'Ovila. Elle avait l'âme en attente. Ovila devait le savoir. Elle se coucha la veille de sa fête en se disant que si elle connaissait bien son homme, il arriverait pendant la nuit. Elle ne dormit que d'un œil. Ovila ne rentra pas.

Elle passa la soirée chez ses beaux-parents, qui lui avaient préparé un gâteau. Ses filles s'assoupirent et Émilie les laissa dormir. Elle rentra seule avec son fils, déçue et amère. Elle le coucha et fit le tour de la maison, regardant par chacune des fenêtres. Ovila n'était nulle part. Elle se résigna à se coucher. Elle entra dans sa chambre après être retournée une dernière fois jeter un coup d'œil sur son fils.

— Ferme les yeux...

Elle poussa un cri et échappa la lampe qu'elle tenait. Le feu commença à lécher le plancher. Ovila se précipita avec une couverture qu'il jeta sur les flammes. Elles s'étouffèrent rapidement. Émilie n'avait même pas eu le temps de réagir qu'Ovila était retourné s'asseoir sur le lit au milieu de tous les cadeaux qu'il avait rapportés.

— Ça, madame, c'est une p'tite catin pour Rose. Comme vous le remarquez, c'est fait par les Indiens. Ça, c'est un p'tit jeu de bois pour Marie-Ange. Ça aussi, c'est fait par les Indiens. Ça, c'est un hochet pour le p'tit. Quand on le brasse, ça fait du bruit parce que les Indiens ont mis des graines de blé d'Inde dedans. Ça, c'est pour vous. Je sais que vous voudrez pas vous promener avec, mais si ça vous tente de la porter, moi ça me plairait de la voir.

Il remit à Émilie une magnifique robe amérindienne, toute de peaux cousues et liées par de fins lacets. Émilie porta la robe jusqu'à sa figure et la renifla. Elle sourit. Elle avait toujours aimé l'odeur de la peau.

— Pis ça, dit finalement Ovila après s'être penché pour aller prendre quelque chose sous le lit, ça c'est pour nous deux. Avec ça accroché au dos, il y a jamais un de nos *papooses* qu'on va perdre de vue.

— On a pensé la même chose, Ovila. Depuis que le p'tit est né, je le porte attaché sur moi avec un châle.

Un long silence s'immisça entre les deux. Ovila regarda le plancher ; Émilie, Ovila.

— J'ai pas été juste, Ovila.

— Je veux pus qu'on en parle.

31

Émilie et Ovila connurent enfin des mois d'un nouveau bonheur longuement espéré. Ils firent baptiser leur fils, au grand soulagement de tous. Émilie avait souhaité qu'il soit nommé Ovila, comme son père. Ovila avait résolument protesté. Il voulait que son fils soit nommé Émilien. Après quelques discussions, Émilie avait cédé, trouvant finalement assez amusant d'avoir un fils qui portait presque son nom.

Ovila resta près de sa femme et de ses enfants. Émilie ne s'en plaignit pas. Il n'y eut qu'une ombre au tableau. Depuis le choc de la mort de Louisa, Émilie se sentait incapable de laisser Ovila l'approcher. Elle en souffrit autant que lui. Ovila comprit ses réticences et ne la brusqua pas. Lui-même, trop heureux de voir son fils grandir en forme et en espièglerie, s'était demandé s'il avait vraiment envie d'avoir d'autres enfants. Mais la quotidienneté de leur amour vint à bout de leurs plus douloureuses résistances. Émilie conçut de nouveau à la fin mai, pendant une nuit pleine de rires, de pleurs, de soupirs et de lune. L'arrivée prochaine d'un autre enfant les réjouit comme si cet enfant eût été leur premier. La grossesse d'Émilie se déroula normalement. Elle épaissit de nouveau et Ovila se moqua un peu d'elle. Mais, malgré plusieurs livres supplémentaires, il la trouvait toujours aussi belle. Et elle l'était.

À l'automne, Ovila dut se résigner à quitter le rang du Bourdais pour aller dans les chantiers. Émilie et lui savaient qu'ils n'avaient pas vraiment le choix. Mais, cette fois, Ovila partait le cœur léger à la pensée que sa famille était bien. Rose allait à l'école et se débrouillait grâce à la persévérance de sa mère. Marie-Ange, brusque et plutôt coléreuse, n'en demeurait pas moins la plus comique des enfants qu'il lui avait été donné de connaître. Émilien grandissait à vue d'œil et Ovila s'amusait à se tirailler avec lui, même s'il avait à peine plus d'un an. Et, avec un peu de chance, il réussirait à mettre assez d'argent de côté pour être de retour à la mi-février de façon à aider Émilie à accoucher de leur prochain enfant. Ils ne pouvaient plus compter sur Éva, qui quitterait la maison paternelle pour suivre son mari.

Ovila partit et Émilie lui promit de l'attendre. Il rit en lui demandant si elle pouvait faire autrement. Elle lui répondit qu'elle le pouvait. Il lui suffirait de cesser de penser à lui. Ovila feignit de la supplier de n'en rien faire. Elle lui répondit qu'elle y songerait.

Émilie passa quatre mois à regarder par la fenêtre tous les soirs, feignant une attente quotidienne. Elle alimentait son ennui, certaine que le retour d'Ovila n'en serait que meilleur. Quand il lui écrivait, elle dévorait ses lettres et continuait de les enfouir sous son oreiller. Elle ne voulait pas perdre ses habitudes d'adolescente, même si son adolescence était maintenant terriblement lointaine.

L'hiver fut assez clément pour ne pas l'obliger à s'alourdir davantage sous des vêtements trop épais. Ovila lui avait dit qu'il rentrerait au plus tard le 15 février, au cas où elle accoucherait plus tôt que prévu. Aussi, dès le 10, elle essaya de vaincre son impatience. Tous les jours, elle devait se faire violence pour combattre la distraction qui s'emparait d'elle, lui faisant faire les pires imprudences. Sous son emprise, elle oubliait de chauffer le poêle, ou de bien fermer la porte ou encore de laver les couches d'Émilien. Le 15 février passa sans qu'elle eût de nouvelles de son mari. Elle commença à s'inquiéter. Elle relut sa lettre des dizaines de fois. Il avait bien écrit qu'il serait de retour pour le 15.

Le 20 février découvrit une Émilie sombre et inquiète. Elle craignait qu'un accident ne fût la cause du retard d'Ovila. Ses beaux-parents tentèrent de la calmer, mais en vain. Elle était de plus en plus angoissée. Edmond, lui, se contenta de froncer les sourcils. Il avait ses craintes secrètes.

Le 27 février au matin, elle ressentit les premières douleurs. Elle préféra se dire qu'elles étaient le fruit de son imagination. Les douleurs persistèrent. À la fin de l'après-midi, quand déjà la journée se confondait avec la nuit de l'hiver, elle coucha ses enfants et se mit au lit. Les douleurs s'accentuèrent. Elle se releva, prise de panique à l'idée d'accoucher sans aide, et décida d'aller chercher sa belle-mère. Elle regretta de n'avoir pas pris cette décision plus tôt. Rose aurait pu aller demander du secours. Maintenant, il était trop tard. Elle ne voulait pas que Rose sorte à la noirceur et, de plus, Rose dormait. Elle tremblait à l'idée de laisser ses enfants seuls. Peut-être n'accoucherait-elle que le lendemain ? Une violente contraction l'obligea à réagir. Elle devait aller chercher du secours. Elle s'emmitoufla dans son manteau, prit son manchon, cala sa toque sur ses cheveux défaits et sortit d'un pas décidé dans la noirceur remplie de rafales et de tourbillons de vent.

Elle suffoqua. Une lame de vent venait de se briser contre sa poitrine courbée. Jamais elle ne réussirait. Le vent était de plus en plus emporté. Elle jura contre son mauvais sort puis décida que tout ce qui lui arrivait était la faute d'Ovila.

« Maudit Ovila ! Maudit toi ! Pourquoi est-ce que tu es pas arrivé comme tu l'avais dit ? »

Des larmes commencèrent à lui dessiner des sillons sur les joues. Son ventre se faisait de plus en plus pressant. Elle regarda devant elle et ne vit pas la maison des Pronovost. Elle se retourna et ne vit pas la sienne non plus. Elle se demanda si elle devait rebrousser chemin ou poursuivre sa route. Ses sanglots étaient maintenant tellement violents qu'ils réussissaient à couvrir les hurlements du vent. Elle décida de rebrousser chemin, mue par la peur qu'un de ses enfants s'éveille et la cherche. Elle revint sur ses pas déjà effacés et impossibles à distinguer. Une contraction plus violente que les autres l'obligea à s'arrêter. Elle eut le pénible sentiment que jamais elle ne pourrait retrouver sa maison. Si seulement elle avait résisté à l'envie d'aller chercher du secours.

La contraction fut immédiatement suivie d'une autre, plus violente encore. Émilie laissa échapper un cri de surprise et de douleur. Les eaux venaient de se rompre. Elle sentit leur tiédeur se changer en fraîcheur. Elle tenta d'accélérer le pas mais trébucha.

Dès qu'elle sentit la neige s'engouffrer dans son collet, elle bascula dans un abîme de désespoir. Elle cessa de se battre et, résignée, s'abandonna à sa douleur, au froid et au vent. Elle se tourna sur le côté et la neige la couvrit rapidement. Émilie cessa de pleurer. Elle avait besoin de toute son énergie pour mettre fin à cette folle naissance. La plus folle des naissances qu'elle avait créées.

Elle ahanait maintenant aussi fort que le vent. Son corps, bien à l'abri sous la fourrure de son manteau, expulsa l'enfant. Elle prit son manchon et, déboutonnant le manteau, elle réussit après plusieurs contorsions à y enfouir la petite masse chaude et gluante, encore accrochée à elle par son cordon de vie. Elle se releva péniblement, inquiète des conséquences que pourrait avoir une telle arrivée sur terre, et aperçut enfin une lueur dans la fenêtre de ce qu'elle reconnut comme sa maison. Elle s'y dirigea péniblement, perdant pied à plusieurs reprises. Elle parvint enfin à la porte, titubant, et, d'une main agitée, réussit à ouvrir sans laisser de prise à la bise.

Elle se précipita vers sa chambre, courbée par son ultime effort pour ne pas échapper le manchon et son précieux contenu. Elle attrapa des ciseaux et du fil au passage et referma la porte derrière elle. De nouvelles contractions l'avertissaient qu'elle était sur le point d'expulser le placenta. Elle réussit à sourire en pensant que son corps avait attendu qu'elle soit prête à le faire. Sans même prendre le temps d'enlever son manteau, elle s'étendit sur le lit et dégagea le bébé du manchon. Elle coupa le cordon après l'avoir noué.

Elle fit seule tout le travail de la mère et de la sage-femme. Elle expulsa le placenta, se lava après s'être enfin dévêtue, lava le bébé et le déposa dans le moïse qui l'attendait à côté de son lit. Elle se recoucha, ne souffla pas sa lampe et regarda pendant de longues heures cette petite fille à l'air déjà moqueur qui s'amusait à faire des bulles avec sa salive. Émilie soupira d'aise. Rien n'obstruait les poumons. Elle prit finalement le bébé dans ses bras et regretta de ne pouvoir l'allaiter. Pourquoi n'avait-elle jamais pu allaiter ? Elle se leva et marcha jusqu'à la cuisine pour chauffer un biberon. Le bébé dans les bras, elle revint à sa chambre après être allée jeter un coup d'œil sur ses autres enfants. Dieu merci, ils respiraient tous.

Le bébé tétait encore goulûment quand Émilie fut rejointe par ses enfants. Elle demanda à Rose de s'habiller et d'aller chercher sa grand-mère. Elle retira la tétine de la bouche du bébé pour que Rose, Marie-Ange et Émilien puissent bien le voir.

— C'est un étalon ou une jument ? demanda Marie-Ange.

Émilie éclata de rire avant de lui dire que c'était une fille. Marie-Ange était bien la nièce d'Edmond. Elle aurait préféré penser qu'elle était d'abord la fille de son père, mais cela lui apparut comme un vœu et non une réalité. Elle redonna la tétine à la nouvelle venue et rappela à Rose d'aller chercher sa grand-mère. Rose partit enfin, toute seule et toute petite dans des montagnes de neige.

Félicité arriva moins d'une demi-heure plus tard. Elle gronda Émilie de ne pas avoir demandé d'aide. Émilie se contenta d'émettre un petit grognement. Elle ne voulait pas raconter son aventure. Elle ne la raconterait à personne. Pas même à Ovila. Cette naissance serait un secret qui, pour quelques minutes encore, serait connu d'elle et de sa fille, puis, la mémoire de la naissance s'effaçant rapidement, d'elle seule.

— On dirait, madame Pronovost, qu'Ovila pis moi on réussit juste à faire des p'tites qui vous ressemblent.

— Tu trouves ?

— Oui ; celle-là aussi vous ressemble.

Félicité s'approcha de la petite tête dégarnie et l'observa longuement.

— Ça veut dire qu'elle va ressembler à Marie-Ange.

— Je pense que oui, même si en vieillissant Marie-Ange a un peu de votre mari.

Félicité sourit à sa belle-fille et osa lui demander si elle attendrait Ovila avant de choisir le nom. Émilie lui dit qu'elle n'attendrait pas et que le nom était tout choisi.

— Celle-là, madame Pronovost, j'vas l'appeler Blanche.

— Où c'est que tu as pêché ce nom-là ? Connais-tu une Blanche ?

— Non, mais c'est son nom pis j'en démordrai pas.

Félicité regarda encore une fois le bébé maintenant endormi.

— Sais-tu quoi, Émilie ? Je trouve que ça lui va bien. As-tu choisi ça pour te rappeler de la tempête de neige ?

— On peut rien vous cacher, madame Pronovost, répondit Émilie, un petit rire accroché aux lèvres et qu'elle était seule à entendre.

Ovila n'arriva qu'à la fin de mars, au grand désespoir de ses parents. Émilie, elle, avait changé sa douce attente en rage. Elle l'accueillit froidement et lui laissa à peine le temps de regarder Blanche qu'elle était affairée à langer et à coucher. Ovila ne fit aucune remarque. Il vida sa valise seul, ce qui était nouveau. Habituellement, Émilie le faisait. Il s'était préparé de nombreuses réponses aux questions qu'elle allait lui poser. Elle n'en posa aucune, se contentant de lui demander s'il avait rapporté assez d'argent pour qu'ils puissent manger jusqu'à l'automne. Il en fut profondément blessé.

Émilie passa de longs mois à ignorer Ovila. Elle s'était levée un matin et avait décidé qu'il ne lui ferait plus mal. Elle l'en empêcherait. S'il ne pouvait tenir sa parole avec elle, alors il ne méritait pas son attention ni son amour. Peu à peu, elle concentra davantage son attention sur ses enfants que sur son mari. Ovila avait essayé à maintes reprises de lui expliquer les raisons de son retard. Elle n'avait pas voulu entendre. Il n'avait donc pu lui dire qu'il y avait eu un accident aux chantiers. Qu'un traîneau rempli de billots s'était déversé sur une douzaine d'hommes, en tuant trois sur le coup. Que lui-même avait échappé à la mort parce qu'il s'était absenté deux minutes pour uriner. Que, trois minutes avant de mourir, une des victimes le taquinait encore en lui disant de faire attention de ne pas « geler son avenir ». Il n'avait pas pu lui dire non plus qu'il avait accepté de rester trois semaines de plus aux chantiers pour finir le travail entrepris par son *foreman*, qui était un homme comme son père. Il n'avait pas pu lui raconter comment ils avaient dû dégager les corps coincés sous les patins de l'énorme traîneau. Il avait gardé pour lui ses cauchemars, qui ne le quittaient plus depuis que la tête d'un des hommes avait roulé jusqu'à ses pieds et qu'il s'était penché pour la ramasser.

Depuis son retour, il ne reconnaissait plus Émilie. Il avait perdu sa femme quelque part sous des billots. Il reconnaissait son erreur. Il aurait dû lui écrire. Mais, sachant que la lettre n'arriverait probablement pas avant lui, il ne l'avait pas fait. Maintenant, il savait que la lettre, même arrivée tardivement, aurait forcé Émilie sinon à l'entendre, au moins à le lire. Il aurait ainsi prouvé qu'il n'avait pas agi par insouciance, mais bien par compassion.

Il tourna autour d'elle pendant tous ces mois où elle l'ignora. Désespéré. Elle continuait sa routine, était toujours aussi gentille devant les enfants, mais, dès qu'ils avaient fermé les yeux, elle se murait dans son silence. Elle cousait, brodait, tissait, ou, si elle n'avait vraiment pas envie de travailler, jouait de son accordéon qu'elle maîtrisait maintenant parfaitement bien. Quand la soirée était vraiment belle, elle retournait dans son potager pour érocher, désherber ou fixer des tuteurs. Vingt fois Ovila était allé à l'hôtel pour étancher sa soif d'Émilie. Vingt fois il en était revenu, sobre, refusant à la dernière minute de replonger dans l'enfer qu'il avait connu. Mais quand les ombres commencèrent à s'étirer plus tôt et qu'Émilie n'avait toujours pas ouvert la bouche ou les bras, il disparut un soir. Il rompit toutes les promesses qu'il avait faites au bon curé de La Tuque et à son frère Edmond. Il se noya littéralement l'âme dans une mer de bouteilles de genièvre.

***

Émilie était à la fenêtre. Elle l'attendait depuis cinq jours. Depuis cinq jours, elle était passée par un arc-en-ciel d'émotions, allant du rouge de la colère au rose du chagrin au vert de l'espoir. Elle aurait dû lui parler. Elle aurait dû lui raconter son accouchement et en rire avec lui, maintenant qu'elle était capable de le faire. Elle aurait dû l'écouter quand visiblement il s'apprêtait à lui parler. Elle s'en voulait de l'avoir repoussé. De l'avoir rejeté. Mais elle s'était dit qu'il lui fallait une bonne leçon. Que même s'ils étaient mariés depuis bientôt sept ans, il ne devait pas s'asseoir sur sa conquête. Elle voulait qu'il continue à lui faire la cour. Elle aurait voulu qu'il pense à l'emmener, seule, au chalet. Ils auraient bien pu se débrouiller pour faire garder les enfants. Il n'avait rien proposé, rien dit. Elle enrageait de voir qu'il affichait un air de victime, un air de malheur, alors que c'était elle la victime, la malheureuse.

Elle l'attendait. De plus en plus impatiemment. Elle n'en pouvait plus des journées sans soleil et des nuits sans fin. Elle entendait les derniers soupirs de l'été et se désespérait à l'idée qu'Ovila repartirait bientôt et qu'ils n'avaient même pas profité du temps qu'ils avaient eu à leur disposition.

Elle attendit pendant douze jours avant de l'apercevoir enfin, éméché et sale, titubant en direction de la maison. Elle bondit d'abord de joie puis, voyant à quel point il était ivre, elle s'empressa de verrouiller les portes. Elle lui ferait comprendre qu'elle était heureuse de le revoir mais qu'elle n'acceptait pas son état.

Ovila essaya d'ouvrir la porte mais ne réussit pas. Il comprit qu'Émilie lui en voulait toujours. Il n'insista pas et se dirigea vers son atelier. Il se laissa choir dans un coin, se recroquevilla et pleura des larmes amères. Ce fut Rose qui vint l'éveiller en lui disant que sa mère avait préparé du bon café. Il ouvrit un œil et l'aperçut, légèrement floue.

— Qu'est-ce que ta mère a dit ?

— Moman a dit que vous étiez rentré de voyage, pis que vous aviez joué au bonhomme Sept-Heures pis qu'elle avait barré la porte parce que vous lui faisiez trop peur, pis qu'elle s'était endormie.

Ovila se grattait la tête pour y activer la circulation sanguine. Rose avait l'air de s'amuser franchement de l'histoire qu'Émilie lui avait racontée. Émilie n'avait jamais été à court d'imagination quand il s'agissait de couvrir quelqu'un de la famille. Conquis par le sourire de sa fille, il rit avec elle et continua même l'histoire qu'Émilie avait commencée. Il se leva péniblement et marcha en direction de la maison. Il ouvrit la porte. Émilie, Marie-Ange et Émilien se précipitèrent vers lui avec des cuillers de bois.

— Bonhomme Sept-Heures ! Bonhomme Sept-Heures !... criaient-ils en chœur.

Ovila regarda Émilie et comprit qu'elle avait fait une belle mise en scène pour saluer son retour. Il vit aussi de la joie dans ses yeux. Il se mit alors à gronder et à feindre de griffer, courant après les enfants sans jamais les attraper.

— Je vous l'avais bien dit que le bonhomme Sept-Heures avait dormi ici, leur cria-t-elle en riant.

Blanche, réveillée par les cris, pleura pour appeler sa mère, mais c'est son père qui vint la prendre tout doucement.

Émilie et Ovila passèrent quelques journées à essayer de rattraper le temps perdu, mais ni l'un ni l'autre ne raconta les faits qui les avaient tant troublés. Ovila fuit l'hôtel pendant quelque temps puis il y retourna pour se convaincre qu'il était redevenu maître d'une situation qui le dépassait. Émilie s'abstint de lui faire quelque remarque que ce soit, considérant qu'il n'était jamais ivre au point de mériter sa réprobation. Ce n'est que la veille de son départ qu'Ovila rentra à la nuit naissante et qu'elle se permit de le regarder lourdement.

— Regarde-moi pas comme ça, Émilie... Tu dois bien savoir que dans les chantiers il est pas question qu'on prenne un p'tit coup. J'ai juste comme fait des provisions.

Il trouva sa remarque assez drôle pour en rire. Émilie, elle, ne rit pas.

— Faudrait que tu m'expliques ça, Ovila. Quand tu arrives, tu dis que tu as du temps à reprendre, pis avant de partir, tu dis qu'il faut que tu te fasses des provisions. Si je comprends bien, quand tu es pas dans le bois, tu as toujours une bonne raison de boire.

— Voyons donc, Émilie, je bois pas tant que ça. Juste une fois de temps en temps.

— Je te trouve généreux. On dirait que la seule affaire que tu sais pas compter, c'est les verres que tu prends.

— Fais pas de drame, Émilie. J'en prends pas tant que ça.

— C'est ce que je disais, Ovila... Tu sais pas compter.

Ovila partit le lendemain, tenant sa valise d'une main et sa tête de l'autre. Il avait oublié les remarques d'Émilie. Il la regarda longuement, lui fit plusieurs signes de la main et lui promit qu'il rentrerait aussitôt qu'il aurait assez d'argent pour qu'ils survivent jusqu'au prochain automne. Émilie lui fit un signe d'assentiment, se demandant intérieurement si maintenant il comptait ses dépenses d'hôtel dans l'argent qu'il leur fallait.

À la surprise générale, il rentra à la fin janvier d'un pas alerte malgré le froid, impatient de surprendre Émilie et ses enfants. Émilie rit de plaisir quand elle l'aperçut. Ils passèrent une nuit agitée et heureuse. Une nuit comme ils les aimaient.

Le lendemain matin, Émilie lui demanda quand il devait repartir. Ovila répondit évasivement. Elle insista. Il lui avoua qu'il ne retournerait pas aux chantiers de coupe, mais qu'il repartirait pour la drave.

— Ça veut dire dans à peu près deux mois et demi.

— La drave ? C'est trop dangereux, ça, Ovila. J'aimerais mieux pas. J'vas être trop inquiète. Tu as pas d'expérience là-dedans.

Ovila, à sa grande surprise, lui répondit assez sèchement que, inquiète ou pas, il partirait. Qu'ils n'avaient pas assez d'argent pour subsister jusqu'à l'automne. Émilie lui demanda alors si les salaires avaient diminué et Ovila lui dit que non. Après plusieurs minutes d'interrogatoire, Ovila s'emporta, demandant à sa femme si elle travaillait pour la police et s'il devait rendre compte de chaque dollar qu'il gagnait ou dépensait. Émilie fut saisie de le voir si irritable. Jamais il ne lui avait parlé sur ce ton. Puis elle eut une pensée qu'elle tenta vainement de repousser. Mais plus elle y songeait, plus elle était certaine de ne pas se tromper.

— Dis-moi donc, Ovila, à quelle date exactement que tu es parti des chantiers ?

— Pourquoi tu me demandes ça ?

— Pour savoir.

Il s'empourpra et lui lança à la tête qu'il avait quitté les chantiers une semaine avant son retour. Émilie attendit quelques minutes avant de lui dire, froidement, qu'elle ne le croyait pas. Offusqué, Ovila s'emporta davantage. Elle continua de piquer jusqu'au moment où, perdant tout contrôle, il lui lança qu'il avait quitté les chantiers avant les fêtes !

Émilie avala péniblement sa salive avant d'être capable de lui parler. Cette fois, c'est elle qui était furieuse.

— Charles Pronovost ! Je gagerais que tu t'es fait mettre à la porte des chantiers. Je gagerais aussi que tu as pas une *cenne* dans tes poches pis que c'est pour ça que tu vas aller à la drave.

Elle continua de lui dire ce qu'elle pensait. Qu'il avait probablement bu tout ce qu'il avait gagné. Qu'il lui avait effrontément menti. Qu'elle était sagement à la maison à l'attendre pendant que lui, au lieu d'agir en homme responsable, se vautrait quelque part dans un hôtel minable. Que plus le temps passait, moins il était fiable. Qu'il était en train de lui apprendre la méfiance, le mépris et l'insécurité. Qu'elle n'avait pas envie de vivre dans la méfiance et la peur de manquer d'argent, surtout avec quatre enfants à nourrir. Qu'il compromettait sa paix d'esprit.

Ovila lui fit un signe de la main, lui indiquant par ce geste qu'elle pouvait bien aller paître et qu'il continuerait de faire à sa tête. Il se leva, s'habilla et sortit. Émilie ne le revit plus pendant deux mois. La seule consolation qu'elle eut à ce moment fut que les enfants n'avaient pas semblé comprendre qu'il était revenu et reparti en moins de douze heures.

Durant tout le temps que dura son absence, elle se refusa à l'attendre. Elle contint sa colère et ne souffla mot de sa courte visite qu'à son beau-père, qui avait cru le voir sur la route. Il avait froncé les sourcils et noté qu'Ovila avait beaucoup changé. Émilie ne pleura que lorsque le médecin lui annonça qu'elle était bel et bien enceinte. Elle avait refusé de le croire, certaine qu'une nuit, qu'une courte nuit n'avait pu servir de toile de fond à la création d'une nouvelle vie.

Ovila rentra. Émilie l'ignora presque complètement, se contentant de lui dire que son bagage était prêt depuis longtemps. Ovila prit un bain, s'amusa avec les enfants, puis attrapa sa valise d'une main pendant qu'il tenait la poignée de la porte de l'autre.

— J'espère que tu m'excuseras, Émilie. Il y a des choses que moi-même je comprends pas. Prends soin de toi pis des p'tits.

— Quand je t'ai marié, Ovila, c'était parce que toi tu voulais prendre soin de moi. Si c'était trop difficile, tu avais juste à rester vieux garçon. J'aurais survécu. Pour ce qui est des enfants, je voudrais quand même pas que tu partes sans savoir qu'on va en avoir un autre quelque part en novembre. Je sais que tu seras pas là, mais comme ça, quand tu vas rentrer entre deux chantiers, tu seras pas étonné de me voir encore grosse.

Ovila hocha la tête, posa sa valise et vint l'embrasser dans les cheveux.

— Je sais que tu peux pas comprendre, Émilie, mais je t'aime. Bien mal, mais je t'aime, ma belle brume.

Émilie se leva pour le regarder par la fenêtre. Elle avait lu son chagrin dans ses grands yeux pleins de larmes. Où était son Ovila ? Son beau grand fou ? Et elle, où était-elle ?

Ovila écrit à Émilie pour lui dire qu'il s'était trouvé du travail sur un chantier de la Laurentide Pulp. Il la rassura en lui racontant qu'il consacrait la plus grande partie de son temps à la construction d'un barrage et de quais. Le contremaître lui avait demandé de surveiller le ruisseau afin qu'il ne s'obstrue pas. Il vivait dans une tente, avec d'autres hommes. Il lui dit aussi que, dès que ce travail serait terminé, il serait affecté à la *sweep*, qui consistait à remettre à l'eau les billes échouées sur les rives. Il continua sa lettre en lui disant qu'il travaillerait sept jours par semaine au moins jusqu'à la fin de l'été et qu'il espérait mettre pas mal d'argent de côté, étant donné qu'il touchait quinze cents l'heure et qu'il travaillait de cinq heures et demie du matin à huit heures et demie du soir. Il lui demanda de faire elle-même le calcul.

Émilie regarda le calendrier. Elle comprit qu'il ne reviendrait probablement qu'aux fêtes. À la Toussaint, elle mit au monde un deuxième fils, qu'elle baptisa Joseph Paul Ovide. Elle écrivit à Ovila pour lui demander s'il préférait appeler son fils Paul ou Ovide. Ovila lui répondit qu'il préférait Paul. Paul commença donc son existence, bien couvé par sa mère et ses sœurs, ignorant l'existence de son père qui, à ce moment précis, travaillait comme charretier dans un nouveau camp.

Ovila ne vint pas aux fêtes. Émilie n'en fut qu'un peu attristée, commençant à reprendre goût à la solitude et à la simplicité des journées passées sans adultes dans son entourage. Avec ses cinq enfants, elle avait les mains pleines et se demandait comment elle aurait pu trouver le temps de consacrer quelques minutes de sa journée à son homme. Cette année-là, il rentra à la fin mai... sans un sou et sans emploi. Émilie pleura de désespoir. Comment allait-elle réussir à nourrir tous ses enfants ?

— Tu m'as dit de calculer combien on aurait... Laisse-moi te dire que dans mes calculs on en avait pas mal plus que ce que tu rapportes.

Ovila ne répliqua pas, se contentant de s'excuser et de lui promettre que la prochaine fois il ne dépenserait pas un seul sou avant de rentrer.

— Tu bois trop, Ovila. Tu bois tout le temps. C'est pas la première fois que ça t'arrive de perdre une job. On a cinq enfants, Ovila. Faudrait que tu commences à penser à eux autres.

— Pourquoi est-ce que tu penses que je me fends le derrière, hein ? Pourquoi est-ce que tu penses que je me fais manger par les maringouins, les mouches noires pis les *mouches à chevreuil* si c'est pas pour vous autres ?

— C'est peut-être pour nous autres quand tu pars, mais quand tu reviens, ça donne l'impression que c'était pas mal plus pour toi pis pour tes *chums* à qui tu paies la traite.

Ovila grogna. Il savait qu'Émilie avait raison. Comment pourrait-il lui faire comprendre qu'il travaillait sans arrêt pour assurer leur confort mais que, malgré toute sa bonne volonté, il ne réussissait jamais à mettre un sou de côté ?

— J'aime pas faire des règlements, Ovila, mais j'aimerais que tu m'envoies l'argent à toutes les semaines. Comme ça, je serais moins inquiète.

— Tu as pus confiance en moi, ma belle brume ?

— Non, Ovila, j'ai pus confiance. Mais la confiance, ça se gagne. Tu as juste à me montrer que tu veux changer. J'vas te croire.

— C'est promis.

Ovila repartit trois semaines plus tard, laissant derrière lui Émilie, enceinte d'un sixième enfant ; Dosithée, furieux qu'il ait refusé de l'aider à la ferme ; et cinq enfants, les trois plus vieux fort attristés par son départ.

Émilie lui posta les journaux le plus régulièrement possible, espérant qu'en retour il penserait à lui expédier quelques dollars. Il n'y pensa pas.

Elle avait repris sa routine annuelle. Une vie sans homme, au sein d'enfants qui ne cessaient de se multiplier. Une vie calquée sur les saisons. Elle regrettait les premières années de son mariage, se demandant si Ovila aurait tant changé s'il était resté sur le vieux bien, à cultiver la terre. Elle s'en voulut un peu d'avoir clamé qu'elle n'aimait pas la terre. Comment avait-elle pu penser une chose comme celle-là ? La terre, presque sans efforts, apportait plus de nourriture dans les assiettes que le salaire invisible d'un pourvoyeur absent.

À la fin février 1911, elle accoucha d'un troisième fils. Elle le fit baptiser Georges Clément. Cette fois, elle avertit Ovila qu'il s'appellerait Clément. Elle ne lui demanda pas son avis. Elle trouva que sa famille était belle à regarder. Trois fils et trois filles. Elle souhaita intérieurement s'en tenir à ce nombre.

Au début de juin, elle fut étonnée de ne pas voir Henri Douville. Il s'était trouvé un nouvel emploi à Montréal et avait abandonné celui d'inspecteur aux mains d'un jeune blond boutonneux qui, à ce qu'Émilie apprit, laissait les enfants faire ce qu'ils voulaient durant ses visites, se contentant de consacrer de longues heures à la lecture de leurs travaux, bien assis au pupitre de l'institutrice, penchée derrière lui pour lui déchiffrer les mots mal écrits. Elle reçut une longue lettre d'Antoinette qui semblait radieuse d'habiter la métropole. Antoinette l'invita à venir la visiter. Émilie sourit amèrement. Elle ne voyait pas le jour où elle retournerait à Montréal.

À la fin de juin, elle assista seule au mariage d'Edmond et de Philomène Beaulieu. Son beau-père la prit à part pour lui dire qu'Ovila, s'il le voulait, pourrait faire amende honorable maintenant qu'Edmond quittait la maison. Émilie, à son grand étonnement, se réjouit de cette perspective. Elle en fut même incapable de dormir pendant plusieurs jours, imaginant une nouvelle vie avec Ovila qui n'aurait plus à s'éloigner. Qui n'aurait plus de raisons de s'ennuyer et de boire.

Elle rêva au printemps. À l'érochage et aux semis. Elle rêva à l'été. Aux foins et aux récoltes. Aux conserves qu'elle ferait pendant qu'Ovila engrangerait les herbes pour les bêtes. Elle rêva à l'automne. À ses couleurs et à ses odeurs. Au lin qu'Ovila couperait et qu'elle broierait. Elle rêva à l'hiver, qu'elle passerait seule à l'attendre, le cœur serré dans la poitrine chaque fois que quelqu'un mettrait la main sur la poignée de la porte de la maison.

Puis aux sucres. Maintenant leurs enfants auraient du travail à faire. Rose et Marie-Ange pourraient fort bien laver les chaudières. Même Émilien pourrait suivre son père.

Elle rêva tant qu'elle crut à ses rêves. Elle y croyait encore quand Ovila revint, à la fin de l'été. Elle lui en parla longuement le jour et la nuit. Ovila, subjugué, promit à son père qu'il prendrait la place d'Edmond. Dosithée, ému, le serra dans ses bras. Il demanda même à Félicité d'apprêter le veau qu'il venait d'abattre pour fêter le retour de son enfant prodigue.

Ovila rentra le foin pendant qu'Émilie, toute à sa joie, faisait des conserves de tomates, et de maïs, et de petits pois. Il faucha le lin qu'elle s'empressa de broyer avec les autres femmes. Plus tard dans l'automne, quand son ventre se fut encore alourdi d'un septième enfant, elle commença à filer son lin pendant qu'Ovila et son père réparaient tous les instruments et les entreposaient pour l'hiver. Elle fit des provisions de viande dès qu'ils eurent abattu les animaux. Et quand Ovila fut parti pour bûcher pendant les mois d'hiver, elle soupira en pensant à son retour prochain.

Elle l'attendait toujours au mois de mai 1912 quand elle mit une quatrième fille au monde. Elle la nomma Emma Jeanne. Ovila, à son retour, déciderait si c'était Emma ou Jeanne qui dormait bien paisiblement, suspendue au dos de sa mère qui n'avait jamais négligé de porter la hotte amérindienne qu'Ovila lui avait rapportée six ans plus tôt.

Au mois de juin, elle et son beau-père passèrent une soirée presque funèbre à parler de leur attente déçue. Elle pleura longuement. Jamais plus elle ne croirait aux miracles.

Jeanne avait trois mois quand elle fut enfin présentée à son père. Celui-ci ne la vit réellement que deux jours plus tard, quand les brouillards de l'alcool se furent dissipés. Aussitôt qu'il put marcher, il alla voir son père pour lui dire qu'il ne travaillerait plus sur la terre. Dosithée soupira. C'était sa façon à lui de pleurer.

Ovila revint chez lui pour expliquer à Émilie qu'il était incapable de vivre la vie d'un cultivateur.

— J'étouffe sur la ferme, Émilie. Je manque d'air.

— Pis dans le bois, je suppose que l'air est meilleur ?

— C'est juste pas le même air.

Cet après-midi-là, Émilie lui avait demandé d'aller chez le boucher chercher pour deux dollars de bœuf. Elle lui avait remis l'argent, bien plié. Ovila lui avait dit qu'il n'en aurait que pour une demi-heure. L'heure du souper était depuis longtemps passée quand Émilie, faisant l'inventaire de ses provisions, dut se rendre à l'évidence : elle n'avait pas assez de viande pour remplir le ventre de ses enfants. Elle regarda encore une fois à la fenêtre pour voir si Ovila n'arrivait pas. À son grand soulagement, elle le vit. Elle courut lui ouvrir la porte. Ovila entra et se dirigea en titubant vers sa chambre. Émilie blêmit.

— Le bœuf, Ovila. As-tu rapporté le bœuf ?

— Quel bœuf ?

Émilie essaya de contenir sa colère. Elle regarda ses enfants qui patientaient comme ils pouvaient.

— Donne-moi les deux piastres, Ovila.

— Deux piastres ?

Émilie claqua la porte de leur chambre. Elle demanda aux aînés de l'aider à habiller les plus jeunes et de s'habiller eux-mêmes. Puis elle partit avec eux, séchant ses larmes aussi discrètement que possible, et frappa à la porte des Pronovost. Elle essaya de blaguer pour leur dire que, distraite comme toujours, elle avait oublié d'acheter la viande et qu'elle n'avait rien préparé pour le souper. Félicité lui mit une main sur l'épaule et invita les enfants à passer à table. Dosithée avait quitté sa berceuse et s'était réfugié dans sa chambre.

Émilie revint tard dans la soirée. Elle coucha ses enfants et se fit un lit d'occasion dans le salon. Le lendemain matin, Ovila était seul quand il s'éveilla. Il alla dans la cuisine. Émilie s'y affairait déjà.

— C'est quoi, ces histoires-là de pas dormir avec son mari ?

— C'est pas des histoires. C'est comme ça. Remarque que quand j'vas avoir un mari, j'vas dormir avec lui.

Ovila rit d'elle, lui disant qu'elle aurait à en trouver un qui aimait les grosses femmes. Émilie lança le torchon qu'elle tenait à la main, se retourna pour lui faire face et répondit d'une voix éteinte par la colère qu'elle n'avait de poids que le poids de ses grossesses. Ovila lui répliqua qu'elle avait perdu son sens de l'humour. Elle rétorqua qu'ils étaient plusieurs à l'avoir perdu ensemble. Elle et toute sa famille à lui, précisa-t-elle. Ovila cessa de rire et retourna se coucher. Aussitôt étendu, il bourra son oreiller de coups de poing.

Pendant les deux semaines qui suivirent, il ne quitta pas la maison. Émilie crut d'abord que cela ne durerait qu'une journée ou deux. Mais, voyant qu'il ne parlait même pas de sortir le soir, elle se laissa lentement apprivoiser. Ils passèrent de nombreuses soirées à parler des chantiers et de la petite vie de la famille. Émilie avait bien vu s'allumer l'étincelle dans les yeux d'Ovila chaque fois qu'il parlait du bois. Elle savait que, dans ses veines à lui, il ne coulait pas du sang mais de la sève.

La troisième semaine commença par une petite visite de politesse au marchand général, courte visite qui se termina par une longue visite de retrouvailles chez l'hôtelier. Émilie ne l'attendit pas. Elle savait que l'homme qui entrerait ce soir-là chez elle lui serait parfaitement étranger. Elle savait que cet homme, elle pouvait le détester. Elle avait donc bercé Jeanne. Non pas parce que Jeanne avait l'habitude de s'endormir dans les bras de sa mère, mais bien parce que sa mère avait un urgent besoin de chaleur.

Ovila repartit pour les chantiers dès l'apparition de la première feuille rouge. Émilie ne s'en étonna ni ne s'en plaignit. Ces départs n'étaient maintenant plus réglés sur les saisons mais sur la soif d'Ovila. À peine eut-il quitté la maison qu'Émilie s'empressa de changer les draps de leur lit. Ce soir-là, elle réintégra sa chambre à coucher, soulagée d'avoir au moins une certitude, celle de ne pas être enceinte.

Ovila revint neuf mois plus tard, la veille de la fête de Rose, à qui il avait apporté un cahier pour écrire. Rose le remercia poliment puis montra le cahier à sa mère. Celle-ci lui promit qu'elles le noirciraient de lettres et de chiffres. Rose avait eu onze ans et ne savait pas encore vraiment écrire, mais Émilie ne désespérait pas. Elle mettait d'ailleurs beaucoup d'énergie à lui cacher ou à minimiser les progrès de Marie-Ange ainsi que ceux d'Émilien qui, à six ans, connaissait toutes ses lettres et pouvait compter jusqu'à mille. Il avait d'ailleurs plus de talent pour les chiffres que pour les lettres.

Ovila s'abstint d'aller visiter ses parents. Émilie le lui reprocha. Il lui avoua qu'il ne s'en sentait pas la force. Émilie comprit qu'il avait du remords de ne pas avoir accepté l'offre de son père.

— Chaque fois que je vois le père, le cœur me sort de la poitrine. Je sais tout ce qu'il faudrait que je fasse pour lui faire plaisir, mais je suis pas capable de m'installer sur une terre.

— Tu pourrais au moins aller le voir.

— Demain. J'vas y aller demain.

Le lendemain, il tint parole, mais son père était parti pour le village. Ovila dit à ses frères qu'il reviendrait. Il décida d'aller visiter Edmond et sa femme Philomène, qu'il connaissait peu. Il arriva en pleine scène de ménage. Philomène était en larmes. Dès qu'elle le vit arriver, elle se réfugia dans sa chambre.

— Elle a pas l'air de bonne humeur. Est-ce que c'est son état qui la rend de même ?

— Bof ! Imagine-toi qu'elle voudrait que je déménage pour vivre au village. Depuis qu'elle sait qu'on va avoir un p'tit, c'est pire. À l'entendre, on dirait qu'il y a pas moyen d'élever une famille dans l'odeur du fumier pis dans les mouches qui tournent autour. Tu me vois-tu au village ? Je viendrais fou ben raide. Du monde à côté, pis devant, pis en arrière. Du monde qui *écornifle*. Non, merci pour moi. Je bouge pas d'ici.

Ovila ne posa plus de questions. Si Philomène détestait la vie à la ferme autant que lui, il comprenait qu'elle veuille tant déménager.

— J'ai pas encore été voir de p'tites vues à Saint-Tite. Est-ce que ça te dirait qu'on y aille ?

— Si Philomène veut venir, est-ce que ça te dérange ?

— Ben non.

Philomène refusa, alléguant qu'elle était trop laide pour sortir. Edmond regarda Ovila pour lui faire comprendre qu'il savait qu'elle refuserait. Après avoir regardé les films, les deux frères rentrèrent bien sagement. Ovila n'avait jamais osé boire avec Edmond. Il avait encore frais à la mémoire ce que son frère avait fait pour lui et essayait de lui laisser quelques illusions.

Émilie fut tellement surprise de voir arriver Ovila qu'elle lui sauta au cou pour embrasser sa sobriété.

— Ton père est venu. Il m'a dit que vous vous étiez manqués. Il m'a dit qu'il t'attendrait demain.

— Je le verrai demain, d'abord.

La sobriété de la veille aidant, Ovila se leva en forme et avisa Émilie qu'il allait prendre café et déjeuner avec son père. Émilie lui fit un sourire d'encouragement. Ovila partit donc d'un pas alerte et sans appréhension. Ce matin-là, il savait qu'il trouverait les mots pour faire comprendre à son père pourquoi il était incapable de vivre sur la ferme. Il savait que son père frôlait le désespoir quand il songeait à l'avenir de ses terres. Ovide travaillait comme seul un lézard pouvait le faire, passant la quasi-totalité de son temps étendu dans un hamac qu'il tendait soit entre deux poteaux de la galerie, soit entre deux arbres au lac à la Perchaude quand il trouvait la maison trop bruyante. Il avait aussi cultivé l'art de déclencher une quinte de toux apparemment fort douloureuse quand on lui demandait un service. Edmond avait quitté le vieux bien pour vivre avec sa femme dans l'ancienne maison du père Mercure, qu'il avait réussi à racheter. Il aidait bien à semer et à ramasser le foin nécessaire à ses chevaux, mais, le reste du temps, il le passait à l'hippodrome avec les autres jeunes du village, tous piqués par la maladie des compétitions et de la gageure. Oscar, lui, avait fait savoir qu'il avait l'intention de travailler pour les chemins de fer, d'y utiliser l'anglais qu'il avait appris au Business College et de faire carrière. Il préférait la télégraphie sans fil aux fils barbelés. Émile, lui, était intéressé à prendre la terre, mais il était encore trop jeune et si court que Dosithée s'était demandé s'il aurait jamais la force de transporter ses ballots de foin. Télesphore n'avait qu'une passion : les bijoux, les montres, les horloges et tout ce qui s'y rapportait. Il rêvait d'avoir, un jour, sa propre bijouterie et de passer de longues journées, l'œil caché derrière une loupe, à changer des ressorts, visser des vis presque invisibles, écoutant sans cesse le tic-tac de toutes les horloges qui l'entoureraient. Il rêvait aussi d'avoir un trousseau garni de dizaines de clés sonnantes, chacune ouvrant un tiroir bourré de pierres et de métaux précieux posés sur du velours.

Ovila fronça les sourcils. Il comprenait de façon très aiguë les craintes de son père. Peut-être qu'Ovide reprendrait des forces. Peut-être qu'Edmond reviendrait travailler sur les terres de son père. Peut-être qu'Oscar se lasserait de passer ses journées à déchiffrer des messages, à remplir et à vider des wagons-poste, à vendre des billets et à porter des valises. Peut-être qu'Émile grandirait encore d'un pouce ou deux. Peut-être que Télesphore rêvait en couleurs, aux couleurs du saphir et de l'émeraude. Peut-être même que Lazare, ce frère mort depuis plus de dix ans, ressusciterait ? Ovila ne savait qu'une chose : jamais il ne pourrait abandonner la liberté que lui offrait le bois.

Ce matin, il ferait comprendre à son père qu'il aimait la terre mais la terre sauvage, grouillante de vie, remplie d'humus, de roches et de broussailles. Belle de mauvaises herbes. Il lui expliquerait qu'il en avait fini pour toujours avec l'alcool et que jamais, plus jamais il ne laisserait Émilie sans ressources. Jamais non plus il ne l'obligerait, lui, son père, à nourrir les bouches que son fils avait engendrées. Il lui dirait à quel point il le respectait et combien il était fier de répéter aux hommes des chantiers que tout ce qu'il connaissait du bois, c'était de son père qu'il l'avait appris. Que son père avait été et serait toujours à ses yeux le meilleur bûcheron du monde.

Il arriva devant la porte. Il inspecta rapidement la maison et sourit de fierté. Pas une seule planche, pas un seul clou n'avait bougé depuis douze ans. Déjà douze ans. Douze ans depuis qu'il s'était tué au travail pour surprendre sa belle brume. Un papillon lui chatouilla le ventre. Émilie méritait mieux que lui. Il lui prouverait qu'elle n'avait pas eu tort. Dès aujourd'hui. Dès que la brouille entre lui et son père se serait levée comme une brume matinale, sans laisser de traces.

Il frotta ses pieds sur le tapis que sa mère laissait toujours à l'entrée et mit la main sur la poignée. Celle-ci tourna seule et lui échappa. Sa mère était devant lui, livide.

— Ton père vient de mourir, Ovila.

Il appuya toute la ligne de son corps sur le cadre de la porte et gémit.

QUATRIÈME PARTIE

1913-1918

32

Ovila vécut les funérailles de son père. Jamais funérailles ne furent plus douloureuses. Il avait longuement cru que la mort de Louisa était la pire mort qu'il aurait à affronter. La mort de Louisa avait goûté la révolte et l'absurde. Celle de son père était aussi amère que le regret, le remords, l'impuissance et la certitude de vivre le reste de sa vie avec un immense besoin de pardon. La mort de son père avait déterré tous les « si » : « Si j'étais venu la veille ; si j'avais pu être autre chose que sa déception ; s'il avait pu compter sur moi ; si… »

Avec sa famille, il quitta le cimetière pour se rendre directement chez le notaire. Là, il connut la honte. L'humiliation. De chez les morts, son père lui avait crié son rejet. Ti-Ton, le petit Émile, héritait de la totalité du patrimoine et devait assumer la garde de sa mère jusqu'à la fin des jours de celle-ci. À Ti-Ton aussi la responsabilité d'Ovide. Edmond, Oscar et Télesphore touchaient chacun de l'argent. Et à Émilie revenait tout l'argent qu'Ovila n'avait jamais mérité.

Le visage d'Émilie s'était empourpré au même rythme que celui d'Ovila s'était décoloré. Ovila se leva et les pria tous de l'excuser. Émilie, pas encore remise de ses émotions, partit derrière lui. Pendant leur triste sortie, le notaire avait toussoté pour essayer de se donner une contenance. Félicité, la première, parvint à se ressaisir.

— Vous êtes sûr que vous avez bien lu ?

— Certain, madame Pronovost. Il y a pas d'erreur.

— On vous remercie.

— Il y aurait un p'tit détail…, fit le notaire, en se raclant la gorge. Feu votre mari a fait des arrangements avec moi, qui suis, comme vous le savez, son exécuteur testamentaire, pour que l'argent déposé au nom de sa bru ne puisse être touché par… euh… personne d'autre qu'elle.

— Il a rien laissé à Rosée pis à Éva ?

— Non, rien.

Félicité se leva, imitée par ses fils. Elle remercia froidement le notaire, plus mal à l'aise de le voir mêlé à des histoires de famille que choquée ou même étonnée par le testament, et sortit précipitamment. Aussitôt dehors, elle remarqua que la calèche d'Ovila était partie. Elle corrigea aussitôt sa pensée. La calèche d'Émilie était partie. Ovila l'avait toujours considérée comme sienne, mais tout le monde savait que c'était la calèche d'Émilie. Défraîchie, mais bien à elle.

Émilie pleura durant tout le trajet. Ovila n'avait pas desserré les dents. Sa petite veine bleue lui battait à la tempe. Il regardait devant lui, conduisant à peine plus rapidement qu'habituellement. Émilie craignait qu'il ne pense qu'elle avait fomenté cette « punition » – parce que c'en était vraiment une – avec son beau-père. Ovila lui demanda de cesser de pleurer, à moins évidemment

qu'elle ne pleure la mort d'un homme qui l'avait beaucoup aimée, elle. Émilie ne répondit pas, se contentant
de se moucher bruyamment.

— Écoute, ma belle brume, le père a suivi sa
conscience. C'est dur à avaler, mais le père a suivi sa
conscience.

Il n'ajouta rien, visiblement trop ému. Émilie lui
dit enfin qu'il y avait quelque chose d'injuste dans ce
testament. Qu'elle lui remettrait la part qui lui revenait.
Ovila éleva le ton et lui défendit de le faire.

— J'ai pas besoin de cet argent-là. J'vas en gagner
assez pour faire vivre ma famille.

Quand ils furent rendus dans le rang du Bourdais,
Ovila, au lieu de se diriger vers leur maison, prit le
chemin du lac. Émilie ne fit aucun commentaire. Elle
irait où il voulait la conduire. S'il avait besoin d'être au
lac, alors elle l'y suivrait.

— Émilie, faut que je te parle.

Ils étaient bien assis dans le chalet. Émilie s'était
installée près de la fenêtre. Elle fit comprendre à Ovila
qu'elle l'écoutait. À travers de lourds sanglots, il lui
dit que c'en était fini de la vie de chantiers. Qu'il avait
maintenant plus de trente ans et qu'il devait cesser de
jouer aux Indiens. Qu'il avait sept enfants qu'il adorait,
quoi qu'elle en pensât, et qu'il avait bien l'intention de
rester près d'eux et de leur mère. Il lui jura, sur la tête
de son père, qu'il redeviendrait comme avant... Qu'elle
devait lui faire confiance. Il redeviendrait comme il était
avant... Il ajouta qu'à cause de lui Émilie n'avait plus revu
sa famille depuis des années.

Émilie se rembrunit. Comme son père lui manquait ! Depuis qu'il avait compris que le mariage de
sa fille était un purgatoire – il n'avait jamais osé dire
« enfer » –, il n'avait su comment la consoler. À défaut
de mots, il l'avait ignorée. Émilie en avait souffert et lui

avait écrit une longue lettre, où elle lui parlait de son besoin de le voir. Par la plume de Célina, Caleb lui avait répondu un peu froidement que jamais elle ne s'était déplacée. Émilie ne lui avait pas pardonné ce reproche. Elle s'était donc abstenue de lui écrire, adressant ses lettres à sa mère. Elle avait vu ses frères, Hedwidge, Émilien et Jean-Baptiste. Ils s'étaient arrêtés à Saint-Tite en route pour l'Abitibi. Ils s'y étaient loué des terres et avaient décidé de partir à l'aventure. Leur rencontre avait été brève, mais pas assez pour cacher les limites de la misère sur lesquelles Émilie se tenait souvent en équilibre. Ses frères avaient été tellement troublés de voir leur aînée contrainte de vivre ainsi qu'à partir de ce jour ils lui avaient régulièrement expédié un peu d'argent. Émilie, pour la première fois depuis quinze ans, s'était découvert des liens avec sa famille.

Ovila continuait de parler et de sangloter, lui disant qu'il savait qu'il lui avait fait énormément de chagrin. Qu'elle commençait à avoir d'autres rides que ses rides de sourire autour des yeux et beaucoup plus qu'un cheveu blanc. Il la gâterait. Comme il le faisait avant...

Ils passèrent tout l'après-midi au lac. Ils rentrèrent à la maison et Ovila, en cours de route, lui expliqua qu'il avait perdu le courage de faire face à la vie la nuit de la mort de Louisa.

— T'es-tu rendu compte, Émilie, que sur trois enfants il y avait juste Marie-Ange qui pouvait nous laisser voir qu'on avait un futur ?

— Oui, Ovila, mais après Marie-Ange ça s'est pas arrêté. On a eu Émilien, Blanche, Paul, Clément pis Jeanne. Si on n'a pas de futur avec nos trois beaux fils pis nos quatre filles, qu'est-ce que tu veux de plus ?

Il ne parla plus. Elle venait, par cette petite phrase, de lui mettre un miroir en face de l'âme. Il n'aimait pas ce qu'il y voyait.

Ce soir-là, pour la première fois depuis des années, Émilie dormit dans sa chambre avec Ovila. Elle l'avait bercé comme elle avait bercé chacun de ses enfants. Elle lui avait chuchoté tous les espoirs qu'ils devaient avoir. Elle lui avait juré qu'elle l'aimait encore et toujours.

— J'ai pas encore donné grand-chose à mes enfants, Émilie, mais au moins je peux dire que je leur ai donné une maudite bonne mère.

***

Ovila passa l'été à Saint-Tite. Il aida son frère Émile. Télesphore les quitta pour aller apprendre son métier de bijoutier à Grand-Mère. Oscar, lui, continua à recevoir et à expédier ses messages par TSF. À l'automne, Ovila trouva du travail, rue du Moulin, chez Massicotte qui était embouteilleur. Émilie s'était réjouie de son « retour à l'équilibre ».

L'année 1914 commença merveilleusement. Émilie et Ovila conçurent leur huitième enfant. Le village avait été électrifié et le travail ne manquait plus. Les manufactures de cuir poussaient comme des champignons. Ils furent invités à l'ouverture de la Acme Glove Work Limited. Le village prospérait. Le conseil municipal avait même voté un budget spécial pour paver les rues. Les femmes disaient qu'il n'y avait pas de comparaison possible : on pouvait maintenant épousseter une seule fois par semaine.

Edmond et Philomène ne réussirent jamais à s'entendre. Philomène lui avait lancé un ultimatum. Edmond n'avait pas bronché. Et, à la surprise de tous, Philomène était partie. Un matin, Edmond s'était levé et Philomène n'était plus là. Félicité avait grondé son fils. Il aurait pu faire preuve de plus de compréhension. Edmond ne remua toujours pas. Ovila était allé voir Philomène au village, pour essayer de la raisonner. Elle ne pouvait partir au huitième mois de sa grossesse. Edmond ne pouvait vivre au Bourdais et elle au village. Philomène lui avait répondu qu'elle ne retournerait jamais à la campagne et que si Edmond voulait voir son enfant, il n'avait qu'à venir la rejoindre. Ovila avait fait le message à son frère. Edmond avait ricané de dépit. Il avait ajouté qu'il était certain que Philomène reviendrait.

Dès que Philomène connut la réponse de son mari, elle décida de donner le grand coup. Elle partit retrouver sa mère à Shawinigan. Et c'est à Shawinigan qu'elle accoucha de sa fille Marguerite, dont Edmond apprit la naissance plusieurs semaines plus tard. Pendant la durée de la brouille, personne, hormis la famille, n'avait été mis au courant. Les gens trouvaient même normal que Philomène ait voulu accoucher auprès de sa mère. Mais, voyant qu'elle ne revenait pas, ils commencèrent à murmurer. Edmond, plus beau que jamais, était inattaquable. Mais elle…

Leurs murmures furent enterrés par les grondements lointains des canons qui déchiraient l'air et la chair de l'Europe. Plusieurs jeunes de Saint-Tite s'engagèrent dans l'armée canadienne, attirés par la solde, mais aussi par le goût du voyage et de l'aventure. Oscar, lui, se porta volontaire pour l'armée américaine, comme télégraphiste. Il partit de Saint-Tite, arrosé par les larmes de sa mère qu'Ovila avait consolée tant qu'il avait pu.

— Faut pas vous en faire, sa mère. Oscar est pas mal plus fin que ça. Pensez-y deux minutes. Le danger, c'est pas dans l'armée américaine. Les Américains seront jamais impliqués dans cette guerre-là. Le danger, c'est dans l'armée canadienne. Oscar se serait jamais porté volontaire pour notre armée. Oscar est bien plus fin que ça.

Le 4 mars, le conseil municipal vota la prohibition. Les gens bougonnèrent tellement qu'il amenda aussitôt son règlement et permit la vente « sous tolérance ».

Émilie était inquiète. Elle craignait que la guerre n'ait des répercussions fâcheuses au Canada. Elle craignait pour ses enfants, surtout pour celui qui n'était pas encore né. Un enfant de la guerre ! Ovila l'avait rassurée. Si lui ne voyait aucune raison de s'inquiéter, alors elle devait faire de même. Émilie n'avait plus parlé de ses angoisses de guerre. Pas plus qu'elle n'avait parlé de ses angoisses de mère. Depuis la mort de son beau-père, elle avait le sentiment d'avoir perdu son protecteur. Depuis sa mort aussi, elle avait réappris à sourire de la présence d'Ovila. À presque endormir sa peur de le revoir succomber à son étrange soif impossible à étancher. Elle n'aurait jamais plus la force ou le courage de revivre des années comme celles qu'elle avait connues.

Ovila était redevenu aussi charmeur et aussi charmant qu'il l'avait été. De nouveau, il l'avait séduite. Il avait repris le droit de propriété qu'il avait toujours eu sur son cœur, son âme et son corps. Et elle l'avait laissé faire. Elle avait même fermé les yeux sur quelques soirées où il avait fêté un peu plus allègrement qu'il ne l'aurait dû. Il buvait maintenant beaucoup moins souvent qu'avant. Il ne découchait plus et elle s'était habituée aux odeurs d'alcool fermenté qu'il exhalait durant son sommeil. Ces soirs-là, pourtant, elle fermait son corps.

Leur vie s'était remise sur la bonne voie. Ils allaient tous ensemble, lui, elle et les enfants, à la messe du dimanche. Les gens disaient de nouveau qu'ils étaient le plus beau couple de Saint-Tite. Émilie avait recommencé à porter haut sa tête pour sa grande fierté et celle d'Ovila. Le curé Grenier, lors de sa visite paroissiale, leur avait dit qu'il les admirait. Qu'ils avaient surmonté bien des épreuves et que leur amour s'en était trouvé grandi. Il leur avait redit que les « voies du Seigneur » étaient « impénétrables ». Émilie avait acquiescé. Ovila avait souri. Toutes les dettes qu'elle avait contractées à l'épicerie de M. Léveillée étaient payées et Émilie ne sentait plus la gêne l'envahir lorsqu'elle allait faire ses achats. Elle écrivit même à son père pour lui dire qu'elle était très heureuse. Que Dieu avait fait un miracle. Caleb lui avait répondu qu'il viendrait la voir, intrigué par la soudaine religiosité de sa fille. Jamais Émilie n'avait mêlé Dieu à son mariage.

À la mi-octobre, elle donna naissance à Alice. Son accouchement fut extrêmement pénible. Elle dit à Ovila qu'elle espérait qu'Alice serait leur dernier enfant. Elle n'avait plus l'âge de mettre des enfants au monde. Ovila, ayant toujours à la mémoire la pénible naissance de Marie-Anne, approuva. Alice serait la naissance de leur renaissance.

Pour les fêtes, ils décidèrent d'aller à Saint-Stanislas. Retenu par la maladie de Célina, Caleb n'avait pu venir à Saint-Tite. Émilie s'était bien gardée d'avertir ses parents. Elle voulait les surprendre. Ils passèrent Noël à Saint-Tite et arrivèrent à Saint-Stanislas la veille du jour de l'An. Avec toute la famille, y compris Alice. Célina leur ouvrit la porte et faillit s'évanouir.

— Tu parles d'une idée, Émilie ! Tu aurais dû me prévenir. J'ai même pas assez de manger.

Émilie fut blessée.

— Entrez ! Entrez !

Caleb venait de pénétrer dans la cuisine.

— On pensait qu'on aurait des fêtes tranquilles rapport à la santé de ta mère pis rapport que Napoléon était le seul qui pouvait venir. Ça, c'est une maudite belle surprise ! Pis on va tout de suite tuer une grosse oie.

Il regarda longuement sa fille et l'enserra dans ses bras.

— Qu'est-ce qui t'amène, ma fille ?

— Ovila pis moi, on avait juste envie de recevoir la bénédiction paternelle.

— J'vas vous bénir, moi, j'vas vous bénir. Au moins dix fois pour toutes les années que j'ai manquées.

Célina s'étendit tandis qu'Ovila et Caleb allèrent abattre l'oie. Émilien suivit. Caleb lui avait confié l'énorme responsabilité de s'asseoir sur l'oiseau à la gorge tranchée pour l'empêcher de courir partout. Émilien détesta sentir l'agitation de la volaille qui agonisait sous son poids.

De retour à la maison, Caleb invita chacun de ses petits-enfants sur ses genoux.

— Toi, tu es la plus grande. Tu dois être Rose.

— Non ; moi, c'est Marie-Ange.

— Marie-Ange. Es-tu aussi sage que ton nom ?

— Non. J'ai jamais été sage.

Caleb éclata de rire. Émilie, qui avait les mains pleines de sang et de plumes, se retourna et acquiesça.

— Celle-là, pâpâ, on peut dire que son nom est pas mal menteur. Marie-Ange a bien changé depuis qu'elle était p'tite. Elle a déjà été sage. Mais ça a changé quand Louisa est morte.

— D'abord, toi tu dois être Rose.

— Oui.

— Pis tu as quel âge, Rose ?

— Douze et demi.

— Tu es pas bien grande pour ton âge. Vas-tu encore à l'école ?

— Oui.

— Tu dois être savante à c't'heure. Veux-tu faire une maîtresse d'école comme ta mère ?

Émilie posa son couteau assez violemment sur le comptoir pour attirer l'attention de son père. Il semblait avoir oublié les problèmes de Rose. Caleb la regarda, étonné, puis il se souvint.

— Euh… ma belle Rose, peux-tu aider ton vieux pépère ? J'ai pas la mémoire des noms pis j'ai pas la mémoire des âges. Marie-Ange, elle, elle a quel âge ?

— Dix. Pis lui, tu le connais. C'est Émilien. Il a huit. Pis la p'tite gênée, c'est Blanche. Elle, elle a six.

— Presque sept, répliqua Blanche, offusquée.

— Moi, j'ai cinq ans plus deux mois moins un jour, dit Paul. Je suis né le 1er novembre en neuf.

Caleb, Émilie et Ovila éclatèrent de rire. Paul les regarda et se demanda s'il avait dit quelque chose de drôle. Caleb l'attira à lui et le jucha sur ses genoux.

— Tu es fort en calcul, toi, mon bonhomme. Je gagerais que tu vas travailler dans une banque quand tu vas être grand.

— Non, pépère. J'vas être un prêtre.

— C'est une bien bonne idée, ça. Tu auras pas de problèmes pour compter les hosties, pis pour compter l'argent de la quête, pis pour compter les indulgences.

— Pis Paul, pâpâ, est bon en dessin. Il sait déjà écrire toutes ses lettres pis même des mots.

— Tu es comme ta mère était. Même p'tite, ta mère disait qu'elle serait maîtresse d'école. Es-tu aussi têtu qu'elle ?

— Je suis pas têtu, mais moman dit toujours que je fais à ma tête.

— Moi aussi, moman me dit ça, renchérit Blanche.

— Pis moi aussi, dit Marie-Ange d'un air nonchalant.

— Pis l'autre jour, Paul pis moi on a été dans la rue, enchaîna Blanche. Tu vois, pépère, Paul pis moi, on a fait à notre tête. Moman nous avait dit de pas y aller.

Caleb fronça les sourcils et les regarda sévèrement tous les deux. Il prit une voix caverneuse.

— Vous désobéissez à votre mère ?

Paul regarda Blanche, furieux. Puis il se tourna vers ses parents qui semblaient plongés dans leurs pensées.

— Pas besoin de nous parler comme ça, pépère. La grenouille nous l'a dit avant toi.

— La grenouille ?...

— Ben oui, la grenouille, répondit Blanche. Paul pis moi, on l'a vue, la grenouille. Pauvre p'tite grenouille tout écrasée parce qu'elle avait été dans la rue. Paul pis moi, on est revenus en courant pour dire à moman qu'on désobéirait pus jamais.

Jeanne s'était approchée de son grand-père. Il déposa l'enfant qu'il avait sur les genoux et la prit. Il prit aussi Clément.

— Toi, tu dois être Clément.

Clément fit oui de la tête.

— Le chat a-tu mangé ta langue ?

Clément fit non de la tête.

— Tu as quel âge, toi ?

Clément montra trois doigts puis deux doigts en désignant Jeanne.

— Parles-tu, des fois ?

Clément prit un air renfrogné et montra le poing à son grand-père. Puis, au grand étonnement de Caleb, d'Ovila et d'Émilie, il lui donna un bon coup, juste dans l'œil. Caleb fut tellement saisi qu'il le poussa et Clément tomba par terre, sur ses fesses. Il se releva aussitôt et donna un bon coup de pied dans le tibia droit de son grand-père. Ovila se leva rapidement et prit Clément par le bras. Il lui donna une taloche derrière la tête. Clément hurla. Ce fut assez pour permettre à Caleb de se ressaisir.

— Bon ! je suis bien content d'entendre que tu as une voix. Je commençais à me demander.

Émilie prépara seule tout le repas du nouvel an, sa mère étant trop fatiguée pour l'aider. Mais Émilie le fit avec joie. Elle s'étonnait de ne plus rien trouver dans cette maison qu'elle avait habitée pendant seize ans. Mais, depuis vingt ans qu'elle l'avait quittée, ses mains, qui autrefois allaient chercher ce qu'elle leur demandait, ouvraient maintenant plusieurs portes et tiroirs avant de trouver un couteau, une fourchette ou même les assiettes et les verres.

Le repas se déroula dans la sérénité. Caleb profita de quelques minutes de solitude avec sa fille pour lui dire combien elle lui avait toujours manqué. Combien il avait été imbécile de ne pas l'aider quand il avait su qu'elle avait besoin de lui. Combien il regrettait d'être intervenu dans son projet de mariage avec Douville. Émilie lui sourit en lui disant qu'elle était plus heureuse avec son Ovila qu'elle ne l'aurait été avec un trop sage et trop parfait Douville.

— C'est difficile à expliquer, pâpâ, mais Ovila, j'ai toujours essayé de l'attirer. Ovila, c'est un grand indépendant. Chaque fois que je suis avec lui, même à c't'heure, j'ai l'impression que je viens de gagner une p'tite bataille... ou bien, des fois, une grande guerre.

***

Ovila, Émilie et les enfants revinrent à Saint-Tite en chantant des cantiques de Noël. Alice avait dormi pendant presque tout le trajet, bien au chaud sur sa mère. En passant à Saint-Séverin, ils avaient fait une halte chez la cousine Lucie, mais la maison était vide. Lucie et Phonse avaient dû aller fêter quelque part. Émilie en fut attristée.

— Ça fait tellement longtemps que Lucie m'a pas fait rire. Dans ses lettres, je l'entends pas bégayer, pis c'est moins drôle.

Ils arrivèrent à Saint-Tite tard dans la nuit et Paul trouva quand même le temps de compter tout l'argent que son grand-père Bordeleau leur avait donné. Le lendemain matin, il réussit à convaincre son père de les conduire, lui et Blanche, à la nouvelle Banque

Provinciale pour qu'ils puissent, avec toute leur fortune, ouvrir chacun un compte en banque. Ovila céda et c'est le sourire aux lèvres qu'il regarda son fils serrer la main de J.-B. Lebrun, le directeur, et signer le bordereau de son premier dépôt. De retour à la maison, il dut accepter d'emmener Émilien qui, lui aussi, voulait faire son premier dépôt. Paul avait dit qu'avec tout l'argent qu'il mettrait à la banque, il paierait ses études. Blanche, elle, avait déposé son argent pour se payer un voyage à Montréal. Émilien, lui, avait promis que cet argent servirait à l'achat du magasin qu'il aurait plus tard.

***

En voyant le télégramme, Émilie sut. Il contenait certainement une mauvaise nouvelle. Elle prit des ciseaux pour ouvrir l'enveloppe au lieu d'en déchirer un côté. Les mots se brouillèrent sous ses yeux. Le message était laconique et sans appel. Sa mère avait passé une nuit troublée à lutter contre le poids du corps de son père qui n'avait cessé d'envahir son côté du lit. Elle avait passé la nuit à lui dire de se déplacer. Mais il n'avait pas bougé. Au matin, elle s'était rendu compte qu'elle avait dormi avec la mort. Que son corps chaud de vie avait vainement chauffé la grande froidure qui avait pris possession de celui de son mari.

Émilie ne lut pas le message une seconde fois. Elle demanda à Marie-Ange d'atteler sa carriole. Marie-Ange obéit, aidée d'Émilien. Émilie endossa son manteau et partit au village chercher Ovila. Elle glissa dangereusement sur une neige glacée par la pluie qui était tombée la veille. Ses larmes coulaient tellement de ses yeux qu'elle eut l'impression d'inonder un chemin déjà saturé d'eau gelée.

Elle ne dit qu'une phrase à Ovila. Il enleva son tablier graisseux, s'essuya les mains avec du papier journal, la quitta pour dire un mot à son patron et revint pour l'accompagner. Elle lui passa les commandes de la carriole et se réfugia sous la peau d'ours. Dans ses pensées.

— Je fais les valises.

— Les chemins sont trop glissants, Émilie. On pourra jamais se rendre tout d'un morceau.

— Si tu as peur, Ovila, reste ici. Moi, rien va m'arrêter.

Ovila connaissait assez bien sa femme pour savoir que tous les arguments qu'il pourrait trouver ne réussiraient pas à la fléchir. Elle irait à l'enterrement de son père, dût-elle marcher la distance qui séparait les deux villages.

— Va voir Edmond. Demande-lui de nous prêter sa Ford à *coups de pied*. Avec des sacs de cendre, des briques pis des bonnes pelles, on pourrait se rendre.

Ovila n'avait pas pensé à cette solution. Jamais il n'aurait osé demander la belle *machine* que son frère avait achetée. Jamais il n'aurait pensé qu'on pouvait emprunter une machine. Mais il le ferait.

Edmond accepta, à condition de conduire lui-même. Ovila en fut presque soulagé. Au moins, s'ils capotaient dans un fossé, il ne serait responsable de rien.

Ils furent à Saint-Stanislas en la moitié moins de temps que s'ils avaient pris une carriole. Les sœurs d'Émilie et ses frères Rosaire et Napoléon étaient déjà aux côtés de leur mère, qui sanglotait de l'horreur de sa dernière nuit d'épouse. Caleb reposait paisiblement dans le salon que Célina n'avait même pas épousseté, tant elle avait été accablée par la soudaineté de la disparition de son mari. Émilie se précipita dans les bras de sa mère, puis elle s'approcha de son père, le regarda longuement, incapable d'empêcher un sourire de se faufiler à travers les larmes de sa peine. Elle resta là, immobile, pendant une éternité, à repenser à son père, ce père qu'elle avait tant craint et tant aimé. Ce père ambitieux et timide. Ce père qui lui avait toujours reproché son entêtement, comme s'il n'avait pu souffrir de se reconnaître sous ce trait de caractère qu'elle avait hérité de lui.

Elle se rapprocha encore du corps inanimé et, sans même s'en rendre compte, elle lui lissa cette mèche qui, même dans la mort, demeurait rebelle. Elle alla à la cuisine se mouiller les doigts et les enduire de savon. Elle revint et colla la mèche, comme elle l'avait fait le matin de ses noces. Elle sortit un peigne de son sac à main et entreprit de refaire la raie dans les cheveux gris et gras de son père. Elle centra son nœud de cravate, épousseta le revers de son col d'habit et replaça le chapelet dans ses doigts figés. Il portait au majeur de sa main droite la marque de sa dernière maladresse. Elle pensa qu'il avait dû se couper. Elle plissa les yeux pour bien regarder si elle n'avait rien négligé. Rassurée quant à l'apparence de son père pour son arrivée dans l'au-delà, elle lui posa un baiser sur le front en lui demandant silencieusement de ne pas trop jurer, de ne pas trop faire rire et de l'aider, elle, sa grande mule, pendant ces jours et ces jours qu'il lui restait à vivre. Elle eut l'impression qu'il avait souri. Mais c'étaient ses larmes à elle qui avaient animé la fixité des lèvres de Caleb.

Elzéar Veillette entra dans le salon, se tenant faiblement sur une canne. Célina trouva la force de se lever pour l'accueillir. Veillette venait visiter Caleb pour la première fois de sa vie. Il s'agenouilla devant le corps de son plus vieil et plus cher ennemi. Il sanglota comme un enfant dont le jouet préféré vient de se briser. Célina s'éloigna, pensant que Veillette n'avait pas besoin de témoins. Émilie, elle, s'approcha, lui posa une main sur l'épaule et lui murmura que son père devait être bien triste d'avoir, le premier, mis fin à ce jeu de la petite guerre qui durait depuis près d'un demi-siècle. Veillette haussa les épaules puis commença à ricaner à travers ses sanglots.

— Ce maudit-là va rire quand il va voir que je braille comme un veau. On a passé notre vie à nous haïr parce que si le monde avait su qu'on se haïssait pas, le monde aurait pas eu d'histoires à raconter. Mais, entre vous pis moi, madame, votre père pis moi, on s'est toujours donné un coup de main. Ça, personne l'a jamais su.

Caleb fut déposé dans le caveau du cimetière, la terre trop gelée refusant de laisser ouvrir ses entrailles pour l'accueillir. Émilie demanda au bedeau de la paroisse, un de ses cousins, de lui faire savoir la date de la mise en terre, même si elle n'avait lieu que dans plusieurs mois. Le bedeau lui répondit qu'il ferait son possible, ce qu'il oublia complètement le moment venu.

Le retour fut presque aussi silencieux que l'aller. Tantôt Émilie éclatait en sanglots, berçant sa tristesse d'avoir si peu vu son père depuis son départ de la maison. Tantôt elle éclatait de rire, racontant alors à Edmond et à Ovila quelque souvenir cocasse. Puis elle se taisait, revivant des instants, des émotions, des images, des sons et même des conversations. Son père lui manquerait. Son père lui manquerait terriblement. Malgré la brouille si opaque qui les avait éloignés l'un de l'autre. Malgré leur incompréhension mutuelle. Malgré tout ce qui n'avait pas été parfait, son père venait de rejoindre ses bons souvenirs. Ceux de la liberté qu'il lui avait permis d'avoir. Ceux du respect et de la fierté qu'il lui avait témoignés, même à travers un grincement de dents. Ceux de ses innombrables surprises emballées dans des petites ou des grandes joies.

Émilie remercia le ciel des centaines de fois de l'avoir amenée à Saint-Stanislas au début de cette nouvelle année pour recevoir la bénédiction des retrouvailles, qui était finalement devenue celle des adieux. Le 1er janvier, Caleb s'était servi de ses mains pour former une croix sur ses enfants et sa descendance. Le 1er janvier, Caleb avait utilisé ses yeux en guise de goupillon pour les asperger de son émoi et de sa reconnaissance. Le 5 janvier, Caleb les avait quittés sans avoir eu le temps de revivre toutes les précieuses minutes passées en leur présence.

Ovila et Émilie apprirent ensemble à battre d'une seule aile. En dix-huit mois, tous les deux s'étaient retrouvés orphelins de père. Ovila pensa qu'Émilie et lui avaient pu éviter de vivre deux morts semblables. Leur courte visite à Saint-Stanislas leur avait permis à tous deux d'éliminer la lourdeur d'un second remords. Ovila envia quand même un peu sa femme. À lui, cette chance n'avait pas été donnée. Quand Émilie hérita de nouveau, il s'abstint de commentaires. Il savait qu'elle avait maintenant quinze cents dollars à la banque. Il savait aussi qu'elle ne lui en donnerait jamais, même s'il continuait d'être ce qu'il était depuis la mort de Dosithée. Il avait semé la méfiance et la méfiance avait envahi l'âme de sa femme comme la teigne.

Au début d'avril, Télesphore arriva sans tambour ni trompette pour fêter Pâques avec sa famille. Félicité fit cuire une fesse de jambon bien dodue et bien fumée qu'elle piqua de clous de girofle. Elle regarda ses enfants qui mangeaient de bon appétit et sourit à la vie. Dosithée ne l'avait pas laissée seule.

— Pis, mon Télesphore, ton cours, ça va bien ?

— Si ça va bien ? Ça va mieux que ça. J'en sais assez à c't'heure pour ouvrir ma bijouterie à moi !

— Ici à Saint-Tite ? demanda sa mère.

— Non, je penserais pas. C'est pas que ça me tenterait pas, mais il y a pas assez de monde qui a les moyens d'acheter des bijoux par ici. J'vas plutôt ouvrir ça à Shawinigan. Avec toutes les usines de *pulp and paper*, il y a bien des familles, bien des salaires, ce qui veut dire bien des *acheteux*.

Le lundi de Pâques, Télesphore passa la soirée chez Ovila et Émilie à discuter d'un travail qu'il voulait confier à son frère. Il sortit un papier froissé d'une de ses poches et le déplia sur la table. C'était un meuble de bijoutier. Pipe aux lèvres, Ovila étudia le dessin longuement, puis prit un autre papier et un crayon. À partir du croquis ébauché maladroitement par Télesphore, il dessina un autre meuble, magnifique, à la devanture vitrée. À l'arrière, une mosaïque de tiroirs de toutes dimensions.

— Maudit ! Ovila, j'en reviendrai jamais. Tu as dessiné le plus beau meuble de bijoutier que j'ai jamais vu. Pis ce qui m'écœure, c'est que je sais que tu vas le faire encore plus beau que sur le dessin. C'est écœurant d'avoir du talent de même ! Tu trouves pas, Émilie ?

— Le talent d'Ovila, c'est un puits sans fond. Moi, j'ai jamais essayé de comprendre.

Longtemps, ils parlèrent du meuble. Ovila demanda à Télesphore quel bois il préférait.

— Du pin blond pas de nœuds, ça serait pas beau ?

— Jamais ! Un meuble de bijoutier, faut que ça fasse riche ! Pour ça, faut prendre du chêne ou de l'érable. Du bois dur. Pas du bois mou. Voyons, Télesphore ! Veux-tu avoir l'air d'un bijoutier ou d'un fermier ?

— Prends donc le bois que tu voudras, Ovila. D'ailleurs, je vois pas pantoute pourquoi tu m'as demandé mon avis.

Émilie s'amusa de l'étonnement réel qui était apparu au front d'Ovila. Il se racla la gorge, avant de reprendre la parole d'un ton adouci.

— C'est que... je sais pas combien tu veux le payer, ton meuble. C'est vrai que le pin, ça coûte rien. À c't'heure, quand on parle de l'érable, c'est pus la même histoire. On en a de coupé depuis des années. Je pourrais le faire tailler pis planer. Le chêne, c'est encore plus cher. Mais... si tu me demandes mon avis, je dirais que tu veux un meuble qui dure toute ta vie. Non ? Le pin, ça va se *poquer* pas mal plus vite que l'érable. Pis l'érable, moi, il y a un p'tit quelque chose dans la couleur du bois qui, à la longue, me fatiguerait. Je veux pas dire par là que c'est pas un beau bois. Non, c'est pas ça que je veux dire pantoute. Mais le grain du chêne...

— Laisse faire, Ovila. Le chêne, je peux pas payer ça.

Les frères convinrent donc que le meuble serait en érable. Télesphore promit de revenir pour voir les travaux vers le 10 mai. Ovila compta mentalement le temps qu'il avait devant lui et promit que le meuble serait presque fini. Le lendemain matin, il se leva très tôt pour commencer le nettoyage de son atelier avant de partir pour le travail. Émilie fut émue de voir son mari reprendre ses outils. Dès qu'il eut quitté la maison, elle s'empressa d'aller dans l'atelier. Elle n'avait jamais voulu y remettre les pieds tout le temps qu'il avait représenté pour elle l'image d'un bonheur longtemps évanoui. Ovila avait travaillé pendant une heure et presque rien ne paraissait. Elle revint à la maison.

— Rose, Marie-Ange, Émilien, Blanche pis Paul, venez ici. Toi aussi, Clément, tu peux venir.

Les six enfants répondirent à l'appel de leur mère. Ils savaient que ce ton n'acceptait aucun retard.

— Aujourd'hui, on va faire le plus beau cadeau de Pâques que votre père a jamais eu.

— C'est passé, Pâques...

— Je le sais, Paul, mais des fois, les fêtes, ça dure longtemps. La preuve, c'est que l'école est encore fermée. Bon ! Marie-Ange, tu vas t'occuper de Jeanne pis d'Alice. Pis tu vas faire les repas.

— Je veux pas. Je veux faire le cadeau, moi avec.

— Ça fait partie du cadeau. Les autres, même toi, Clément, vous allez venir avec moi dans l'atelier. Apportez tous les balais, toutes les vadrouilles, toutes les vieilles boîtes vides, toutes les guenilles pis les chaudières que vous allez trouver. Vous allez mettre votre plus vieux linge, pis vous autres, les filles, vous allez vous attacher un foulard sur la tête pour pas vous salir les cheveux.

— Moi aussi ?

— Fais pas exprès, Marie-Ange ! Tu sais que c'est pas nécessaire dans la maison.

Émilie tapa dans ses mains et les enfants s'agitèrent comme des lutins. En dix minutes, ils étaient au garde-à-vous dans l'atelier. Émilie confia une tâche à chacun et leur dit qu'ils n'avaient qu'une journée pour tout nettoyer. Les enfants, excités à l'idée de faire le plus beau cadeau à leur père, retroussèrent leurs manches et travaillèrent d'arrache-pied jusqu'à ce que Marie-Ange vînt les chercher pour la soupe du midi. Ils mangèrent à toute vitesse et reprirent leur travail. Clément, le plus jeune, remplit de clous et de vis tous les pots que sa mère lui avait donnés. Il les ramassa soigneusement, un à un, et s'amusa de les entendre tinter au contact du verre ou du métal. Paul rangea sur les tablettes fixées au-dessus de l'établi tous les récipients qui s'y trouvaient, par ordre de grandeur. Blanche lava les fenêtres et les essuya avec de vieux journaux. Émilien porta toutes les ordures à l'extérieur. Tout ce qui pouvait brûler fut entassé dans le baril métallique servant à cette fin et tout ce qui ne pouvait pas être détruit fut empilé derrière le bâtiment. Rose balaya le local à trois reprises puis épousseta tout ce qu'elle pouvait épousseter. Émilie sortit chacun des outils des tiroirs où ils avaient été jetés en vrac, brossa à la laine d'acier tous ceux qui avaient rouillé, les huila et entreprit d'aiguiser scies, rabots et ciseaux à bois sur la meule débarrassée de ses toiles d'araignée.

Marie-Ange vint les avertir que le souper était prêt. En entrant, elle poussa un grand cri de joie.

— On dirait que tout est neuf ici !

Émilie et les enfants s'essuyèrent le front et revinrent tous à la maison, chancelants de fatigue, portant chaudières, guenilles et Clément en se traînant les pieds. Ils mangèrent comme des ogres et prirent un bain. Émilie se lava la première puis revêtit sa robe de chambre. Elle céda la cuve à Rose. Marie-Ange passa son tour, soutenant qu'elle n'était pas aussi sale que les autres. Émilien et Paul s'arrosèrent ensemble. Blanche accepta de se baigner avec Clément et de lui frotter le dos et les oreilles. Émilie, pendant ce temps, prépara Jeanne et Alice pour la nuit et les coucha. Clément les suivit sans se faire prier.

Tous les autres s'assirent au salon, attendant leur père avec impatience. Émilie autorisa Paul et Blanche à veiller jusqu'à sept heures et demie.

— Si votre père est pas arrivé à cette heure-là, vous monterez vous coucher. Mais il devrait être arrivé. Émilien, toi, tu pourras attendre jusqu'à huit heures. Rose pis Marie-Ange, jusqu'à neuf heures.

Les enfants étaient tellement fatigués qu'ils ne discutèrent pas. Ils étaient assis en silence, regardant l'horloge. Émilie pria pour qu'Ovila ne choisisse pas ce soir-là pour tarder à rentrer.

L'horloge sonna les sept heures, puis le quart d'heure suivant. Paul et Blanche échangèrent un regard d'inquiétude. Ils voulaient être de la fête. À sept heures et demie, Émilie, la gorge nouée par leur déconfiture, leur demanda de monter.

— Je le savais, dit Paul, tristement.

Blanche, elle, se contenta de refouler ses larmes. Émilien, Marie-Ange et Rose montèrent à leur tour. Émilie tenta de diminuer leur déception en leur disant que leur père avait dû être retenu par quelque chose de très important.

— Ouais, on se doute de quoi, avait dit Marie-Ange en mordant dans ses mots pour être certaine que sa mère comprendrait son sous-entendu.

— Marie-Ange, j'aime pas ce que tu penses !

— Moi non plus, j'aime pas ce que je pense. Bonsoir, moman.

Émilie fut tellement étonnée par la réplique de sa fille qu'elle n'ajouta pas un seul mot, se contentant de froncer les sourcils et de lui indiquer la direction de sa chambre. Quand elle fut certaine que les enfants dormaient, elle commença à faire les cent pas. Puis les mille pas. Elle rageait. Elle rageait tellement qu'elle imagina toute la conversation qui suivrait le retour d'Ovila. Oh ! ce qu'elle lui dirait ! Elle lui dirait toute la peine qu'il avait faite aux enfants. Elle lui dirait qu'il venait de perdre six amis, sept avec elle. Oh ! ce qu'elle lui dirait !

Elle marchait encore d'un pas si lourd de rage qu'elle ne l'entendit pas arriver. Il ouvrit la porte. Elle sursauta. Elle se retourna, la colère collée aux lèvres, les yeux rouges de fatigue et du chagrin de tous ses enfants. Elle inspira profondément car elle savait que la première phrase qu'elle dirait serait aussi longue que toute son attente.

— Émilie, viens voir ! Viens voir ce que j'ai acheté pour Télesphore !

Elle gela sur place.

— Comment ça, ce que tu as acheté pour Télesphore ?

— Viens voir ! J'ai tout mis ça dans la voiture.

Il s'approcha d'elle, la tira par la manche et prit un fanal. Ils sortirent.

— Regarde-moi ça, Émilie. Il y a pas une planche avec un nœud. Il y a pas une craque. Sont toutes de la même couleur. Pis le bois a été séché avec des pesées.

Émilie regarda le bois, incrédule, hochant lentement la tête.

— C'est pas de l'érable, ça. C'est du chêne !

— Oui, madame. Du beau chêne solide. Du chêne comme il faut pour mon frère, le bijoutier !

— Il voulait de l'érable, Ovila. Il peut pas payer le chêne.

— C'est là qu'il faut connaître mon frère. Je suis sûr qu'il peut pas payer le chêne parce qu'il veut me payer, moi. Il est pas question que mon frère me paie. Pis à part de ça, son chêne, je l'ai *barguigné* au prix de l'érable ! Pis même moins cher.

Émilie s'était effondrée sur les marches de la galerie. Ovila lui raconta qu'un de ses collègues de travail lui avait dit qu'il avait abattu un chêne et qu'il l'avait porté au moulin pour le faire scier en planches qu'il avait fait sécher chez son beau-père, à Sainte-Thècle.

— Émilie, tu le croiras pas, mais ça fait trois ans que ce bois-là sèche. Il y a pas une planche de pas droite. Le bois est un peu noirci, mais rien qui partira pas avec un bon *sablage*. Pis ça m'a pas coûté cher parce que avec les restes il m'a demandé de faire des tablettes pour sa cuisine. Des tablettes pour mettre les pots au-dessus de son meuble à boulanger. Tu dis rien ?

— Je sais pas quoi dire. Tu me prends vraiment de court.

— Je mettrais ma main au feu que tu pensais que j'étais à l'hôtel ! Je t'ai eue !.. Bon, ben, moi, je m'en vas rentrer ça dans le p'tit coin que j'ai nettoyé à matin.

— Non ! Tu vas rentrer dans la maison. Tu vas t'asseoir dans la chambre, pis tu vas attendre.

— Es-tu folle ?

— Non. Tu vas faire comme je viens de te dire.

Toute sa joie transpirait dans chacun de ses mots. « Ovila ! Oh ! mon Ovila au grand cœur. » Elle l'installa dans la chambre et lui demanda de se boucher les oreilles avec un oreiller.

— Les oreilles ? Pas les yeux ?

— Les oreilles !

Elle alla réveiller chacun des enfants, même Clément. Ils étaient tous cireux et ne comprenaient pas ce qui se passait. Elle leur fit signe de se taire et de la suivre. Ils marchèrent doucement, n'ayant enfilé que des gros bas et portant leurs chaussures à la main. Elle les dirigea dehors et les installa devant la voiture pleine de bois, puis donna à chacun une chandelle qu'elle alluma. Elle leur chuchota la suite des événements. Elle sortirait de la maison avec leur père qui aurait les yeux bandés. Ils ne devaient pas dire un seul mot. Elle conduirait la voiture jusqu'à l'atelier et ils suivraient, toujours en se taisant. Il ne fallait pas que leur père sache qu'ils étaient levés. Elle le ferait entrer dans l'atelier.

— Pis comme je le connais, votre père va me demander qui a fait ça. Là, j'vas vous faire un signe pis vous allez rentrer. Ça fait que votre cadeau de Pâques, ça va quasiment être comme un cadeau de réveillon. Êtes-vous contents ?

Les enfants, maintenant parfaitement éveillés, trépignaient d'impatience. Tout se déroula comme Émilie le leur avait décrit. Ils suivirent la voiture en silence, s'amusant des propos que le grincement des essieux alourdis ne les empêchait pas d'entendre. Émilie avait toutefois sous-estimé la surprise de leur père. Au signe de leur mère, ils entrèrent en criant de plaisir. Ovila fut saisi et les enfants virent dans ses yeux que deux autres chandelles s'étaient allumées et fondaient doucement sur ses joues.

Ovila œuvra comme un forcené pendant les quatre semaines qui suivirent. Tous les soirs, dès qu'il revenait du village, il mangeait à la hâte et se précipitait dans son atelier pour travailler au meuble de Télesphore. Émilie, dès qu'elle avait couché les enfants – Alice dans la chambre des grandes, par prudence –, se couvrait d'un châle et allait voir Ovila à l'œuvre. Elle s'extasiait et s'émerveillait devant la finesse du travail qu'il effectuait. Elle lui disait qu'elle ne comprendrait jamais comment ses mains durcies et marquées par le maniement de lourdes billes de bois pouvaient travailler avec tant de minutie. Ovila souriait et se taisait, absorbé dans ses mesures, un coup de ciseau, l'ajustement d'une languette de bois. Le meuble était vraiment un chef-d'œuvre et Ovila commença à penser qu'il pourrait gagner sa vie comme ébéniste.

— Si on restait à Shawinigan, Émilie, pis que les *grosses poches* allaient chez Télesphore pour acheter leurs montres à chaîne pis les diamants pour leurs femmes, pis qu'ils voyaient mon meuble, j'aurais peut-être des *engagements*. J'haïrais pas ça faire des beaux *sets* de salle à manger, pis des meubles de notaire pis de docteur.

Ovila, comme l'avait prévu Télesphore, modifia le plan qu'il avait dessiné. Il ne se contenta pas de vitrer le haut de la devanture, mais en vitra aussi le dessus. Émilie avait froncé les sourcils, lui disant qu'à son avis ce serait trop fragile. Ovila s'était tapoté le front en disant qu'il y avait pensé. Il y aurait trois vitres superposées. Elle avait alors ajouté qu'elle craignait que tout s'érafle. Il lui avait répondu qu'il trouvait plus simple de changer une seule vitre que de sabler et refinir un dessus en bois.

— Avec le temps, Émilie, le bois ça change de couleur. Pis comme j'ai pas l'intention de le teindre, en mettant un *top* en bois qu'y faudrait sabler à tous les ans, le meuble serait toutes sortes de couleurs. Avec une vitre, Télesphore aura jamais de problèmes, sauf pour changer la troisième vitre. Mais, si tu regardes ici, j'ai creusé des lignes pour que les vitres glissent, pis ici, un genre de p'tite barrure en bois qui les tient en place. Télesphore va juste avoir à l'ouvrir pour sortir les vitres pour les changer ou les épousseter de temps en temps. En tout cas, j'espère que dans un beau meuble de même mon frère sera pas obligé d'avoir des montres en *gun metal*.

Ovila n'avait pas cessé d'inventer toutes sortes de petits trucs pour faciliter le travail de son frère : petites cloisons dans les tiroirs ou orifices pour insérer les bagues. Il avait même pensé à faire des trous minuscules pour les boucles d'oreille.

— On dirait que tu as fait des meubles de bijoutier toute ta vie, Ovila.

— Non, madame, mais pour faire un meuble de bijoutier, faut se mettre dans la peau d'un bijoutier ! Faut penser à ce qu'il va vendre, pis faire une place. Si mon frère était docteur, j'aurais fait un autre meuble. Si mon frère vendait de la viande, ça aurait été encore différent.

Émilie en apprit plus sur le travail du bois qu'elle ne l'avait cru possible. Elle osa même suggérer à Ovila de couvrir des bouts de bois ronds avec du velours pour que Télesphore puisse y glisser des bracelets. Ovila l'avait regardée et l'avait embrassée en la remerciant.

— On voit que tu es ma femme. Il y a juste un p'tit problème, Émilie : on n'a pas de velours. Pis le velours, ça coûte une fortune.

Émilie baissa la tête et plissa les yeux, cherchant une solution à ce problème. Le lendemain, elle alla au village, passa à la banque et courut chez le marchand général pour acheter le précieux tissu.

— Pauvre madame, tout le velours que j'ai eu, je l'ai vendu avant Noël. Vous êtes pas dans la bonne saison pantoute. C'est le temps de la toile, du coton pis de la batiste.

Émilie rentra et monta à sa chambre. Elle grimpa sur une chaise et prit une boîte bien scellée, poussiéreuse, qui dormait sur la dernière tablette d'un de ses placards. Elle l'ouvrit et sortit la robe qui y était bien pliée, couleur de la Batiscan en septembre, et l'étendit sur son lit. Elle la regarda longuement, indécise, puis la replaça dans sa boîte. Elle la ressortit et commença à l'examiner de plus près.

Ce soir-là, elle pénétra dans l'atelier armée de ciseaux, de fil, d'aiguilles, de colle, de punaises et... de sa robe de mariée. Elle posa tous les accessoires, sauf la robe, la déplia devant elle, tenant le col de sa main droite et la taille de sa main gauche.

— Regarde, Ovila.

Ovila se retourna et leva les yeux. Il mit quelques secondes avant de reconnaître la robe.

— C'est ta robe de mariée, ça, Émilie !

— Oui, pis si tu veux mon avis, est passée de mode, pis en plus, je pourrais juste rentrer un bras pis une cuisse là-dedans.

— Pourquoi que tu me montres ça ?

— Si on fait un meuble de bijoutier, on fait un meuble de bijoutier ! J'ai fait comme toi sauf que moi je me suis mise dans la peau d'une acheteuse. Moi, voir de l'or ou de l'argent sur un beau velours de cette couleur-là, ça me donnerait le goût d'acheter.

— Es-tu folle ? Tu m'as dit que tu garderais ta robe toute ta vie, ou que tu la donnerais à une de tes filles pour son mariage.

— La robe est démodée pis j'ai tellement de filles que je saurais pas à qui la donner.

Émilie refusa de discuter et commença son travail, installée sur une chaise bancale, à côté de son mari. Elle préférait cet endroit à la cuisine. Elle pensa qu'à part les enfants c'était la première fois, depuis la crèche de Noël construite presque vingt ans plus tôt, qu'elle et Ovila faisaient quelque chose ensemble. Grâce à sa robe, le présentoir du meuble respirait l'espoir qu'ils mettaient tous les deux dans la prometteuse carrière de Télesphore, le « bébé » de la famille.

Télesphore arriva le soir du 11 mai et il courut chez son frère sans prendre la peine de déposer sa valise chez sa mère. Voyant la lumière dans l'atelier, il s'y dirigea immédiatement. La porte n'était pas fermée. Il entra. Émilie et Ovila étaient occupés à poncer le meuble à la laine d'acier avec de la vaseline. Ils étaient si affairés qu'ils ne le virent pas. Télesphore posa sa valise, lentement, les yeux rivés sur le meuble. Il était ébloui. La beauté du meuble surpassait au moins vingt fois celle du croquis qu'Ovila avait fait. Puis il remarqua que le meuble était en chêne. Il déglutit péniblement et tripota inconsciemment son argent dans sa poche. Il s'assit dans un coin sombre de l'atelier, s'amusant du fait que son frère et sa belle-sœur n'avaient pas encore remarqué sa présence. Émilie et Ovila terminèrent le ponçage. Puis ils frottèrent énergiquement le meuble avec de vieilles guenilles de flanelle. Ensuite, Ovila tira chacun des tiroirs, le retenant pendant qu'Émilie passait un savon sur les côtés.

— Tu vas voir, Émilie, comme avec un peu de savon ça va bien glisser. Quand Télesphore va ouvrir un tiroir, il y aura pas un *grichement*. As-tu les clés ?

Émilie sortit deux douzaines de petites clés de sa poche, toutes identifiées, et elle les jumela aux différentes serrures du meuble. Son travail terminé, elle et Ovila, se tenant par la taille, reculèrent et regardèrent le meuble en silence. Puis, lentement, ils en firent le tour. Ovila caressait le bois tout en marchant.

— Il y a pas une *écharpe* là-dedans. Pas une. C'est aussi doux que la vitre. Mais c'est plus chaud à toucher. La vitre, c'est froid. Maudit ! que j'ai hâte de voir la face que Télesphore va faire ! Penses-tu qu'il va l'aimer ?

— Je suis sûre, même si c'est rare qu'on voie du chêne pas teint. Le chêne, c'est toujours foncé. Tu vas rire de moi, Ovila, mais j'ai toujours pensé que le chêne c'était foncé. J'ai jamais pensé que ça pouvait être à peu près de la même couleur que le pin. Mais c'est tellement plus riche.

Émilie prit deux couvertures et couvrit le meuble, en disant à Ovila qu'ils auraient le plaisir de faire patienter Télesphore.

— On va le faire patienter, Ovila. On va dire que tu viens juste de commencer. On va lui faire accroire que c'est pas mal difficile à faire, que ça va prendre bien du temps…

— Pis là, j'vas faire une face de même pis j'vas dire que ça, c'est rien que la carcasse pis que j'ai pas pu en faire plus parce que j'attends mon bois.

— Pis là, Télesphore va nous dire que c'est pas grave, pis il va demander de voir ce que tu as de fait !

— Pis là, on va enlever les couvertes. Télesphore va tomber dans les pommes !

Télesphore, dans son coin, se demandait comment il pouvait faire pour sortir sans attirer l'attention. Il ne voulait pas les décevoir. Il ne voulait surtout pas les priver du plaisir de la surprise. Profitant du fait qu'ils lui tournaient le dos, il sortit à pas de loup, ramassant sa valise en grimaçant par crainte de faire du bruit, et il s'éloigna de l'atelier. Il recula encore, fit un pas dans le vide pour se donner un élan et revint résolument vers le bâtiment en sifflant à tue-tête.

***

Le lendemain de l'arrivée de Télesphore, Félicité, Ovide, Edmond et Émile vinrent voir le meuble. Félicité en fit le tour à plusieurs reprises et ouvrit chacun des tiroirs, s'extasiant sur tout ce qu'Ovila avait fait.

— Tu peux pas savoir, Ovila, ce que ça fait au cœur d'une mère de voir le talent d'un de ses enfants comme ça. C'est une affaire, le talent, que je comprendrai jamais.

On peut pas dire que Dosithée pis moi on a eu bien du talent, pis là, on a un fils qui en est bourré. On a toujours su que tu aimais le bois, mais on n'a jamais pensé que le bois, lui, se laisserait aimer comme ça par toi.

Ovila jubilait. Comme le temps était généreux ! Comme le temps lui avait donné la chance de redevenir un fils qui faisait sourire sa mère et sa femme ! Ovide toussotait dans son admiration, mais, en bon frère aîné, il se sentit obligé de critiquer un peu.

— Tu as pas pensé à le teindre, ton meuble ?

— J'ai pas voulu le teindre. Ce qui fait la beauté du bois, c'est son grain. Si je l'avais teint, comment est-ce qu'on aurait pu voir la différence ? Je l'aurais fait en pin ou en érable que ça aurait été pareil.

— En tout cas, Télesphore est pas remis de ses émotions, parce qu'à matin il a jamais voulu se lever. Il nous a dit qu'il viendrait cet après-midi pour commencer à préparer le meuble pour le voyage.

Télesphore ne put se déplacer, souffrant d'une indisposition. Félicité lui avait mis une main sur le front et lui avait confirmé qu'il faisait un peu de fièvre.

— Ça doit être parce que j'ai attrapé la pluie. Pour moi, je fais une grippe.

Le lendemain, au grand soulagement d'Ovila, il vint l'aider à bien emballer chacun des petits tiroirs. Il découvrit d'autres merveilles sur son meuble. Il ne tarissait plus d'éloges. Ils réglèrent leurs comptes, Ovila acceptant, après d'interminables discussions, un léger dédommagement.

— J'aime pas ça, Télesphore. Quarante piastres, c'est trop.

— Si je pouvais te donner cinq cents ou mille piastres, Ovila, c'est ça que je te donnerais. Un meuble de même, ça a pas de prix. Jamais de ma vie j'vas m'en séparer. Jamais !

Ovila travaillait, tôt le lendemain matin, à fixer le meuble dans une voiture. Ils s'étaient organisés pour le faire transporter par train. Télesphore n'avait pas voulu prendre le risque de l'abîmer sur les routes cahoteuses. Le train était ce qu'il y avait de plus sûr. Ovila vit passer la voiture du médecin et lui fit un grand signe de la main. Le médecin ne lui répondit pas. Au même moment, Ti-Ton arriva à la course. Ovila déposa le câble qu'il s'apprêtait à serrer autour du meuble. D'un coup d'œil, il avait reconnu la mauvaise nouvelle dans le visage de son jeune frère.

— Qu'est-ce qui se passe, le Ton ? Télesphore est trop grippé pour partir aujourd'hui ?

— C'est pas une grippe, Ovila. On sait pas ce que c'est. Mais il est trop mal en point pour voyager aujourd'hui. Moman a fait venir le docteur. Elle dit qu'il y a quelque chose qu'elle aime pas.

Ovila rentra la voiture dans son atelier, craignant que le meuble ne soit endommagé par la pluie qui commençait à tomber tout doucement.

— J'vas aller le voir. Donne-moi juste deux minutes pour que j'avertisse Émilie pis je te suis.

Ils arrivèrent au moment où Félicité s'affalait sur une chaise du salon. Inquiète. Elle les regarda tous les deux puis, d'une voix chevrotante, leur dit que le médecin était avec Télesphore et qu'avant de lui demander de quitter la chambre il lui avait dit qu'elle avait bien fait de le faire venir. Ovila ne put en entendre davantage. Il monta à la chambre de son frère, frappa et entra. Le médecin tirait le drap sur le visage de Télesphore. Il se signa puis se retourna et aperçut Ovila.

— Je sais pas pourquoi pis comment ça arrive, Ovila. Mais, quand ça arrive, on peut rien faire.

— Ça, quoi ?

— C'est les poumons qui viennent pleins de sang. Le patient s'étouffe, exactement comme s'il se noyait... euh... dans son sang. Ça arrive rarement, mais c'est comme s'il se noyait dans son sang.

Le médecin lui-même était bouleversé. Il détestait cette médecine qui ne savait pas encore éloigner la mort. Il la détestait encore plus quand la mort aspirait un jeune comme Télesphore. En plein essor. Au seuil de la vie. La tête remplie de projets et de promesses de succès. Ovila ne dit pas un mot. Il sortit de la chambre et descendit l'escalier. Il se dirigea vers la porte, sans même parler à sa mère. Elle s'était levée et avait compris que dans le visage d'Ovila il y avait ce chagrin gris. Cette douleur couleur de terre.

Ovila courut jusqu'à son atelier. Il déballa, seul, le meuble lourd, en le faisant glisser sur les planches. Puis, doucement, avec de multiples précautions, il commença à le défaire. Planche par planche. Joint par joint. Clou par clou. Émilie entra. Elle regarda Ovila qui travaillait en reniflant et en émettant des petits gémissements tellement discrets qu'ils faisaient plus mal à entendre qu'un grand cri. Elle ressortit et demanda à Rose et à Marie-Ange de s'occuper des autres enfants. Elle leur demanda aussi de veiller à ce que leur père ne soit dérangé sous aucun prétexte. Puis elle marcha en direction de la maison de Félicité.

Ovila n'avait conservé que le fond et les premiers montants.

« Un meuble de six pieds par deux pieds et demi. Maudit fou, Ovila ! Maudit fou ! Tu aurais dû faire un meuble de cinq pieds, ou deux meubles de quatre pieds. Comme ça, Télesphore aurait pas été tenté d'entrer dedans. Maudit fou ! »

Télesphore fut placé dans un cercueil comme jamais on n'en avait vu à Saint-Tite. Un cercueil de chêne blond avec, sur les côtés, deux douzaines de ce qui ressemblait à des petits tiroirs. Scellés. Sans côtés et sans fond. On avait mis à Télesphore son costume de zouave. Il portait même ses chaussures parce que le cercueil était fermé par trois vitres bien claires sur lesquelles Télesphore ne fit aucune marque de doigt. Sur la vitre, il ne fit pas de buée non plus.

C'est quand il entendit la vitre éclater sous les cailloux de la première pelletée de terre qu'Ovila ouvrit enfin la bouche.

— Je pars, Émilie. Je m'en vas. Je veux pus rester dans ce maudit village de malheur. Viens-t'en avec moi. On va déménager à Shawinigan. On va tout emporter, Émilie, sauf mes outils. Je veux pus jamais les voir ! Je veux pus jamais leur toucher !

Leur départ fut rapide. Ovila avait quitté Saint-Tite pour Shawinigan le jour même de l'enterrement de son frère et c'est lui qui avait vidé sa chambre de son contenu. En deux jours, il avait réussi à résilier le bail de Télesphore pour la bijouterie et avait trouvé un acheteur pour tout l'équipement qui s'y trouvait déjà. Il avait ensuite marché dans les rues de la ville et déniché un logement neuf. Grand et bien éclairé. Il l'avait loué pour sa famille. Avec le bail en poche et l'argent de Télesphore – deux cents dollars – bien plié dans ses bas, il était revenu à Saint-Tite pour aider Émilie. Il avait remis l'argent à sa mère, mais elle n'avait voulu prendre que ce qui couvrait les frais des funérailles et de l'enterrement. Elle avait forcé Ovila à prendre le reste.

— Cet argent-là, Ovila, c'est l'argent de ton père. Je pense que ton père aurait voulu que tu le prennes. À c't'heure que tu as l'air décidé à partir d'ici, tu vas en avoir besoin. Si tu changeais d'idée, je voudrais pas que tu te gênes pour revenir. Ta maison va rester vide. Je permettrai pas qu'on la vende.

Le 1er mai, Ovila, Émilie et leurs huit enfants s'installaient à Shawinigan.

33

Émilie n'avait jamais pris le temps de réfléchir à ce brusque déménagement. Elle avait suivi Ovila et tous ses tourments. Elle avait retiré les enfants de l'école, promettant à l'institutrice de terminer elle-même la matière avec eux si elle ne pouvait pas les inscrire à une autre école si tard dans l'année.

Elle arriva à Shawinigan en train, avec sept des huit enfants, Émilien et Ovila ayant fait le trajet en voiture et les ayant précédés pour placer leurs meubles dans le logement. Ils allèrent les accueillir à la gare. Émilie, pendant quelques secondes, eut l'impression qu'elle partait en vacances. Cette impression s'évanouit dès qu'Émilien et Ovila commencèrent à lui décrire tout le travail qu'ils avaient fait dans le logement.

— Vous allez trouver ça beau, moman. C'est pas aussi grand que la maison de Saint-Tite, mais on a grand en masse. Pis c'est tout neuf. Ça sent le bois, le plâtre frais pis la peinture.

— Pis, Émilie, le propriétaire nous a dit que si tu aimais pas la couleur, tu avais le droit de la changer.

Émilie sourit. Le propriétaire, gentillesse suprême, l'autorisait à faire des changements. Elle se demanda si elle pourrait s'habituer à demander la permission à quelqu'un pour vivre à sa guise chez elle. Elle avait toujours habité dans « sa » maison, sauf quand elle était à l'école, mais, là encore, elle n'avait jamais eu à demander quoi que ce fût, sauf pour les toilettes.

Elle entra dans le logement et soupira de soulagement. Ovila avait vraiment choisi quelque chose de bien. Elle fit le tour des pièces avec lui, vérifiant d'abord la direction du soleil, ouvrant ensuite chacun des placards pour en voir la grandeur. Ovila la regarda en souriant. Pas une seule fois, elle n'avait pensé à allumer les ampoules qui pendaient du plafond.

— Tu as rien remarqué de spécial, Émilie ?

Elle énuméra tout ce qui l'avait frappée, nommant d'abord les toilettes puis l'évier et le robinet de la cuisine, mais jamais elle ne mentionna l'électricité. Ovila, finalement, la prit par la main et, refaisant le tour du logement, appuya sur tous les commutateurs. Comprenant le jeu, Émilie appela les enfants pour qu'ils voient « la lumière ». Ceux qui étaient assez grands se postèrent chacun près d'un commutateur et firent clignoter les lumières jusqu'à ce qu'ils s'en désintéressent. En moins de cinq minutes, cette nouveauté n'avait déjà plus d'attrait ou de mystère pour eux.

Émilie s'empressa de trouver une épicerie et acheta les éléments de base dont elle garnit son nouveau et petit garde-manger. Ils soupèrent autour de leur table qui, au grand étonnement d'Ovila, avait semblé prendre des proportions insoupçonnées durant la journée. Il se dit qu'il lui faudrait en faire une nouvelle, ronde, avec deux panneaux de rallonge, puis, se rappelant sa promesse de ne jamais plus toucher à des outils, balaya cette idée de son esprit. Leur table resterait comme elle était. Encombrante.

Émilie ne ferma qu'un œil durant sa première nuit. Elle se tourna et se retourna, se demandant si un jour elle s'habituerait aux bruits incessants de cette ville. Elle se sentit bien loin de son Bourdais, là où seuls le beuglement des vaches, le hennissement occasionnel d'un cheval, le cri des oiseaux nocturnes, le chant des criquets et le coassement des grenouilles se permettaient de troubler le silence de la nuit. Elle pensa que cette symphonie de la nature avait toujours bercé ses rêves. Ce n'était pas comme ce grondement lointain des usines de pâtes et papier, ces éclats de voix ponctués de cris qui entraient par sa fenêtre, ce bruit des automobiles qui roulaient sans arrêt, ces portes qu'elle entendait claquer si fort qu'à deux reprises elle avait eu l'impression qu'il s'était agi de la porte de sa chambre, ce gargouillis de tuyauterie qui envahissait la maison chaque fois que ses voisins du dessus ouvraient un robinet dans la cuisine ou tiraient la chasse des toilettes.

Elle se tourna vers Ovila. Il respirait si légèrement qu'elle sut qu'il ne dormait pas.

— Ovila ?

— Hum…

— Tu dors pas non plus ?

— Je peux pas dormir parce que ma femme a la *pi-tourne*.

— Est-ce qu'il va toujours y avoir autant de bruit ?

— Quel bruit, Émilie ?

Elle ne répondit pas. Ovila, lui, avait connu autre chose que la tranquillité de la nuit à la campagne. Il avait dormi des nuits et des nuits dans les chantiers, entouré de dizaines de ronfleurs probablement tous plus bruyants les uns que les autres. Il avait l'habitude des toux étrangères, des raclements de gorge, des gaz de fèves au lard, des rots de digestion difficile, des craquements rythmés de lit accompagnés de respirations saccadées. Il avait l'habitude d'entendre les plus jeunes hommes étouffer les sanglots de leur ennui sous des couvertures malodorantes ou les plus sensibles appeler leur douce dans leur sommeil, crier leur crainte d'un surveillant ou leur peur d'un accident.

Elle s'endormit enfin, ratant de justesse l'arrivée des premières lueurs du soleil sur Shawinigan. Ovila l'embrassa et lui dit que les jeunes faisaient le *raveau*. Elle se leva et se dirigea vers la cuisine, chauffant le poêle pour faire du gruau et des rôties. Elle alla chercher Alice et lui prépara sa purée. Ovila vint la retrouver en riant.

— Ça fait cinq minutes que j'attends pour pisser. Les jeunes passent leur temps à se pendre après la chaîne de la toilette.

Émilie sourit, se rappelant sa fascination dans les toilettes de l'hôtel Windsor.

— Qu'est-ce que tu dirais de ça, Émilie, si je restais avec les jeunes pendant que toi tu vas faire le tour du quartier pour leur trouver une école ?

— Tu voulais pas aller à la Belgo ?

— J'irai demain. L'école, ça presse plus. Si tu peux les inscrire, ils vont pouvoir y aller après-midi.

Émilie accepta l'offre d'Ovila. Elle s'habilla, mettant une de ses robes les plus convenables, un chapeau de paille et des gants de dentelle. Elle ne voulait surtout pas avoir l'air d'une «femme de la campagne qui arrive en ville».

Elle trouva l'école à deux coins de rue. Une religieuse l'accueillit et lui demanda si elle venait pour inscrire ses enfants. Émilie répondit par l'affirmative. La religieuse la dirigea alors vers une petite salle. Émilie y entra et fut étonnée de voir qu'elle était bondée. Elle dut attendre, debout, qu'on l'appelle. L'assistante de la directrice n'avait pas l'air dépassée par l'arrivée de tant de nouveaux élèves. Cela était coutumier au début de mai. Elle expliqua à Émilie qu'il y en avait à peu près autant qui quittaient l'école à cause d'un déménagement.

— Pour mai et juin, madame, on a à peu près le même nombre d'élèves, compte tenu des départs et des arrivées.

— Est-ce que mes enfants peuvent venir cet après-midi ?

— Bien sûr, s'ils ont tout ce qu'il leur faut. Sous quel nom ?

— Pronovost.

— Quel prénom ?

— Il y en a plusieurs.

— Si vous voulez bien, on va commencer par le premier.

— Rose, douze ans, en quatrième année.

L'assistante leva les yeux de son cahier et regarda Émilie. Émilie n'ajouta pas un mot. Elle n'avait pas envie d'expliquer, ici, les difficultés de Rose. Elle vit l'assistante faire un point d'interrogation à côté du nom de Rose.

— Ensuite...

— Marie-Ange, dix ans, sixième année.

— Ensuite...

— Émilien, huit ans, quatrième année. Si vous avez deux quatrièmes, j'aimerais mieux que lui et Rose ne soient pas dans la même classe.

— Nous n'avons qu'une quatrième année. Ensuite...

— Blanche, sept ans, deuxième année.

— Ensuite...

Émilie décida de prendre un risque. Paul n'avait pas fait sa première, mais elle savait qu'il pourrait suivre.

Son fils ayant fait ses preuves, il leur serait difficile, l'année suivante, de le retourner en première.

— Paul, presque six ans, première année.

L'assistante leva les yeux encore une fois.

— Il a bien commencé tôt ?

— Oui. Paul est plein de talent et comme j'ai moi-même été institutrice pendant six ans...

— Dans une école de rang ?

— Oui, à Saint-Tite-de-Champlain.

— C'est que, madame, les programmes sont beaucoup plus difficiles ici... Paul devrait peut-être attendre et reprendre sa première l'an prochain. Vous savez, nous reculons les enfants d'une année quand ils viennent de la campagne.

Émilie inspira profondément. Elle ne devait pas faire d'éclat à sa première visite. Elle connaissait les programmes et savait que ses enfants étaient parfaitement préparés.

— Ma sœur, en permettant à Paul de terminer sa première, vous serez à même de juger s'il pourra faire sa deuxième l'an prochain. Et si vous n'y voyez pas d'objection, je vous demanderais de laisser chacun de mes enfants dans le niveau que je vous ai indiqué.

Elle avait parlé sèchement, remerciant silencieusement Henri Douville de lui avoir appris à parler lentement en articulant chacun de ses mots. La religieuse haussa les épaules, jeta un coup d'œil derrière Émilie, vit le nombre de personnes qui attendaient et décida de ne pas discuter. Cette mère, comme toutes les mères venant de la campagne, comprendrait bien assez vite qu'il était inutile de s'entêter. Rarement les enfants de la campagne pouvaient rivaliser avec ceux de la ville.

— Une dernière chose, madame. L'an prochain, il n'y aura que des filles ici, sauf une première année pour les petits garçons. Il vous faudra inscrire Paul et Émilien chez les frères.

— Ça aussi, c'est une politique ?

Émilie se mordit aussitôt les lèvres.

— Non, madame, ce n'est pas une politique. Nous croyons qu'il est préférable de séparer les garçons des filles. L'an prochain, le nombre d'élèves inscrits nous permettra enfin de le faire.

— Où est le collège ?

— Un peu plus loin. Mais j'imagine que des petits garçons de la campagne n'auront pas peur d'une marche matin, midi et soir.

Émilie tiqua. Cette religieuse lui portait sur les nerfs. Qui était-elle pour décider arbitrairement de faire perdre une année d'école à tous les nouveaux venus ? À ses enfants qui étaient parmi les premiers de leur classe ?

— Je vous remercie, ma sœur, de votre gentillesse, et je serai ici cet après-midi avec mes enfants. À quelle heure devrons-nous nous présenter ?

— Pour une heure.

— Nous serons là.

La religieuse regarda Émilie sortir. Elle leva les yeux au plafond. Toutes les mêmes, ces mères de la campagne. Et sur dix mères, il y en avait au moins huit qui affirmaient avoir été elles-mêmes des institutrices. La religieuse hocha la tête. La majorité de ces « institutrices » savaient à peine signer les registres. Elle regarda la signature d'Émilie et grimaça. Celle-ci, quand même, avait une « belle main d'écriture ».

Toute à ses pensées, Émilie s'était égarée. Mortifiée, elle s'était vue forcée de demander à une dame de la remettre sur la bonne route. Arrivée chez elle, elle s'empressa d'enlever son chapeau et ses gants et d'appeler les enfants. Elle les réunit tous dans le salon.

— J'ai vu votre école. C'est grand, plein d'élèves, pis, d'après ce que m'a dit l'assistante de la directrice, ça travaille fort là-dedans. Les élèves, ici à Shawinigan, sont studieux pis à leur affaire.

Elle leur raconta qu'elle s'était entêtée à les inscrire au même niveau que celui où ils étaient à Saint-Tite, mais que la chose ne se faisait pas à Shawinigan. Ovila l'avait regardée, étonné. Elle s'était contentée de lui faire un signe entendu.

— D'ici la fin de l'année, je veux pas en voir un paresser. Si vous êtes pas aussi bons que les autres, vous allez être obligés de doubler. Ici à Shawinigan, c'est comme ça. À partir d'aujourd'hui, on va avoir un secret de famille.

Elle baissa le ton pour être certaine qu'ils feraient bien attention à ce qu'elle leur dirait. Même Ovila était intrigué.

— J'ai inscrit Paul en première.

— Youppiiiii… !

Paul sautait sur place, épanoui et excité.

— J'vas être…

— Ici à Shawinigan, Paul, on dit : *je vais être…*

Paul se tut, repensa à sa phrase et recommença.

— Moman, est-ce que je vais être dans une vraie première ?

— Oui, Paul. Le secret, c'est que j'ai dit que t'a… que tu avais commencé depuis septembre. Je suis certaine que tu vas pouvoir finir l'année sans problème. Maintenant, vous autres, poursuivit-elle en regardant les autres enfants, l'air sévère, j'ai trois choses à vous demander. La première, c'est que jamais vous allez dire que Paul a pas… n'a pas fait sa première à Saint-Tite. La deuxième : je veux que vous répondiez que vous venez de Saint-Tite-de-Champlain et non pas de Saint-Tite. Est-ce que jusque-là vous comprenez ?

Les enfants répondirent tous que oui, même Clément.

— La troisième, c'est que je demanderais que chacun donne un crayon à Paul. Un crayon usé. Pas un crayon neuf. Pour ce qui est des cahiers, j'vas...

— *Je vais*, moman. Ici à Shawinigan, on dit : *je vais*.

— C'est vrai, Paul, je te remercie de me corriger. Donc, je vais en acheter des neufs pour tout le monde. Maintenant, je vous demanderais de vous préparer pendant que je vais chercher un magasin pour les cahiers.

Les enfants la quittèrent dans l'excitation la plus totale. Elle raconta à Ovila la rencontre qu'elle avait eue avec l'assistante de la directrice.

— C'est quoi, cette manie de baisser les enfants de la campagne ?

— J'imagine, Ovila, que c'est parce que les sœurs ont l'impression que les enfants de la campagne vont à l'école seulement quand ça leur tente. Entre toi pis moi, tu sais que c'est comme ça dans bien des familles. Bon, à c't'heure, j'vas... je vais aller chercher un magasin.

C'est en vain qu'Émilie arpenta les rues. Lasse, elle se renseigna et on lui dit que le matériel scolaire était vendu à l'école. Elle grimaça devant la perspective d'être forcée d'inventer une histoire pour justifier un tel achat au mois de mai. Elle revint à la maison, prépara le repas, puis, tenant Paul et Blanche par la main, elle prit la direction de l'école, obligeant les enfants à remarquer le trajet, à le mémoriser, à regarder plusieurs fois avant de traverser la rue.

— Ici à Shawinigan, il y a pas mal plus de machines qu'à Saint-Tite. À Saint-Tite... de-Champlain, il y avait celle de mon oncle Edmond pis deux autres. Je voudrais surtout pas, ici à Shawinigan, être changée en moman grenouille. C'est clair, ça, les enfants ?

— Oui, moman.

Blanche se mit à sangloter. Sans laisser la main de sa mère, elle commença à ralentir le pas.

— Je veux voir *mémère* Pronovost. J'aime pas ça, ici à Shawinigan…

— Tu vas t'habituer, Blanche.

Ils étaient arrivés à l'école. Émilie les laissa, regroupés, leur demandant de ne pas se séparer, pendant qu'elle irait dans l'école acheter les cahiers dont ils avaient besoin. Elle entra dans l'école et tomba nez à nez avec l'assistante de la directrice.

— Madame, madame euh…

— Pronovost.

— Pronovost. Ce matin, j'ai complètement oublié de vous dire que votre mari devait signer les inscriptions. J'ai aussi oublié de vous demander les baptistaires des enfants.

— Les baptistaires sont à Saint-Tite-de-Champlain, ma sœur.

— C'est bien embêtant…

— Est-ce que vous voulez dire que les enfants…

— La règle veut que nous ayons une copie du baptistaire. Mais étant donné que vos enfants arrivent presque à la fin de l'année, nous pourrons faire une exception. La directrice vous demanderait de les avoir pour leur inscription de l'année prochaine.

— C'est bien aimable. Vous pouvez compter sur moi. Nous les aurons.

Elle était furieuse contre elle-même. Comment avait-elle pu négliger ce détail ?

— Au fait, ma sœur, pourriez-vous me dire où acheter les cahiers pour les enfants ?

— C'est pas nécessaire d'acheter de nouveaux cahiers. Ils pourront utiliser les cahiers qu'ils avaient cette année.

Émilie se força à sourire d'un air entendu. Elle devait absolument et rapidement inventer quelque chose.

— C'est que, voyez-vous, ma belle-mère m'a demandé les cahiers des enfants. Ce sont ses premiers petits-enfants et notre départ la chagrinait. Alors, je lui ai laissé tous les cahiers pour qu'elle puisse les feuilleter en pensant à eux.

Elle se demanda si la religieuse avait avalé ce prétexte. Aussi, elle continua de sourire, s'efforçant d'imprégner son sourire de tendresse.

— Pauvre femme ! Ça doit être bien difficile de voir partir un fils et ses petits-enfants.

Émilie tiqua devant la pointe de la religieuse qui venait de l'exclure de sa famille.

— Dans ce cas-là, suivez-moi. Je vais vous montrer notre petit « magasin ».

Émilie revint vers ses enfants et remit à chacun un cahier neuf. Paul embrassa le sien comme s'il venait tout juste de recevoir le plus beau des cadeaux. Émilie leur demanda ensuite de lui remettre ceux qu'ils avaient apportés.

— J'ai complètement oublié, mais mémère m'avait demandé de les avoir... pour moins s'ennuyer.

Ils acceptèrent cette explication sans problème et remirent leurs vieux cahiers. Émilie les enfouit dans son grand sac à main. On appela les enfants. Elle leur recommanda une dernière fois d'être sages et attentifs, de lever la main avant de parler, de ne pas se mettre les doigts dans le nez, de ne pas répondre à toutes les questions et d'attendre leur tour, de ne pas discuter, de ne pas parler de Saint-Tite sans dire « comté de Champlain », de ne pas se tirailler, de ne pas se battre, de s'asseoir bien droits, de bien prendre en note les devoirs et les leçons qu'ils auraient à faire et d'essayer de donner le bon exemple. Presque essoufflée, elle les regarda partir, souriant et faisant des clins d'œil, surtout à Paul qui se dandinait allègrement.

Elle demanda à Ovila d'aller à l'école signer les inscriptions. Il s'était donc rasé et habillé proprement et avait attendu la fin de l'après-midi de façon à pouvoir revenir à la maison avec les enfants. Ils rentrèrent tous, heureux et jubilants. Émilie les attendait dehors sur le trottoir, Alice dans les bras, Jeanne et Clément jouant à ses côtés. En l'apercevant, Paul courut à toute vitesse, le visage illuminé d'un grand sourire.

— C'est facile-bébé, moman. J'ai tout su ! La sœur m'a posé beaucoup de questions pis j'ai tout su ! La sœur m'a demandé de compter. J'ai compté. Moi, je pensais que la sœur voulait que je compte lentement, ça fait que j'ai compté lentement, pis après la sœur m'a demandé d'aller plus vite, ça fait que là, moman, j'ai compté bien vite. La sœur m'a dit d'arrêter pis j'étais juste rendu à cent. La sœur m'a demandé si je savais toutes mes centaines, pis j'ai dit oui. Pis j'ai dit que je savais mes millaines aussi.

— Tes quoi ?

— Ben, mes mille ! J'ai dit que je savais mes mille. Pis que je savais même mes millionnaines ! En tout cas, la sœur avait l'air bien découragée que je sache autant de chiffres. Ici à Shawinigan, les enfants savent pas autant de chiffres qu'à Saint-Tite-de-Champlain.

Émilie se mordit les lèvres pour ne pas rire. Elle pouvait imaginer l'expression de la religieuse devant l'assurance de Paul.

Ils entrèrent dans la maison. Ovila et Émilie écoutèrent les histoires du premier après-midi d'école pendant près d'une heure. Paul prit la parole, répétant à tous ce qu'il avait déjà raconté à sa mère. Au grand soulagement d'Émilie, personne ne rit. Blanche interrompit Paul.

— La sœur m'a demandé ce que faisait mon père. Comme je savais pus si pâpâ était toujours menuisier ébéniste, j'ai répondu que pâpâ était déménageur. De ce temps-là, c'est ce qu'il fait. Il déménage. Mais j'ai fait attention de dire qu'on venait de Saint-Tite-de-Champlain. Pis la sœur m'a demandé dans quelle ville j'étais maintenant. Je l'ai regardée pis j'avais envie de lui dire que, franchement, c'était une question pas mal niaiseuse. Mais je me suis rappelé que vous nous aviez dit d'être polis, ça fait que j'ai répondu.

— Qu'est-ce que tu as répondu, Blanche ? demanda Émilie, tout à coup inquiète.

— Ben voyons, moman, j'ai dit qu'on restait à *Iciashawinigan*.

Émilie ferma les yeux deux secondes et les rouvrit. Elle demanda à Émilien s'il avait eu quelques difficultés.

— Non. C'était aussi facile que chez nous. Les élèves sont juste plus sages. C'est dans la dictée que j'ai eu de la misère. Je savais pas écrire « Shawinigan ». À c't'heure, je le sais.

— Comment est-ce que tu l'avais écrit ?

— C-h-a-t-o-u-i-n-i-g-a-n-e.

Émilie fit épeler « Shawinigan » à tous ses enfants pour être certaine qu'ils le sauraient tous. Blanche répéta et comprit qu'elle n'avait pas bien répondu à la question qui lui avait été posée en classe. Elle s'enfonça la tête dans les épaules. Rose et Marie-Ange n'avaient rien de spécial à raconter. Marie-Ange se borna à dire que la plupart des filles avaient des robes plus belles que la sienne, et Rose, qu'elle était assise à l'arrière de la classe et que la religieuse ne lui avait pas posé de questions. Quant à la dictée, elle n'avait eu que trois fautes.

***

Ovila entra en trombe. Il avait la figure rouge et le souffle court. Émilie avait sursauté. Elle ne connaissait pas encore tous les bruits de sa nouvelle maison.

— Tu m'as fait peur, mon *maususse*. Arrive moins vite la prochaine fois. Regarde Alice, même elle a l'air inquiète.

— Je l'ai ! Je l'ai, Émilie ! Une journée pis je l'ai ! Ah ! la ville, Émilie, c'est pas la place pour quêter pis attendre. Je l'ai !

— Tu l'as ?

— Je l'ai ! Je l'ai ! Pis pas pour des *pinottes*. Pour un bon salaire.

— Tu l'as !

Émilie déposa Alice par terre, se jeta dans les bras d'Ovila qui la fit valser, la frappant sans arrêt sur les coins de la table.

— Ouch ! Ovila ! Fais-moi pas tourner si vite.

— Si tu penses que nous autres on tourne, c'est parce que tu as rien vu. Moi, à matin, j'ai vu les *breast rolls*, pis les *guide rolls*, pis ça, madame, ça tourne.

Tous les matins, Émilie préparait le repas d'Ovila. Il partait tôt, marchait jusqu'à la Belgo et commençait une longue journée. Il était aussi fasciné par le fonctionnement des installations de l'usine que par le bois. Il s'en était presque excusé en disant à sa femme que l'usine sentait le bois à plein nez.

— Ça sent presque aussi bon que mon atelier. Mais ici, c'est la pâte de bois qu'on respire. C'est pas possible, Émilie, mais pour faire du papier ordinaire, ça prend quatre-vingt-dix-neuf point cinq pour cent d'eau pis juste un demi pour cent de pâte de bois. Nous autres, on appelle ça de la fibre.

— De l'eau ?

— Oui, madame, c'est avec l'eau qu'on fait le papier. Pis un p'tit peu de bois, bien sûr.

Un mois après leur arrivée à Shawinigan, Ovila n'avait pas encore cessé de s'émerveiller. Émilie avait découvert tous les magasins qui pouvaient lui être utiles et avait enfin trouvé le sommeil. Les enfants avaient rapporté un bulletin à la maison et tous, sauf Rose qui éprouvait de réelles difficultés, avaient réussi au-delà des espérances de leur mère. Même Paul était parvenu à rafler deux premières places.

Si Émilie avait retrouvé le sommeil, elle n'avait pas pour autant trouvé la paix. Elle détestait voir les enfants jouer dans leur minuscule cour ou courir sur les trottoirs. Ceux-ci étaient tellement étroits qu'elle devait se raisonner pour ne pas leur dire qu'elle mourait de peur de les voir faire un faux pas et tomber dans la rue. La tranquillité de Saint-Tite, les visages familiers, les potins et petites nouvelles quotidiennes lui manquaient terriblement. Elle passait la majeure partie de ses journées à écrire. À Félicité, à Célina, à la bonne Antoinette, à Berthe qui ne lui répondait jamais, à la cousine Lucie qui lui promit de convaincre Phonse de venir lui faire une visite, au curé Grenier pour lui donner des nouvelles fraîches de ses ouailles, à l'institutrice de l'école du Bourdais, et elle recommençait à écrire d'autres lettres sans attendre les réponses.

Ovila rentrait toujours tard. Il travaillait sans cesse. En juin, il lui annonça qu'il aurait une sorte de promotion. Maintenant, il s'occuperait des séchoirs. Émilie s'en réjouit, sans vraiment comprendre ce qui différenciait ce travail du précédent. Quand Ovila travaillait aux chantiers, elle avait toujours exactement compris ce qu'il faisait. Quand il avait travaillé à Saint-Tite, à la maison ou au village, elle avait pu le voir à l'œuvre. Ici, elle n'avait aucune idée de ce qu'il faisait. Elle savait simplement qu'il mettrait une ardeur insoupçonnée à faire fonctionner des séchoirs. Elle n'avait jamais même vu un séchoir et elle dut s'avouer qu'elle n'avait pas non plus envie d'en voir. Elle étouffait dans ses sept pièces neuves, belles, fraîches peintes. Sept belles pièces identiques aux sept pièces des voisins, et de leurs voisins et des gens de la rue d'en face, de la rue voisine et de la rue d'en arrière. Le temps lui manquait où sa maison respirait un passé, un présent et un avenir. Ici, sa maison respirait l'air que le propriétaire lui avait donné.

L'été torride arriva sans qu'Émilie l'ait vu venir. Ici, elle avait perdu tous ses repères saisonniers. À Saint-Tite, elle sentait l'été des semaines et des semaines à l'avance. Elle voyait le vert s'approfondir dans chacune des feuilles nouvelles. Ici, elle apercevait bien un arbre perdu, mais un arbre ne pouvait lui donner le pouls de la saison. À Saint-Tite, elle aurait su qu'il lui fallait attendre un été chaud, par le chant des cigales, par la position des feuilles dans les arbres, par la couleur des levers et des couchers de soleil, par la façon dont les légumes poussaient dans son potager. Ici, la chaleur l'avait prise par surprise, un beau matin, comme la surprenait encore le bruit d'un klaxon ou le cri qu'une mère adressait à son enfant qui courait derrière une balle ou un cerceau dans la rue.

Dès la fin des classes, les sept pièces bien grandes et bien éclairées de soleil s'étaient assombries par le nombre de têtes qui envahissaient les fenêtres. Émilie se vit contrainte d'expédier les enfants dehors et, dès qu'ils avaient franchi le seuil de la porte, elle accourait pour s'assurer qu'ils ne jouaient pas dans la rue. Le plus souvent, avec Alice sous un bras, elle sortait à la hâte pour rappeler un de ses enfants à l'ordre.

Ovila était absent pendant toute la journée et ne rentrait que tard le soir. Il avait avoué, en termes à la fois clairs et doux, que la présence des enfants, la promiscuité, la nouveauté de la ville étaient à blâmer pour ses multiples absences. Émilie l'avait écouté et avait proposé une solution à son problème. Elle lui offrit de partir pour le lac à la Perchaude avec tous les enfants. Ovila l'avait remerciée, lui disant qu'il ne pourrait se séparer d'eux. Émilie s'était enflammée.

— Tu dis qu'on prend trop de place ! Je t'offre de *clairer* le plancher pis tu veux rien entendre.

— Émilie, j'ai juste dit que j'étais pas capable de toujours être dans la maison. Rien d'autre.

— T'es-tu demandé si moi ça me tentait d'être dans la maison toute la journée ? J'aimerais mieux être au lac.

La Belgo vint au secours d'Émilie. Moyennant une augmentation de salaire et le paiement de l'installation d'un téléphone, on proposa à Ovila de travailler de jour et d'être de garde la nuit. Il s'empressa d'accepter. Grâce à ce nouvel arrangement, Émilie put passer ses soirées avec Ovila, mais les talents de ce dernier venant à être connus, elle commença à dormir seule une grande partie de la nuit. Elle ne comprenait pas qu'une grosse compagnie comme la Belgo ait toujours quelque appareil qui brisait, surtout pendant la nuit.

Ovila lui proposa enfin de quitter Shawinigan pour le reste de l'été. Elle partit avec bagages et enfants pour cinq semaines. Elle logea au lac avec les plus jeunes, Alice, Jeanne et Clément, pendant que les plus vieux dormaient chez la grand-mère Pronovost et venaient la rejoindre pendant la journée.

Elle revint à Shawinigan pour le début des classes. La seule bonne nouvelle qui l'accueillit fut que les garçons et les filles fréquenteraient encore la même école. Les religieuses et les frères avaient sous-estimé le nombre de déménagements. Les enfants retournèrent donc tous à la même école. Paul entra en deuxième, mais Rose dut demeurer en quatrième.

Ovila souligna en grande pompe leur retour, les invitant tous à manger au restaurant. Il déplia ostensiblement la liasse d'argent qu'il avait apportée, pour impressionner Émilie et les enfants, certes, mais aussi pour se convaincre qu'il ne rêvait pas, que cet argent était bien à lui et que, si tout allait comme il le souhaitait, il serait en mesure d'acheter une maison à Émilie dès l'année suivante.

Émilie s'apprêtait à passer son premier hiver à Shawinigan. Elle avait confectionné de nouveaux vêtements pour les enfants, l'orgueil lui ayant fait refuser de leur faire porter ceux qui lui avaient paru fort convenables à Saint-Tite. Clément usa le manteau trop grand qui lui avait été refilé par Paul et le manteau de Jeanne fut porté par Alice.

L'hiver attaqua Émilie par toutes les issues possibles. Il la prit d'assaut en recouvrant Célina, sa mère, de la grande froidure. Émilie ne put même pas assister à ses funérailles, incapable de trouver une gardienne qui aurait pu prendre maison et maisonnée en charge. Elle en voulut à Ovila de n'avoir pas réussi à prendre congé pour les trois jours qu'aurait duré son absence. L'hiver, ensuite, s'infiltra par toutes les portes et les fenêtres de son logement, au point que la plomberie gela et éclata. Émilie et les enfants durent, pendant des semaines, aller emplir des chaudrons de neige pour avoir de l'eau. Émilie s'en plaignit amèrement à Ovila qui, furieux, défit un mur de la chambre d'Alice, pour découvrir que le propriétaire n'avait fait poser aucun isolant. Le propriétaire joua d'innocence, menaçant de poursuivre Ovila pour avoir détruit le logement et le forçant à réparer tous les dégâts qu'il avait faits. Émilie fut donc prise avec le propriétaire, Ovila ne trouvant jamais le temps de travailler au mur blessé. Émilie, enfin, en ce premier hiver à Shawinigan, frissonna dans la solitude de ses draps, Ovila ayant eu une promotion. Il travaillait maintenant de nuit, dormant le jour, le téléphone sonnant à toute heure pour réclamer ses services. Émilie se précipitait à la première sonnerie, craignant qu'Ovila ne soit réveillé inutilement. Mais l'appel était toujours pour lui, de la Belgo. Ovila se levait comme un ours, se hâtait de s'habiller sans même s'éveiller complètement et courait à l'usine pour dépanner un ingénieur dépassé par la complexité d'un problème nouveau. Parfois, Ovila ne revenait plus de la journée. Parfois, il rentrait encore plus épuisé qu'à son coucher précédent et tombait dans le lit dont Émilie venait de lisser les couvertures.

L'année 1916 commença dans la glace. Glace dans les éviers, glace dans la cuvette des toilettes et glace dans le cœur d'Émilie. Ovila se ruinait en bois de chauffage. Les enfants dormaient habillés de chandails de laine, les pieds dans des chaussettes, les mains dans des mitaines. Si l'un d'eux se plaignait, Émilie lui répondait en riant que la ville c'était la ville et qu'il fallait s'en accommoder. En l'une des rares occasions où elle put parler avec Ovila, ils convinrent qu'ils déménageraient à l'expiration de leur bail. Émilie lui dit qu'elle refusait de passer un autre hiver à geler.

— On n'est pas venus en ville pour être dans la misère.

— Il fait froid, c'est vrai. Mais jamais on n'a eu un bon salaire de même.

— Tu passes ton temps à faire la *job* des ingénieurs, mais c'est eux autres qui ont la grosse paie. Pas toi.

— J'ai pas leurs diplômes. Pis je parle pas anglais !

— Ils ont pas ton intelligence ! Tu devrais demander une augmentation.

— Je viens juste d'en avoir une.

— C'est vrai. Mais combien est-ce qu'il y a d'ingénieurs qui travaillent la nuit pis qui sont en *stand-by* le jour ?

Ovila ne répondit pas. Émilie connaissait la réponse aussi bien que lui. Il était le seul employé à faire ce travail. Mais comment pouvait-il expliquer à Émilie qu'il était aussi le seul Canadien français à être responsable d'un quart de travail ?

L'hiver desserra enfin ses griffes de froid qui avaient emprisonné Émilie à Shawinigan. Elle commença à patrouiller les rues avec ses trois plus jeunes, espérant trouver un logement plus convenable. Ses recherches durèrent deux semaines. Ovila lui avait laissé entendre qu'ils pouvaient acheter une maison, mais, après y avoir réfléchi pendant des nuits et des nuits, elle lui confia qu'elle préférait habiter un logement pendant une autre année. Ovila comprit qu'elle ne lui faisait pas encore confiance. Elle attendait d'être certaine qu'il pourrait conserver son emploi, sans s'en lasser, avant de prendre une hypothèque. En mai, Émilie fit transporter tout leur avoir dans un nouveau logement, encore plus grand, encore plus clair, encore plus cher, encore plus près de la rivière et de la Belgo et encore plus haut. Elle s'était résignée à habiter un deuxième étage. C'était le seul logement qu'elle avait pu trouver qui fût muni d'un chauffage central. Les enfants durent changer d'école, ce qui lui déplut, mais elle n'avait rien trouvé dans le quartier qu'ils avaient habité depuis leur arrivée à Shawinigan. Elle subit de nouveau les questions de l'inscription, la nouvelle assistante de la directrice ressemblant à l'ancienne comme une goutte d'eau à une autre. Même si Émilie habitait Shawinigan depuis un an, elle ressentit encore le léger mépris qui lui était réservé, comme si elle avait été coupable de ne pas être née en ville.

Ovila avait promis de s'occuper du déménagement, mais son travail l'avait sans cesse retenu. Aussi, les enfants et Émilie transportèrent seuls tout ce que les déménageurs avaient laissé derrière. C'est en faisant le trajet reliant leurs deux maisons qu'Émilie aperçut les premiers bourgeons dans les arbres. Elle décida que, cette année, c'est un été complet qu'elle passerait au lac.

Ovila ne discuta pas sa décision. Il savait qu'Émilie ne changeait jamais d'idée. Elle n'aurait pas compris qu'il avait besoin d'elle et il ne pouvait l'en blâmer. Il était absent si souvent.

Émilie passa donc l'été au lac, faisant cette fois une courte visite à ses frères et sœurs à Saint-Stanislas. Elle s'était aussi arrêtée à Saint-Séverin, pour faire provision de rires chez Lucie.

— Quand j'ai vu arriver une grosse p-poule avec huit poussins accrochés à ses jupes, j'ai pensé que ça p-pouvait pas être personne d'autre que m-ma cousine Émilie.

L'été la réchauffa quelque peu, mais pas autant que si Ovila avait pu venir passer quelques jours avec eux. Il lui manquait terriblement. Peut-être qu'à Saint-Tite ils auraient eu le temps de se parler, de se retrouver. Ils auraient pu faire de longues promenades le soir, au clair de lune, écouter le chant du lac et chercher un grand duc dans le ciel. Il ne lui avait écrit qu'une lettre, pour lui dire qu'il avait officiellement été nommé contremaître de nuit. Cette lettre avait fait prendre conscience à Émilie qu'elle avait toujours sous-estimé l'ambition d'Ovila.

En septembre, elle revint à Shawinigan, bien décidée à essayer de comprendre tous les détails du travail d'Ovila. Bien décidée aussi à mieux le soutenir. Il l'attendait à la gare, courant à côté du train jusqu'à ce que la lourde locomotive s'immobilise. Devant sa mine radieuse, Émilie ne lui parla pas des nouvelles de guerre qui avaient touché le village. Elle préféra reporter à plus tard l'annonce du décès d'Amédée Trépanier et du transport en Europe d'Armand Gignac et de Jean-Baptiste Marchand. Mais elle lui dit qu'Henri Davidson s'était porté volontaire pour le corps médical et qu'aux dernières nouvelles il se dirigeait vers la Sibérie.

Elle acheva l'aménagement du nouveau logement et occupa une grande partie de son temps à coudre pour elle et les enfants, à repriser les habits tachés d'huile d'Ovila, regrettant souvent de ne plus trouver de sciure de bois dans le fond de ses poches, à préparer des travaux spéciaux pour Rose, à faire taire les enfants pendant le sommeil de leur père. Heureusement, Clément avait joint le rang des écoliers. Elle écrivit à Berthe à quelques reprises mais, ne recevant jamais de réponse, elle abandonna sa correspondance, comme Berthe l'avait laissée tomber, elle. Jamais de sa vie la solitude ne lui avait pesé aussi lourd. Elle n'avait plus revu Antoinette, qui s'était fait une vie active à Montréal et n'était jamais plus appelée à suivre Henri en Mauricie, Henri n'y venant plus. Ses parents étaient tous les deux morts. Sortant peu de la maison, elle n'avait pas réussi à se faire d'amies à Shawinigan. Elle n'avait jamais même vu Philomène.

Ovila avait changé. Dès que l'euphorie du retour de sa famille fut tombée comme de la poussière derrière une calèche, il avait repris vaillamment son rythme de travail, quittant la maison sitôt sa dernière bouchée de souper avalée, ne revenant que le lendemain matin, après le départ des enfants pour l'école. Émilie prit l'habitude de dormir en tenant un oreiller dans ses bras. Si, par chance, Ovila avait une vraie journée de congé, il dormait, toujours fourbu. Émilie, profitant parfois du fait que les grands jouaient dehors et que les deux petites se reposaient, venait s'étendre à côté de lui, simplement pour le sentir, pour lui passer un doigt sur les sourcils, l'entendre respirer et lui chuchoter à l'oreille qu'elle l'aimait. Si son mal de lui se faisait aigu, elle lui passait les doigts sur la braguette, mais le plus souvent il se retournait vivement, comme si une mouche l'avait chatouillé.

34

Émilie se consolait comme elle pouvait. Par le travail d'Ovila, par le succès des enfants. Elle refusait de penser à l'époque où elle avait connu des raisons d'être fière d'elle-même. Ce temps était révolu et elle avait choisi d'aimer. Mais cet amour, s'il la comblait presque en totalité, la laissait sur un appétit d'apprendre que l'incessante lecture de journaux et de livres ne réussissait pas à satisfaire.

L'hiver était revenu, encore une fois sans qu'elle le pressente. Elle demeurait incapable de s'accrocher aux saisons de Shawinigan. Heureusement, elle n'eut point froid et les enfants purent dormir dans leurs vêtements de nuit et non dans leurs habits de neige.

Elle reçut des nouvelles de sa belle-mère, qui lui racontait que la rumeur d'une conscription se faisait de plus en plus persistante. Émilie sourit. À Shawinigan aussi, cette rumeur galopait dans les rues. Félicité leur parlait toujours comme si, à Shawinigan, ils avaient été à l'autre bout du monde, plaçant Saint-Tite au centre de l'univers.

Noël aurait été d'une tristesse à mourir si elle ne s'était pas ressaisie à temps. Elle avait passé le réveillon seule avec les enfants, Ovila ayant accepté de travailler.

— Tu peux pas faire ça, Ovila ! C'est Noël !

— Je le sais, ma belle brume, mais dis-toi que l'argent que j'vas gagner va payer les cadeaux des enfants.

Émilie se prit à détester tous ces dollars qui tenaient Ovila éloigné d'elle et des enfants. Elle aurait apprécié qu'ils en eussent moins. Elle aurait bien payé six dollars par semaine pour avoir Ovila à ses côtés pendant cinq ou sept heures. Mais Ovila n'aurait pas compris qu'elle lui parle du temps où ils « faisaient des sacrifices » comme d'un temps où ils avaient été heureux. Ovila avait tant de choses à prouver. Il n'avait pas encore oublié l'humiliation d'avoir été déshérité et voulait montrer à Émilie qu'elle avait toutes les raisons de marcher la tête haute.

Au début de 1917, la rumeur du recrutement devint réalité. Partout, sur tous les murs des endroits publics, des affiches aux armoiries canadiennes invitaient les jeunes à « l'aventure » outre-mer. Émilie avait frissonné. On recrutait des hommes âgés de dix-huit à quarante-cinq ans, mesurant au moins cinq pieds et deux pouces. On faisait miroiter la solde et la pension. Les conditions étaient si faciles. La signature était valable pour la durée de la guerre et pour les six mois suivant la fin des hostilités.

Émilie se consolait en pensant qu'il n'y avait heureusement personne de ses deux familles qui irait au front. Cette guerre qui ne devait durer que le temps de quelques crachats de canon n'en finissait plus. À défaut de s'intégrer à Shawinigan, Émilie eut l'impression de vivre au rythme de l'Europe. Elle lisait les comptes rendus quotidiens, épluchait les listes de victimes, craignant d'y trouver un nom qui lui serait familier. Elle en parlait peu avec Ovila, sachant qu'il était beaucoup plus préoccupé par ses rouleaux troués, ses boîtes de succion et leurs filtres et ses centaines d'engrenages.

Un mois de mars très doux vint enfin éclairer ses fenêtres maculées de giboulée et de gadoue. Elle commença à compter les jours qu'elle aurait à attendre avant de partir pour Saint-Tite. Plus que trois mois...

Les enfants rentrèrent de l'école, surexcités.

— Moman ! moman ! Devinez quoi !

— Quoi ?

— Demain, on va à la cabane à sucre !

— Tous les élèves de l'école ?

— Oui ! Avec des parents qui ont des machines pis des voitures assez grandes pour monter tout le monde.

— Pis il faut qu'on porte du vieux linge.

— Pis des bottes !

— Pis qu'on apporte des œufs !

— Pis une collation !

Émilie consacra sa soirée à la préparation de cette journée. Elle sortit les vieux vêtements qu'elle avait autorisé les enfants à porter en de rares occasions, surtout pour jouer dehors. Le lendemain matin, elle les regarda partir à la queue leu leu et ne put s'empêcher de sourire à leur allure de petits campagnards. Elle reconnaissait ses enfants de Saint-Tite qui traînaient leurs « bottes à vaches » dans la neige tachée de sable, de cendre, de cailloux et de crottin.

Elle referma la porte, se planta devant une fenêtre et n'abandonna son poste d'observation que lorsque Clément eut rejoint les plus grands et tourné le coin de la rue.

Elle vit Ovila arriver de la direction opposée, les mains dans les poches. Sa fenêtre aurait été ouverte qu'elle l'eût entendu siffler. Elle le regarda venir, l'air heureux, l'œil injecté d'une insouciance qui lui allait à ravir. Elle retourna à la cuisine et l'entendit refermer la porte du rez-de-chaussée, monter l'escalier trois marches à la fois, tourner la poignée et entrer.

— Émilie ?

— Ici, Ovila, dans la cuisine.

Il s'avança derrière elle, déposa sur la table les récipients dans lesquels, la veille, elle avait mis une salade de pommes de terre et des marinades, l'enlaça et lui mordilla le lobe de l'oreille droite.

— Tu as bien l'air joyeux, ce matin.

— J'ai toutes les raisons du monde de l'être !

Émilie se dégagea, se tourna et le regarda bien en face.

— Une autre promotion ?

— Non !

— Une augmentation ?

— Non !

Elle eut peur. Elle espérait qu'il n'avait pas fait de folie.

— Tu as pas acheté une maison, j'espère...

— Non !

— Cesse de me faire fatiguer, pis dis-moi...

— Est-ce que les enfants sont à la cabane ?

— Bien oui, tu le sais.

— Ils viendront pas dîner, comme ça ?

— Tu le sais !

— Penses-tu que la fille de la voisine pourrait garder Jeanne pis Alice jusqu'à deux, trois heures ?

— Où est-ce que tu veux m'emmener ?

— C'est un secret ! Va conduire les p'tites. Tu vas le savoir quand tu vas revenir.

Émilie voyait luire dans ses yeux son air amusé des grandes surprises. Elle ne posa plus de questions,

lui demanda de jeter un coup d'œil aux fillettes pendant qu'elle allait chez la voisine, fut de retour après huit minutes d'absence, mit le manteau à ses filles et repartit. Elle revint, essoufflée. Ovila n'était plus dans la cuisine.

— Ovila ?

Il ne répondit pas. Elle se dirigea vers le salon.

— Ovila ?

Toujours pas de réponse. Elle fronça les sourcils puis se dirigea vers la chambre à coucher. Ovila était au lit, bien appuyé sur les oreillers, les deux mains derrière la tête, la figure illuminée d'un sourire blanc qui sentait le dentifrice. La minceur du drap ne réussissait à voiler ni sa nudité ni son désir.

— J'ai une journée de congé !

Émilie éclata de rire, regarda l'heure, calcula mentalement qu'ils avaient sept heures de solitude devant eux, défit son chignon et commença à déboutonner sa robe.

— Nananana, madame, pas comme ça. Approchez un peu. J'vas vous montrer comment une grande personne est supposée déboutonner une robe…

Ils eurent six heures collantes de solitude. Ils rirent aux éclats des grincements du sommier. Ils inventèrent une nuit harassante qui expliquerait à la fille de la voisine qu'Ovila avait eu besoin d'une journée de sommeil profond, non perturbé par les cris des petites.

Émilie se hâta de s'habiller pour les prendre à deux heures, mais la fille de la voisine lui apprit qu'elles venaient toutes les deux de s'endormir. Émilie feignit une légère contrariété.

— Vous m'excuserez, madame Pronovost, mais je les ai emmenées dans les magasins. Est-ce que vous voulez que je les réveille ?

— Non ! non. J'vas repasser dans une heure et demie. C'est mieux de les laisser dormir.

Elle retourna chez elle à la hâte et empêcha Ovila de s'endormir pendant une autre heure au goût de Saint-Tite.

Émilie et Ovila furent renversés d'apprendre qu'elle avait conçu un neuvième enfant, malgré ses trente-huit ans. Au grand soulagement d'Ovila, Émilie s'en était réjouie.

— Au moins, celui-là se fera jamais reprocher de pas être né en ville.

— Tu es vraiment contente, Émilie ?

— Oui. Quand Alice est née, j'avais juré que j'aurais pus jamais d'enfant. Mais celui-là, ça sera pas pareil. Celui-là, Ovila, ça va être le vrai p'tit dernier. Celui-là, j'vas avoir le temps de le chouchouter. Ça me tente. C'est tout.

Ovila ne fit aucun commentaire. Émilie avait à peu près l'âge de sa mère à la naissance de Marie-Anne. Il priait en silence pour ne jamais avoir à regretter sa journée de congé du mois de mars.

À la Belgo, il continuait de travailler d'arrache-pied. Il était dur avec ses hommes, lui disait-on, mais les hommes ne semblaient pas s'en plaindre. Le travail avançait rondement. Il eut la chance incroyable d'avoir une autre promotion. Il s'occuperait de l'entretien, le jour. Cette nouvelle fit encore plus plaisir à Émilie et aux enfants, qui pouvaient voir leur père un peu plus longuement le soir. Mais la Belgo apporta aussi une autre nouveauté à Ovila : la camaraderie.

Pendant les premières semaines de travail de jour, il se hâtait de rentrer à la maison. Puis, un jour, il accepta de s'arrêter en route. Il savait qu'il était toujours vulnérable à l'alcool. Aussi refusa-t-il les verres qui lui étaient offerts. Pour occuper les minutes puis les heures qu'il passait avec ses compagnons de travail, pour la plupart des hommes de son équipe, il commença à jouer aux cartes. Heureusement, la chance lui souriait. Seule Émilie se plaignit de ces absences toujours plus longues. Il essaya de lui faire comprendre que ces quelques parties de cartes étaient importantes pour le moral de ses hommes. Émilie, croyant à une passade, cessa ses commentaires, se préoccupant davantage de l'enfant qui grandissait en elle que de reproches vains et épuisants.

Sa dixième grossesse se déroulait tellement facilement qu'elle décida de passer l'été au lac. Ovila la conduisit à la gare. Il lui fit promettre d'être prudente.

— Je serai pas là pour te surveiller, ma belle brume. Ça fait que fais ça comme une grande fille.

Émilie ne put s'empêcher de lui répondre que de toute façon, depuis le début de cette grossesse, il ne la surveillait pas tellement, trop pris par ses *flushs*, ses *straights*, pis ses royales. Il eut un mouvement d'impatience.

— Je te comprendrai jamais, Émilie. On a des beaux enfants. J'ai une *job* que pas un autre Canadien français a. J'ai des hommes à mener, moi ! Je vis dans une ville sans que personne me traite de maudit *farmer*. On a de l'argent que ça nous sort par les oreilles. Pis tu es pas contente ! Tu es jamais contente ! Tu as jamais été contente !

— Tu as menti, Charles Pronovost ! J'ai été contente bien des fois.

— À Saint-Tite ! Quand j'étais pas parti dans les chantiers ! Quand je faisais des *jobs* plates pour un salaire de crève-faim ! Quand mon père te gâtait ! Quand tu avais ta p'tite maison, pis ton p'tit jardin, pis tes p'tites affaires qui changeaient jamais de place !

— As-tu bu, Ovila ?

— Non, j'ai pas bu ! Pis cesse de me demander si j'ai bu chaque fois que je dis ma façon de penser !

Les enfants, pressés de s'asseoir dans le train, n'avaient pas été témoins de l'altercation entre leurs parents. Seuls Émilien et Marie-Ange avaient pressenti que quelque chose n'allait pas lorsqu'ils s'étaient penchés à la fenêtre pour saluer leur père une dernière fois et inviter leur mère à se hâter de les rejoindre.

Émilie avait tourné les talons et monté les quelques marches avant d'entrer dans le wagon rempli de vacanciers tous plus laids les uns que les autres. Elle s'engouffra dans les toilettes et s'aspergea la figure pour noyer ses larmes brûlantes sous l'eau fraîche du robinet. Elle sortit enfin, rejoignit ses enfants qui lui avaient gardé deux places, une pour elle et une pour les sacs de provisions, et pencha la tête à la fenêtre. Ovila n'était plus sur le quai de la gare.

— Est-ce qu'il y a quelque chose qui va pas, moman ? demanda Émilien sur un ton qu'il essaya d'imprégner de toute la virilité de ses dix ans.

— Non. Pourquoi ?

— On dirait que vous avez pleuré.

Émilie se mit à rire. Elle lui tapota la figure, lui pinça la joue entre le pouce et l'index, lui dit qu'il avait l'imagination fertile. Elle n'avait qu'aspergé sa figure de bonne eau fraîche à cause de la chaleur. Émilien ne dit pas un mot et regarda le chandail que sa mère portait pour se protéger de la fraîcheur.

Cet été-là, elle ne reçut aucune lettre d'Ovila. Elle lui écrivit à plusieurs reprises, passant sous silence les minutes qui avaient précédé son départ, préférant lui décrire les faits anodins qui assaisonnaient ses journées et celles des enfants. Elle lui raconta, entre autres, qu'elle avait rencontré Alma, cette jeune pensionnaire qu'elle avait hébergée avec Antoinette après l'incendie du couvent. Elle ajouta qu'il ne l'avait jamais rencontrée, puisque à ce moment il était parti aux chantiers. Elle lui parla de Félicité qui semblait de plus en plus décidée à quitter le vieux bien pour que Ti-Ton et sa nouvelle épouse puissent y élever leurs enfants sans la présence d'une vieille toute craquante de rhumatismes. Elle terminait chacune de ses lettres en lui disant que sa grossesse allait toujours aussi rondement – ce qui n'était pas une figure de style – et qu'elle croyait bien que l'été 1917 serait le dernier qu'elle passerait à Saint-Tite, surtout si sa mère allait habiter chez Éva au lac à la Tortue. Elle écrivit enfin sa dernière lettre pour lui indiquer la date de leur retour et lui dire qu'elle et les enfants avaient terriblement hâte de le revoir.

Ils attendirent une heure à la gare avant qu'Émilie ne décide de rentrer à la maison par les transports en commun. Ovila avait dû avoir un empêchement.

— Je suis donc dans la lune ! Votre père m'avait dit aussi qu'il pourrait pas être là. On va lui faire la surprise de rentrer tout seuls comme des grands.

Elle cacha ses grimaces d'angoisse chaque fois qu'un cahot les faisait sursauter. Elle tenait Alice sur ses genoux.

« Boum en l'air ! » et Alice riait de ses yeux bleu turquoise et de sa bouche illuminée de petites dents blanches, bien droites.

Ils arrivèrent à la maison. Les enfants se précipitèrent dans l'escalier. Émilie fermait la marche, essoufflée par le poids des bagages et celui de ses six mois de grossesse. Elle n'avait pas encore atteint le palier que les enfants redescendaient pour jouer dehors. Marie-Ange fut la dernière à la croiser, ne se permettant pas, à presque treize ans, de montrer autant d'enthousiasme.

Émilie poussa la porte et soupira de soulagement. Elle ne s'habituerait jamais à vivre au deuxième étage. Maintenant qu'Ovila semblait heureux à Shawinigan, le moment était venu d'acheter cette maison qu'il lui avait promise. Elle entra dans sa chambre et gela. Elle n'avait pas eu besoin d'yeux pour s'expliquer l'absence d'Ovila. Son nez avait suffi. Il était étendu sur le dos, les bras en croix, la bouche ouverte, la barbe longue, les cheveux défaits. Un sommeil lourd le clouait au lit.

« Oh ! non !... Oh ! non !... Oh ! non ! »

Plus elle refusait le spectacle qui s'offrait à ses yeux, plus elle s'affaissait, se retrouvant bientôt accroupie sur le plancher, les mains sur les yeux. Elle demeura là jusqu'à ce qu'elle entende claquer la porte du rez-de-chaussée. Giflée par le bruit, elle se releva, sortit précipitamment de la chambre, en ferma la porte et s'enferma à double tour dans les toilettes. Elle entendit Blanche qui l'appelait et s'empressa de répondre avant que sa fille ne décide d'aller voir dans la chambre à coucher.

— Moman est ici, Blanche.

— Avez-vous bientôt fini ? J'ai envie.

— Donne-moi deux minutes. Peux-tu attendre deux minutes ?

— Seulement si je me serre les cuisses.

— Serre tes cuisses !

Elle se moucha rapidement, s'essuya aussi les yeux, actionna la chasse d'eau et sortit en regardant en direction de la cuisine pour éviter de croiser le regard de sa fille. Blanche se précipita dans les toilettes sans remarquer les boursouflures qui avaient labouré le visage de sa mère.

Ovila ne s'éveilla pas de la soirée et les enfants ne songèrent jamais à le chercher, convaincus qu'il était au travail. Le lendemain matin, Émilie le secoua.

— Ovila... Ovila... Réveille-toi. Faut que tu ailles travailler.

Il ouvrit un œil, se prit la tête à deux mains en grognant de douleur, regarda Émilie, ferma les yeux, les rouvrit, de plus en plus étonné de la voir à ses côtés.

— Qu'est-ce que tu fais ici?

— On est rentrés hier... comme je te l'avais écrit.

— Tu m'avais écrit ça?

Émilie ne répondit pas, sortit de la chambre et se dirigea vers le meuble sur lequel ils avaient l'habitude de poser le courrier. Elle fouilla à travers la paperasse et trouva trois de ses lettres, toujours cachetées, dont la dernière annonçant la date du retour. Elle la prit et revint dans la chambre. La colère avait rapidement pris le pas sur sa déception et son chagrin. Elle lui lança la lettre. Ovila fit une grimace d'incompréhension en prenant l'enveloppe dans ses mains.

— J'ai pas dû la remarquer quand je suis allé au bureau de poste.

— Il y en a deux autres aussi que tu as pas vues. Tu ferais mieux de te grouiller parce que tu vas être en retard.

— C'est pas grave. J'ai un bon *boss*.

— Comment ça, tu as un bon *boss*! Me semblait que c'était toi, le *boss*!

— Un jour on est un p'tit *boss* français, pis un jour on est pus un p'tit *boss*. Pis à part de ça, aujourd'hui, je travaille pas. Demain ? Non plus. Le jour d'après ? Non plus. La semaine prochaine ? Non plus. Le mois prochain ?... Pour le mois prochain, on verra. Je dirais que le mois prochain ils vont commencer à avoir pas mal de machines de *pétées* pis ils vont m'appeler... Non. Ils vont pas m'appeler parce que le téléphone est parti, mais ils vont envoyer quelqu'un me chercher. Est-ce qu'il y a d'autre chose que tu voudrais savoir ?

Émilie comprit rapidement qu'Ovila n'avait pas encore cuvé tout l'alcool qu'il avait ingurgité. Elle lui dit sèchement de continuer à dormir. Il la remercia d'une courbette et d'un grand signe de la main, se retourna et s'endormit aussitôt.

Émilie mit une bonne semaine à comprendre qu'Ovila n'avait pas menti. Les comptes n'avaient pas été payés depuis la mi-juillet. Il lui confirma qu'il avait été congédié de la Belgo, deux semaines après son départ pour Saint-Tite.

— Les Anglais ont pas le sens de l'humour, Émilie. Je suis juste rentré un peu *gorlot* un matin, pis ils m'ont dit : « *Bye-bye, mister Prénovo. Don't call us, we'll call you if somet'ing really wrong 'appens and if our engineers cannot control it. Bye-bye, mister Prénovo.* »

— Je dois avoir quelque ancêtre anglais, Ovila, parce que j'ai pas le sens de l'humour pantoute.

— Ça, ma belle brume, ça fait longtemps que je le sais. Tu m'apprends rien.

Comme Ovila l'avait prévu, la Belgo le contacta pour qu'il aille régler quelques problèmes de mécanique. Émilie se prit à espérer que toute leur infernale machinerie rende l'âme. Entre ses quelques heures de travail hebdomadaires, Ovila continuait à fréquenter ses amis et tous faisaient des gorges chaudes de l'incapacité des

« savants ingénieurs de l'université McGill de Montréal »
à régler des problèmes moins compliqués que des problèmes de ménage.

À la fin d'octobre, Émilie dut faire face à une dure
réalité. Jamais ils n'auraient de maison, Ovila en ayant
bu ou joué les fondations, les murs et la toiture. Ce fait
aurait été acceptable s'il n'avait été jumelé à de graves
problèmes d'argent. Ovila ne rapportait plus un sou à
la maison – quand il y venait – et Émilie, en secret, se
résigna à faire venir son héritage, qui avait dormi à l'abri
des tempêtes, à Saint-Tite.

Plus son enfant grandissait en elle, plus son amour
pour Ovila rapetissait. Il rejoignit ce coin de son cœur
qu'elle avait bourré de cendres et de poussières. Mais
chaque fois qu'elle le voyait entrer, en perte d'équilibre,
elle pinçait les narines, non pas tant à cause de l'odeur
qu'il dégageait qu'à cause de sa beauté, que l'alcool ne
réussissait pas à effacer. Elle apprit à respirer sans l'oxy-
gène qu'il lui avait apporté depuis cinq ans, mais elle
étouffa dans son corps, qui ne cessait de le réclamer
malgré la vie qu'il y avait, une dernière fois, fait naître.

Au mois de novembre, le froid attaqua violemment
et elle dut se résigner à mettre en marche le chauffage
central. La maison se réchauffa, mais pas son cœur ni
celui des enfants, qui avaient compris que leur père avait
été remplacé par une espèce de fantoche désarticulé,
soutenu par des ficelles invisibles.

Au mois de décembre, Émilie accoucha de sa
sixième fille. Ovila avait bien essayé de lui tenir compagnie mais il s'était endormi dans un fauteuil avant
d'avoir vu cette enfant, véritable portrait de sa mère.
Le lendemain, il s'était approché du berceau et l'avait
longuement regardée.

— Jamais vu ça, Émilie ! Si j'avais bu, je dirais que
tu t'es déguisée en bébé pis que tu es rentrée dans le

berceau. Si j'avais pas souvenir d'avoir été avec toi au mois de mars, je jurerais que tu l'as fait toute seule.

Émilie lui sourit, presque dédaigneusement, et répondit qu'il n'y avait mis que quelques petites heures. Rien de plus. Rien de moins.

Au mois de janvier 1918, Émilie se promenait sur les rives du Saint-Maurice, Rolande emmitouflée dans le traîneau rouge qui avait maintenant quinze ans, Alice à ses côtés, s'amusant à faire des boules de neige. Les remous de la centrale de Shawinigan empêchaient l'eau de geler et Émilie regardait la vapeur qui s'élevait des bouillons d'eau comme si sous cette eau glacée il y avait eu un enfer de feu. Elle regardait le manteau élimé d'Alice et se demandait comment, en quelques mois, elle et Ovila avaient pu rejoindre les rangs des pauvres et des presque affamés. Elle s'immobilisa quelques instants, attirée par le flottement d'un morceau de tissu. Elle demanda à Alice de surveiller le bébé et s'approcha de la rive. Elle prit une branche morte et réussit à tirer le lourd tissu jusqu'à elle. Elle le sortit partiellement de l'eau et l'examina. Une épaisse laine feutrée de la couleur du coton jaune. Elle regarda de nouveau les remous et vit un autre tissu qui flottait à la dérive, puis un troisième. Elle reprit la poignée du traîneau et rentra chez elle. Ovila était assis dans la cuisine, pipe au bec, couteau à la main, occupé à taillader un bout de bois.

— Ovila, c'est quoi, les espèces de couvertes qui flottent sur la rivière ?

— C'est les couvertes de la Belgo.

— Les couvertes de la Belgo ?

— Ben oui, les couvertes qu'on met sur les rouleaux quand on fait la finition du papier. Quand on a trop de pâte de collée dessus, on les enlève pis on les maudit à l'eau.

— Ovila, tu vas trouver une chaloupe, pis ce soir, demain soir, pis tous les soirs que tu vas rien avoir à faire, tu vas aller me chercher toutes les couvertes qui flottent.

— Es-tu folle ? J'vas me tuer dans les remous. Ça pèse une tonne, les couvertes mouillées. As-tu envie que je chavire pis que je me noie ?

— Non. Tu vas apporter un bon fanal, pis tu vas y aller. J'vas être capable de faire des manteaux aux enfants là-dedans. Pis des couvertes pour les tenir au chaud. Tu y vas ce soir. Ça fait que, pour aujourd'hui, pas une goutte, mon vieux. Pas une goutte ! Parce que c'est celle-là qui va te noyer. Pas la rivière.

Ovila trouva une chaloupe et partit, terrifié par le grondement de l'eau, à la pêche aux couvertures de la Belgo. Il avait attendu que la noirceur ait envahi les rives, de façon à pouvoir pêcher sans risquer d'être vu. Il revint quelques heures plus tard avec deux couvertures. Il les déposa dans une grande cuve et se coucha, transi, à côté d'Émilie. Il tenta de se coller à elle pour absorber un peu de sa chaleur. Elle le repoussa. Il soupira et s'endormit en claquant des dents.

Il recommença le même manège pendant trois nuits. Il avertit enfin Émilie qu'il leur faudrait attendre une dizaine de jours, le temps que les nouvelles couvertures soient inutilisables sur les rouleaux. Émilie n'en crut pas un mot, sachant fort bien qu'il brûlait de son froid intérieur. Elle ne s'était pas trompée et, pendant sept jours, il brilla par son absence, meublant ses journées de râlements et de morosité et ses nuits de fumée, d'alcool et de dettes.

Émilie consacra tout son temps à travailler sur les couvertures de la Belgo. Elle passa des heures, assise à sa table de cuisine, à gratter tous les morceaux de pâte de papier qui adhéraient à la laine. Le travail exigeait patience et concentration. Elle utilisait un petit couteau pour venir à bout des miettes les plus incrustées. Quand elle eut enfin terminé sa première couverture, les ongles brisés, les doigts rougis et des cloques sur son pouce et son index, elle en entreprit une deuxième, puis une troisième. Les enfants lui avaient demandé ce qu'elle faisait et elle leur avait répondu qu'elle préparait des manteaux. Ils ne posèrent plus de questions, sa réponse ne les ayant ni éclairés ni convaincus. Elle compta son argent et acheta de la teinture. De la bleue, de la rouge vin, de la brune et de la beige. Pour les garçons, elle tailla des pantalons et des vestons dans les couvertures brunes et beiges. Pour les filles, elle coupa des manteaux dans les autres couvertures. Marie-Ange la regarda faire, une moue de dédain aux lèvres.

— Franchement, moman, avez-vous l'impression qu'on va aller à l'école habillés avec ça ?

— Fais aller ton imagination un peu. Oublie les couvertes pis contente-toi de regarder le tissu. Tu le trouves pas beau ?

— Ben… oui. C'est du beau tissu, mais ici à Shawinigan, tout le monde va le reconnaître.

— Fais-moi confiance, Marie-Ange. Vous allez avoir les plus beaux manteaux que vous avez jamais eus.

Et elle tint parole, travaillant jusque tard dans la nuit à coudre, doubler, piquer les collets, faire des ceintures, poser des boutons vis-à-vis des boutonnières toutes de la même grosseur.

Au début de février, tous ses écoliers purent étrenner leurs nouveaux vêtements. Elle avait mis quatre semaines entières à essayer de les habiller du peu de fierté qui lui restait.

Ovila avait été appelé à la Belgo à raison de trois ou quatre fois par semaine. Il était arrivé qu'Émilie soit obligée de mentir au messager, parce que Ovila avait été incapable de se lever. Ces jours-là, elle lui faisait la tête et Ovila, ne pouvant supporter son regard, lui promettait une nouvelle pêche nocturne. Quand elle eut nettoyé cinq bonnes douzaines de couvertures, Émilie lui dit qu'il ne serait plus nécessaire d'aller pêcher.

Au début de mars, Émilie compta l'argent qui leur restait et additionna leurs dettes. Ovila n'étant pas rentré depuis deux jours et deux nuits, elle lui laissa donc un message sur la cuvette des toilettes, certaine qu'à cet endroit il ne pouvait lui échapper.

Elle ouvrit les yeux sur un matin ensoleillé et sentit la présence d'Ovila à ses côtés. Elle le regarda, soupira et se leva pour préparer le petit déjeuner des écoliers : du pain durci, trempé dans du lait et généreusement recouvert de cassonade. Elle avait présenté ce menu comme un menu spécial, que peu d'enfants avaient goûté. Les enfants, que l'exclusivité mettait toujours en appétit, se léchaient les babines, tant ce petit déjeuner de roi leur plaisait. Émilie les regardait manger en berçant Rolande. Elle lui fredonnait toutes les chansons qui faisaient sourire le bébé, particulièrement *J'ai du bon tabac*.

Ovila se leva en grande forme, faisant un signe de la main à Émilie pour la faire taire avant même qu'elle ouvre la bouche.

— Oui, je le sais. Je t'ai pas donné de nouvelles depuis deux jours. Mais c'est pour une bonne raison. Faut que je te parle.

— Parle toujours, Ovila, je peux pas aller bien loin.

— Émilie, je veux pus rien savoir de la ville.

Émilie leva les yeux, incrédule, puis comprit qu'il ne mentait pas et qu'il avait même l'air très sérieux.

— Tu as pas bu, Ovila ?

— Non, j'ai pas bu. Pis j'ai pas bu depuis deux jours. J'ai passé ces deux jours-là à marcher... dans le bois. Je m'ennuie du bois, Émilie. Je suis pus capable de m'en passer.

— Je le savais.

— Comment ça ?

— Tu as recommencé à gosser une p'tite branche.

Ovila éclata de rire. Il s'approcha d'Émilie et lui posa une main sur l'épaule.

— J'aimerais mieux que tu me touches pas, Ovila.

Ovila retira sa main, hocha la tête et continua à parler. Il lui redit qu'il n'avait pas bu depuis deux jours et que, quant à lui, il n'avait plus l'intention de retoucher à l'alcool de sa vie. « Chaque fois que je bois, disait-il, je rends tout le monde malheureux. » Il lui rappela la déception de son père et sa déception à elle. Il insista sur le fait que lui-même n'en pouvait plus de se décevoir aussi. Émilie l'écouta sans cesser de fredonner. Si cela agaça Ovila, il n'en laissa rien paraître. Il enchaîna en lui disant qu'il était certain qu'elle avait toujours été plus heureuse à la campagne. Que les enfants eux-mêmes parlaient sans cesse de la campagne. Émilie se berçait toujours, mais plus Ovila parlait, plus son cœur lui tambourinait aux oreilles. Il lui avoua qu'il l'aimait toujours autant et elle leva un sourcil.

— Fais pas cet air-là. C'est vrai. J'ai presque toujours bu parce que je voyais bien que tu étais pas heureuse pis que je savais pus quoi faire pour que tu souries.

— Rends-moi pas responsable de ton vice, Ovila.

Ovila quitta la cuisine et Émilie l'entendit fouiller dans ses poches de manteau. Elle ferma les yeux tout en se frottant les lèvres sur le duvet qui recouvrait la tête de Rolande. Elle inspira profondément pour se convaincre qu'elle était bien vivante et pour se donner la force de croire à ce qu'Ovila, son Ovila qu'elle ne pouvait regarder sans ramollir, lui racontait. Se pouvait-il que ces derniers mois d'enfer fussent les derniers qu'elle connaîtrait ? Une toute petite rechute ? Une curiosité d'Ovila de retourner voir dans son âme ce qu'il avait quitté depuis tellement d'années ? Rolande gargouillait sous les chatouillis du souffle de sa mère. Émilie ouvrit les yeux et replaça le bébé qui glissait. Ovila revint dans la cuisine, une liasse de papiers dans les mains.

— La semaine prochaine, Émilie, je pars pour Barraute...

— C'est où, ça ?

— En Abitibi.

— Qu'est-ce que tu vas aller faire là ?

— Acheter des terres... En fait, louer des terres, pour les déboiser pis les défricher. L'aventure, ça te tente toujours ?

Émilie avait cessé de se bercer. Elle le regardait bien en face, essayant de lire quelque part dans son expression qu'il était atteint d'une nouvelle folie. Elle ne vit rien d'autre que des yeux de plaidoirie et un sourire d'espoir.

— Ovila, j'ai pas envie d'aller vivre dans ce pays de maringouins ! Il y a pas un chat là-bas ! C'est tout juste s'il y a des écoles. Pis nos enfants ont du talent, Ovila. Faut que nos enfants fassent des études pour... pour...

— ... pour pas devenir comme leur père ?

— C'est pas ça que je voulais dire.

— Non, mais tu l'as pensé, par exemple.

Émilie se leva, coucha Rolande sur la table, la retint d'une main pendant que de l'autre elle fouillait dans un tiroir pour prendre une couche, changea la couche souillée en ne cessant pas de parler au bébé.

— Tu la gâtes trop, celle-là.

Émilie haussa les épaules, prit Rolande sous son bras et se dirigea vers le poêle. Ovila la suivait des yeux.

— Vas-tu passer ton temps à tournailler pour pas être obligée de me répondre ?

Émilie prit le *canard* et versa de l'eau dans un pot. Elle y trempa un biberon et Rolande s'agita.

— Regarde donc par la fenêtre voir si Jeanne pis Alice sont toujours dans la cour.

Ovila regarda et fit signe que oui. Émilie se rassit et donna le biberon à Rolande après avoir vérifié la température du lait sur les veines de son poignet gauche.

— Pis ? Tu as rien à dire ?

— Pas pour le moment, Ovila... Tu changeras jamais. Quand tu m'as demandée en mariage, tu avais tout organisé dans ta tête, sans même me demander mon avis. Aujourd'hui, tu fais pareil. Tu as organisé toute ma vie, sans me demander si ça me tentait.

— Qu'est-ce que tu penses que je fais, là ?

— Tu me demandes pas mon avis, tu veux ma bénédiction. Me demander mon avis, Ovila, ça aurait voulu dire que tu m'aurais parlé des possibilités d'aller en Abitibi, avant d'arriver avec toute la paperasse. Tu passes ton temps à me placer devant des faits accomplis.

— Ben non, Émilie ! Ça fait une heure que je me fends le derrière à te demander ton avis.

— Pourquoi Barraute, Ovila ?

— Parce que à Barraute il y a de l'avenir.

— Si moi je disais que Barraute j'aime pas ça, est-ce que ça changerait quelque chose ?

— Ben...

— Ben... non ! Parce que toi, tu rêves de Barraute. Il doit y avoir quelqu'un quelque part qui t'en a parlé. C'est pas ton genre, Ovila, de regarder bien des solutions. Tu t'alignes toujours sur une affaire, pis il faut qu'on suive. Barraute, Ovila, ça me dit rien pantoute. Je pourrais même pas te dire où c'est... pis j'ai toujours été forte en géographie.

Ovila se versa un grand verre d'eau pendant qu'Émilie se levait pour aller coucher Rolande. Elle revint dans la cuisine.

— Tu compliques toujours tout, Émilie. J'essaie de te dire depuis tantôt que je veux partir de Shawinigan.

Pis, ma belle, tu viendras pas me dire que là-dessus on n'est pas d'accord.

— C'est vrai. On pourra pas dire que je partirai d'ici la larme à l'œil.

— La deuxième affaire que je te dis, c'est que je veux retourner vivre à campagne. Pis ça avec, c'est ce que tu veux.

— Je regrette, Ovila. C'est pas de la campagne que tu parles. Tu parles du fond des bois.

— Exagère pas, Émilie. Trois de tes frères vivent en Abitibi pis ils t'envoient de l'argent. Si c'était si dans le fond du bois, il y aurait pas une cenne là-bas.

— Mes frères sont pas à Barraute !

— Pis ? Un village ou l'autre, c'est du pareil au même.

— Pas pour moi pis les enfants, Ovila.

— J'vas leur en parler, moi, aux enfants. Peut-être qu'ils ont le sens de l'aventure comme leur père.

— Mêle pas les enfants à ça ! Ces enfants-là t'ont presque pas vu depuis un an, ça fait que viens pas les mêler à nos histoires !

Pendant des semaines, Ovila discuta avec Émilie. Pendant autant de temps, elle ne voulut pas entendre parler de l'Abitibi et de Barraute. La seule toute petite chose qui l'ébranla un peu fut le fait qu'aucune de ces journées n'avait été arrosée d'alcool. À la fin de mai, elle commençait à se demander si Ovila n'avait pas raison. Peut-être leur offrait-il la possibilité d'oublier toutes leurs discordes et de recommencer à neuf.

Les événements vinrent l'aider à démêler ses émotions. Tout commença par la visite inopinée d'inconnus. Ils arrivèrent en pleine nuit et frappèrent à la porte. Son premier réflexe fut d'ouvrir, pensant qu'il s'agissait d'un messager de la Belgo. Puis, se rappelant qu'elle n'avait plus vu de messager depuis des jours et des jours, elle s'était méfiée.

— Qui c'est ?

— Des *chums* d'Ovila.

— Il est pas ici, Ovila.

— On veut voir ça avec nos yeux…

— Vous reviendrez demain.

— Non, ma p'tite madame. On veut voir ça tout de suite !

Un des hommes commença à marteler la porte et Émilie, affolée, s'empressa d'ouvrir, de crainte que le bruit n'éveille les enfants et les voisins. Quatre hommes se précipitèrent dans le logement, en firent rapidement le tour, regardant même dans les toilettes. L'un d'eux, celui qui avait parlé derrière la porte et qu'Émilie reconnut à sa voix, s'approcha d'elle et lui prit le menton entre ses gros doigts sales.

— Écoute-moi bien, la p'tite madame Ovila. Tu vas faire un message de la part de Ben, de Bob pis de leur *gang*. Tu vas dire au grand que l'argent qu'il nous doit, c'est pas dans trois mois qu'on le veut, c'est avant la fin de la semaine. As-tu compris ?

Émilie le regarda bien en face, espérant qu'il ne sentait pas ses tremblements, leva une main et exigea, à la force du poignet, qu'il retire la sienne.

— Combien est-ce qu'il vous doit, mon mari ?

— Trois cents piastres !

Émilie se demanda s'ils perçurent que ses yeux s'étaient agrandis, que son pouls s'était accéléré, que ses jambes avaient ramolli et que sa gorge s'était déshydratée.

— Venez demain soir. J'vas avoir deux cents piastres pour vous autres.

— C'est trois cents !

— Vous allez vous contenter de deux cents !

Bob regarda Ben, qui fit un signe d'assentiment.

— On va être ici demain à midi.

— Deux heures !

— Midi !

— Si vous venez à midi, j'vas être en train de faire manger les enfants. J'aurai pas le temps de m'occuper de vous autres.

— Fais-nous pas de farce. On va être ici à deux heures.

Les quatre hommes repartirent aussi bruyamment qu'ils étaient venus. Émilie fit trois fois le tour de sa chambre, enragée et humiliée. Comment pourrait-elle, une journée de plus, être la femme d'Ovila à Shawinigan ? Comment Ovila pourrait-il y rester ? Elle courut à son placard, en sortit une valise et y jeta en vrac tous les vêtements d'Ovila. Elle fit le tour du logement, ramassant tout ce qu'elle y voyait qui lui appartenait. Elle regarda l'heure. Il était une heure et Ovila n'était toujours pas arrivé. Elle plaça tous ses effets devant la porte d'entrée et retourna dans sa chambre. Elle sortit une seconde valise qu'elle emplit de ses effets à elle. Elle n'avait plus le choix.

Ovila entra au moment où elle emballait toutes ses couvertures de la Belgo. Émilie ne le regarda qu'une fraction de seconde pour comprendre que sa toute nouvelle sobriété l'avait quitté.

— Qu'est-ce que tu fais là, Émilie ?

— Tu pars, Ovila. Tu t'en vas à la gare, pis de là, tu prends le premier train qui va en Abitibi. Va-t'en à Barraute !

Ovila essayait de se placer les idées vis-à-vis de l'orbite de ses yeux.

— Qu'est-ce qui te prend, Émilie ? J'ai juste passé la soirée à faire mes adieux aux gars de la Belgo. Je suis pas saoul, Émilie, j'ai juste pris un verre.

— Un de trop, Ovila. Envoye, file !

— As-tu le feu ?

— Oui ! J'ai le feu ! File !

Elle lui chargeait les bras de tous ses effets et le poussait en direction de l'escalier. Elle n'avait pas le choix. Ovila la regardait, incrédule, essayant de comprendre ce qui se passait. Émilie perdit patience.

— File, ou c'est Bob pis Ben pis leur *gang* qui vont s'occuper de toi.

Ovila blêmit. Il regarda Émilie puis, penaud, lui demanda si elle pouvait lui avancer quelques dollars.

— J'vas t'avancer ce que tu leur dois demain, Ovila.

— Je peux même pas prendre le train, Émilie.

Elle expira bruyamment par les narines, se dirigea vers son sac à main, en sortit quelques dollars froissés et les lui mit dans une poche.

— À c't'heure, va-t'en !

— Pis vous autres ?

— Crains pas pour nous autres. Ça t'a jamais tellement tracassé. C'est pas le moment de commencer à y penser. File, Ovila, pis arrête-toi nulle part. Parle à personne si tu tiens à tes dents pis à ton nez.

— Émilie, j...

— On n'a pas le temps de parler. File !

Ovila descendit l'escalier et Émilie entendit la porte qu'il refermait doucement derrière lui. Elle s'appuya le front sur un des murs de sa chambre et pleura toute sa peur de la nuit. Elle pleura le départ d'Ovila. Elle n'avait plus le choix.

Elle sécha ses larmes et regarda l'heure. Il était quatre heures. Elle avança sur la pointe des pieds dans la chambre des garçons et les réveilla. Attendrie par leur surprise et leurs jérémiades, elle les consola en leur disant que finalement ils ne se levaient qu'une heure plus tôt qu'ils le faisaient quand ils trayaient les vaches, à la campagne. Elle leur demanda de s'habiller à la hâte et de faire leurs valises. Elle ajouta que, dès qu'ils auraient terminé, ils devaient prendre toutes les taies d'oreiller qu'ils pouvaient trouver et y mettre tout ce qu'ils verraient dans la cuisine, « sauf ce qui est cassant ». Elle fit de même avec les filles, laissant dormir Jeanne, Alice et Rolande. À sept heures, elle demanda aux aînés de défaire les lits.

— Ce que je veux, c'est que vous les démontiez.

Les enfants sentaient l'urgence, mais ils n'auraient pas osé poser de questions. À huit heures, elle les avait tous nourris, avait habillé les trois petites et, Rolande dans les bras, se dirigea vers la banque, remerciant le ciel que les banquiers fussent derrière leurs guichets si tôt le matin. Elle retira tout l'argent qui restait dans son compte : douze cents dollars. Elle n'en garda que cinquante dans son sac et enfouit le reste dans ses bottes. Elle sortait de la banque lorsqu'elle se trouva nez à nez avec Alma.

— Alma !

— Émilie ! Tu parles d'une surprise ! J'ai pas eu de tes nouvelles depuis l'été passé. C'est pas ta p'tite dernière ? Est bien belle !

— C'est Rolande. Pis toi ? Toujours à Saint-Tite ?

— Non. On est arrivés à Shawinigan hier, ma chère.

— En visite ?

— Non. Pour rester. Moi, la campagne, c'est pas mon fort, pis mon mari s'est trouvé un bon emploi à la Belgo.

— La Belgo...

— Dans la comptabilité. Mais pour un comptable, il est pas fort. Il a même pas réussi à louer notre maison de Saint-Tite.

Alma éclata de rire.

Émilie n'avait pas le choix. Son cœur se mit à battre à tout rompre.

— Pas votre maison à côté de la voie ferrée ?

— Oui. On espère la louer en septembre. On va mettre des annonces, ici à Shawinigan. On sait jamais.

— Nous autres, on part aujourd'hui pour Saint-Tite !

— Ton mari veut retourner là ?

— Pas... exactement. Notre projet, c'est de rester à Saint-Tite pendant à peu près... un an, pis après ça, de probablement aller à l'aventure... En Abitibi ou ailleurs. C'est le temps ou jamais, à c't'heure que la famille est presque élevée.

— Tu parles d'une nouvelle ! Tu changeras donc jamais, Émilie. Te rappelles-tu quand tu me racontais comment tu étais partie de chez ton père quand tu avais juste seize ans ?

— Si je m'en rappelle ? Alma, c'est comme si c'était hier. Pis toi, te rappelles-tu quand tu avais brûlé le gruau ?

— Moi ? Brûler du gruau ? C'était pas Antoinette ?

— Essaie pas, Alma... C'était toi.

— Mon Dieu ! j'ai dû changer, parce qu'à c't'heure, du gruau, j'en brûle pus. À c't'heure, du gruau, j'en mange pus non plus. C'est pour ça que je le brûle pus.

Émilie éclata de rire et se demanda comment quitter Alma poliment avec... les clés de la maison de Saint-Tite. Elle n'avait pas le choix.

— Alma, c'est dommage que tu arrives la journée de notre départ. On aurait pu se voisiner. Parler du bon vieux temps. Faire des p'tites sorties ensemble... Bon, il va falloir que tu m'excuses parce que je suis attendue à la maison. Les déménageurs vont être là d'une minute à l'autre.

Elle se pencha et frôla la joue d'Alma de ses lèvres desséchées.

— Salue ton mari pour moi, Alma.

— Pis toi le tien, Émilie.

Émilie tourna les talons et serra Rolande près de son cou. Elle marcha lentement, priant son père et tous ceux qui l'avaient quittée de souffler sur l'esprit d'Alma. Elle avança encore, refusant de se retourner et de feindre un soudain intérêt pour la maison près de la voie ferrée. Elle regarda à gauche puis à droite, sachant que, dès qu'elle mettrait un pied dans la rue, elle se retrouverait sans maison. Elle embrassa le dessus de la tête de son bébé comme si elle lui demandait pardon d'avoir à traverser la rue.

— Émilie ! Émilie !

Elle s'arrêta, ferma les yeux, les rouvrit et regarda au ciel pour remercier son père. Elle se retourna.

— Oui, Alma. Veux-tu que je fasse un message à quelqu'un ?

Alma se dirigeait rapidement vers elle, la langue placée à droite dans sa bouche, gonflant sa joue comme si elle y avait oublié une bouchée de son petit déjeuner.

— Coudon, Émilie, où c'est que vous allez rester, à Saint-Tite ?

— Chez ma belle-mère, Alma. C'est tout arrangé. Elle nous attend impatiemment.

— C'est que... oh ! pis non, ça tient pas debout.

— C'est que quoi, Alma ?

— Ben, notre maison est vide pis j'ai pensé que vous pourriez rester là pendant quelque temps. C'est mieux qu'une maison soit habitée...

— Oh ! je sais pas, Alma. Ma belle-mère serait déçue si on arrivait avec d'autres plans.

— C'est ce que je me disais aussi.

Alma pinça la bouche et fronça les sourcils. Émilie ne broncha pas. Elle attendait, espérant qu'Alma tombe dans son piège.

— Écoute, Émilie, penses-tu que tu pourrais en discuter avec ton mari ? Peut-être que vous pourriez nous rendre ce service-là ? Ta belle-mère serait pas trop déçue de vous avoir pas loin, pis elle a probablement oublié ce que c'est qu'une maison pleine d'enfants. Si vous pouviez rester dans la maison jusqu'au mois de septembre, pis vous habituer, après ça, peut-être que vous voudriez rester un an ? Si vous vous habituez pas, en septembre, nous autres, on va essayer de trouver un autre locataire ou bien de vendre.

— Tu nous demandes de changer tous nos plans, Alma.

— Si on vous faisait pas payer de loyer jusqu'en septembre ?

— Voyons, Alma ! Tu y penses pas !

— Mon mari m'a dit qu'une maison habitée, ça s'use moins vite.

Émilie sentit que Rolande commençait à s'agiter. Il lui fallait clore cette discussion le plus rapidement possible.

— Émilie, faites ça pour nous autres... Tu m'as déjà rendu service une fois... Tu peux peut-être me rendre service une deuxième fois...

— Bon ! si c'est comme ça, donne-moi la clé. J'vas m'en occuper, de ta maison. Compte sur moi. J'vas la nettoyer comme si c'était à moi. Pis en septembre, si tu veux la vendre, elle va être propre comme un sou neuf.

Alma sauta de joie, fouilla dans son sac à main, sortit la clé et la remit à Émilie en la remerciant cent fois. Elle lui assura qu'elle et son mari lui seraient éternellement reconnaissants. Elles se quittèrent, toutes les deux heureuses de l'affaire qu'elles venaient de conclure. Émilie, toutefois, n'en laissa rien paraître. Elle avait déjà d'autres préoccupations en tête.

Elle se hâtait. Elle savait qu'un de leurs voisins faisait des déménagements. Elle frappa à sa porte et l'éveilla. Elle lui expliqua qu'une urgence et une offre d'emploi très alléchante les forçaient à quitter Shawinigan le jour même. Le voisin se frotta les yeux, essayant de démêler ce qu'elle lui demandait. Il comprit qu'elle voulait qu'il soit chez elle à onze heures précises, qu'il devait monter tous ses meubles dans son camion, filer à Saint-Tite, demander la maison de Mme Alma Bonenfant et les attendre. Son mari serait retardé, mais elle y serait le lendemain matin, préférant voyager de nuit avec tous ses enfants. En digne fille de son père, elle sortit trente dollars de son porte-monnaie pour appuyer sa demande, sachant que ce prix était plus qu'honorable. Le voisin empocha la moitié de l'argent et elle lui promit de lui remettre le reste à Saint-Tite. Le déménagement réglé, elle alla chez son propriétaire raconter la même histoire et lui donna l'équivalent d'un mois de loyer, afin qu'il leur pardonne ce départ imprévu.

À neuf heures et quart, elle était de retour et demanda aux enfants s'il y avait eu des visiteurs durant son absence. Ils lui répondirent que non. Elle les félicita de ce qu'ils avaient réussi à faire. Sans qu'elle en ait parlé, ils étaient allés chercher des boîtes chez l'épicier. Émilie leur demanda de faire un peu plus vite. Ils devaient avoir tout terminé pour onze heures. Les enfants s'agitèrent. Émilie les remercia secrètement de ne pas avoir posé de questions ni sur le déménagement ni sur l'absence de leur père.

Tout se déroula comme elle l'avait prévu. Le voisin et son aide arrivèrent à onze heures ; à midi, Émilie quittait un logement presque vide pour conduire ses enfants au restaurant le plus près de la gare. Elle s'attabla avec eux, fit manger son bébé, puis les quitta en leur demandant de se rendre à la gare et de l'attendre. Elle y serait au plus tard à trois heures. Elle confia Rolande à Marie-Ange, Jeanne à Rose, Alice à Blanche, Clément et Paul à

Émilien. Elle paya le restaurateur et prit, luxe suprême, un taxi. Elle se fit conduire chez elle.

Elle aida les déménageurs à ramasser les dernières traîneries, celles qui n'entraient jamais dans les boîtes, et les remercia. Elle leur souhaita bonne route après leur avoir remis un plan de Saint-Tite leur indiquant où ils devaient attendre. Les déménageurs partirent à une heure quarante.

Elle entra dans la cuisine, sortit un mouchoir de son sac et s'épongea la figure. Elle regarda l'heure et recommença à trembler. Elle s'assit sur le bord du comptoir et attendit. Cinq minutes avant deux heures, elle sortit deux billets de cent dollars, puis, se ravisant, elle n'en prit qu'un et glissa le second dans son soulier. Elle n'avait plus le choix. Elle n'avait plus rien à perdre.

À deux heures précises, elle les entendit monter l'escalier. Elle sauta sur ses pieds, ajusta ses cheveux et son chapeau et se dirigea vers la porte d'entrée. Elle y arriva en même temps qu'eux et ne leur laissa pas le temps de frapper. Elle ouvrit et descendit sur la première marche, refermant la porte derrière elle.

— Je vous attendais, messieurs.

Elle était soulagée de voir que seuls Bob et Ben s'étaient déplacés.

Elle ouvrit la main et leur tendit le billet de cent dollars.

— Une minute, la p'tite. On a dit deux cents.

— J'y ai repensé et je me suis dit que cent, c'était assez.

— Tu veux rire de nous autres, toi ?

— Ton grand est-tu là ?

— Mon mari dort. Je vous serais reconnaissante de le laisser dormir. Écoutez, messieurs, si vous n'êtes pas satisfaits, prenez tout ce que vous voudrez dans la maison. Nous autres, on peut pas donner un sou de plus.

Elle ouvrit la porte, invitant Bob et Ben à entrer. Les deux hommes le firent, la bousculant au passage. Émilie ferma les yeux.

— *Câlice !*

— *Tabarnak !* On s'est fait avoir, Ben.

Ils revinrent sur leurs pas, regardèrent Émilie, qui n'avait pas bougé d'un pouce.

— Le grand est mieux de jamais se repointer à Shawi'.

— Le grand est rendu pas mal loin déjà, messieurs.

Les deux hommes se regardèrent, ne sachant plus que faire. Ben prit finalement la parole.

— Viens-t'en, Bob. Cent piastres, c'est mieux qu'un coup de pied au cul.

Ils partirent. Émilie attendit cinq minutes, fit le tour de son logement trois fois, essayant surtout de ne pas penser aux bons moments qu'elle y avait vécus, poussa le verrou de la porte de devant et sortit par la porte arrière, plaçant, comme elle l'avait promis, la clé sous une vieille catalogne délavée et remplie de sable.

36

Le train filait lentement dans la nuit. Émilie était épuisée. Ils avaient dû attendre pendant des heures et des heures avant de pouvoir monter. Ce n'est qu'à son retour qu'elle avait annoncé aux enfants, sur le ton qu'elle utilisait pour les grandes surprises, qu'ils partaient pour Saint-Tite. Pour y vivre. Quand la locomotive avait traîné sa carcasse de fer devant la gare, elle avait secoué les plus jeunes, qui s'étaient assoupis. Les aînés veillaient avec elle. Il y avait si peu de passagers qu'elle put prendre dix banquettes. Elle les installa, un par un, et promit qu'elle les réveillerait avant qu'ils ne soient à Saint-Tite, à l'aube. Elle regretta de ne pas avoir apporté les couvertures de la Belgo. Elle les couvrit de leurs manteaux.

Elle avait installé Rolande sur la banquette en face d'elle. Pour être certaine qu'elle ne se blesserait pas si le train freinait brusquement, elle avait enlevé ses chaussures et retenait le bébé avec ses pieds. Ses enfants clignaient des yeux, inquiets. Elle sortit son accordéon et joua des berceuses. Vingt minutes après leur départ, les neuf enfants dormaient d'un sommeil bien mérité. Elle posa son instrument.

Elle regardait dehors en se laissant bercer par le train, la nuit noire reflétant ses pensées. Où était Ovila ? Avait-il pu monter à bord d'un autre train ? Elle sortit un mouchoir de son sac et se moucha. Maintenant que les enfants dormaient, maintenant qu'ils étaient en sécurité, elle pouvait pleurer. Elle ferma les yeux quelques instants et se revit dans un autre train, celui qui les conduisait, elle et Ovila, à Montréal. Seize ans plus tôt... Pour leur premier anniversaire de mariage. Leur anniversaire de papier. « Maudite Belgo qui fait tout ce papier ! » Elle tourna la tête, ouvrit les yeux et regarda Rose. Sa pauvre tête remplie de misères et de difficultés ballottait au même rythme qu'une de ses mains.

Une main qui ballotte. « Louisa ! » Depuis combien d'années Louisa les avait-elle abandonnés ?... « Presque treize ans, Louisa. Et ton père a été le premier à bercer ton dernier sommeil. C'est là, Louisa, que ton père et moi nous nous sommes heurtés pour la première fois. Est-ce que tu te souviens, toi, Louisa, si c'était lui ou si c'était moi qui avais dormi pendant que tu t'étouffais avec ce lait qui devait te nourrir et qui t'a fait mourir ? Pardonne-nous, Louisa. »

Le train tourna et Émilie suivit son mouvement. Elle aperçut Marie-Ange qui essayait de combattre la gravité en s'agrippant au bord de sa banquette. « Marie-Ange... Même en dormant, ma grande mule, tu te bats contre quelque chose. Laisse-toi donc aller, ma Marie-Ange. Laisse-toi donc sourire. Commence donc à ravaler un peu de ton orgueil. Tu vas voir, ce n'est pas plus mauvais à avaler qu'un sirop. Ma grande mule... Pâpâ. Est-ce que vous la voyez, votre grande mule, ce soir ? Votre grande mule vient, toute seule, d'arrêter un train qui roulait sur une voie sans gare. Votre grande mule, pâpâ, roule dans la nuit, les larmes aux yeux, la peur dans l'âme. Votre grande mule roule dans une nuit noire sans fin. Votre grande mule roule avec neuf petits qui commencent à peine à grandir. Pâpâ, donnez-lui donc un peu de courage, à votre grande mule. Bonne nuit, pâpâ. J'espère que vous avez été heureux de retrouver Elzéar Veillette. Je suis certaine que vous devez encore vous prendre aux cheveux. Mais maintenant, vous devez avoir des cheveux d'ange… sans mèches rebelles. »

Le train siffla trois fois. Émilie fronça les sourcils. « Le coq, Berthe. Te souviens-tu du coq qui avait chanté trois fois ? J'avais eu peur, Berthe, parce que je m'étais dit qu'un coq qui chante trois fois, c'est un coq qui annonce une mauvaise nouvelle. Le coq n'avait pas menti, Berthe. La mauvaise nouvelle est arrivée hier, à peu près à la même heure que maintenant. Berthe, j'ai fait partir Ovila pour le protéger. J'ai fait partir Ovila pour me protéger. Toi, Berthe, est-ce que c'est pour te protéger aussi que tu as décidé de ne plus m'écrire ? Es-tu heureuse dans ton monde de silence, Berthe ? Il me semble que ton monde doit ressembler à cette nuit qui nous aspire tous les dix vers quelque chose qui me fait peur. Pense quand même à moi, Berthe… »

Le train ralentit lentement et s'arrêta au milieu de nulle part. Émilie retint Rolande, regarda autour d'elle et ne vit pas une seule lumière. Elle frissonna, tout à coup craintive. Profitant de l'accalmie, elle se leva pour jeter un coup d'œil aux enfants qu'elle ne pouvait apercevoir de sa place, remonta les manteaux et s'attarda à chacun des visages, qu'elle ne prenait plus vraiment le temps de regarder, tant ils lui étaient devenus familiers. « Bonne nuit, mon grand Émilien. Bientôt je vais te parler. Je vais t'expliquer que ton père nous cherche une nouvelle maison. Je vais te dire combien il a toujours été fier de toi. Je vais te mentir un tout petit peu en te disant qu'il va revenir. Je n'en sais rien, Émilien. Ton père reviendra quand il aura appris à être fier de lui. Ton père va revenir s'il apprend à se pardonner le mal qu'il s'est fait. C'est sûr, Émilien, que ton père nous fait mal à nous aussi. Mais ce mal-là, Émilien, n'est rien comparé à son mal à lui. Quand tu seras grand, Émilien, si tu n'es pas satisfait de mes réponses, tu iras le voir et tu lui demanderas. »

Le train ne bougeait toujours pas. Émilie sentit l'angoisse lui serrer la poitrine. Elle aperçut le chef de train et se dirigea vers lui pour lui demander la raison de l'arrêt. Elle eut conscience qu'elle n'avait pas remis ses souliers, mais continua de marcher à pieds de bas. « Pas besoin d'avoir des gros sabots, Émilie, pour faire ton chemin. Même sur la pointe des pieds, tu peux te rendre d'un endroit à l'autre. Même sur la pointe des pieds, tu peux marcher d'un pas ferme. Même sur la pointe des pieds… » Elle était à la hauteur du chef de train. Il lui expliqua que le train s'était arrêté pour attendre qu'un convoi de marchandises prenne une voie d'évitement pour les laisser passer. Ce deuxième train venait de l'Abitibi et accusait un retard. Dès qu'ils le pourraient, ils repartiraient. Émilie le remercia et revint près de ses enfants. Rassurée. Elle replaça une mèche sur le front de Paul. « Paulo, toi qui es toujours sérieux, qui réfléchis toujours, penses-tu que ton père, lui aussi, a eu le temps de voir ce train-là ? Penses-tu que ton père aussi a eu le temps de penser que lui et nous, nous croiserions le même train ? Dors, Paulo. Je te pose des questions trop compliquées.

« Mon gros Clément… avec des poings aussi gros que ta tête. Tu es comme ton père, Clément, quand ton père réglait tous ses problèmes avec ses poings. Un jour,

Clément, je vais te raconter comment il avait assommé un de mes anciens élèves. J'ai déjà dit que Marie-Ange avait un nom mensonger, parce qu'elle est loin d'être un ange. Toi aussi, Clément, tu as un nom mensonger. La clémence, Clément, c'est de la douceur. Peut-être qu'en vieillissant, Clément, tu vas apprendre la douceur. La paix. »

Émilie retourna à son banc après avoir vérifié si Blanche dormait paisiblement. Blanche souriait. « Tu peux bien sourire, ma Blanche. Je le sais que tu n'as jamais aimé Shawinigan. Tu souris parce que tu retournes à Saint-Tite. Pour rire avec tes oncles Ovide et Edmond. Pour te jeter à l'eau au lac. Pour être en classe, sage comme une image. Pour continuer à faire croire que tu es docile. Mais moi, Blanche, je sais. Je sais que derrière tes grands yeux bleus se cache le bleu de ta volonté d'acier. Ta douceur est presque apeurante, Blanche, quand on sait toute la force qu'elle cache. Dors bien, ma belle petite Blanche. Je suis certaine que tu as toute une vie devant toi et que tu as déjà besoin de sommeil. »

Émilie regarda Jeanne et Alice par leur reflet dans la fenêtre. Elle sourit doucement. « Si je faisais le trio des sourcils froncés, Jeanne, je serais obligée de t'inclure. Avec Marie-Ange. Avec Clément. Mais c'est tellement normal. Tu passes des heures et des heures à suivre Clément. Tu l'as même respiré dans mon ventre, toi, celle qui l'a suivi. On verra, Jeanne. On verra bien. C'est vrai que la vie nous fait froncer les sourcils. Mais la vie nous les fait relever aussi. Tu as les sourcils relevés, Jeanne. Des sourcils pour rire.

« Alice… aux yeux de la même couleur que ma robe de mariée. Aux yeux de la couleur de la Batiscan, quand le soleil la rend coquette. Tu as sa clarté dans les yeux, Alice. Et son murmure dans la voix. Fais-moi penser, Alice, de te raconter l'histoire de ma robe de mariée que ton père et moi on a enterrée. »

Le train eut un hoquet. Émilie regarda Rose reprendre possession de sa main et la glisser sous sa cuisse. « Rose, ma fleur. Petite de cœur dans ton grand corps. C'est difficile, je le sais, d'être à la frontière de deux mondes. Celui de l'innocence et celui de la peur. Mais je suis là, Rose. Je te tiendrai toujours la main. Ensemble, toi et moi, on va découvrir que le monde n'est pas rempli uniquement de livres et de savants. Dans le monde, Rose, il y a des gens de cœur, comme toi. » Le train eut un second hoquet. Il commença à rouler, doucement d'abord, puis de plus en plus rapidement. Émilie chercha à voir ce train qui arrivait de l'Abitibi. Elle ne vit qu'une ombre tapie le long de la voie. Elle referma les yeux et chantonna au rythme que lui dictaient les essieux et les joints de la voie. « Venez, divin Messie... » Puis ce sont ses pensées qu'elle rythma. « Demain, le soleil va se lever. Demain, le soleil va briller. Demain... Je n'avais pas le choix. Je n'avais plus le choix... Pâpâ, je trouve qu'il y a quelque chose de pas juste... Le diable ! Le diable ! Lazare est un diable !... Charles ? Tu t'appelles Charles ?... Le Windsor... Émilie, je vous trouve sans pareille... J'ai toujours été jalouse de toi, Émilie... Et moi de toi, Antoinette... Penses-tu, ma belle brume, que Télesphore va l'aimer, son meuble ?... J'en ai assez de ce village maudit !... Tu peux être sûr, Ovila, que je ne quitterai pas Shawinigan la larme à l'œil... Bonne nuit, ma belle brume... ma belle brume... belle... brume... brume... brume... brume... brume... brume... brume... br... »

Le train siffla trois fois et l'accordéon tomba par terre. Émilie n'entendit rien. Elle venait d'endormir son brouillard.

Saint-Lambert, Québec,
8 octobre 1984.

Remerciements

Je tiens à exprimer ma plus profonde gratitude à mon conjoint, Daniel Larouche, pour son amour, sa patience, son support et son aide ; à Marilou Michon, ma fille, qui a dû mouler son enfance sur le « travail de maman » ; à mes sœurs Lyse et Michelle, pour avoir cru en ma belle folie ; à Oscar et Juliette Pronovost, de Saint-Tite ; Émilien Pronovost, de La Sarre ; Rolande Pronovost-Buteau, de Trois-Rivières ; Charles Pronovost, de Saint-Tite ; M. et Mme Saül Beaudoin, de Saint-Tite ; Mme Janine Trépanier-Massicotte, de Saint-Stanislas ; M. Gaétan Veillette, de Sainte-Thècle ; au Comité historique de Saint-Tite, plus particulièrement à M. et Mme Pierre Lebrun ; ainsi qu'aux personnes suivantes qui, d'une façon ou d'une autre, m'ont manifesté appui et intérêt : Claude Pronovost-Beaudet, André Bolduc, Bruno Boutot, Bernard Contant, Suzanne de Cardenas, Johanne Dufour, Marie Eykel, Manon Girouard,

Yvon Leblanc, Gaston L'Heureux, Michel Richard et Nicole Sawyer.

Glossaire

A
ACHETEUX : acheteur
AVEC : aussi

B
BALANCE : reste
BALANCIGNE : balancement
BAPTÊME : juron
BARDASSER : brasser, secouer
BARGUIGNER : marchander (de l'anglais *to bargain*)
BATÊCHE : juron
BEDON (OU) : ou bien
BEURRER : tartiner
BINE : haricot ; « crier bine » : expression équivalente à
    « crier lapin »
BONYENNE : bon Dieu
BONYEU : bon Dieu
BOSS : patron (mot anglais)
BOUCANE : fumée
BOUILLON À LA REINE : lait chaud battu avec un œuf, du
    sucre et de l'essence de vanille
BREAST ROLLS (GUIDE ROLLS) : rouleaux dans les usines
    de papeterie (mot anglais)
BRETTER : flâner
BRICADE : briqueterie
BUGGY : voiture (mot anglais)

C

CÂLICE : juron
CANARD : bouilloire
CANEÇON : caleçon
CAPINE : chapeau
CAPOT : manteau
CATALOGNE : étoffe faite de retailles de tissu sur trame de corde
CATIN : poupée
CENNE : sou (de l'anglais *cent*)
CHESSER : sécher
CHICOTER : chipoter, agacer
CHUM : ami, compagnon (mot anglais)
CIBOIRE : juron
CLAIRER : évacuer, vider, nettoyer (de l'anglais *to clear*)
COUDON : au fait
COUPS DE PIED (FORD À) : Ford Model T
COUVERTE : couverture
CRIGNE : crinière, chevelure

E

ÉCHARPE : éclisse, aspérité
ÉCORNIFLER : épier
ÉCRIVEUX : porté sur la plume
ÉGRANDIR : agrandir
ÉLÈVE (EN) : sous tutelle, sous la garde de, pupille
EMMANCHÉ : foutu
ENGAGEMENT : contrat (mot anglais)
ENVOYE : allez !
ÉPIVARDER (S') : s'exciter, s'énerver
ÉROCHER : enlever roches et cailloux
ÉTAMPER : assommer

F

FAIRE DU LARD : prendre du poids

FARMER : fermier ; sens péjoratif : idiot, imbécile (mot anglais)

FOREMAN : contremaître (mot anglais)

FUTUR : soupirant, fiancé

G

GANG : groupe (anglicisme)

GORLOT : éméché

GOSSER : tailler

GOÛT DE TINETTE (NE PAS PRENDRE) : ne pas traîner en longueur, se faire rapidement ; c'est dans la tinette (sorte de baril) que se faisait le beurre que l'on s'empressait de sortir avant qu'il goûte le bois ou le métal

GRÉER (SE) : se préparer, se vêtir, enfiler son manteau

GRICHEMENT : grincement

GROSSE POCHE : bourgeois, personne financièrement à l'aise

GUN METAL : acier oxydé, servant à la fabrication des montres durant la Première Guerre mondiale (mot anglais)

H

HAÏT : hait

I

ITOU : aussi

J

JASAGE : placotage

J'M'AI : je me suis

JOB : emploi (mot anglais)

L

LÉONTINE : montre de poche pour femmes

M

MACHINE : automobile

MAGANER : abîmer, user, briser, défigurer

MAISÉ : difficile (de « malaisé »)

MARIEUX : attiré par le mariage

MAUSUSSE : juron (de l'anglais *Moses* [Moïse])

MÉMÈRE : grand-mère

MÉNÉ : petit poisson qui sert d'appât

MINOUCHAGE : minauderie

MITONS : bottines de feutre, lacées, que l'on recouvrait
de caoutchoucs

MONONCLE (MATANTE) : oncle, tante

MOUCHE À CHEVREUIL : grosse mouche noire qui pique
et pince en arrachant un petit morceau de chair

MOUCHE DE MOUTARDE : cataplasme à la moutarde
que l'on mettait sur la poitrine pour faciliter la
respiration

N

NIAISEUX : niais

O

ORDINAIRE : tâches quotidiennes

P

PANTOUTE : du tout

PAPOOSE : bébé (de l'amérindien)

PÉPÈRE : grand-père

PÉTÉ : brisé

PIANO BOX : calèche à quatre places (mot anglais)

PIED-DE-VENT : rayon de soleil qui réussit à passer à
travers plusieurs nuages comme une colonne de
lumière

PINOTTE : arachide (de l'anglais *peanut*) ; « travailler pour
des pinottes » : travailler pour un maigre salaire

PIQUÉ : superposition de tissus, piqués ensemble, destinés à protéger le matelas

PI-TOURNE : bougeotte, dérivé de « puis tourne »

POGNER : coincer, prendre

POQUER : marquer, abîmer

POURDRE : poudre

PRESSE : hâte

P'TIT BLANC : alcool pur

P'TIT CANADA : rue Notre-Dame, à Saint-Tite

P'TIT CHAR : tramway

PULP AND PAPER : pâte et papier (anglicisme)

Q
QUÊTEUX : mendiant

QU'OSSÉ : qu'est-ce

R
RAPAILLER : réunir, rassembler

RATOUREUX : roublard

RAVEAU : désordre, déformation de « ravage »

REEL : rigodon (mot anglais)

S
SABLAGE : ponçage

SAVONNIER : porte-savon, fait de broche, avec une poignée, dans lequel on mettait le savon et que l'on agitait dans l'eau

SET : ensemble, mobilier de (mot anglais)

SLEIGH : traîneau ou carriole (mot anglais)

SPARAGE : simagrée (de l'anglais *to spar*)

STAND-BY : être de garde, être prêt à (mot anglais)

STRAIGHT : une suite, aux cartes (mot anglais)

SWEEP : remise à l'eau des billes échouées sur les rives (mot anglais)

T

TABARNAK : juron

TAPÉ : froissé, écrasé

THÉBORD : plateau pour le thé (déformation de l'anglais *tea board*)

TOP : dessus (mot anglais)

TORRIEUX : juron (de « tort de Dieu »)

TRAIN : traite des vaches

TRAÎNERIE : objet à la traîne

TRUIE : petite fournaise de plancher alimentée au bois

V

VAISSEAUX : chaudrons, plats de cuisson

VIEUX BIEN : terre ancestrale ou paternelle

Collection 10 SUR 10

Cet ouvrage a été composé en Dolly 9,5/12
et achevé d'imprimer en décembre 2020 sur les presses de
Marquis Imprimeur, Québec, Canada.